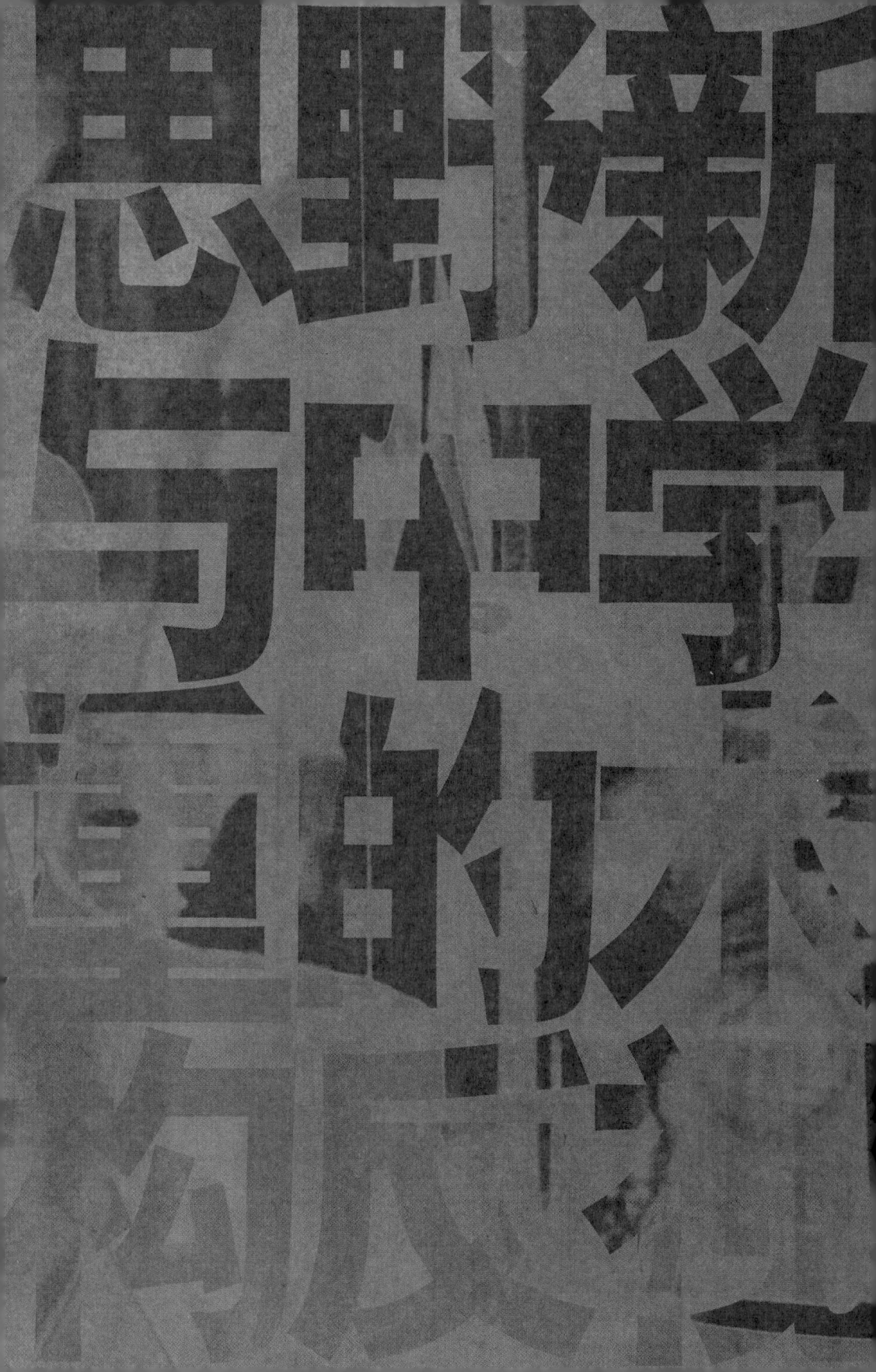

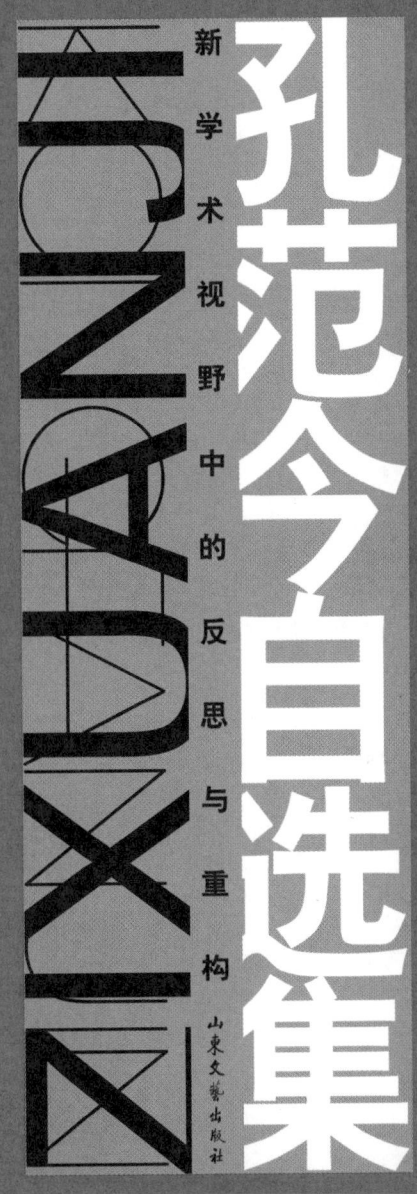

# 孔范今自选集

## 新学术视野中的反思与重构

山东文艺出版社

**图书在版编目(CIP)数据**

孔范今自选集／孔范今著．—济南：山东文艺出版社，2004.8
ISBN7-5329-2356-8

Ⅰ.孔…　Ⅱ.孔…　Ⅲ.当代文学—文学研究—中国—文集　Ⅳ.I206.7-53

中国版本图书馆CIP数据核字（2004）第044462号

| | |
|---|---|
| 主管部门 | 山东出版集团 |
| 集团网址 | www.sdpress.com.cn |
| 出版发行 | 山东文艺出版社 |
| 电子邮箱 | sdwy@sdpress.com.cn |
| 地　　址 | 济南经九路胜利大街39号 |
| 印　　刷 | 山东新华印刷厂临沂厂 |
| 版　　次 | 2004年8月第1版 |
| | 2004年8月第1次印刷 |
| 规　　格 | 开本／980×680毫米　1／16 |
| | 印张／32.875　插页／4　千字／499 |
| 印　　数 | 1—3000 |
| 定　　价 | 33.00元 |

作者近照

# 前　言

　　这个集子中所收的文字，是我从自上个世纪80年代后期至今所做的文章中选出来的。本来时间并不是太久，似乎并没有再做一个"选集"的必要，但朋友和学生们都说那些出版物已难以找到，因此就希望能再出这样一个东西。我想也好，这样做一方面能便于大家的阅读，一方面对我本人来讲也因此有了一个回头检讨自己思路进程的机会。

　　上一世纪80年代的中前期，随着整个国家命运的改变，我国在思想、文化、学术和文学艺术领域都出现了一个令人振奋的拨乱反正的新局面。在现当代文学研究领域，一批新锐的中青年学者自然也成了这一局面中的亮点。那时大家所做的，主要是重评的工作，即在过去被褒或被贬的作家、流派乃至理论主张的另一面去寻找被认为是更逼近对象的本真意义和价值。对象是大家久已熟悉的，但意义却是崭新的。这看似散点式的研究更新，里面事实上却有一个共同的价值期待，那就是以五四时期的文化和文学价值观，或者说至少是以它为价值建构起点的即时性理解，所完成的对政治化的学术研究模式和学术格局的解构与替代。一时间，因历史的曲曲折折而暌违已久的"五四"，似乎又重新被大家找回，而在新时期如何重续和发扬这一历史的文化精神传统，也就成了一代学人为之激动和思考的基本问题。想想那个时候，一篇硕士或博士的学位论文就可以名噪天下，因为它们所带给大家的，无一不是迥异于过去那种政治化研究的令人耳目一新的文化学术信息。可以毫不夸张地说，它们当时所起的作用，无异于破冰期在坚冰上引爆的一枚枚炸弹。

　　那时候，处在边缘区的我自然也因此而无比激动，这样的文章我几乎是每篇必读。这些新锐的学者大都是我的同辈人，有的比我年长些，有的则比我还要年轻很多。我深深地为这一代人作为新时期引领学术潮流的新一代学术主体的崛起与成长而振奋而骄傲，更为由其开拓的崭新的学术局面所鼓舞。但惭愧的是，那时我并没有写出什么像样子的文章来，相反地，多方叩问和思考的习惯却使我陷入了更多更深的困惑。当时，困扰我的问题主要集中在两个方面，一是如何才能算是回复到或者说把握住了对象及其意义存在的本真性；一是为什么近百年内在文化、文学乃至学术观念的历史发展中会数次发生自我否定性的反复回旋的现象。

我知道，要弄明白这些问题需要花费时日，而且，也不是仅凭对单一个学科历史的了解所能解决的。但是，一旦有问题纠缠住你，不弄个明白，你自己也不会放过自己。于是，我也就不再急着去参与眼前的学术发言，而是把心沉静下来，开始了自觉未免有几分旷远之感的学术之旅。似乎是一切都得从头做起，一切都得重新做起，虽然过去也有了不少本专业和相关学科的学术积累，但到此时，忽然觉得它们都靠不住了。现在人们时兴说"知识考古"、"田野调查"，其实如果不是拘泥于它们特定的学术性规范，而是更为宽泛地理解为对研究对象的发现性开掘、相对全面的资料搜集辨析，以及与其所进行的直接的对话与解读，那它们就是对包括现当代文学在内的许多学科研究共同的要求。如果没有为解决上述问题所经历的长达五六年的类似的学术实践，那我就既不会产生这一认识，也不会发出这样的感慨。

从上世纪80年代中期开始一直到90年代初，我所做的第一件事，就是对对象世界的完整修复与再现，我把它视之为"去蔽"的工作。在历史发展中，任何一个过往时段的事物，都会因地理、历史和人文的种种缘故而发生或一种遮蔽，过往的作家和作品也会如此，其中有正常的原因也有非正常的原因。就文学历史的发展而言，有些遮蔽是正常的，它是由接受流传过程中择优汰劣的客观法则所决定的，经由后人所辑，即使叫做《全唐诗》、《全宋文》者也未必就能包容了当时的全部。而有些情况则是不正常甚至是很不正常的，譬如时间虽然过去还不久，或者说正因为其不久，但因择取者方面政治的或文化价值观方面的偏见，而采取的非个人性的排他行为。特别是当这种择取者实际为政治权力和话语权力的持有者时，由其偏取偏解所形成的遮蔽则更为严重。历史上是如此，20世纪也是如此。从当时研究者和学生们所能阅读的出版物来看，当代时期对现代时期的遮蔽，相对于对近代或对当代自身的遮蔽更见严重。许多在当时很有影响的作家作品既不见有任何方式的再版重印，也不见于我们所习见的文学史的记述，致使像张爱玲、徐訏、无名氏、梅娘等现在已为人们所熟知的名字，那时连许多现当代文学研究者也不知为谁。即使是知道有这些人在，也没有读过他们的作品，所知道的不过仅仅是被偏见所强加给他们的恶谥而已。想想多少年来我们的研究乃至大学的文学教育，理论的政治化不说，就是研究对象也被一张大幕严重遮蔽，所展示给人们的只是对象世界的一部分，甚至还对其作了修剪处理，以这样的前提提供给大家，其后果如何岂不可想而知。

看起来不过是资料的收集和筛选工作，可是做起来却比预想的要艰难得多。有些过去私下看过的，要一一找出来重新审定；有些只是知道作家作品名目的，要千方百计地去搜求；而有些连名目也不知道的，就要从翻检旧时的报章杂志中寻觅线索，再按图索骥地各方寻找，当时参与我这一工作的有五六人，断断续续地为此用去了五六年的时间。这期间，北到东北三省，南到福建广东，大家奔波于各地，足迹所至遍及大半个中国，有的资料还是托朋友从境外觅来，可谓辛苦备尝。可是一旦帷幕揭开，大家也就惊喜地发现，原来现代文学竟是如此丰富的存在，尤其是40年代，过去一直觉得乏善可陈，没想到它竟然也是一个色彩斑斓、意味深永的富矿，因此激动之情自然也难以言表。其间遇到的另一个难题是观念的调整问题。问题很显然，如果仍然执守政治的或者是启蒙的理念，那么那些重新发掘出来的各具异彩的文学成果会依然难入我们的法眼，所谓"去蔽"最终也仍然是"排他"。所以也就是在这一过程里，我意识到了观念调整的必要性并对自己的观念作了必要的调整。这一几近于崭新的文学现实使我认识到，现代文学是一个多维性的结构，各方面的意义也都或者说只能发生于结构之中，任何简单化绝对化的价值评议都会使你远离对象。这项工作最后的成果应该既是被遮蔽作品的系列展示，同时也是一种新的文学史观的展现，唯其如此，才能保证这一工作原初目的有效实现。90年代之初作为其最后成果的《中国现代文学补遗书系》终于出版了，虽然仍然带有种种遗憾。我一直在想，如果不是因为当时特定的社会气氛怕这书将难以面世，而不得不于匆促之间将其付梓，如果时间再从容一点，那肯定会做得更好一些。可尽管如此，这套书出版后，还是受到了好评和欢迎，每为海内外学界的朋友们所提及。

与这同时,我所做的另一件事,是对中国历史现代转型的具体过程,尤其是对其制导性变革行为变易特征的考察与思考。这是我寄希望于"揭秘"的一种努力。我一直坚信文学与历史相关发生的原则。文学的相对独立性,充分地表现在它独有的那种审美创造的过程与方式,其成果蕴涵的兼具历时性、共时性特质的丰富的精神情感内容,以及它对历史的独特感受和独特的参与方式上,但这些都不足以动摇我们对这一原则的认同。显见的事实是,如果没有中国历史的现代巨变,怎么会有现代文学思潮的波迭浪涌;如果不是历史对文学的现实功利性要求所引发的文学的种种反应,又怎么会有文坛中层出不穷的复杂纠葛?再进一步说,文学现代品格的生成与发展,包括那些以审美现代性对峙与制衡历史现代性的文学主张与实践,其实无一例外地都是这段历史活动所制造的结果。由此可见,这个道理应该是不难理解的。而也正是因为这个道理,要探究一段文学历史的发展变化,尤其是像20世纪中国文学这样充满冲突和变革的时期,是不能单从文学自身的考察来进行的。倘若以为只从文学自身考察才算是维护了文学和文学史的独立性,那就大错而特错了。作为对以往那种以政治取代文学、以政治史取代文学史的倾向的反拨,产生一种疏离性的心理,甚至标榜一种完全脱离历史的文学史研究,是可以理解的,但这另一种倾向在学理和事实上的站不住脚,也应该早一点明白才好。

基于这一认识,我对中国历史的现代转型过程作了一番考察,对其中经济、政治、文化等重要构成因素的起伏变化、关联方式和制动作用都进行了较为认真的探究与揣摩,用现在时尚的话说,就是做了一点"交叉学科"的研究。当然,比起研究历史包括研究经济史、政治史、文化史的专门家来,我所做的仅为皮毛,自然是自愧不如;但因为我是带着一种多学科交叉聚焦的特殊目的来进行考察探索的,自觉倒是便于发现为人们所可能忽略的一些问题,而自有所得。结果我发现,在中国历史现代转型的过程中,经济、政治、文化这三个重要历史变革因素即历史基元之间,存在着一种悖论性的结构特征。按道理来说,历史的整体性转型变化,是需要由这三个方面的变革来共同支撑和完成的。在其具体展开的过程中彼此之间会有不协调的现象发生,甚至是不可避免,但一般来说只能是表现于新与旧之间,即其中一项的变革与其原来的旧物以及与其他两项的旧物之间的矛盾中。然而,在中国历史的现代转型变革中,这三项历史基元的变革虽然在客观上产生了极为重要的互动作用,但在历史行动者的主观认识和价值取向上却是将彼此设置于对抗之中的。常见的模式是此项变革的出台必是以对此前彼项变革的否定为前提,即以之作为自己深悟历史要义并秉有充分合理性的基本依据。比如戊戌变法者对洋务运动的否定,梁启超倡导启蒙时对戊戌变政的反思,陈独秀发动新文化运动时对政治革命的反拨,以及"革命文学"对"文学革命"的取代和阶级政治革命对新文化运动价值立场的转换等,都可以明显见出这一特点。即使在其后,把政治与经济与文化对立起来的倾向也是时有发生,对此,人们至今也还是记忆犹新的。

　　这种情况的发生说来也并不费解。中国历史的现代转型并不是由其身自足发展的结果,而是在列强步步紧逼国势危如累卵之"数千年来未有之变局"中被动发生的。但也正是这种特定的历史情势,在有识之士中所激发出来的倒是越发峻急的强国之志和更为强烈的历史功利之心。他们不可能也没有条件对历史的更新、国家的雄强或者说历史现代性实现的总体要求作出全面统筹的综合考虑,历史给定的条件只能是对变革突破口的选择与转换。这样,对某一历史基元变革的意义锁定和单向度选择,也就成了实现历史突破或者说"革命"的基本方式,而当这种排他性的单向度选择在实践中必然地要走向与全面变革历史的原初目的严重背离时,具有另一新的觉悟的历史行动者便又势在必然地以对它的否定为前提,用一种新的选择对其进行置换。对于这种选择与转换行进的方式,我也深感遗憾,因为它在推动历史前行时又对历史造成了伤害,但我却并不能同意有的学者以假设为前提来对历史进行评判的做法,因为那样做,实际上是以西方即他者历史发展的模式或者是以个人一厢情愿的构想,取代了历史研究应从对象出发的基本要求,忽略甚至是抹杀了中国历史发展的特殊性。所以,在与《中国现代文学补遗书系》同时出版的论文集《悖论与选择》中,我在指出这一历史结构的悖论性特征时,同时还提出了历史发展的"自然法则"的问题,目的是标示出对历史选择必然性的尊重。一个具有科学态度的学者,应该充分重视历史发展的个性,并有责任对已然性历史现象作出实事求是的剖析研究。应该看到就这一段历史而言，它所提供给我们的是前所未有的新范型、新内容和新的功能机制，这对我们这一代学人来说虽然是一种新的学术难题，但也未必不是一种新的学术机遇。

悖论性的结构，必然形成独特的功能机制。倘若能把这个东西把握住，则无异于执住了牛耳，许多复杂的现象都将不难解释。依我的理解，这是一种悖论性转换和补偿性调适发展的功能机制，历史转型的总体趋势和需求在三个基元之间的悖论性转换和补偿性调适中得以实现，而文学观念发展中左冲右突的种种现象的发生和回旋式运转的基本轨迹，也正是在这一功能机制的掣动中衍生为现实的。虽然因为文学有其自身独特的历史理解和表现规律，不会完全服膺于历史的现实性功利要求，但在林林总总的文坛现象中，即使是看起来最远离历史中心内容的文学主张，事实上也是在这种极具张力的功能性结构中应运而生的一种制衡性的补偿因素，只不过是更增加了广义性历史构成的复杂性而已。而随之而来的问题是，面对这样一个多维性制衡发展的结构性现实，应如何对其进行价值判断？为解决这一问题，我提出了一个对不同价值范畴（或价值层面）进行辨析研究的主张，并结合对某些个案的意义辨析进行了尝试。我认为即使在某种文化、文学的强势话语主导文坛时，共时性出现的不同主张之间事实上也存在着不同价值范畴的差异，有的比如表现为历史功利主义倾向的更多地是在历史价值范畴内彰显出它的意义，而有的比如反历史功利主义倾向的则更多地是在学理性价值范畴或艺术审美的层面上，表现出了前者所欠缺的合理性，对它们应该作出审慎的辨析。文学史研究不同于文学批评，它应该对特定历史时期文学发展变化的内在历史机制、文坛变动的原因及新的审美特征生成的价值一一作出阐释。当然，搞文学批评的人也最好具有一定的史识，否则，就像从森林中拔起一棵树放在你的面前，你所做的也只能就此树论此树而已。

自《中国现代文学补遗书系》和《悖论与选择》出版后，我就开始着手于"20世纪中国文学史"的结撰工作了。其实此前所做的资料收集即对象修复的工作，以及相应的观念重构，都是为这一想法所作的准备，自觉准备已经相当充分了，但是真到要做这件事的时候，却发现原来还有不少问题有待于进一步解决。比如，在观念建构上，就对两个相关的关键性问题还不是十分自觉，也没有取得明晰的认识。一个是对五四启蒙文化观的反思问题。虽然这之前特别强调过调整文化眼光的必要，而且事实上那已经是对五四文化观念所作的质疑与反思，但毕竟还没有把这个问题挑明了来说，更没有作出更具实质性的评说。要知道，那个时候五四启蒙的文化立场仍为现当代文学研究领域主导性的选择，以质疑性立场触及这个问题是多少有些不识相的。但以我的考察和思考所得出的认识，又确实不能违心地去附庸学界的人们所追趋的那种中心话语。起初我还是只管按自己的思路去思考问题，按自己的理解去结撰文学史，不想多什么嘴，但后来想想，有不同的想法还是应该讲出来，不对的话供大家批评也好，所以终于写出了总题为《二十世纪中国文学研究中的两个问题》的两篇文章，一篇是《走出历史的峡谷》，一篇是《超越五四文化模式》，一起发表在《文学世界》1995年第2期上，后又为《新华文摘》全文转发。在关于五四文化模式的那篇文章中，我对西方中心主义的价值立场和以西为今以中为古的文化认知模式的利弊得失进行了批评，并明确指出了在今天应该超越这一模式认识问题的必要性。而关于走出历史峡谷的那篇文章，针对的则是观念上的另一个问题。当时学界仍然存在的一种倾向，即走不出为历史新拘囿的对启蒙与救亡两种立场的背反性选择，这篇文章就是有感于此才写的。我认为要推动现当代文学研究，特别是完成对文学史的重构，必须跳脱出历史的拘牵，这样，才有可能达至一个新的学术视野，上述目的才能实现。

在文学史的重构上，也有些问题。首先遇到的一个问题，就是其所赖以建构的核心概念即基本范畴该如何确定。过去，要么是以政治革命的历史立场和价值观念为本，要么则取其反，以文化启蒙的历史立场和价值观念做立足点，而这两种倾向在治史方面所表现出来的历史局限性已越来越清楚地为大家所认识，如何辨析出一个更具超越性也更具包容性的立史的依据，已成为一个亟待解决的问题。自80年代中期以来，"重写文学史"已成为学界极为关注也极具吸引力的宏大课题，但经历了十年仍无令人满意的成果出现，其根本原因我以为就是在这个问题上没有出现实质性的突破。一直到90年代中后期，才陆续出现了几种颇具新意的文学史著，大家各有特色地走出了新路。在这个问题上，我所努力的结果是推出了一个新的概念——文学的现代转型，我认为这个概念比较契合中国文学现代转型发展的历史实际，它既能更为准确地复现这一转型的完整过程，也能合理地拓展开这一过程中复杂多变的空间结构，用它来作为建构"20世纪中国文学史"的立足点，应该是比较合适而且是有效的。在实际的文学史重构中，我感觉正是因为明确了这一轴心，才使许多问题迎刃而解，新建构起来的史学理念和历史对象的梳理整合也才能够取得互为参证、契合无间的效果。

　　当然，具体的文学史结撰并没有那么简单，无论在时间的长度还是空间的结构上，对许多关节点要作出有说服力的论析，那是需要下很大功夫的。仅仅是为了拿出一个《二十世纪中国文学史》的写作提纲，整整就用去了三年多的时间。这个近三万字的提纲，对这部文学史的核心性概念和基本的史学理念，中国文学现代转型的起点和发展过程的分期，每个时期的结构性特点及评价取向，都作了具体的规定与说明。为了尽早成为引玉之砖，而且我也深知仅靠自己一人在短时间内也难以完成，于是就邀请了一些朋友一起来做，全书得以于1997年春完稿，并于当年秋季出版。这部文学史面世后虽然引起了关注，好评也不少，不过说实话，在我是兴奋与遗憾各居一半的。由于参撰者所做的是填空式书写的工作，而各人的见解与学术准备又终不能一致，所以有些章节之间就难免显得水平不一，对全书观念架构的贴近凸显也未必处处得力，这是我始终引以为憾的。但是，不管如何，为我所倾注心力的一种新的理解、新的建构终于成了人们能够面对的东西，哪怕仅仅是一种启发，于我愿也就足矣。与这部文学史同时出版的，还有论文集《走出历史的峡谷》，其中收入的除文学史的《导论》之外，还有这一时期所写的若干篇文章，既有对文学史个案的重新解读，也有对文坛现实的关注和观念剖析，由它们也都可以看出我在那一时期的所思所想。

　　在此后的一段时间内我又写过一些文章，也是长则很长，短则很短，只要觉得有点意思的，也都收在了这个集子之中。在这几年里，虽然写下的文字不多，但却又感觉颇有些收获，不妨也在此作个交待。

　　对中国文学现代转型的研究，至《二十世纪中国文学史》的出版似乎应该是告了一个段落，但在实际上却又始终放它不下，有诸多问题萦绕心中，不由得你不再去想它。而事实上也的确是在一些基本问题甚至是某些关键性细节上，或者是认识更明晰更深刻了，或者是又萌生出了一些新的认识，比起前一段来有了发展或者可以说是超越。但在这一时期使我感到最受触动也最让我振奋的，还是对以下两个问题的发现和思考。如果从两个问题的相关性以及它们与中国现代启蒙文化观念之间的因果关系来看，实则是对这种文化观念尤其是五四启蒙文化观的又一种或者说另一层面的反思。

一个是在启蒙文化观规约下人文文化的历史处境及文学的现代性问题。人们都知道，所谓"文化"，其实是一个极具包容性的概念，对它进行分类，事实上存在着多种多样既必要又不同的依据和方式，对科学文化与人文文化的界分就是其中一种具有特别意义内涵的类分角度。由此所确认的两种指称，实则是两个既相通又不相同的类概念，把它们完全对立起来不妥，等同起来就更不妥。在历史发展中所起的作用二者也是不相同的，彼此不能互为替代。一般说来，以对人类凭借自身的理性和创造力不断认识和改造自然（包括社会）见长的科学精神，对于推动人类历史的发展来说自然是须臾不可稍离的，不然的话人类将永远走不出原始蒙昧的境地。而决非理性精神所能完全涵盖，乃是以包蕴着人之生命智慧与情感在内的人文性内涵和指向为其特征的人文文化，则因其能够有效地抑制历史发展中不可避免要发生的生命、人性及其生存环境的异化倾向（其中也包括科学技术的发展所可能造成的异化），同样为历史的发展永远地需要。人类社会一如万物的发展，在其破旧立新的过程中每每会有所得也必有所失，而且纵观中外历史，每当历史发生转型变革的时期，首先受到轻慢甚至是破除扬弃的就是人文文化方面的东西。因为人文文化的发展不会像科学认识那样快捷地更新，也不会像生产关系那样随着生产力的发展而否定，在"变"与"不变"的问题上，它常常以被当作历史前行的障碍物而予以否定。可愈是在这种时候，它作为对历史不可或缺的作用愈是应该为人们所认识，因为在这时，它会以一种质疑性的因素介入历史，起着制衡其发展的重要作用。可是在中国现代启蒙，尤其是五四新文化运动时期，偏重于强调甚至被绝对起来的是"古/今、中/外"的历史功利性文化意识，而人文文化与科学文化的类分和价值内涵的差异，基本上都不在其思考的范围之内。当时并举提出的"科学"与"民主"，实质上无不统一在科学精神即科学认识之内，并不是对科学与人文两种文化根本性差异的标示。那时表现为科学主义倾向的对科学万能的宣传,实际上是把人文文化至少是其质疑科学万能和线性进步历史观的那一大部分,被设置在了被绝对否定的对立面上。这从20年代初"科玄论战"中胡适、陈独秀等人所持的态度,即可明显见出。这样的倾向,对健全发展历史意识和文化建设固然无益,对作为人文文化的文学艺术的发展,其负面的作用也是显而易见的。

文学现代转型的目标就是其"现代性"的实现。历来人们谈论"现代性"问题,更多地都是着眼于历史现代性的要求,当然也会涉及文化乃至文学艺术问题,不过多数走的也是与历史进步作意义同构性律定的思路。殊不知只要涉及到这类对象,问题便会立时变得复杂起来。就文学而言,固然有表现为历史功利主义倾向的创作,其创作主体追求的就是与历史进步意义的同构,说它们具有与历史现代性相一致的"现代性"内涵,也并非说不过去。但据我的理解,"现代性"本来就是属于历史范畴中的一个概念,其实并没有多少必要非要拿它来做文学意义内涵和品位高下的判断标准。当然,文学也有个历时性发展的特征性呈现问题,但就是具备了最为"现代"的意义或表现方面的特征,也未必就是现代最好的作品。如果非要拿"现代性"来说事,那也应该更多地关注一下它们在"审美现代性"方面所作出的努力如何。"审美现代性"作为一个另具特指意义的概念,其独特的内涵理解与要求,实则大不同于"历史现代性"的基本规范,它并不专注于对历史"现代性"发展的认同或追趋,而是着眼于"现代"之审美创造所应达到的无愧于时代也无愧于艺术的理想水准。由前面对人文文化的新的认识可知,"审美现代性"与"历史现代性"之间既有其深在的相通性,但却又是根本不同的两种指称。它们之间还经常表现为一种互动性的对峙关系。比如以沈从文为代表的京派文学,它们那种由质疑现代都市文明的立场所创造出来的美好的人性氛围和艺术境界,难道不是现代时期"审美现代性"或一种创造的极好说明吗?

另一个问题是文化与文学视域中"祛魅"与"反魅"的问题。现代启蒙文化观标榜的是理性,到五四新文化运动时更把这一认识推向了极端,凡是理性认识所不能把握的东西一概都在否定和扫荡之列。对此,我们可以视之为"祛魅"的努力。这种做法在破除迷信、推进科学精神方面确实起了不小的积极作用,但作为一把双刃剑,同时也发生了否定非理性文化的合理性和审美创造之想象特征的负面效果。这对文学创作相对独立的丰富发展自然是极为不利的。作为对这一倾向的矫正，文学乃至文化方面都又出现了一个"返魅"的过程。从文化方面来看，有积极的成效，也有消极的后果，情况比较复杂。积极方面的成效，是在价值确认中扩大了文化的包容量，尤其是为人文文化的合理性存在开拓出了一定的空间。但消极性的后果也很显然，在五四高倡"破坏偶像"数十年后，政治和文化学术领域中"造神"现象仍时有发生，就是一个很好的说明。在文学方面的积极作用则更大一些。正是在"返魅"的过程中，新文学在表现内容的独特性、丰富性和艺术魅力的展示方面的追求才变成了现实。倘若从这一角度回看20世纪中国文学的历史长卷，其中所蕴含的丰富内容和深刻启示，也当在不少。

  要说的话已基本说过，近二十年来的情况大抵是如此。不管别人怎么看，反正是自己走过来的路，有几分珍惜，也有几分遗憾。其实感慨最深的，还不是学术建树如何，而是自己的治学状态和感受，给这多年来的生活所灌注的意义。学术乃天下之公器，此书出版后，希望能听到各方面的批评，以冀将来能对自己有所提升。

2004年5月6日

# 目 录

前　言 …………………………………………………………… 1

## 第一辑

《中国现代文学补遗书系》总序 ………………………………… 1
《鲁迅选集·小说散文卷》前言 ………………………………… 19
认同求异与中国化过程中的新文化综合
　　——由鲁迅找到俄罗斯文学说起 ………………………… 26
历史价值范畴里的符号选择
　　——鲁迅批孔新识 ………………………………………… 34
论中国现代小说发展中的后期现代派 ………………………… 50
对中国现代都市通俗小说的再评价 …………………………… 64
历史的补偿与当代意识的追寻
　　——新时期文学发展漫议 ………………………………… 79
文学的自我调节与超越
　　——也谈新时期文学的总体趋势 ………………………… 92
两度轮回之后
　　——一种文化视角内的瞻前顾后 ………………………… 99
《悖论与选择》自序 …………………………………………… 102

## 第二辑

走出历史的峡谷 ………………………………………………… 104
超越五四文化模式 ……………………………………………… 108
"新文学"史断代上限前延的依据和意义

——对"20世纪中国文学"的一种必要阐释 …… 112
经济变革与20世纪中国文学 …… 131
政治变革与20世纪中国文学 …… 145
文化变革与20世纪中国文学 …… 172
历史结构的悖论性与文学的补偿式调整和发展 …… 224
20世纪中国文学史"概说"二则 …… 241
中国近代四部著名小说的生成和价值内涵 …… 257
由一个范本看鲁迅后现代杂文的发展
　　——我读田仲济先生的杂文 …… 268
并非经验的总结
　　——新时期中国现代文学研究说略 …… 281
重新读解孔子的智慧
　　——兼及20世纪的文化批判问题 …… 287
一个通往文学新世纪不可逾越的话题 …… 302
对当前文坛四个问题的省思 …… 316
面对鲁迅的姿态 …… 333
走近茅盾 …… 336
解读老舍 …… 357
《巴金选集》前言 …… 391

## 第三辑

新时期文学的数度突围与选择 …… 395
梁启超与中国文学的现代转型 …… 399
治史者的角色定位 …… 417
九十年代现实主义文学的两次冲刺 …… 419
历史现代转型中的文学潮涌
　　——20世纪中国文学回望 …… 436
对视，并不是取其反 …… 442
绝对化思维无助于文学史的科学建构 …… 444
跨越了一个世纪的启示
　　——重读石评梅 …… 450

## 目录

论中国文学的现代转型与文学史重构………………………… 466
五四启蒙运动与文学变革关系新论……………………………… 490
后　记……………………………………………………………… 509

# 《中国现代文学补遗书系》总序

## 一

富有科学探索精神的学术研究，命定地摆脱不了困境，又命定地必须超越困境。

历时十年，新时期的中国现代文学研究经过长时间前所未有的持续喷涌之后，一种失却自信的困顿感已油然而生。不论自命为"第四代"① 的从事现代文学研究的年轻人对独领风骚的"第三代"略带尖刻的诘难有多么幼稚，但他们作为自己已承受的历史前提，不无欢欣鼓舞而揭示出的"第三代"正面临的困境，却是一个无法回避的事实。对此，以"自省"为群体特征之一的"第三代"也直言不讳，准确地说，倒是他们自己已更早地感受到了这种日渐迫近的危机。这班经受过"文革"磨难，从痛苦与失落中走来的莘莘学子，以超负荷的奋斗捕捉住了时代赋予的人生契机，又以超负荷的奋斗创建了足以代表一个时代的辉煌业绩。正是他们，在现代文学研究的诸多领域提出了一系列崭新命题，并从构成研究系统的观念模式上冲破了旧有格局，为现代文学研究向真理的逼近昭示了希望。然而，诚如中外一些历史前例所表明，愈是在开放性空间内获得相对自由的快速学术演进，愈是会较早地显现从事学术研究者个体、群体及其历史所提供的前提的先天性缺憾。置身于中外汇流的新的文化格局中，面对世界学术发展新趋势和中国"第四代"

---

① 这是二十几岁初涉学坛者的自称，他们大多是大学的青年教师和研究生。他们把从建国前走来的老一代学者称为第一代，把五六十年代登上学坛的学者称为第二代。第三代是指"文革"后占领学坛且极为活跃的中年人，他们大多是"文革"后头几批招收的中国现代文学专业硕士研究生。

自以为获得了世界性特征的当代学术观念的双重参照,"第三代"的内虚感便不期然而生。他们虽然仍旧咬住既定的目标不放,并以不惜牺牲自己承担历史重任的悲剧性心理体验自抚自慰,但由于对文化落差的自我感受,终不免因自己的研究难以取得新质的进展而自我怀疑,甚至对目标发生惶惑。这里面,固然有对某些非自律性社会条件的抱憾,而更多的却是因无法以既成的方式完成由社会历史批评向新审美批评① 的超度而产生的几乎一代人近乎宿命的情绪。他们不情愿接受这种现实,以为秉之于时代的使命仍非我莫属,而在历史与审美之间新的倾斜中又难以自持。

这无疑是一种敏锐而深刻的感受。它的价值在于以自省的方式接触到了历史为新时期现代文学研究所提供的一个基础性前提,即研究者知识结构和文化模式的历史性局限。"第三代"是以传统的挑战者姿态崛起于学坛的。他们朝气蓬勃从人物评价或现象分析或思维方式的更变等各个角度向传统所发出的诘难,其真实命意无非是对传统研究范式及其一系列具体结论的反拨和矫正。廓清与重建的双重价值定位使他们的使命感并不亚于他们的任何一代前人。他们虽然对创造的永恒性价值梦寐以求,充满渴望;但更深知历史和真理都是一个过程,需要一代代人付出各自的代价,因此又以"过渡性"的一代自我确认。这种清醒的历史意识,使其心理深层的自我防卫意识和自审意识能够奇异地呈现为一种交参共存的基本和谐的状态,并外化为自信而又不失其谦和的治学态度。在一定程度上扰乱了他们这种心态的是他们在新的建构中日渐感受到的困窘和迎面袭来的"当代性"挑战。在展现自己后如何再发展自己,这是任何一个或一代学人都要遭遇到的规律性难题。何况"第三代"是在知识的长期沉寂后应运而生、仓促的上阵者。在辩难和冲击传统的研究模式,改变旧有研究景观,揭示一个个带有自我印记的新发现的世界,从或一角度追寻历史发展的内在链条以及指示历史的缺憾方面,他们确实深刻警人,从容大度,而且理直气壮,不容置辩。可是一旦触及到深层更为复杂的历史矛盾,而又不得不用与传统相区别的全新

---

① 审美批评中外均古已有之。此处所谓"新审美批评"的概括,泛指在西方新思潮影响下新近在我国崛起的以文学本体特征为认识对象的各种新的批评范式。

的眼光加以科学的阐释，并建构具有完备意义的研究系统时，他们便隐隐感到了力不从心。他们多么希望能有一个充裕的时间认真再多读一些书，但时不我待，竞相发展的学术形势容不得他们有一时的喘息。正当此时，偏偏又出现了"第四代"从"当代性"方面向他们提出的挑战，这就难免要生出一些内在的焦灼与不安了。

"第三代"的这种心境是已被大家感受到而且也是被理解的。这种情绪固然有可能动摇"第三代"人的自信心，但又未必不是一种实现新的超越的内驱力，因为危机恰恰是超越的前提。近一时期他们对研究方向选择、观念意识和把握方式的各自不同的自我调整，就是很有力的说明。值得指出的倒是，在上述这一几乎趋于社会共识的问题里面，所隐含着的尚未被"第三代"和社会自觉意识到的自我误解和社会误解。误解来自对"当代性"的片面理解。其一，面对新审美批评的挑战，对社会历史批评尽管不乏现实性的价值肯定，但却缺乏预后性的自信。文学是一种复杂的社会现象，文学与历史相关性的永恒存在，决定了社会历史批评的永恒存在价值。文学家的创造和接受者的再创造虽然有人类审美活动的独特规律，甚至这一领域的价值判断还会和历史的进展呈现二律背反状态，然而文学一切无序而又有序的现象的出现和消亡、发展和衰颓，究其根本又无不与社会历史内在的甚至外在的钳制有关。过去的失误只是在于，在这种批评范式内排除了对象本身内含的诸多参与因素，将批评者的眼光紧缩在社会政治的单一方面，而且无限贬抑了其他同样重要的批评范式，而把它推向独尊。对此种状况痛心疾首的反拨本是"第三代"事业展开的起点，而且正是他们筚路蓝缕不辞艰辛的努力，才使这一批评范式获得了科学性价值，并为其他批评范式的兴起和活跃开拓了广袤的空间。可是，由于过去很长一段时间对这一批评范式理解和导引的偏狭只是一种历史性的失误，而不能构成正常意义上的历时性特征，所以，当"第三代"起而反对它时，更多着眼的也就不是特定历史时期的失误问题，而是作为历时性因素的科学性的普遍原则。因此，无可讳言，虽然他们建树的事业已赢得当之无愧的时代特色，但在深层意识中，却对这一研究本身如何获取与世界文化发展相称的当代性，缺乏更主动的思考。他们对研究成果的先锋性怀有强烈的期待，但在咄咄逼人的新审美批评的挑战中却又缺乏足以支持自信的可靠心理保证，难免目光发生凌乱。应该说，一阵大潮过后的分化是正常现象，"第三代"中一些人对研究视角的重新寻找也是一种必然，其中自有其非主体性逻辑展开的规律性原因。问题是无论是打算扬弃还是准备恪守社会历史批评范式的人都不要认为它已无法取得先锋性的品格，建立在误解基础上的恪守和扬弃都难以持久。"第三代"应从对其普遍原则的坚守（这在矫正历史失误方面十分必要）转到对其当代历史性特征的自觉思考与探索上来，尽早走出心理困境。

其二，是由主体关怀倾向而导致的对于历史研究"当代性"把握的非自觉性偏误。与在原则和具体材料中消融个性的研究方式不同，"第三代"把研究中科学价值的获得同时看作是个体生命价值的实现。他们更看重主体观念对研究对象的烛照和穿透，认为自身观念的调整是进入新的研究境界的首要条件。对象的历史性存在是无法改变的，改变着的只是一代代研究者的认识。面对着被教条主义和极左思潮涂抹得面目已非的"历史"，面对着一连串深具迫切现实意义的历史研究课题，"第三代"出于责无旁贷的时代使命感，表现出一种怀有切肤之痛的醒目的主体关怀情绪。正如人类对其他事物的认识都不会停止在某一结论上一样，处在不同时空位置中的人们对现代文学对象及其构成的一段历史也会产生不同的认识。任何一个时期，人们的认识能力都会为这一研究及其方法论划定一个有效的范围；而后一时期较前一时期的改变又都必然形成对这一有效范围的突破。从这种意义上说，构成人类认识成果的"历史"，只是人类认识的一种成果，它的任何一种发展，都只能是认识者主体调整与发展的结果。尤其当一种错误的观念笼罩使主体失去了创造的活力，并由此使历史研究背离了基本的客观性要求或甚至陷入荒谬时，对主体生命活力的呼唤和对变更主体观念模式的偏重，就不但是可以理解而且是应该给予高度历史评价的了。"第三代"的失误不在于他们所表现出来的主体关怀倾向，而是他们在实践过程中由此而不自觉陷入的另一种偏误，即对对象世界的相对漠视。在初登学坛的时候，他们本以恢复历史对象的客观规定性为己任，但随着对历史研究的"当代性"和变革现实社会的广义实用目的的日益明朗与渴求，这一原初目的便于不知不觉间逐渐退隐。目的追求的悄然转移，带来的直接后果必定是对对象世界的逐渐疏离。他们重视的是"意义"的新发现，这原本不是什么错事。可是当对"意义"的理解在主客双构关系中只是偏于主体一方,当把目光从对对象世界的扫描内敛为只是对主体思辨的痛苦搜寻时,它的片面性便显现出来了。

尤应引起注意的是,历史提供给的缺憾性前提与这种片面性的连接,所会产生的深刻危机。无可讳言,从第二代开始,包括第三代和第四代,他们所接触到的研究对象或者说所接受的历史材料,都被限定在有限的认可范围之内,而并非历史对象的全貌或真貌。这种缺憾的造成,固然有历史偏见和极左思潮所构成的原因,另外有一个原因,即特定历史阶段对前此历史材料的合理性的片面选择,则是一种合规律的正常现象。由于这两种原因,新时期现代文学研究的基础性课题中,无疑应该包含着对这一前提的修补,即对对象世界的重新寻找。但遗憾的是,人们对此至今仍缺乏更为自觉的认识。不能说一点认识也没有,也不能说一点工作都没做,但这一切都仍局囿在已知范围之内。应该说"第三代"在这方面做的工作更多,但他们也只是在自己的选题范围内为搜求证据而有某些材料发现。明显的事实是,在新的研究格局之中,属于不同研究者的一个个小世界各处林立。这虽属学术发展期的正常现象,但由它们连接起来的整体对象来看,显然还有不少构成对象世界或一方面的史实仍在他们已知知识范围之外。而且,由于对对象世界整体了解上的陌生,直接影响了某些论断的科学性。很难想象,与一个并不完整的对象世界,怎能进行更富有科学意义的对话。

弊端早已有所显现,而且迄未克服。对对象把握中的盲点导致观念认识中的误区,这是现代文学研究中长期存在的一种偏误。近年来这种误区虽有日渐缩小之势,但并未从根本上得到解决。如,由于对四十年代小说发展状况了解的片面性,便得出了自三十年代新感觉派向现实主义归依后现代主义在小说界已陷入沉寂的结论,就是明显与事实不符的。事实上,这时不仅在钱钟书,"七月"派某些作家的创作中含纳着现代主义的某些因素,而且还有一个作家群仍然以现代主义为基本文学追求,这就是张爱玲、徐訏和无名氏等人。他们无论是对人类生存哲学的思考,还是艺术期待的实践展现,都足以说明现代主义是其基本的特色。与上一倾向相关,观念上的误解又会导致对对象世界的偏离。还举同一个例子。由于现代主义在四十年代小说创作中沉寂这一结论近于共识性的存在，人们便不能对已知的钱钟书创作作出符合本体意义的科学评析，对其隐藏在现实主义叙事态度中对"围城"人生主题思考的现代主义属性，也就大多予以忽视。对新近引入视野的张爱玲等人，对其创作倾向也只好作出其他牵强附会的比附，如现实主义的、浪漫主义的等等。

从历史研究的发展规律来说，它的当代性既包含着研究者认识能力的新发展，也包含着对史料的新发掘。两者应该是相得益彰的。现代文学研究要走出新的困境，恐怕也要从这两个方面加以考虑，而且给以同样的重视。从学科研究的本体意义和实际存在的某些倾向性而言，对后者进行更为自觉的认识尤为重要。有人提出，现代文学研究应回到文学本体，而我则以为尤为迫切的提倡却是回到对象本体，因为它具有更大的包容性。它包含双重的本体要求：文学审美特性和文学与历史之间的承载与制约关系。同时，这一"对象"含有对对象世界的整体要求，它要求呈现的是在科学意义上反映整个现代文学历史景观的全貌。

## 二

中国现代文学发展的复杂性及其变异性，在中外文学史上都是极为罕见的现象。历史的帷幕一旦拉开，我们就会发现这是一个多么丰富而瑰丽的世界。多种因素的共时并存和各种力量的积极参与，使它明显地呈现为一种活跃的复杂结构状态。意义显现于结构之中。对现代文学开展历史结构方面的研究，和带着自觉的结构意识研究现代文学的各种专题，应该是极有意义的事情。

不能不指出，这是我们一向最为薄弱的环节。以新与旧、正与反两极对立的方式结构历史的基本骨架，加上非此即彼的简单化的价值评估，这就是为我们所熟知的基本研究套路。历史本身确实存在着正与反的对立，但它总是伴随着许多复杂的内容同时存在，甚至由于它们的牵制，呈现为扑朔迷离的局面。历史研究有责任对此加以说明。在审美领域所发生的一切，情况就更复杂了，很难用社会政治领域中的价值标准一概论定。否则，不但科学价值会在伪科学原则中迷失，就是据以产生这种伪科学原则的直接性社会功利目的，也会在社会接受者的逆反心态中失落。新时期现代文学研究的功绩之一，就是改变了这种名为二元构成实为单向度价值判断的构成模式，从许多方面恢复了历史构成的复杂性。可是从整体态势上来看，尚未在完备的意义上作出准确的描述；有人虽然力图重新解说这段历史，其中自然也内蕴着重新结构这段历史的热切企望，但也没有从根本上突破旧有的结构图式。

绵延数千年缓慢发展的中国封建社会，历史的流变几乎是一种同质的延展。朝代的更迭只是由一连串相类似的偶然事件区分，时序所显示出来的更多的是"共时"性特征。"不知有汉，无论魏晋"，正是这一历史规定中的特有心态。这种状况自近代起则发生了显著而深刻的变化。外力的强行干预虽然伴随着民族耻辱，以致造成中国人经久难消的心理矛盾，但由此而引发的历史大激荡，却显现了中国历史的巨大进步。在中外碰撞、新旧交搏中，封建大一统的皇权专制土崩瓦解，新的政治力量、经济力量和文化力量艰难地崛起，破坏着一切旧有的秩序。自"五四"起，又有新的历史范畴出现，更加剧了各种矛盾的激化，并推动了新物的生长。在中国近现代史中，各种历史因素都空前活跃，各种结构秩序都发生着剧烈变动，构成了对前此历史共时性特征的破坏。努力抑制和破坏被认为民族灾难之源的历史"共时"性特征，是这一时代无比强烈的历史愿望。与以往历史不同，它把时代的异质性特征推到了十分显豁的地位。对时代特点的这种确认，我的目的在于说明在这一大背景中演出着各种悲喜剧的中国现代文学，在整体结构方面会有多少迥异于既往的重要特征值得我们去认真探讨。

首先是它的开放性大空间特征。结构问题实质就是空间问题。现代文学凭借发展的延展性空间，实际地包含着三个方面的空间开拓。一，主动汇入世界文学发展的总格局。人类文明发展到十九世纪中后期而有一变。马克思和恩格斯在《共产党宣言》中对此作出过精辟的分析："资产阶级，由于开拓了世界市场，使一切国家的生产和消费都成为世界性的了……过去那种地方的和民族的自给自足和闭关自守状态，被各民族的各方面的互相往来和各方面的互相依赖所代替了。物质的生产是如此，精神的生产也是如此。各民族的精神产品成了公共的财产。民族的片面性和局限性日益成为不可能，于是由许多种民族的和地方的文学形成了一种世界的文学。"中国现代文学对世界文学格局的主动介入是在两个相关前提下实现的:一个是国门既开之后,经过洋务运动、戊戌变法和辛亥革命的痛苦反思,新文化启蒙成了先进知识界的主要历史选择,而文学又被视为完成这一历史任务的"第一要著"①;一个是在文化态度上冲破了狭隘"爱国主义"的伦理笼罩,以为"爱人的运动比爱国的运动更重要"②。有了这两点,才保证了以严峻的历史态度推涌起引进和学习世界文学的热潮,也才保证了有足够的精神力量支撑由非等值比较而造成的交流倾斜。肇始于近代史之初的国门开放,如果说还是一种历史的被动,那么在新文化运动中高涨起来的文学借鉴之潮,就完全是一种主动精神的生动体现了。因为加入了世界文学发展的一体化总格局,使中国现代文学必然地产生了世界性特色,这早已是不言自明之义。需要说明的,是它在介入方式上的个性特色。由于文化启蒙这一历史选择的笼统性和急迫性,由于在改革文学要求上的全方位性,使我们的借鉴同时接触了西方世界从古至今的多重历史空间,并得到了多重参照。西方文化和文学正处在裂变期所产生的分裂性特征,尽管也带来了中国现代文化观念和文学观念的某些歧异,但在其总体上呈现出来的却是一种综合性特征。在西方看似风马牛不相及的东西,在我们这里却可以产生一种奇妙的综合。人道主义可以和个性主义哲学结为一体,传统的文学态度也可以和现代主义的背反思考熔为一炉,这种在文化根性上的时空错乱,在中国的现实选择里却变得入情入理。对世界文化和世界文学的发展来说,这也未必不是一种奉献。从总体上说中国现代文学与世界文学相比自然还有一定差距,但它在以这种个性化方式介入世界文学时所产生的几位大家,比起来却也毫不逊色。二,历史的新要求和社会政治、经济、文化心理方面的深刻变动从多方面开拓了文学的功能区域和审美空间。从封建载道桎梏中解放出来的新文学,能从更宽泛的意义域理解自己的使命和自身的价值,使其在功能选择和审美意向上表现出了多义性和差异性的特点。三,现代史由政治力量的多元并存到两元对峙的特定社会结构,必然导致可控性与失控性的同时呈现,这就使不同选择的文学在不同区域里获得了相对自由的发展空间和空间感。

---

① 鲁迅:《呐喊·自序》。
② 李大钊:《"少年中国"的"少年运动"》。

空间的拓展使文学的各种功能都得到了比较充分的发挥。现代文学历史结构的又一特征就是它的多维性。不同文学选择在多层面上的复杂展开，形成了现代文学特有的结构景观。从文学对历史的理解和态度上来说，自然有我们所习惯说的"左"、"中"、"右"之分。前后两者都把目光集中在对某一现实性政治力量的服务上，人们对它们的评价也大多是在历史的范畴里进行。最难把握的是中间状态，它们对现实政治力量持有一定距离的泛历史眼光和对文学本体完善的珍视，都使我们难以在一个规定性范畴里作出明快的决断。所谓泛历史眼光，是指它们超越具体的历史力量，而从对人们现实生态中文化、心理和人性问题的关切里，所透显出来的对历史的悠远关怀。由于这一思考的宽泛性，使置身于这一层次中的作家又有种种不同。民主主义作家老舍等人更关心的是社会文化心理的历史积淀，展示它们如何在现实生存中酿成了重重悲剧。而自由主义作家沈从文和梁实秋等就不同了，他们更多的则是对人性问题的关注。他们之间也不同。沈从文明确宣称，他对"文学"与"人生"的看法，"和别一部分人虽无是非可分，无高下之分，然而却实在有些不同。……要紧处或许是把生命看得庄严一点，思索着向深处走"①。他要表现的是"一种'优美，健康，自然，而又不悖乎人性的人生形式'"②。在现实纷乱的文学追求中，他始终坚持自己的目标不变："只想造希腊小庙"，"这种庙供奉的是'人性'"③。沈从文所着意强调的，显然是源之于生命要求的"自然本性"，对于那些无论是积沿成习的封建伦理旧秩序还是扭曲蠹蚀人性的都市上流社会新"文明"，在他的文学世界里一律都给予否定。在他看来，生命自然本性的美好发扬，才是民族甚至整个人类的希望。在现代文学史中，梁实秋也是个以"人性"为标榜的人，但与沈从文强调"自然本性"不同，他强调的是经过理性律定的所谓"普遍的常态的人性"。虽然他也主张"文学发于人性，基于人性，亦止于人性"，但同时又认为"在理性指导下的人生是健康的常态的普遍的；在这种状态下所表现出的人性亦是最标准的；

---

① 沈从文：《给一个广东朋友》。
②③ 沈从文：《习作选集代序》。

在这标准之下所创作出来的文学才是有永久价值的文学"①。因此他特别推崇西方古典主义的"适当律",强调文学实现内在节制的"纪律",并从广义上反对浪漫主义,以为非如此便不能对人生的健康发展即对社会历史有所补益。由此看,他和沈从文之间的内在分歧还是相当深刻的。如果说沈从文、梁实秋等还在寻找文学与历史之间的联结点,并把它视为文学表现的根本宗旨;那么,同为自由主义作家的徐志摩以至林语堂等人则连这一点也不予以明确强调。他们脑际浮现的不无空想色彩的理想社会图式时时遭到严酷现实的否定,只好在文学和现实性的社会历史之间划一道界限,缩回自我的心灵中寻找文学的本体意义,以为这样也就是尽了对社会的责任。自由主义思潮和作家的出现,是现代特定历史格局中的独特产物,自有其历史的必然性和独特的意义,在现代文学历史结构中构成了极为复杂的一维。林语堂曾感慨地说:"我常常徘徊于两个世界之间而逼着我自己要选择一个——或者旧者,或者新者。"②但是,终因为他们的理想社会图式与现实的不可协和,和对文学本体利益的敏感防卫,而选择了中间道路,有的人甚至公开以"第三种人"和"自由人"自行标榜。这种我行我素的角色选择,"或可视为消极的反抗,有意的孤行"③。但在以文学的方式对人生进行或一角度的思考和表现上,尤其在对文学的营造上,却也有其独到之处和显著成绩。正如茅盾评价徐志摩时说的:"志摩是中国文坛上杰出的代表者。"④

从审美追求和对接受者的态度上来说,现代文学又有雅俗之分,并且有某些特殊的中介状态,也有等而下之的恶俗文学现象存在。在现代文学中由文学趣味的雅俗之分和接受者的文化差异而形成不同读者域的现象是很突出的。瞿秋白曾发人深思地提出了"三个城池"之说:"第一个城池里面,只有勉强认得千把汉字的'愚民',所以他们文坛上称王霸道的是《西游记》,《封神榜》,'几侠几义',《阎瑞生惊梦》,《蒋老

---

① 梁实秋:《文学的纪律》。
② 林语堂:《林语堂自传(三)》。
③ 郁达夫:《〈中国新文学大系·散文集〉导言》。
④ 茅盾:《徐志摩论》。

五殉情》,《陆根荣黄慧如轧姘头》,十八摸,五更调……第二个城池里面,只有不懂得欧化文和上古文的'旧人',所以他们文坛上称王霸道的,是张恨水,严独鹤,天笑,西神等等,什么黑幕,侠义,艳情,宫闱,侦探……小说。第三个城池里面,方才有懂得欧化的'新文人',在这里的文坛上,才有什么鲁迅等等,托尔斯泰,易卜生,莎士比亚,高尔基,哥尔德等等。"[1] 新文学一向希望在读者方面拥有全社会,特别是它们所希望启蒙或教育的社会大众,但是,这种强烈企求却在文化隔阂里发生悲剧性的错位,使它们的传播范围基本上只是限制在"新文人"的圈子内。与此不同,属于通俗文学范畴的鸳鸯蝴蝶派反倒能够与预期中的读者直接沟通。它所以能够屡遭挞伐而不衰,就是因为能够紧紧依附在现代都市市民社会这一特定读者群体上,在特殊的功能选择中不断实现自我调整的结果。市民社会与知识者阶层不同。知识者阶层以创造知识、传播知识和把知识转化为社会财富为业,他们几乎是把生命的全过程都看作创造的有效期,即使在以娱乐为目的的活动中,对供他们娱乐的对象也并不放弃价值判断,表现为一种有自觉选择和判断的节制性特征。而市民社会则把工作和娱乐看作完全不同的两种东西。工作就是工作,娱乐就是娱乐,这种自觉的界限比较清楚。在对文学艺术多项功能的选择中,明显地倾向于娱乐这一方面。当然他们也有自己的价值判断,但这种判断是宽泛的,笼统的,仅仅是有害无害而已。而且,由于文化素养的限制,由于对娱乐功能的强烈要求,这一宽泛笼统的价值认识也常常在实际娱乐过程中被不自觉地模糊掉或基本放弃。鸳鸯蝴蝶派就正是适应市民社会的这一欣赏要求而产生,并规定自己总体性基本功能特征的。这派作家不但不讳言这一为新文学阵营所一再反对和鄙视的趣味主义的文学选择,而且还特意再三以"消闲"、"娱乐"来自我标榜。应该看到,毫无思想、道德是非的判断与贬褒,非但在任何文学体式中都不可能,而且也为市民社会所不取,因为市民们虽不愿因巨大的震撼力和尖锐的刺激打破心理的平衡,但倒是常常习惯于到非现实的娱乐性的精神生活中寻找价值观念上的自我认同,并在此基础上于不自觉间以渐变的方式矫正和改变自己的观念。为适应这种特点,鸳鸯蝴蝶

---

[1] 瞿秋白:《学阀万岁》。

派采用"谲谏微讽"的方式实现其社会教育的目的,以为"潜移默化于消闲之余,亦未始无感化之功也"①。与新文学相比,两者区别是很鲜明的。新文学作家在与接受者之间的主客体关系中,超越客体的主体意识自觉而强烈,而这派作家则相反,是以客体意识来规整主体意识,表现出"主随客便"的特点和重视市场机制的商品意识。由于新文学与所期望的读者之间存在明显的文化隔阂,有些人则想做些沟通的工作,于是,现代小说中便出现了一种特殊的"中介状态",这就是以张资平、叶灵凤、叶鼎洛等人为代表的小说创作。叶灵凤在写《时代姑娘》时说:"这是我第一次意识地要尝试的大众小说,是想将一般的读者由通俗小说中引诱到新文艺园地里来的一种企图。因此,除了开始的时候我还不曾抛弃我习惯了的笔致之外,一大部分我都是用着极通俗的句法写着。"②后来写《未完的忏悔录》时又说,目的是要"吸引一般刚从旧小说转向新文艺的读者"③。这类创作确是部分地实现了预定的目的,但却也在原主体意向的牺牲上付出了一定的代价。

在创作方法选择、文化心态呈现和流派形成方面,现代文学也表现出了并不多见的多维性特点。还有值得研究的一个现象是地域文化特征的多元显现和对峙。被历史、文化和文学的变动激活了的地域文化因素不仅内在地制约着作家的思考和风格规范,而且在文学独树一帜的创造中也成了作家自觉的追求。如北京文化、东北文化、吴越文化和楚文化等,都内铸了一些作家和作家群落的文化个性。尤其是京海派的对立和渗透,在现代文学的整体构成上更有超出两种地方文化之外的广泛意义。

现代文学历史结构的再一特征是疏离性。在中国现代史上,没有一种社会力量和文学力量,能对所有的文学现象实行有效的控制和规范,由特定历史格局造成的相对空间切割,必然使各种文学力量在整体结构联系上呈现出疏离性特征。在现代文学史上,覆盖面较大的统一状态只有过两种或者说两次:一种是文化的,是由文化目的的泛性特征形成的

---

① 《〈眉语〉宣言》。
② 叶灵凤:《〈时代姑娘〉自题》。
③ 叶灵凤:《〈未完的忏悔录〉前记》。

统一，在新文学运动初期出现过；一种是伦理的，在中华民族生死存亡的关键时刻，任何一个还看重人格的知识分子都无法逃过最高道德原则——爱国还是卖国的律定，而不得不把文学主张的差异和对立降到次要地位，把服从于统一御敌看得高于一切，这种情况在抗战初期出现过。但这两种情况都难以为继，而且即使在这两种状态中，内在的分歧也是相当深刻甚至尖锐的。在相对疏离的关系中，一方面保证了文学各种功能的充分发挥，但一方面在文学的各种功能之间也必然出现一些彼此不和谐，即抑此扬彼的状况，出现对某一端的片面强调。这也是现代文学的一个整体性特点。与疏离性相对应的是互补性特征。在不同主张和文学形态的对立和斗争中，任何一个对立面的存在同时又是一个反观自身的客观参照。还以新文学与鸳鸯蝴蝶派为例。新文学界始终没有放弃对鸳鸯蝴蝶派的批判，但他们也清楚地看到，无论实行怎样的冲击，这种所谓"旧式白话小说"，却仍然"可以安安稳稳的坐在他们的'太平皇帝'的宝座上"①，而新文学本身则"反而和群众隔离起来"②。有鉴于此，瞿秋白痛心疾首地指出："这样，'新文学'尽管发展，旧式白话的小说，张恨水，张春帆，何海鸣……以及'连环图画'小说的作家，还能够完全笼罩住一般社会和下等人的读者。这几乎是表现'新文学'发展的前途已经接近绝境了。因为如果新文学继续用现在这种新式的所谓白话，那么，他的前途便有一个不可逾越的界线——顶多发展到这条界线，往下就绝对不能发展了。这条界线，我们姑且叫它'绝种界线'。"③（着重号为原文所有）这种振聋发聩之声从语言形式方面道破了问题的严重性，并逐渐成为革命文学界的共识，以致开展了"大众化"问题的讨论。从对方来说，其实张恨水等人自三十年代中期开始的对小说观念和创作实践的调整，增加了更多的社会批判内容，这也与感应历史的要求和接受新文学的影响有关。

以上只是对现代文学历史结构横面的简析，而且难以说明它的全部复杂性。从纵面来看，则又有更为深刻的结构内容显现。历史与文学之间相关存在的前行力量和历史的、文化的、文学的诸种悖论因素的纠

---

①③　瞿秋白：《鬼门关以外的战争》。
②　瞿秋白：《普洛大众文艺的现实问题》。

结，构成了现代文学结构形态调整运演的复杂内在机制。就新文学来说，体现其历史选择最初目的的新文化启蒙，根本无法改变众多国民的现有生存状态；而生活在现有生存状态中的国民，也根本无法与启蒙者进行所谓"文化"的对话和沟通。在文化选择上，全面引进却无法变为全面取代，自身的负累已日见沉重，何况又有有形无形的社会性文化环境的迫压，生活在文化夹缝中的苦恼更难以摆脱。在文学选择上，坚持追求和艰苦营造的审美理想和文化范式不能在接受者世界里获得预期的肯定，而改换方式又常常在某些方面意味着自我否定。这些无法回避的原因，使新文学的发展常常出现角色选择中的易位和运行线路上的回旋现象。对原初目的的自觉否定，虽然不无痛苦，但也认为是一种符合现实性规定的进步。这一切，也都构成了现代文学历史结构的一个重要的历史性特征。

如果与以往的历史作比较，现代文学确实破坏了许多支配文学历史已久的传统性内容，而获得了突出的异质性的时代特征。但深层文化的潜在规定作用还是历历可见的。在现代性的结构中明显地存在着一个由长时段因素构成的潜在结构，时时或隐或现地参与并在一定范围或程度上支配着文学现实的构成和发展。这两种因素的纠葛和隐显结构的交叉，十分值得我们花大气力去作认真的探讨。

## 三

在现代文学研究中，我以为还有一个需要认真对待的文化眼光的调整问题。

如果我们延展一下历史的长度，把目光从现代文学的初起时期转向对它以后发展过程的考察，就会发现一个奇怪然而带有规律性的现象，那就是一些在新文学革命初期全面反对传统文化的人，事过境迁后却在竭力说明这一运动与某一方面传统文化的历史延续性。且看胡适怎么说："我这几年来，对外讲到这件事，认为这个运动就是中国的文艺复兴运动。前年，在我病之前，在加州加里佛尼亚大学教了五个月的书，在那个时候，加里佛尼亚大学请我做十次公开的讲演（用英文做十次公开的讲演）。他们要一个题目：近千年来的中国文艺复兴运动。从西历纪元一千年到现在,将近一千年,从北宋开始到现在,这个九百多年,广义的可以叫做文艺复兴。一次文艺复兴又遭遇到一种旁的势力的挫折,又消灭了,又一次文艺复兴,又消灭了。所以我们这个四十年前所提倡的文艺复兴运动,也不过是这个一千年当中,中国文艺复兴的历史当中,一个潮流、一部分、一个时代、一个大时代里面的一个小时代。""所以呢,我们回头来想一想,我们这个文学的革命运动,不算是一个革命运动,实在是一个中国文艺复兴的一个阶段。"① 胡适是从白话文学的角度把新文学革命纳入千年中国文艺复兴历史的。周作人也在寻找新文学与历史之间的源流关系,并且在总结自己的思想时说:"在知与情两面分别承受西洋与日本的影响为多,意的方面则纯属中国的,不但未受外来感化而发生变动,还一直以此为标准,去酌量容纳异国的影响。这个,我向来称之曰儒家精神。"② 周作人则是从观念意识和深层精神方面做出解释的。他们两个人从两个不同的方面做的说明,合起来就是一个完整的解说。这种当事人事后的解说,实际上是与历史拉开一段距离后经过静观反思的一种新认识,它虽然真实地反映出了一部分历史的本质,但却难免有趋时附流之嫌,终觉不如鲁迅有勇气在事后也敢于说出事情的真相:全面地反对传统文化。

胡适、周作人等人所以要重新解释历史的动机和真相,是因为他们看到了现代文学发展的结果,是对最初动机的一种矫正。他们是从结果回头来解释动机的。结果从来都不会是最初动机的完整实现,所以他们的解释并不完全符合历史真相。但这种重新解释,反映了一种新的认识、新的评价、新的眼光,对我们认识历史还是有作用的。至于像胡适那样抹煞了新文学运动和旧文学范畴内发生的文艺运动的本质性区别,那则又另当别论。

从现代文学发展的实际历史过程来看,结果和原初目的之间确实存在着鲜明的差异,新文学的实践过程(行为方式)与最初的文化提倡(观念模式)之间存在着逆向性特征。所谓"逆向",不是完全地背道而驰,南其辕而北其辙,而是指对于原初目的的某种背反。众所周知,新

---

① 胡适:《中国文艺复兴运动》。
② 周作人:《知堂回想录》。

文化运动和新文学运动初期，知识界的先驱者们是全面否定传统文化而提倡全面引进的，因为在他们看来，非如此则不足以产生新的文化、新的文学。这种激烈的态度反映了一种历史的觉悟和变革历史的决心，它所起的作用和应得的评价都是不容怀疑的。我们要指出的只是，历史所需要的力量和文化、文学自身建构发展的科学规律并不是一回事。先驱者们理论上的冲击力在廓旧催新上确有不可或缺的巨大作用，但新文学的发展本身却并不能够由外来文化全面替代。事实也就是这样，新文学的发展出现了不可遏抑的向传统"回归"的整体现象。正如唐弢所说："我在这里想要提醒的是，现代文学在转了一阵圈子之后，终于摆脱和融化了外国的影响，各就各位，重又回到经过改造和开拓的传统基础上，形成了新的民族风格。"[①]

但这是一个长期而又艰难的过程。现代文学发展的实践一面在贯彻着新文学运动的基本精神，一面又在矫正着它的不切实际之处，探索发展。大概所有新文学界中人，都无不程度不同地感受到了栽培无根之花的艰难。在余上沅、赵太侔、徐志摩等人转而发起"国剧运动"时，徐志摩曾经发出过这样的感慨："这年头，这世界，也够叫人挫气……好容易你从你冷落极了的梦底里捞起了一半轮的希望，像是从谷里采得了几茎百合花，但是你往哪里安去？左右没有希望的瓶子，也没有希望的净水，眼看着这花在你自己的手上变了颜色，一瓣瓣地往下萎，黄了，焦了，枯了，吊了，结果只是伤惨！谁说我们这群人不是梦人，不是傻子？但在完全诀别我们的梦境以前，在完全投降给绝望以前，我们今天又捞着了一把希望的鲜花。"[②] 而且，很多作家都感受到了文化选择的痛苦。要彻底否定传统文化，但又摆脱不了对它的情感依恋和它对自己的深层制约；要全面接受外来文化，却又感到无法消除包括自己在内的国人在生存方式和心理承受方面的文化隔膜。苏雪林的小说《棘心》，就典型地表现了这一心态。从二十年代末起，文坛上陆续出现了一批自传体小说，如苏雪林的《棘心》、谢冰莹的《女兵自传》、梅娘的《蟹》，以及嗣后苏青的《结婚十年》等。和二十年代前期不同，作家们开始把

---

① 唐弢：《西方影响与民族风格——中国现代文学发展的一个轮廓》。
② 徐志摩：《剧刊始业》。

两种文化比较置入自己的内心体验之内，结合自身现实性的生活体验和道路选择，体验选择的痛苦，表现痛苦的选择。这是一种新的迹象。

　　增加文化选择方面的自身感受，这无疑是一种把空想拉向现实的进步。于是，人们开始从各个方面、各个角度寻求沟通和结合。这当然首先要寻求新文学与传统文化精神的沟通，和外国文化精神的沟通。胡适一九二七年出版《白话文学史》，把白话传统一下子上溯近两千年，无非是把新文学运动对于"白话文学"的提倡看作是一种历史的赓续。周作人在《新文学源流》中强调公安派、竟陵派的新性质，拿它与"五四"精神认同，目的亦无大异。与外来文化的认同，发生在同一格局内，也成了一种较普遍的现象。周作人可以把西方的自然主义新性道德观和文化价值观与中国传统文化中的"中和"、"礼仪"观念互相参悟，以出世的精神，做入世的事情；梁实秋也可以在白璧德的新人文主义和中国儒家思想之间找出一致，认为"我们现在若择取人本主义的文学观，既可补中国晚近文学之弊，而且不悖于数千年来儒家传统思想的背景"①。当然，他们的理解中包含着一些误解，而且由这些误解会带来实践中新的偏差，但蕴含在其中的寻求沟通的意愿却也反映了历史的新要求。寻找沟通和结合，构建新的形态，这是新文学的实际出路。闻一多曾指出："我总以为新诗迳直是新的，不但新于中国故有的诗，而且新于西方固有的诗，换言之，它不要作纯粹的本地诗，但还要保存本地的色彩。它不要做纯粹的外洋诗，但又尽量的吸收外洋诗的长处，他要做中西艺术结婚后产生的宁馨儿。我以为诗同一切的艺术应是时代的经线，同地方纬线所编织成的一匹锦。"② 这种认识还是极有见地的。

　　在有效地吸收外来文化的营养建设有民族特色的新文学方面，鲁迅堪称最杰出的代表。早在新文学运动初期，他的小说、散文、杂文就已达到了令人难以企及的高度。但从现代文学发展的整体上说，开始产生自觉的克服文化反差的历史综合态度，则是在三十年代中后期，尤其是四十年代。最有说服力的是这期间一些以现代主义为主要文学追求的作家的综合尝试。无论诗歌界的"九叶派"诗人，还是小说界的"后期现

---

① 梁实秋：《现代文学论》。
② 闻一多：《〈女神〉的地方色彩》。

代派"作家，都表现出了这一特色。"九叶派"诗人把现代主义与现实主义结合起来，并置根于我国的现实土壤中；"后期现代派"小说则把东西两种文化精神结合起来思考，并容纳进其他文学范型的表现特点，进行了应予关注的探索。

论述现代文学这一过程性特征的目的，在于说明现代文学的实践形式虽然是在初期的文化提倡的催动下发生发展的，但也在明显地矫正着初期文化模式与建设性实践的偏离。如果我们仍用这一模式和与它相应的文化眼光考察这一实际过程，必然会发生或者说重复已发生过的偏离，很难获得更具科学性的认识。鉴于此，我主张：从复杂繁富的实际出发，适当调整文化眼光。

1990.1

（原载《中国现代文学补遗书系》，明天出版社出版，1991。此文为《新华文摘》1993年第2期摘转）

## 《鲁迅选集·小说散文卷》前言

鲁迅（1881—1936），这位被毛泽东誉为现代史上伟大革命家、思想家和文学家的历史巨人，离开我们已经五十四年了。历史的潮涌会冲刷掉许许多多曾显赫一时的名字，但时间的淘洗也会使一些人的业绩更加光艳夺目。几十年的风风雨雨过去，随着人们新经验范围的扩大，鲁迅几乎无与伦比的深刻性已日渐获得新的理解和崇敬。可以肯定地说，鲁迅正在或将要被人们重新接受。

从本世纪初到人民共和国建立，这无疑是一个呼唤和产生巨人的时代。庞大而老化的封建体制正艰难地解体，新的历史机运已悲壮地降临。在这风雨如晦、变乱频仍的时代舞台上，有多少政治的、军事的、文化的一代英杰，演出了一幕幕惊天地泣鬼神的人生壮剧！他们那披肝沥胆，叱咤风云的生存抗争；追求真理，舍我其谁的主动精神；鉴古开今，光焰不灭的历史创造，将如日月经天，永标史册！

在历史记载下的一代英杰之中，将革命家、思想家和文学家统一为一体，在文化战线上继往开来成为一代风范的，首推鲁迅。毕其一生，他以其非凡的贡献不仅积极参与了一代历史的创造，成为一个时代特定的人格化代表；而且为后世留下了价值无可估量的精神文化遗产，在新的时代仍不断展现着它们难以磨灭的现实意义。作为一个文学家，鲁迅作为革命家和思想家的价值几乎全部包容在他的创作之中。在他独出机杼但却无不含纳恢宏历史内蕴的创作中，大量的杂文创作对于认识鲁迅固然有着独到的意义，而那些为数不算太多的小说散文亦有着不可替代的价值。这些堪与世界一流作品媲美的艺术精品，不仅真实地刻画下了鲁迅执着求索的内在心灵轨迹，反映了他对于历史选择的杰出思考，而且确如论者所说文起百代之衰，为新文学的发展开辟了道路，奠定了基石，树立了典范。

或者也可算作一个规律,历史必然性的现实逻辑展开,常常要选定一个偶然性的触媒为起点。正如在仙台医专看幻灯时由于画片中同胞的麻木,刺激了鲁迅毅然弃医从文的决心一样,他的新小说创作的开始,也是与《新青年》骨干人物钱玄同的约稿有关。鲁迅自一九一八年五月在《新青年》第四卷第五号发表《狂人日记》开始,此后"便一发而不可收"[①]。

鲁迅说过:"在中国,小说不算文学,做小说的也决不能称为文学家,所以并没有人想在这一条道路上出世。我也并没有要将小说抬进'文苑'里的意思,不过想利用他的力量,来改良社会。"[②]在传统文学观念的基本格局尚未根本打破之时,鲁迅第一个做起新小说来并且一发而不可收,固然不乏文学本体意义上的明确革命意识,但更严肃自觉的目的却是用它来参与社会的改造。和其他新文化运动的先驱者一样,他从由戊戌变法到辛亥革命即由政治而军事革命的失败中,从在根深蒂固的封建文化钳制下所发生的一系列蚀坏社会进步的触目惊心的现实中,感悟到了新文化启蒙的重要社会革命价值。他以为唤醒熟睡在"绝无窗户,而万难破毁"的"铁屋子"里的人们,改变他们的精神,乃是革命的"第一要著"。而"善于改变精神的是,我那时以为当然要推文艺,于是想提倡文艺运动了"[③]。从《呐喊》到《彷徨》,所显现出来的一个醒目的总体特征,就是在历史的转折关头一个先驱者对于历史的深刻感悟和正确选择,以及由此所规定的文化批判的启蒙特色。

历史会严酷地考验每个参与者的意志力量,也会苛刻地检验他们的智慧水平。在众多新文化运动的先驱者中间,鲁迅无疑是最高智慧水平的代表,是他第一个获得了对于封建礼教和愚妄封建文化最为深刻的实质性认识。中国新文学史上的第一篇白话小说《狂人日记》,借狂人之口首先道破了它们的吃人本质:"我翻开历史一查,这历史没有年代,歪歪斜斜的每页上都写着'仁义道德'几个字。我横竖睡不着,仔细看了半夜,才从字缝里看出字来,满本都写着两个字是'吃人'"!鲁迅在一九一八年八月二十日给好友许寿裳的信中谈到创作这篇小说的动机时

---

①③ 鲁迅:《〈呐喊〉自序》。
② 鲁迅:《我怎么做起小说来》。

说:"偶阅《通鉴》,乃悟中国人尚是食人民族,因此成篇。此种发现,关系亦甚大,而知者尚寥寥也。"这一极其冷静而睿智的发现和振聋发聩的战斗呐喊,极有力地启动了新的历史机运,在中国现代史上是不可或缺的一笔。在《呐喊》、《彷徨》中,《狂人日记》的揭露和呐喊,实际上构成了领挈其后所有作品基本主题意向的总纲。在狂人身后,孔乙己、祥林嫂、阿Q、魏连殳、子君等众多被食者的形象相继走出,历史的吃人本质在这里复原成了一个斑驳陆离而又血肉丰盈的悲惨世界。在狂人身上,作者博大的历史眼光已无暇顾及而且也不可能顾及他的个性特征,急欲喷发对历史和现实的愤激之情,和表达艺术总体把握的意向性符号象征追求才是最直接的目的。可以说,《狂人日记》不仅是鲁迅小说创作也是整个新文学革命的艺术"宣言"。

在造成历代相沿的悲剧性命运的诸多因素中凸现文化因素对于人们心灵的扭曲和扼杀,是《呐喊》、《彷徨》创作的基本着眼点。这已成为近年来学界的共识。这固然是鲁迅小说创作的一个基本取向,但也未始不是由于受鲁迅影响和受历史潮流的掣动而形成的一代人的创作特色。比起某些传统性的定论来,获得这一发现并取得学界的共识诚然是一种巨大的进步,但对鲁迅本体研究所应达到的科学认知来说,则还有较大的距离,因为它还缺乏对鲁迅本体特征的个性确认。如果我们沿着这一思路进一步探究,就会不无惊叹地发现:鲁迅不仅首先揭示了腐朽封建文化的吃人本质,而且还痛苦地指示了这一文化超越时空的广延性特征。众所周知,国民性问题一直是鲁迅所痛心疾首思考的问题,并以此为轴心建构了他极富有历史启示的小说世界。在他的小说中,尽管对赵太爷、鲁四老爷、四铭先生和七大人等食人谱系中的成员施行了分寸得当的挞伐,并不惜挤出他们潜意识中的卑鄙来公开展览;但更多地还是着眼于对愚弱国民的严峻剖析。尤为残酷的现实是,像祥林嫂、阿Q等被人吞噬的对象都无时不在自食,更有柳妈一类的人在被食时同时也在食人!这种景象早在鲁迅新小说的发轫之作《狂人日记》中就已有所表现,并显然被作者有意强调过了。过去我们一向认为《狂人日记》的这种表现是由于作者早期的阶级意识模糊造成的,实际上是误解了鲁迅的本意。从事后在其他作品中对这一现象更加强化的表现趋势来看,作者分明是在向人们表达着自己的一种理解。对于那些艰难生存中的不幸的人们身上所具有的落后意识,直到新近的论者依然用"影响"说加以解释,似乎这一切只是由封建统治阶级的影响所致,顶多是再追究一下小生产者的原因。其实鲁迅的本意却是在说明,这些不幸的人们本身早已超验地变成了封建传统文化和心理结构的社会性载体,近乎自律性地走向悲剧。以儒学宗法伦理文化为核心的传统观念和心理,与以宗法制度为基础的自然经济形态和生活方式的内在契合,使农民和由农民脱胎出来的其他小生产者必然成为这种载体。因此,这种传统观念和心理结构也就不可避免地以社会整体性特征笼罩在历史和所有社会成员之上,呈现出在时空界限上的模糊性特点,使任何历史的进步都必须面对它有形而又无形的笼罩和挑战。

鲁迅所深切关心的,本来就是整个民族的历史命运。因此他在小说创作中表现出来的文化关注,本身就是一种历史性的行动和期待,必然蕴含着浓重的历史意识,容纳着庞大的历史结构。在一个偏远的乡场上,就舒卷着时代的风云变幻;在一个小小的茶馆里,即可见出难以排解的重大历史矛盾;从一个新近裹了脚的农村小女子的蹒跚而行,仿佛可以听到历史沉重的叹息;而从一个微不足道的小小花环,却又分明可以看到无望中的希望。尤其难能可贵的,是作者浸透在血肉饱满的艺术形象中的先觉者的历史智慧,和以理制情的历史评价意识。鲁迅在以资产阶级旧民主主义革命者、反动腐朽势力和愚弱国民所构成的三维的基本历史框架中,冷静地看到了革命者与国民之间彼此阻隔的深刻悲剧,并以超越性的思考进行了至今都仍有启发意义的评价。当然,这一切都是在艺术的合规律性创造中自然显现出来的,而不是溢出艺术规定性之外的理性说教。

一方面是生活积累的规定,一方面或许正是因为受了历史认识的启发,鲁迅在《呐喊》、《彷徨》中接触到了中国现代革命史上的两大问题:农民问题和知识分子问题。也正是在这两个问题上,他敏锐地感悟到了文化启蒙者与作为国民多数的农民之间无法在预期目的上进行沟通的新的历史悲剧,和新文化运动参与者无法走出历史怪圈的自身的悲哀。在《彷徨》中,鲁迅以较多的笔墨揭示启蒙者本身的悲剧及其痛苦的求索。《在酒楼上》里的吕纬甫和《孤独者》里的魏连殳,先前都曾经是反抗旧世界的干将,但曾几何时,一个步入了重返故道的颓唐,一个则以对生命的自戕告终。面对无处不在的强大的无物之阵，面对连自己也不能不受其支配的历史运行的怪圈，他们体验了深刻的孤独，感受了先行者的悲哀。鲁迅以自省自剖的态度给予了他们深刻的理解，并从人类历史演进的规律上对先行的"精神界之战士"的悲剧性心理体验作了历史性肯定。但是，对于他们自身暴露出来的弱点，以及由此导致的颓唐和自戕，则持严峻的批判态度。由对启蒙者自审意识的发生，和对文化启蒙的悲剧性感悟，鲁迅此时虽然还不能明白出路何在，但实际上已经开始在孕育着一种转化的内在契机，尽管他以后始终都没有放弃对国民性问题的思考和进行文化批判的历史选择。到了《故事新编》，情形就有了明显的变化，新历史选择的明朗化带来了批判纹路的清晰度。文化批判与现实性社会批判的结合，对传统文化的重新分析性评估和对禹墨精神的褒扬，都构成了新的特色。

在现代小说艺术的探索和新小说格局的营造上，鲁迅也是一代光辉的典范。茅盾称赞他说："在中国新文坛上，鲁迅君常常是创造'新形式'的先锋，《呐喊》里的十多篇小说几乎一篇有一篇的新形式，而这些新形式又莫不给青年作者以极大的影响，欣然有多数人跟上去试验。"① 连被誉为在二十年代小说创作中与鲁迅"双峰并峙"的郁达夫也自叹弗如："当我们看到一部分时，他看到了全般，当我们着急于要抓住现实时，他把握了古今未来。"② 出于对历史使命的特定理解，鲁迅选择了现实主义的文学原则，一扫传统文学中"瞒"和"骗"的陈腐之风，主张"真诚地，深入地，大胆地看取人生并且写出他的血和肉来"③。由此开创并引导了现代文学中现实主义文学潮流。但同样是出于对历史使命的特定理解，鲁迅还冲破了传统现实主义的局囿，努力向着拓宽表现领域突进。在谈到安特莱夫的创作时他说："安特莱夫的创作里，又都含着严肃的现实性以及深刻和纤细，使象征印象主义与写实主义相调和。俄国作家中，没有一个人能和他的创作一般，消融了内面世界与外面表现之差，而现出灵肉一致的境地。他的著作是虽然很有象

---

① 茅盾：《读〈呐喊〉》。
② 转引自增田涉《鲁迅的印象》。
③ 鲁迅：《论睁了眼睛看》。

征印象气息,而仍然不失其现实性的。"① 这实际上就是鲁迅本人的追求。吸收融汇其他创作方法和文学观念,使现实主义获得了更丰富深刻的表现力和穿透力,这是鲁迅的一大贡献。同时,在新文学革命初期即能在吸取外来营养和继承改造传统的基础上,创造出既有时代特色又有新的民族化特色的成熟作品,其中也有许多经验值得我们探讨和学习。

鲁迅还是一位散文大家。他的散文创作不但为新散文创作奠定了基石,而且许多艺术精品至今都很少有人能与之匹敌。在新文学运动初期,散文是与旧文学营垒直接进行竞赛的一种文体。旧营垒中人对小说本就持不屑一顾态度,而以诗文为正宗,以为只有文言才能写出美文来。所以鲁迅说,中国散文"到五四运动的时候,才又来了一个展开,散文小品的成功,几乎在小说戏曲和诗歌之上。这之中,自然含着挣扎和战斗,但因为常常取法于英国的随笔(Essay),所以也带一点幽默和雍容;写法也有漂亮和缜密的,这是为了对于旧文学的示威,在表示旧文学之自以为特长者,白话文学也并非做不到。"② 鲁迅虽然也十分看重这种文体革命的意义,但更看重对与文体革命相关的社会革命的价值。他的散文创作无一不展现着一个战斗者的丰富内心世界和对旧世界的批判。

从一九二四年到一九二六年,几乎与《彷徨》的写作时间同时,鲁迅除了写作杂文,"有了小感触,就写些短文,夸大点说,就是散文诗,以后印成一本,谓之《野草》"③。《野草》是鲁迅最富个性化和独创性特征的作品,它虽然也在进行着对旧世界的犀利的批判,但更有价值处却是作者对自己灵魂深处的逼视,和对"绝望中抗战"的人生哲学的现代性思考。《朝花夕拾》则另具一种笔调。它是带有回忆性质的叙事散文集,以深情、平易、清新、舒展的笔调,记叙了作者从少年到青年时期的重要生活片断,在平易通脱中蕴藉着深沉的情思。但它也不忘现实,在不时自然插入的议论中亦不乏对旧物的针砭。在鲁迅的杂文集中,也掺杂着一些堪称典范的散文,如《纪念刘和珍君》和《为了忘却

---

① 鲁迅:《〈黯淡的烟霭〉译者附记》。
② 鲁迅:《小品文的危机》。
③ 鲁迅:《〈自选集〉自序》。

的记念》,就是至真至美之作。

为了使读者更全面地了解鲁迅的小说和散文创作,我们选编了这本书,并选入了比以往选本更多的篇目。

做完这项工作,忽然觉得我们肩上的责任沉重。与历史相承接的新时代的历史使命和文学事业在我们手中会如何?由此我不禁又想到了鲁迅,而且不期然地想到了这样两句话:

鲁迅的事业未竟,鲁迅精神永在!

1990.3

(原载《鲁迅选集·小说散文卷》,山东文艺出版社,1990)

# 认同求异与中国化过程中的新文化综合

## ——由鲁迅找到俄罗斯文学说起

### 一

历史发展的自然法则常常给予辉煌的人类创造（包括文学）不止一次的殊荣。成就卓异的俄罗斯文学不仅成了十九世纪文学的巅峰，而且二十世纪初期又在中国获得了特殊的地位。它对中国新文化启蒙运动的积极介入和影响，是学界尽人皆知的事实，而且是常被议论的话题，以此为题旨的著述也屡见不鲜。但是，不能不令人遗憾地指出，这些著述大多还停留在现象描述的层次，有的论者虽然想竭力作出某种解释，但仍未脱出旧有的窠臼。长期为患的极左思潮和由此造成的思维定势，严重干扰了人们对这一问题的科学理解。因此，如何回到事物的本体，并把它置入特定历史情境的纠葛中进行科学的分析和认识，仍然是一个极有意义的现实性课题。

这显然是一个对两种（实为数种）异质文化进行交叉对比研究的选题。它必须说明，在中国古代与现代历史的结合部，一种异质文化（俄罗斯文学）是如何被选择并在中国深层文化的母基上被引进和改造的；还必须说明，它又是如何与另一种异质文化（如西欧个性主义思潮）由对立而转向综合的；更必须说明，它们构成了一种什么形态的新文化，以及它的现实意义和历史发展。

要研究五四新文化运动乃至整个现代化发展史过程中对外国文化的借鉴，最具"取样"价值的，莫过于鲁迅与俄罗斯文学的关系了。许多迄今未解决的困惑或误解，由此或者可以开启新思，获得深刻的启发。

## 二

鲁迅找到俄罗斯文学,并把它看做"我们的导师和朋友",有一个过程。早期在《摩罗诗力说》中虽然提到过普希金和莱蒙托夫,但那时,"俄罗斯文学"的概念在鲁迅的头脑中显然还没有占据被自觉凸现出来的位置,而且,对这两个人的推重,也和后来对"俄罗斯文学"的基本理解不同。鲁迅找到"俄罗斯文学",是与他由激情的浪漫主义向清醒的写实主义的转变互为因果的。了解这一过程,对于认识鲁迅是至为重要的。

我们不妨从大家久已熟悉的鲁迅的一段话谈起。鲁迅说:

> 后来我看到一些外国的小说,尤其是俄国、波兰和巴尔干诸小国的,才明白了世界上也有这许多和我们的劳苦大众同一运命的人,而有些作家正为此而呼号,而战斗。而历来所见的农村之类的景况,也更加分明地再现于我的眼前。偶然得到一个可写文章的机会,我便将所谓上流社会的堕落和下流社会的不幸,陆续用短篇小说的形式发表出来了。①

从这段话里可以看出三点深在的意义:第一,鲁迅找到了"俄罗斯文学",标志着他由早期对外借鉴中浪漫主义的笼统文化选择,经由文化借鉴这一中介的变易,已转变为对文化精神和现实土壤的双重交参辨析,在对文学和文化的价值确认中,它们与现实土壤的关系已成为价值评判的最重要的支点。这里面蕴含着一个自然而又自觉的文化观念的重要变化。鲁迅早期对激情浪漫主义的积极寻求和宣传,与初期创造社在功利目的上就有明显的区别。创造社为反对封建的(其实也包括文学研究会的)"文以载道",宣扬"艺术至上",而鲁迅则截然相反,开始就有"转移性情,改造社会"②的明确的社会性目的。他翻译介绍外国文

---

① 鲁迅:《英译本〈短篇小说选集〉自序》。
② 鲁迅:《〈域外小说集〉序》。

学,"并不是从什么'艺术之宫'里伸出手来,拔了海外的奇花瑶草,来移植在华国的艺苑"①。但同时应该看到,他这时的目的虽然一开始就带着明显的实用性和泛理性(只是个性主义笼统规范中的与封建主义的精神对立)色彩,但毕竟还是比较空泛而笼统的,还没有找到达到这一目标的实际有效的途径,对借鉴外国文化与改造中国社会之间有效结合的不可或缺的必要环节的寻找和创造,还缺乏更富有现实性的自觉的认识和重视。个性主义虽能在精神实质上构成与封建主义的根本性对立,但对其泛理性主义的理解却只能使其转化为和借重于对激情的呼唤和鼓动。目的更多表现为欲望,理性升腾为情绪,这就是鲁迅早期选择浪漫主义的原因。起初,由两种不同文化的对比逆差所产生的新鲜感,使鲁迅感到新鲜。在封闭性的沉默中总算看到了旧有视野之外的新天地,他自然会兴奋,而且以为希望就在那里。他说:"我们曾在梁启超所办的《时务报》上,看见了《福尔摩斯包探案》的变幻,又在《新小说》上,看见了焦士威奴所做的号称科学小说的《海底旅行》之类的新奇。后来林琴南大译哈葛德的小说了,我们又看见了伦敦小姐之缠绵和非洲野蛮之古怪。"② 特别是雪莱、拜伦等浪漫主义文学,更使他欣喜若狂。但差异感首先唤起的还是情绪,是激越的情感之流,而不是富有实效的冷静分析。不久他就发现,"包探,冒险家,英国姑娘,非洲野蛮的故事,是只能当醉饱之后,在发胀的身体上搔搔痒的,然而我们的一部分的青年却已经觉得压迫,只有痛楚,他要挣扎,用不着痒痒的抚摩,只在寻切实的指示了"③。笼统的文化选择和缺乏具体认知的热情呼唤,无法找到旨在进行本土社会改造的切实之路,无法找到两种文化的对接点。寻找"切实的指示",反映了鲁迅在这个问题上的觉醒。目的的明确性与执着性,使他能比一般人较早地实现这一自觉。一方面是俄国文学与西欧文学的显著不同启发了他,另一方面,也是他由原初目的决定的内在期待的结果。鲁迅最初选定浪漫主义,并不是把它当作文学艺术观念来对待的,而是视为拯救中国的必由精神之途,因此,这就决定了这种选择的空想性质。我们并无意于否定这种选择在当时令人窒

---

① 鲁迅:《杂忆》。
②③ 鲁迅:《祝中俄文字之交》。

息的沉默文化氛围中的重大冲击与震荡作用，但必须指出它并非实现目的的"切实的指示"，所谓空想，即此之谓。鲁迅找到了"俄罗斯文学"，标志着他已走出了这种文化空想。

当然，对于解放社会的原初目的来说，鲁迅并未全部走出误区。找到了"俄罗斯文学"，只是找到了文学服务于社会解放的可资借鉴的有效范式，而这并不是解放社会的最根本途径。如何从文化启蒙的空想（文化启蒙是必要的、重要的，但只靠文化启蒙并不能推翻恶势力，即后来鲁迅所说，孙传芳只能用大炮才能赶走，也就是我们常说的批判的武器不能代替武器的批判）中再找到解放社会的切实之途，那则是第二步的努力了。值得注意的是，鲁迅的第二次超越的实现和完成，也得益于俄罗斯文学。这也就是从上段话中可以看出的第二点深在意义。他有一段话说得更明确：

> 那时就知道了俄国文学是我们的导师和朋友。因为从那里面，看见了被压迫者的善良的灵魂、的酸辛、的挣扎；还和四十年代的作品一同燃起希望，和六十年代的作品一同感到悲哀。我们岂不知道那时的大俄罗斯帝国也正在侵略中国，然而从文学里明白了一件大事，是世界上有两种人：压迫者和被压迫者！
>
> 从现在看来，这是谁都明白、不足道的，但在那时，却是一个大发现，正不亚于古人的发见了火的可以照暗夜、煮东西。①

很显然，鲁迅从俄国文学中不仅看到了文学与现实社会之间的正确联结方式，而且更从中获得了对于现实社会的重要认识。他把这一发现看得非常重要，以为是明白了"一件大事"，而这一发现又简直可以和人类祖先对火的发现一样重要。在这里，他是清醒地站在改造社会、推动历史前进这一原初目的的立场上，几乎是以一个历史学家的眼光来看问题的。鲁迅首先是一个革命家，而后才是文学家，不明白这一点，就不会懂得鲁迅的选择及其一系列深在的变化。高尔基曾经指出："在俄国，每个作家都的确是独树一帜的，可是有一种倔强的志向把他们团结

---

① 鲁迅：《祝中俄文字之交》。

起来，——那就是认识、体会、猜测祖国的前途、人民的命运，以及祖国在世界上的使命。"① 正是这一特点，才吸引了鲁迅的注意，并以之为师为友的。鲁迅在谈到契里珂夫时也说："他是艺术家，又是革命家；而他又是民众教导者，这几乎是俄国文人的通有性。"② 这也正是他围绕原初目的进行文化寻找的自觉认识和基本原则。尽管他这时还没有找到社会革命的真正途路，但他找到了进行真正社会革命所必备的认识基础。应该看到，正是有没有这一个"大发现"和发现的早晚，才决定了一些现代作家所走道路的不同性。由"俄罗斯文学"所获得的这一发现，必然地孕育着鲁迅的第二次超越。再说，"俄罗斯文学"不仅是一个区域性概念，而且也实际地包含着一个递进变化的过程，这就是由俄国批判现实主义向苏联社会主义现实主义的变革和转化。这里面有一个历史过程。恰恰是这一过程，使鲁迅在借鉴中也表现出一个认识提高的过程，从而终于完成了第二次超越。

第三，找到了"俄罗斯文学"，意味着找到了"为人生"的写实主义，并由此真正奠定了鲁迅创作的起点。把社会革命看作深层目的的鲁迅，有着完全不同于艺术至上论者的文学价值观念。他说："伟大的文学是永久的，许多学者们这么说。对啦，也许是永久的罢。但我自己，却与其看薄凯契阿，雨果的书，宁可看契诃夫，高尔基的书，因为它更新，和我们的世界更接近。"③ 浪漫主义的他不喜欢了，原因是它们和我们的世界隔得远些，这不仅指的是国情不同，更重要的还是指的文学方面的不同。从契诃夫到高尔基，坚持的都是"为人生"的写实主义，借鉴起来，有效距离更近。谈到俄国文学时，鲁迅还说："俄国的文学，从尼古拉斯二世时候以来，就是'为人生'的，无论它的主意是在探究，或在解决，或者坠入神秘，沦于颓唐，而其主流还是一个：'为人生'。"④ "为人生"连接着他社会革命的目的，而写实主义在鲁迅看来是"为人生"的最有效的文学方式，因此他把两者联系在一起，当作了自己的文学旗帜。

---

① 高尔基：《个人的毁灭》。
② 鲁迅：《〈连翘〉译者附记》。
③ 鲁迅：《叶紫作〈丰收〉序》。
④ 鲁迅：《〈竖琴〉前记》。

## 三

有这样一种误解：由于鲁迅反封建传统的勇毅和彻底，鲁迅在引进和借鉴外来文化上和某些中和派甚至创造社是不同的，好像他是全面引进并主张外来化的。就其勇毅和彻底方面说，这种理解不无根据也不无道理，但是我们却不能就此认为鲁迅是一个不顾基础和前提，主张全部外来化的人。事实上，他对外国文化的选择性很强，这在前面已有所述；同时，他是很看重不同文化土壤的共同性，并以此来作为借鉴前提的。他的借鉴过程实际上前列着一个"认同"性的前提，这是不容忽视的。

论者们以前常常引述毛泽东的这样一段话："中国有许多事情和十月革命以前的俄国相同，或者近似。封建主义的压迫，这是相同的。经济和文化落后，这是近似的。两个国家都落后，中国则更落后。先进的人们，为了使国家复兴，不惜艰苦奋斗，寻找革命真理，这是相同的。"这段话现在对于认识现代史上一些人与俄国文化的关系仍有重要启迪意义。两国国情和历史要求的相同或近似，正是鲁迅十分看重的文化选择前提。但对此也不能作简单化的理解，好像鲁迅只是由国情的相同而选择文化，其实这也是一种误解。鲁迅的实际情况如前所述，是由文化（文学）而了解彼国国情然后又反转过来评价文化而决定弃取的。否则就容易导致这样的结论：国情相同是选择文化的唯一尺度。这是大谬不然的。鲁迅的实际特点是，着重考察那种文化（文学）对于与我们相同或近似的该国社会现实的有效关系，并以此作为借鉴的可靠依据。对于外国文化（文学）对我国社会改造和文学改造的综合实效性"认同"，是鲁迅将引进借鉴外来文化置于不败之地的可靠保证。

与此同时，鲁迅对于自身文化母基对外来文化的可接受性也很重视。且看他的这段话：

> 我常常想：俄国文学是伟大的"乡村文学"。并且想：果戈里更其是首先的一个人。我的比一切的国度的文学，更爱俄国文学，而和果戈里最亲近，放肆的说起来，好像在当他作家这方面的"伯

伯"者,恐怕就因为我自己也是乡下人的缘故罢。

我对于乡村生活,比都会生活更亲爱;对于乡下人,比都会人更亲爱。这不但由于思想上,也是出于生活上,性格上的。①

一个人所接受的传统教育、现实影响,个人的经历和气质等,都会形成一种既成的文化基础,这对于外来文化来说就是一种母基,外来文化必然以不同的方式与它发生连接。如果完全置此于不顾,那就不会产生优化的效果。只要我们尊重鲁迅成为我国现代乡土文学的奠基人这一人所共知的事实,这一道理便是不言而喻的了。

鲁迅"认同"的目的不是自我确认,不是安于现状,而是要通过自我否定而达到改造的目的。所以,他在借鉴外来文化时强调的是"取异",以异质来改造自身。这也是无须论证的。关键是"认同"和"取异"的结合,"认同"也罢,"取异"也罢,都由同一目的生发出来,于是也就成了同一过程中有机结合的两个方面。

## 四

在鲁迅对俄罗斯文学和世界文学的借鉴中,有一种奇妙的现象发生。在它们那里往往是风马牛不相及的东西,在鲁迅这里却结合在了一起。不仅像有人说的"托尼思想,魏晋文章",尼采和托尔斯泰这一观念中的两极人物,在鲁迅身上共处一炉;而且果戈理、高尔基甚至阿尔志跋绥夫这几位不同阶级营垒和文学主张的人也可以同时成为鲁迅借鉴的对象。其中缘故,就是鲁迅富有独立文化人格精神的讲求实效的文化综合态度。

此处涉及问题颇多,于兹不论,且仅就"写实"主义这一文化原则略加说明。众所周知,鲁迅是一位清醒的现实主义作家,而他的现实主义又与俄罗斯文学的影响有关。可是殊不知,鲁迅小说中所表现出来的现实主义特征,与俄罗斯作家均有不同,可又都从他们身上得到了某些借鉴。譬如说,高尔基指出:"没有人像安东·契诃夫那样透彻地、敏锐

---

① 鲁迅译:《果戈里私观》。

地了解生活的琐碎卑微方面的悲剧性，在他以前就没有一个人能够把人们生活的那幅可耻、可厌的图画，照它在小市民生活的毫无生气的混乱中间现出来的那个样子，极其真实地描绘给他们看。"① 表现小人物的琐碎卑微方面的悲剧性，鲁迅显然受了契诃夫的影响，他笔下一系列小人物身上不正是此种悲剧的再现吗？但是高尔基对阿尔志跋绥夫这一"厌世主义的作家"却是痛加针砭，决不把他划归于现实主义文学范围的，可鲁迅照样依据自己的见解，给予正确的评价并进行借鉴的。鲁迅甚至称赞阿尔志跋绥夫是"俄国新兴文学典型的代表作家的一人，流派是写实主义，表现之深刻，在侪辈中称为达了极致"②。对于同样不被认为是典型现实主义作家的陀思妥耶夫斯基和以象征主义为基本特色的安特莱夫，鲁迅也极为重视，对他们作了正确的评价，称赞他们显示人物灵魂之深的能力，而且直言所受的影响。鲁迅为什么会这样？因为在他的理解里，所谓"写实"，和传统的对现实主义的理解不同，他是更看重人们精神世界中的真实的。这种"写实"，并不排斥其他创作方法在展示灵魂深处隐秘和痛苦方面的独特之处。"阿尔志跋绥夫的著作是厌世的，主观的；而且每每带着肉的气息。但我们要知道，他只是如实播出，虽然不免主观，却并非主张和煽动。"③ 因此，照样为我所用。鲁迅小说中的小人物显然与契诃夫笔下的小人物不同，契诃夫表现的是他们的浑然一体的生态，而鲁迅则侧重凸现他们精神方面的悲剧。严格说来，鲁迅的前期小说中的"写实"主义，更多一些文化批判性质，或者可以称之为"精神现实主义"或"文化现实主义"。

鲁迅的综合过程，实质上就是一种新的创造过程，一种中国化的创造过程。他那在世界文学之林独标一格的小说便是明证。

(原载《悖论与选择》，明天出版社，1992)

---

① 高尔基：《文学写照》。
② 鲁迅：《译了〈工人绥惠略夫〉之后》。
③ 鲁迅：《〈幸福〉译者附记》。

# 历史价值范畴里的符号选择
## ——鲁迅批孔新识

近几年,在文化研究中对孔子学说的评价渐趋科学性的认识。这种新的学术形势,引起了现代文学研究领域新的困惑,或者说由此必然引发出了现代文学研究的新课题:在鲁迅和孔子这两人之间到底存在着什么关系?对孔子应有的科学评价,与鲁迅对孔子的实际态度如何统一起来?

作为对这一新课题的回应,有的人提出,鲁迅始终都没有真正批过孔子,这种观点,未始不是一种新的思路,但多少有点作翻案文章的味道。鲁迅批孔是无法回避的历史事实,这一对象存在的客观性,自然也就否定了这一观点的基本科学价值。还有的人由对鲁迅批孔转向了对鲁迅所受孔子影响的研究,并从鲁迅行为的内在文化心理机制方面作出了新的探讨。这种对学术界多年形成的既定思路作逆向考察的研究方式,和对新的研究领域的开发,无论是在帮助人们认识现代文学运动的丰富内容和历史运行的内在文化机制方面,还是在开拓学术视野、突破研究常规方面,无疑都是极为有益的。但是,这种研究只能从一个侧面解决鲁迅内在的文化心理结构和深层文化精神问题,并不能正面回答鲁迅对批孔的这一现实选择。认真说来,鲁迅所受孔子的影响,在鲁迅批孔的历史行动中,只是在深层的非自觉意识领域里发生作用,与鲁迅对孔子的自觉认识和态度选择,并没有在同一层次中构成对应关系,否则那将是不可理解的事了。我一向认为,在鲁迅批孔乃至整个"五四"新文化运动对传统文化的批判中,鲁迅和那些文化革命的先驱者们,在自觉意识领域中的价值判断和在深层文化心理中对传统文化精神的非自觉认同之间,始终存在着一种逆向结构状态。如果我们揭开历史的表象,就不难发现这个潜在着的结构。正是这一潜在结构,衍生出了新文化运动那无比辉煌的一幕，并掣动着现代文学运动画出了一种酷似圆圈而实乃螺旋式的运动轨迹。因为两种逆向存在的因素并不是心理意识同一层次中的构成物，并不共存于同一层次之中，所以两者的接触在新文化运动中非但不会成为冲撞，反而倒是形成了一种特异的历史景观。在对传统文化的批判中，潜在于文化心理深层结构中的传统文化精神，尤其是中国知识分子的那种文化人格精神，不是作为对传统文化的一种态度，而只是作为一种内在心理力量或精神力量而作用于自觉意识的层次的，因而倒是奇妙地变成了推动参与批判活动的内在心理动力，成了使自己都无法抗拒的心理内驱力。当然，实际状况比这还要更复杂，它除了表现为内驱力，同时还在它所参与决定的行动目的的规定中，支配着对文化选择的取舍及发展趋势。非自觉意识领域中的文化心理结构和深层文化精神，这种深埋的文化根性，对于异质文化还表现为一种巨大而无形的消解力，当这种消解也为自觉意识领域所领受的时候，它作为一种内驱力，在规定其基本性质的文化指向上与自觉意识领域中文化选择的指向也就趋于一致了。我们在本文中触及这样一个复杂问题的目的，不过是为了说明，只是证明鲁迅在深层文化精神上受了孔子及其所开创的儒家学说的影响，并不能有效地解释鲁迅批孔的是与非问题。

现在的问题是，在时下新的文化学术氛围中，如果我们还不至于因此而否定鲁迅批孔这一历史事实的话，那么，鲁迅的这一行动是对还是不对？如果依然值得肯定，那么他对孔子的批判与对孔子应有的科学评价之间所显现出来的逆差，又应如何理解？对于前者，我的答案仍然是肯定的；至于对后者的解析，那便是本文的主要内容，也就是我对鲁迅批孔这一历史事实和重评孔子这一当代现象进行双重肯定的自以为成立的理由。

每一个重大学术课题的提出，都同时意味着对研究者既定思维方式和学术观念的新挑战。学术思想的演进与方法论的更新总是互为因果、相辅相成的。假使我们仍然像已经习惯了的那样，把上述两个矛盾的方面置入同一价值层面进行判断，那就只能还是停留在非此即彼的自我烦恼之中。而我认为，解决这一课题的正确途径，就正是首先要从这一思维习惯中跳脱出来，把鲁迅批孔和当代重评孔子这两种行为，按照对象本身的性质归属，分别放到不同的价值范畴里进行认识。这样，才可以通达正确的结论。

这其实不难明白。人的行为由于目的的不同（非同一层面上的不同。如学术讨论中的不同见解，或历史运动中的不同主张，就都是在同一层面中发生的分歧），也就必然表现为不同的性质，并自然地界定出不同的范围。从广义上来说，人类的一切活动都参与历史的创造，所以任何行为都是历史的。但广义的规范必然失之于笼统，它的广义性会遮掩住不同事物之间的其他客观存在的差异，而这些差异恰恰又是我们在科研中常常要给予必要关注的。从狭义上来说，人的行为由于其自觉目的的不同，又给我们提供了一个二次划分的机会，它们可能是学术性的，或其他什么性的，但不一定都是历史性的。柯林伍德在驳难亚历山大"这个世界和其中的一切事物都是历史的"这一主张时，曾经对"历史的和非历史的人类行动之间的区别"加以划分，他认为："只要人的行为是由可以称之为他的动物本性、他的冲动和嗜欲所决定的，它就是非历史的；这些活动的过程就是一种自然过程。因此，历史学家对于人们的吃和睡、恋爱，因而也就是满足他们的自然嗜欲的事实并不感兴趣；但是他感兴趣的是人们用自己的思想所创立的社会习惯，作为使这些嗜欲在其中以习俗和道德所认可的方式得到满足的一种结构。"[①] 除了柯林伍德所指出的人们满足他们的自然嗜欲的事实之外，还有一些以其他目的的满足为目的的行动，在二级划分中也应被视作非历史性的行动。即如学术行动，就其深层目的或曰最终目的来说，自然是推动人类文明的发展，有助于人类历史的进步；而且，每种学术行动的行为方式及其与其他社会行为之间所呈现的结构状态，也都必然包含着丰富而深刻的社会历史内容，这一切，都说明它也必不可免地表现为一种历史性的特征。但是，就其直接性目的来看，它和以历史性目的为直接目的的历史性行动，还是有明显区别的。当代重评孔子的行动与"五四"新文化运动中对孔子的批判，二者在直接目的上就是不同的。在"五四"新文化运动中，看起来讨论的是文化，实际上着眼的是历史，那时的批孔严格说只是手段，社会改革才是目的。究其实，"五四"新文化运动是一种直接的历史性的运动，是一种历史行动。而当代重评孔子就不同

---

[①]《历史的观念》。

了，它不再把评价孔子看作手段，而是要探求对这一对象的科学认识，呈现为明显的学术目的。不同层面或不同性质范畴内的目的性追求，决定了不同的价值认识和价值范畴，这是决不可以混淆的。

鲁迅的批孔，众所周知，是在"五四"新文化运动的基本规范中进行的，很明显属于历史性的行动，和以学术研究为目的的孔子评价不能同日而语。在当时的具体历史情境中，历史昭示给先驱者们的革命原则是再清楚不过的，那就是弃古取今。古，就是以孔学为代表的封建传统文化；今，就是以西方文化为代表的科学精神和民主精神。陈独秀说："倘以新输入之欧化为是，则不得不以旧有之孔教为非；倘以旧有之孔教为非，则不得不以输入之欧化为是，新旧之间绝无调和两存之余地。"① 这在文化比较科学看来显然是偏激的话，却显示了当时廓清旧物的强烈历史欲望所需要的决绝态度和攻击力量。在这种基本精神上，鲁迅和陈独秀是大体一致的。他深知："我们要活过来，首先就须由青年们不再说孔子孟子韩愈柳宗元们的话。时代不同，情形也两样。"② "旧文章，旧思想，都已经和现社会毫无关系了，从前孔子周游列国的时代，所坐的是牛车。现在我们还坐牛车么？从前尧舜的时候，吃东西用泥碗，现在我们所用的是什么？所以，生在现今的时代，捧着古书是完全没有用处的了。"③ "我们此后只有两条路：一是抱着古文而死掉，一是舍掉古文而生存。"④ 从历史进化论的观点出发，鲁迅认为，这种今与古的选择，实则是生与死的选择，容不得半点马虎。在除旧布新的历史转折点上，他毫不婆婆妈妈地采取一种决绝的态度，无疑是一种浸透了崇高历史精神的明智选择。而且在他看来，封建传统文化这种唱了多少代迄未唱完的"老调子"，有如一把"软刀子"，能于无形中消解一切新与旧的界限，使生命致死，而且"割头不觉死"，对它是尤其不能存半点退让容忍之心的：

有些读书人说，我们看这些古东西，倒并不觉得于中国怎样有

---

① 《答佩剑青年》。
②④ 《三闲集·无声的中国》。
③ 《集外集拾遗·老调子已经唱完》。

害,又何必这样决绝地抛弃呢?是的。然而古老东西的可怕就正在这里。倘使我们觉得有害,我们便能警戒了,正因为并不觉得怎样有害,我们这才总是觉不出这致死的毛病来。因为这是"软刀子"。这"软刀子"的名目,也不是我发明的,明朝有一个读书人,叫做贾凫西的,鼓词里曾经说起纣王,道:"几年家软刀子割头不觉死,只等得太白旗悬才知道命有差。"我们的老调子,也就是一把软刀子。①

其实,像鲁迅这样国学根基深厚的人,又岂能不知对孔子应作更具体的分析,岂能不知如果把他作为一个学术研究的对象,还会有另外的结论呢。事实上,鲁迅也清醒地知道,把孔子当作一切旧文化的代表来批判,所进行的实际上是一种偏离对象本体的历史批评。有以下三点为证:第一,鲁迅非常了解,所谓腐朽的传统文化,并非只是孔子学说及其所开创的儒学。因为中国历来的当权者、知识者乃至于民间,重要的特点之一就是"无特操"的历史实用主义态度。这有鲁迅的几段议论为证:

> 我生以前不知道怎样,我生以后,儒教却已经颇"杂"了:"奉母命权作道场"者有之,"神道设教"者有之,佩服《文昌帝君功过格》者又有之,我还记得那"功过格",是给"谈人闺阃"者以很大的罚。我未出户庭,中国在未有女学校以前不知道怎样,自从我涉足社会,中国也有了女校,却常听到读书人谈论女学生的事,并且照例是坏事。有时实在太谬妄了,但倘若指出它的矛盾,则说的听的都大不悦,仇恨简直是"若杀其父兄"。这种言动,自然也许是合于"儒行"的罢,因为圣道广博,无所不包;或者不过是小节,不要紧的。②

达一先生在《文统之梦》里,因刘勰自谓梦随孔子,乃始论

---

① 《集外集拾遗·老调子已经唱完》。
② 《坟·寡妇主义》。

文，而后来做了和尚，遂讥其"贻羞往圣"。其实是中国自南北朝以来，凡有文人学士，道士和尚，大抵以"无特操"为特色的。晋以来的名流，每一个人总有三种小玩意，一是《论语》和《孝经》，二是《老子》，三是《维摩诘经》，不但采作谈资，并且常常做一点注解。唐有三教辩论，后来变成大家打诨；所谓名儒，做几篇伽蓝碑文也不算什么大事。宋儒道貌岸然，而窃取禅师的语录。清呢，去今不远，我们还可以知道儒者的相信《太上感应篇》和《文昌帝君阴骘文》，并且会请和尚到家里来拜忏。

耶稣教传入中国，教徒自以为信教，而教外的小百姓却都叫他们是"吃教"的。这两个字，真是提出了教徒的"精神"，也可以包括大多数的儒释道教之流的信者，也可以移用于许多"吃革命饭"的老英雄。

　　…………

"教"之在中国，何尝不如此。讲革命，彼一时也；讲忠孝，又一时也；跟大拉嘛打圈子，又一时也；造塔藏主义，又一时也。有宜于专吃的时代，则指归应定于一尊，有宜合吃的时代，则诸教亦本非异致，不过一碟是全鸭，一碟是杂拌而已。刘勰亦然，盖仅由"不撤姜食"一变而为吃斋，于胃脏里的分量原无差别，何况以和尚而注《论语》、《孝经》或《老子》，也还是不失为一种"天经地义"呢？①

……然而有这脾气的也不但是"愚民"，虽是说教的士大夫，相信自己和别人的，现在也未必有多少。例如既尊孔子，又拜活佛者，也就是恰如将他的钱试买各种股票，分存许多银行一样，其实是那一面都不相信的。②

……我们虽挂孔子的门徒招牌，却是庄生的私淑弟子。"彼亦

---

① 《准风月谈·吃教》。
② 《且介亭杂文·难行和不信》。

一是非，此亦一是非"，是与非不想辨……①

第二，鲁迅也知道，即便是儒学，也有一个发展变化的历史过程，对后世发生作用的儒学，并非原原本本的孔学这个对象本体。他对儒学的历史发展状况是了然于心的，譬如，在谈到传统的节烈观时，就这样说过：

> ……中国太古的情形，现在已无从详考。但看周末虽有殉葬，并非专用女人，嫁否也任便，并无什么制裁，便可知道脱离了这宗习俗，为日已久。由汉至唐也没有鼓吹节烈。直到宋朝，那一班"业儒"的才说出"饿死事小失节事大"的话，看见历史上"重适"两个字，便大惊小怪起来。出于真心，还是故意，现在却无从推测。其时也正是"人心日下，国将不国"的时候，全国士民，多不像样。或者"业儒"的人，想借女子守节的话，来鞭策男子，也不一定。但旁敲侧击，方法本嫌鬼祟，其意也太难分明，后来因此多了几个节妇，虽未可知，然而吏民将卒，却仍然无所感动。于是"开化最早，道德第一"的中国终于归了"生长天气力里大福荫护助里"的什么"薛禅皇帝，完泽笃皇帝，曲律皇帝"了。此后皇帝换过了几家，守节思想倒反发达。皇帝要臣子尽忠，男人便要女人守节。到了清朝，儒者真是愈加利害。看见唐人文章里有公主改嫁的话，也不免勃然大怒道，"这是什么事！你竟不为尊者讳，这还了得！"假使这唐人还活着，一定要斥革功名，"以正人心而端风俗"了。②

孔子之后，他所开创的学说一直处在被后世儒者不断的重新解释与发展之中，其中细微处不说，大的历史关节就有三处：一是孟子，二是汉儒，三是宋明理学家（和鲁迅同时的"新儒学"暂不计算在内）。其实，如三纲五常等腐朽而残酷的伦理之说，它们的出现，"功劳"倒是

---

① 《南腔北调集·"论语一年"》。
② 《坟·我之节烈观》。

应该更多地记在宋明理学家们的头上。而且，即使对于朱熹的学说，旧王朝统治者在提倡上也是根据实际的需要而掌握着一定的分寸的：

> 清朝虽然尊崇朱子，但止于"尊崇"，却不许"学样"，因为一学样，就要讲学，于是而有学说，于是而有门徒，于是而有门户，于是而有门户之争，这就足为"太平盛世之累"。况且以这样的"名儒"而做官，便不免以"名臣"自居，"妄自尊大"……①

第三，鲁迅还深知，后世孔子的"偶像"与真像之间存在着区别，二者是既相关又不同的。这在《在现代中国的孔夫子》一文中，有着极透辟的说明：

> 但是，孔夫子在本国的不遇，也并不是始于二十世纪的。孟子批评他为"圣之时者也"，倘翻成现代语，除了"摩登圣人"实在也没有别的法。为他自己计，这固然是没有危险的尊号，但也不是十分值得欢迎的头衔。不过在实际上，却也许并不这样子。孔夫子的做定了"摩登圣人"是死了以后的事，活着的时候却是颇吃苦头的。跑来跑去，虽然曾经贵为鲁国的警视总监，而又立刻下野，失业了；并且为权臣所轻蔑，为野人所嘲弄，甚至于为暴民所包围，饿扁了肚子。弟子虽然收了三千名，中用的却只有七十二，然而真可以相信的又只有一个人。有一天，孔夫子愤慨道："道不行，乘桴浮于海，从我者，其由与？"……
>
> 孔夫子到死了以后，我以为可以说是运气比较的好一点。因为他不会噜苏了，种种的权势者便用种种的白粉给他来化妆，一直抬到吓人的高度……
>
> 总而言之，孔夫子之在中国，是权势者们捧起来的，是那些权势者或想做权势者们的圣人，和一般的民众并无什么关系。然而对于圣庙，那些权势者也不过一时的热心。因为尊孔的时候已经怀着别样的目的，所以目的一达，这器具就无用，如果不达呢，那就更

---

① 《且介亭杂文·买〈小学大全〉记》。

加无用了……恰如敲门时所用的砖头一样,门一开,这砖头也就被抛掉了。孔子这人,其实是自从死了以后,也总是当着"敲门砖"的差使的。

一看最近的例子,就更加明白。从二十世纪的开始以来,孔夫子的运气是很坏的,但到袁世凯时代,却又被从新记得,不但恢复了祭典,还新做了古怪的祭服,使奉祀的人们穿起来……

这三个人,都把孔夫子当作砖头用,但是时代不同了,所以都明明白白的失败了。岂但自己失败而已呢,还带累孔子也更加陷入了悲境。……

以上几点,自然是提供了供我们思考的多种角度。它们既可以使我们了解鲁迅在批孔中所体现出来的实事求是的科学精神,这也正是我们常常谈到的话题;同时,我觉得,又可以让我们清楚地看到,鲁迅的批判呈现出一种偏离对象本体的批评特征,因为在鲁迅对孔子所作的整体性的痛切而决绝的批判,与他对以上三点的清晰了解之间显现出了一种明显的逆差。而这,又正是我们在本文中所要强调并予以说明的重点。

不错,鲁迅在文章中的一些地方确也曾表露过对孔子某些具体主张的某种肯定。如在谈到学生"倘不能赴难,就应该逃难"时说:"孔子曰:'以不教民战,是谓弃之。'我并不全拜服孔老夫子,不过觉得这话是对的,我也正是反对大学生'赴难'的一个。"① 如,在拿孔子和老子作比时,说:"但孔以柔进取,而老却以柔退走。这关键,即在孔子为'知其不可而为之'的事无大小,均不放松的实际者,老则是'无为而无不为'的一事不做,徒作大言的空谈家。"② 类似的实证还可以再举出一些,兹不赘。但是,这只是鲁迅在面对别的批评对象时所借用的论据,并不能据此说明在批孔问题上有所保留。我们引作论据的,应该是鲁迅在把孔子作为正面批评对象时所取的态度及所作的结论。事实上,每当鲁迅要把孔子置放在主要批评对象上时,他那种决绝的态度便就再明显不过了。如前所述,鲁迅把批孔视为历史的行动而不是学术行

---

① 《南腔北调集·论"赴难"和"逃难"》。
② 《且介亭杂文末编·〈出关〉的"关"》。

为，追求的自然就是历史的认识和价值。如果我们拿《老调子已经唱完》、《在现代中国的孔夫子》等旨在批孔的文章和他的《中国小说史略》、《汉文学史纲要》等学术著作对比阅读，其间的区别便一目了然了。在当时特定的历史条件下，历史的行动所要求的只能是与传统文化的彻底断裂，让"老调子"在新的历史机运中立即停止（尽管这是不可能的，但处于重大转折点上的历史需要它的先行者这样做）。故而鲁迅明确告戒青年："我以为要少——或者竟不——看中国书。"① 即使在他有了阶级分析观点后，仍不无偏颇地宣布：

> 中国的文化，我可是实在不知道在那里。所谓文化之类，和现在的民众有甚么关系，甚么益处呢？近来外国人也时常说，中国人礼仪好，中国人肴馔好。中国人也附和着。但这些事和民众有甚么关系？车夫先就没有钱来做礼服，南北的大多数的农民最好的食物是杂粮。有什么关系？
>
> 中国的文化，都是侍奉主子的文化，是用很多人的痛苦换来的。无论是中国人，外国人，凡是称赞中国文化的，都只是以主子自居的一部分。②

在历史转折时期，有着特定的历史价值范畴。作为封建传统文化的代表人物孔子，当他被鲁迅纳入这样一种文化价值里时，怎么能不被从总体上给以否定呢？

与同代人比起来，鲁迅对这一历史原则有着更清醒的认识。他说："中国人的性情是总喜欢调和，折中的。譬如你说，这屋子太暗，须在这里开一个窗，大家一定不允许的。但如果你主张拆掉屋顶，他们就会来调和，愿意开窗了。没有更激烈的主张，他们总连平和的改革也不肯行。那时白话文之得以通行，就因为有废掉中国字而用罗马字母的议论的缘故。"③ 胡适也发表过类似的议论："我们不妨拼命走极端，文化的

---

① 鲁迅：《青年必读书》。
② 鲁迅：《集外集拾遗·老调子已经唱完》。
③ 鲁迅：《三闲集·无声的中国》。

惰性自然会把我们拖向折中调和上去的","成为一个折中调和的中国本位的新文化。"① 然而鲁迅与胡适不同。鲁迅所发的议论，旨在指出国民性的一种弱点，而把决绝的批判精神的高扬，视作推动历史前进的"历史原则"。胡适就不同了，他把这看作一种"历史策略"。在三十年代的文化论战中，和他意见不全一样的陈序经就说，在胡先生心里，"好像只是一种政策，而骨子里仍是折衷论调。"② 当然陈序经是站在全盘西化的立场上对胡适进行批评的，和鲁迅也不同。鲁迅感悟并提倡的是促成历史转折的革命精神和关键时期历史行动的原则，这从他后来虽极明白对中外文化批判继承的辩证关系，然而在历史价值范畴里仍然坚持这一原则的行为中，即可得到证明。鲁迅一向是反对折中的。在谈及称洋人为"西哲"、"西儒"时，他说：

> 他们的称号虽然新了，我们的意见却照旧。因为"西哲"的本领虽然要学，"子曰诗云"也更要倡明。换几句话，便是学了外国本领，保存中国旧习。本领要新，思想要旧。要新本领旧思想的新人物，驮了旧本领旧思想的旧人物，请他发挥多年经验的老本领。一言以蔽之：前几年谓之"中学为体，西学为用"，这几年谓之"因时制宜，折衷至当"。
>
> 其实世界上决没有这样如意的事。即使一头牛，连生命都牺牲了，尚且祀了孔便不能耕田，吃了肉便不能榨乳。何况一个人须先自己活着，又要驮了前辈先生活着；活着的时候，又须恭听前辈先生的折衷：早上打拱，晚上握手；上午"声光化电"，下午"子曰诗云"呢？
>
> 社会上最迷信鬼神的人，尚且只能在赛会这一日抬一回神舆。不知那些学"声光化电"的"新进英贤"，能否驮着山野隐逸，海滨遗老，折衷一世？③

---

① 胡适：《编辑后记》，《独立评论》第一四二号。
② 陈序经：《再说全盘西化》。
③ 鲁迅：《热风·随感录四十八》。

鲁迅认为，在历史性的行动里，折中的主张不是进取者的主张，而只是被攻击者以退为守的策略。所以，他在对孔子的批判中特别揭示了"中庸"思想的虚伪：

> 我们中华民族虽然常常的自命为爱"中庸"，行"中庸"的人民，其实是颇不免于过激的。譬如对于敌人罢，有时是压服不够，还要"除恶务尽"，杀掉不够，还要"食肉寝皮"。……
>
> 然则圣人为什么大呼"中庸"呢？曰：这正因为大家并不中庸的原因。人必有所缺，这才想起他所需……
>
> ……孔子曰："不得中行而与之，必也狂狷乎，狂者进取，狷者有所不为也！"以孔子交游之广，事实上没法子只好寻狂狷相与，这便是他在理想上之所以哼着"中庸，中庸"的原因。①

特别是在中外碰撞、古今交错的历史转折期所必然出现的复杂历史情境中，尤其不能讲折中调和。

> 中国社会上的状态，简直是将几十世纪缩在一时：自油松片以至电灯，自独轮车以至飞机，自镖枪以至机关枪，自不许"妄谈法理"以至护法，自"食肉寝皮"的吃人思想以至人道主义，自迎尸拜蛇以至美育代宗教，都摩肩挨背的存在。
>
> 这许多事物挤在一起，正如我辈约了遂人氏以前的古人，拼开饭店一般，即使竭力调和，也只能煮个半熟；伙计们既不会同心，生意也自然不能兴旺，——店铺总要倒闭。②

所以，鲁迅批判了那种所谓新旧并存的"二重思想"：

> ……既许信仰自由，却又特别尊孔；既自命"胜朝遗老"，却又在民国拿钱；既说是应该革新，却又主张复古：四面八方几乎都

---

① 《南腔北调集·由中国女人的脚，推定中国人之非中庸，又由此推定孔夫子有胃病》。
② 《热风·随感录五十四》。

是二三重以至多重的事物，每重又各各自相矛盾。一切人便都在这矛盾中间，互相埋怨着过活，谁也没有好处。

要想进步，要想太平，总得连根的拔去了"二重思想"。因为世界虽然不小，但彷徨的人种，是终竟寻不出位置的。①

借助鲁迅所提供的丰富资料，通过其内在线索，我们的思路清理到这儿，逻辑延伸的下一个环节，应该是回答：既然已知偏离了本体，那么为什么锋芒所向又紧紧抓住孔子这个对象不放？难道非如此则不能体现上述历史原则和历史精神？回答自然也是肯定的，问题仍然在于如何作出合理的解释。

我们还是回到所谓"孔子"并非孔子的现象，或不妨姑且叫作"圣人的悲剧"上来。孔子，作为传统文化的核心——儒学的创始人，既然被尊为"圣人"，而且历代相加，"到了清朝的末年，孔夫子已经有了'大成至圣文宣王'这一个阔得可怕的头衔"②；那么，还有谁比他更有资格做传统文化的首席代表和被膜拜的偶像呢？这个资格是自然形成的，封建王朝的"万世师表"正非他莫属。历代权势者和想做权势者的人都"用种种的白粉给他来化妆"，拿他做"敲门砖"，甚至还带累他"也更加陷入了悲境"，不就是因为只有他才具有这种资格吗？而在鲁迅的理解里，打破偶像，就正是历史行动的原则。他指出，"不论中外，诚然都有偶像。但外国是破坏偶像的人多；那影响所及，便成功了宗教革命，法国革命。旧像愈摧破，人类便愈进步；所以现在才有比利时的义战，与人道的光明。那达尔文易卜生托尔斯泰尼采诸人，便都是近来偶像破坏的大人物。"而且只有"决不理会偶像保护者的嘲骂"的偶像破坏者，才是创作者。"我辈即使才力不及，不能创作，也该当学习；即使所崇拜的仍然是新偶像，也总比中国陈旧的好。与其崇拜孔丘关羽，还不如崇拜达尔文易卜生；与其牺牲于瘟将军五道神，还不如牺牲于 Apollo。"③ 这既是历史行动的原则，同时也是顺应社会心理习惯的事

---

① 《热风·随感录五十四》。
② 《且介亭杂文二集·在现代中国的孔夫子》。
③ 《热风·随感录四十六》。

情。鲁迅在谈到袁世凯、孙传芳和张宗昌逆流悖时的"尊孔"行径时，指出：

> ……他们都是连字也不大认识的人物，然而偏要大谈什么《十三经》之类，所以使人们觉得滑稽；言行也太不一致了，就更加令人讨厌。既已厌恶和尚，恨及袈裟，而孔夫子之被利用为或一目的的器具，也从新看得格外清楚起来，于是要打倒他的欲望，也就越加旺盛。所以把孔子装饰得十分尊严时，就一定有找他缺点的论文和作品出现。即使是孔夫子，缺点总也有的，在平时谁也不理会，因为圣人也是人，本是可以原谅的。然而如果圣人之徒出来胡说一通，以为圣人是这样，是那样，所以你也非这样不可的话，人们就禁不住要笑起来了。①

从这段话里我们还可以领悟出一个道理：对偶像的尖刻对平常人是没有的。因为偶像是在历史价值范畴里形成的，所以对偶像的批判或者说破坏，着眼的也是历史的作用。这也正是鲁迅所要告诉我们的。因为偶像本身就已偏离了作为偶像者的本体，所以对偶像的批判也必然要偏离作为偶像者的本体，里面应包蕴着偶像制造者不断塞进去的所有内容。只有这样，才能真正起到打破偶像的作用。当然，这种批判又是以作为偶像者本身的性质规范为依据的，就如孔子，他"曾经计划过出色的治国的方法，但那都是为了治民众者，即权势者设想的方法，为民众本身的却一点也没有。这就是'礼不下庶人'。成为权势者们的圣人，终于变了'敲门砖'，实在也叫不得冤枉"。②引申一下也可以说，他既然有这种性质规范，做了权势者们的圣人，遭受到鲁迅的批判，实在也叫不得冤枉。

与破坏偶像的动机相关，鲁迅批孔还有一个动机：刨祖坟。中国人有一种崇祖心理，这与中国文化的宗法伦理性质有关。对此鲁迅也很清楚，还是来看他的议论：

---

①② 《且介亭杂文二集·在现代中国的孔夫子》。

晋朝已是大重门第，重到过度了；华胄世业，子弟便易于得官；即使是一个酒囊饭袋，也还是不失为清品。比方疆土虽失于拓跋氏，士人却更其发狂似的讲究阀阅，区别等第，守护极严。庶民中纵有俊才，也不能和大姓比并。至于大姓，实不过承祖宗余荫，以旧业骄人，空腹高心，当然使人不耐。但士流既然用祖宗做护符，被压迫的庶民自然也就将他们的祖宗当作仇敌。……势位声气，本来仅靠了"祖宗"这惟一的护符而存在，"祖宗"倘一被毁，便什么都倒败了。……

……………

下等人……一遇机会，偶窃一位，略识几字，便即文雅起来；雅号也有了；身份也高了；家谱也修了，还要寻一个始祖，不是名儒便是名臣。从此化为"上等人"，也如上等前辈一样，言行都很温文尔雅……[1]

孔子不仅历来被视为，而且实际上也是中国儒学文化的始祖，或者可以扩而大之视作整个传统文化的始祖，亦不为过。破坏了孔子这个偶像，其实也即如鲁迅所说，"'祖宗'倘一被毁，便什么都倒败了"。

至此，我们可以说了：鲁迅的批孔，实质上是在历史价值范畴里的符号选择。在这个历史性的活动里，孔子更多地是作为封建传统文化的象征性符号出现的。对孔子的批判，实际上也就是对整个封建传统文化的批判。因此，我们不必把这一历史性行动硬拉到学术评价的范畴里来自寻烦恼。我想，如果让鲁迅先生在学术价值范畴里来做一篇孔子论的话，那定然不会是这种样子的。

现在又出来的问题是，鲁迅一生作出了不少很出色的学术论著，为什么单单就没有作这篇"孔子论"？或者换言之，鲁迅对传统文化的科学性认识逐步发展，而且提出并倡导过"拿来主义"，甚至还肯定过对糟粕的转化利用（如鸦片）；但为什么，批孔的这一基本态度却并没有随着这一过程的发展而有所改变？历史行动的出现或持续，从来都是以历史提供的现实性条件为前提的。鲁迅所生活的时代，从袁世凯到北洋

---

[1] 《坟·论"他妈的！"》。

军阀到国民党，权势者经常搞尊孔复古活动，而鲁迅所目睹过的从维新到辛亥革命的种种变革，又都是终于敌不住旧文化的消解作用而故态复萌，这一切都提醒着鲁迅不能放弃其自觉承担的历史责任。否则，鲁迅就将不是我们所了解所尊敬的鲁迅了。

最后要说明的是，我在本文中提出了两种不同的价值范畴，并着意强调了它们之间的区别，这是出于本文所承担的中心论题的需要；但这并不意味着，两者之间可以彼此隔离，没有任何可以有而且应该有的沟通之处。事实上，鲁迅在对孔子所作的历史性批评中，在许多点上都是以他对孔子及儒学的透辟了解为基础的，而且他在批评中所展现出来的思想，也为学术意义上的孔子研究提供了许多可资借鉴的东西。不过，这已不在本文的论述范围了。

1991.12

（原载《文史哲》1992年第2期；《新华文摘》1992年第6期摘转）

# 论中国现代小说发展中的
# 后期现代派

众所周知，中国现代小说"一方面是由于社会的要求，一方面则是受了西洋文学的影响"①，"是在外国文学潮流的推动下发生的"②。其中，又以现代派受外国影响最重。对这一现象进行认真的清理和科学的研究，对于认识中国现代小说历史发展的复杂性和中西文化交汇的内在规律，无疑具有重要的意义。

但是，在中国现代文学研究中，对现代派小说的研究一向是个薄弱环节。如果说对20年代鲁迅、郭沫若、郁达夫等人所接受的现代派影响，尤其是30年代初围绕在《现代》杂志周围的现代派作家群（刘呐鸥、穆时英、施蛰存等）所作的移植性尝试，还有个较明白的界分和初步的研究的话，那么，对现代派在40年代的发展状况则至今仍是模糊一团。按照流行的说法，似乎自施蛰存等人不得不向现实主义归依之后，小说界已不复有现代主义存在了。其实，这是很不符合实际的。在40年代仍然有不少作家在进行着这种尝试，如"七月派"企图把现代主义和革命现实主义结为一体，钱钟书在写实态度中对"围城"主题的现代性思考，东北沦陷区"艺文派"代表爵青对纪德的"立体的综合的表现手法"的大量借鉴等，即是其例。不仅如此，以现代主义为基本特色的作家流派也有新的出现，那就是在都市文学范围中以徐訏、无名氏（卜少南）和张爱玲等人为代表的后期现代派。所谓"后期现代派"，这是我们的概括，意指中国现代文学发展后期的现代派，与当今西方流行的"后现代主义"这一概念的内涵不同，尽管他们在创作中与新感觉派

---

① 鲁迅：《且介亭杂文·〈草鞋脚〉小引》。
② 鲁迅：《集外集拾遗补编·中国杰作小说小引》。

相比，确也包蕴了某些前所未有的后现代主义的文化因素。

这几个人中，由于美籍华人夏志清《中国现代小说史》的传入，张爱玲较早地引起了国内读者和学术界的重视，她的作品已大量重新刊行，并有不少研究她的著述出现。相对说来，徐訏和无名氏的被注意则较晚①，重新刊行的也只是他们作品中的部分中、短篇。在这一流派中，其主要代表作家徐訏和无名氏虽然至今仍鲜为人知，但在当时，却引起过比新感觉派大得多的社会轰动，而且维持其创作特色的时间也长。徐訏的作品在当时的大后方及上海曾大为风行，十分畅销，甚至1943年在重庆曾有人以徐訏年来称誉他。无名氏"作品受读者的欢迎程度也是近乎狂热的，《北极风情画》与《塔里的女人》两书在上海出版后，不到一年时间，就流至全国，更在一年半之内，出到第八版！"②现在，他们又成了港台和海外研究中国现代文学的热点。这几个作家，虽然没有创办一个统一的刊物做阵地，也没有同时生活在一个共同的地域（徐訏、无名氏在国统区，张爱玲则在"沦陷区"上海），而且创作上也各有追求，但是，他们创作中所表现出来的共同的现代派基本特色，却使我们有理由把他们确认为一个流派。他们在对生命和存在的超越性思考、对心理世界宏阔幽微的探寻，以及在艺术表现上的复杂变异，和对各种文化因素的综合态度诸方面，都构成了一个比较一致而且与前不同的显著的艺术特色。

新感觉派作家大都是留学日本，从日本引进新感觉派的观念和手法，反映现代都市生活，描写现代人存在的"粘滞"状态和现代人种种复杂甚至变态的心理。但新感觉派大都描写的是瞬间或一段时间的感觉，而且短篇居多。他们对人生存在的意义和生命终极存在的探讨不多，长篇巨著几乎没有。后期现代派与此不同，他们大多直接接受西方现代哲学和现代派文学的影响，并且不只满足于表现"本我"与"自我"（或"超我"）之间的二重性冲突，而是更多着眼于人的生存意义和生命终极存在的思考和探索，又以其多重性思考和系列性探寻而构成了

---

① 见严家炎：《中国现代各流派小说选》、《中国现代小说流派史》；钱理群、吴福辉等：《中国现代文学三十年》。

② 衣其：《无名氏及其作品》，见《无名氏研究》（香港版）。

某些长篇巨制的独特恢宏的气派。

不同于其他作家,徐訏和无名氏对现代哲学都有着专业性偏爱。徐訏是哲学系科班出身,并曾去西欧留学,信仰生命哲学;无名氏是个对文凭不屑一顾的人,考取北大而不就,宁肯在北大和北平图书馆"博学"。张爱玲亦曾就学于香港。他们受西方现代哲学的影响是明显的。胡塞尔有句名言:"回到对象中去。"如果我们翻检一下他们的作品,这一认识就更是无可怀疑的了。且看无名氏《海艳》中最能代表其主题意向的几段议论(着重号为笔者所加):

> 在生命里寻找一种意义吗?那只有欢乐。
> 又是那个老题目:生命的不可解性与它的永恒神秘性。
> 找寻生命,探索生命,生命里所有内涵不都在这里了吗!
> ..........
> 一种极脆弱微小的存在,你从未藐视它,一天你开始注意时,突然发觉它已像巨蟒一样缠住你了。
> 我第一次感到:生命里除了我们习见的存在以外,似乎还有一种更高贵更深刻的存在。
> 是的,我要找一种东西,一种存在……它的能击动我那根最深的弦子。
> ..........

"生命"和"存在"是徐訏和无名氏作品中运用得最为频繁的两个概念,集中代表了作家所思考的两个意向性对象,也是流动在他们创作中的核心哲学命题。令人惊异的是,当时西方的生命哲学虽已在中国产生影响,但存在主义却尚未流布开来,而这些作家尤其是无名氏,却以自己的生命体验在创作中表达了同一倾向。诚如黄芩所说:"他这套生命哲学及其艺术上的表现,有某些地方颇类似存在主义,虽然早在四十年代的中国,存在主义尚未流行。"[1] 如果我们不了解无名氏这种哲学思考的强烈意向性,那就无法理解他笔下的印蒂为什么一生总是处于对

---

[1] 黄芩:《〈野兽·野兽·野兽〉重版赘言》,见《无名氏研究》。

自由、自我崇仰、激动和永不休止的追求中。"在生命里我只爱两样东西：'自我'和'自由'，没有前者，我等于一个走动的躯壳，比死更可怕的死者。没有后者，活着只是一个刑罚，生命只是严惩。"

对"自由"的追求使西方现代文学产生了一个特殊的现象，即丹尼尔·贝尔所说的"寻找崇拜"。西方人出于一种本能的潜意识，力图通过文艺对人生意义的重新解说来取代宗教对社会的维系和聚敛功能，填补宗教冲动耗散之后留下的巨大精神空白。丹尼尔·贝尔以为"现代人最深刻的本质，它那为现代思辨所揭示的灵魂深处奥秘，是那种超越的无限度的精神……因此，现代世界也就为自己规定了一种永远超越的命运——超越道德、超越悲剧、超越文化"；"作为这一超人努力的结果，人的自我感在十九世纪后占有了最突出的地位……而生命变得更加神圣、更加宝贵了。申扬个人的生命也成为一项本身即富有价值的工作。"①因为"存在"是特指主体人"我在"的"存在"，因此对存在的不断超越和探寻，也就是对生命的不断超越和探寻。如瓦尔特·本雅明曾以寓言的语言表达了海德格尔形而上的论述，他通过对"发达的资本主义时代的抒情诗人"波特莱尔的分析，认为诗人就是世上黑夜里更深地潜入存在的命运的人，是一个更大的冒险者。他用自己的冒险探入存在的深渊，并用歌声把自己敞露在灵魂世界的言谈之中。

于是，现代西方文学出现了大量以"寻找"和"超越"为主题的经典之作。浮士德无疑是第一个现代人，正如海勒所说："浮士德何罪之有？就是他精神上的奋斗不息；何谓浮士德的得救？也是他精神上的奋斗不息"，奋斗不息正是现代人的品格。但浮士德还是一个近代形象的现代人，他没有探寻到生命的终极存在，最后输给了魔鬼。海明威的《乞力马扎罗的雪》，在西峰"不远处有一个干瘪而冻僵的豹子尸首。没有人知道这豹子在那高处究竟要寻找什么"，也没有人知道海明威到非洲究竟要寻找什么。到贝克特，"寻找"主题变而为等待，在等待中寻找，在寻找中等待，即为人熟知的等待戈多！

由于中国当时处在民族救亡之中，同时中国作家忧国忧民的天性和中国古代文学感时忧国的传统，使得中国现代文学愈来愈严峻地关注着

---

① 丹尼尔·贝尔：《资本主义文化矛盾》。

人们的现实命运,也使现实主义始终处于主流地位。只是到了后期现代派,现代主义"寻找"和"超越"的主题才出现。这在无名氏的创作中最为突出。无名氏的《无名书初稿》系列小说,即《野兽、野兽、野兽》、《海艳》、《金色的蛇夜》,和已佚失与未完成的《荒漠里的人》、《死的岩层》、《开花在星云以外》、《创世纪大菩提》,最集中地表现了现代主义"寻找"和"超越"的主题。他作品中的人物如是说:

我整个灵魂目前只有一个要求:必须去找、找、找……走遍天涯去找!找一个东西!这个东西是什么?我不知道……这是生命中最宝贵的一个"东西",甚至比生命还重要的东西!

人啊!你为什么要奔走不停?你为什么惝恍惶惶如有所失?你在找什么?你为什么要这样痛苦地找?你在找什么?要找到何时?找到哪里?啊,宇宙这样美……

印蒂——印证生命的根蒂,是《无名书初稿》贯串始终的主人公,他终其一生以自己的整个生命为代价,竭其所能寻找生命中"最后的"和"永恒的"。《野兽、野兽、野兽》是印蒂生命探寻的第一个阶段,此时,"我在"的全部意义还完全停留在对人身失去自由的反抗上。《海艳》是生命探寻的第二阶段,即主体情感体验阶段。印蒂超越了人性以外的所有外在形式,现在在海轮上认识了冷艳、炽热甚至带点恐怖美的瞿萦。"从那一夜起,那一高贵而深刻的存在,仿佛为我展开一个新异世界,一个我从未经过的天地!"但爱情是一个包含双方主体意识的一种特殊的存在,随着任何一方意识的枯萎,爱情这种特殊的存在方式也就渐渐地消失了。爱情本身的非终极性决定了长着"发掘式眼睛"的印蒂和充满满足目光的瞿萦的爱情悲剧是必然要发生的。《金色的蛇夜》则将追寻的足迹延伸到血腥邪恶的阴界——生命的另一面,让印蒂历经苦海和魔域,沉入罪恶的深渊,以此超越附于本体"我"的原罪。那个使得印蒂疯狂而又绝望的,有着魔鬼般恐怖威严和美丽的女人莎卡罗,是一个象征物,代表着泛滥没有规范的原始冲动力,代表着全宇宙罪恶黑暗颓废的精灵,代表着"恶之花"般灿烂腐朽而又绝望的美!这种人性中黝黑面的存在,是人们努力挣扎的不可少的阻力,是人们得救必有的蛊惑。《荒漠里的人》在战火中流失,《死的岩层》、《开花在星云以外》、《创世纪大菩提》因种种原因未能写完。据40年代人回忆,《荒漠里的人》主人公是以修士身份出现的。1950年无名氏在致他哥哥卜少夫的信中曾谈到他未竟作品的主题思想:第四卷探讨神和宗教问题,第五卷写东方的自然主义和解脱,第六卷写综合的东西文化境界及其新世界人生观;第七卷写五百年后的理想和新世界的人与人的关系。我们已无法再从文本中解释印蒂追寻的具体内容和发展脉络,但综合无名氏自己的设想,尤其是剖析作者已经完成的作品的意向,我们还是能够比较准确地把握作者未竟作品的倾向的。皈依宗教,这是印蒂生命探寻必然要经历的人生体验阶段。

宗教对无名氏是太有诱惑力了。在早期习作《塔里的女人》里,作者以感伤的笔触描写了一段诡奇的爱情,但最后的结局是罗圣提蛰居华山的一个寺院,黎薇入了康定边远山区的一个天主教堂。《海艳》中印蒂在对自然、对美和对艺术以及爱情每每追求失望之后,宗教便如一个巨大的隐形磁场时时吸引着他。

在无名氏的寻找里,宗教是最永恒的所在。这与存在主义有内在相通之处。存在主义之谓"自由",最终落实处是尼采关于意志的自由,是"无"化的自由,因为人虽然生而自由,但无往不在拘束之中,真正的自由是将"我"以外的万物"无化",无视它们的存在。萨特认为人的存在同世界上其他存在不同的地方,就在于人有一种自我虚无的能力,这能力即自由,又叫"向虚无彼岸的自我退隐"①。生活中处处充满了种种二律背反的矛盾,中国禅宗的要义在于将这些所有矛盾在参禅悟道中消融,"无"化,以达到"圆寂"、"涅槃",否则人将依然受种种欲望和反欲望矛盾的苦恼。无名氏的宗教观融合了东西方宗教教义并渗透了自己的宗教体验,"创世纪"和"大菩提"本是分属基督和佛教的两个不同的宗教术语,无名氏却把它们结合在一起,并视为五百年后理想的新世界的人与人的关系。

我们顺着无名氏启示的思路作了如上的追寻和阐释,不难看出,印蒂对生命永恒的寻找过程与西方的"寻找"和"等待"何其相似,然而

---

① 萨特:《想象的心理学》。

又有所不同，这里没有永远等不到的悲观主义的"虚无"，而是充满信心的寻求和结果的必然出现——新信仰的建立，"虚"亦是"实"。同时也不难看出，这种思路尽管有其异乎寻常的深刻性，表现了中国现代文化与西方文化思考同步发展的另一种态度，但毕竟与严酷的现实和历史的必然抉择背道而驰，这种乌托邦式的文化空想到头来也只能是与作者愿望背反的、真正的虚空。无名氏是一个特例，即使在后期现代派诸人中作这样思考的也只有他一人。徐訏和张爱玲等没有走那么远，但他们毕竟有共同的特色。徐訏《风萧萧》把现实中的残酷斗争与人性的表现结合一起，并放在当代人类文化的背景上加以思考，表现人在无可回避的生存悖论中各种或崇高或悠远的选择。其中男主人公对现实保持距离的认识及其不断改变的选择，其实也正是一种生命意义的寻找过程。张爱玲更多表现的是在生存悖论中人们的各种变态心理和行状，从中透露出来的也仍然是作家对人们无法摆脱的痛苦生存的关注和思考，尽管她大多是从否定性的现实表现中折射她的价值观念的。

随着现代哲学的崛起和现代心理学尤其弗洛伊德精神分析理论的影响，西方的艺术观也同时改变，全面走向心理是现代派艺术和传统艺术最根本的区别之一。

走向心理首先表现在对外物作用于人心理所产生的主观感觉或主观印象的形象描绘。因为在现代派看来，"只有印象（无论产生印象的物质是多么微不足道，不论这种印象是多么难以置信）才是真实的唯一标准，也正因为如此，只有印象才能获得精神的理解。"[①] 新感觉派强调主观感觉或主观印象已为大家所共认，到了无名氏感觉甚至被推到了生命的高度："我现在才懂得生命，生命的深度和广度。我现在才懂得，生命的唯一报酬，就在感觉。……我们所要求生命的，只要感觉就够了。在这里一切都有了。"无名氏在《野兽、野兽、野兽》后记中曾经概括过他的小说与传统小说的差异："我们熟悉的小说是以叙事为主的文学作品；可是这部小说，绝大部分则是形象化的描写，景物和气氛都十分不同。我们惯见的小说，都有密实的故事情节，这部小说，只是无数缥渺的感觉，恍惚的臆想，藕断丝连的缀合。"如《海艳》中多次对

---

① 普鲁斯特：《过去的韶光重现》。

大海和月夜的描绘，就是作者在特定的心境下皆"着我之色"的主观感觉和主观印象的典型表现。

徐訏曾在北大转修心理学两年，他的作品最主要的特点是以心理描写见长。他对心理的描绘已不仅仅停留在感觉阶段，而是把它与当代人类文化意识的生存观点和生命意义的思考结合在一起，并从而扩展到了整个作品的内容和作者对生活的态度体现上。《风萧萧》表现"孤岛"上海中国情报人员和美国远东间谍组织与日本军事集团和特务之间的错综复杂的斗争，题材选择的本身决定了读者心理的预期紧张性，而且作者在叙述过程中并不直接交待人物各自的身份，而是让人物自身互相试探、斗智，从而更增加了读者对事情真相的追究和人物命运的关心。整篇小说扑朔迷离，悬念迭起，颇有爱伦·坡小说的风格。但作者最感兴趣的倒不是故事本身，而是试图通过"我"对爱情、生活，尤其"我"在不自觉中被卷入间谍组织后所始终保持的"距离欣赏"的态度，突出表现"我"心目中由此产生的心理现实。作者努力把探寻的视线引向故事叙述层面的更深层次，从而在故事的深层意义上开拓了一个宏阔的心理空间，使小说超出了单纯描写战争和地下斗争的一般感性内容，而更多的给人以自身理性思考的启迪。

现代心理学研究的突破为作家更深刻地深入人内心并进而了解人类行为的动机提供了最直接的方法和途径，也为作品打开了更广阔的表现领域。现代主义走向心理的本质主要是指作家通过对人精神或心理的分析，探寻心理及其行为背后的社会制约因素。弗洛伊德以为人或人类行为主要取决于人自身内在、"本我"的"性"或"里比多"的冲动力，"本我"是建立在"享乐原则"基础上的，但总受"自我"、"现实原则"的制约，当"本我"和"自我"矛盾不能达到"超我"状态时，人和社会的行为就将呈现出不可避免的荒谬性。张爱玲所关注的就是这种人在被抽去正常的享乐尤其性欲望，或"现实原则"压倒"享乐原则"后所产生的变态心理及变本加厉的报复行为。《金锁记》不同于以往任何小说"在一瞬间集种种不幸于一身"，或满腔同情地叙述主人公的悲惨遭遇，而是将笔墨集中在主人公的后身，揭示过去的性压抑所产生的阴暗心理。七巧生前从未得到过正常的性生活，所以她也不希望她的儿子和儿媳能够得到天伦之乐。她常常半夜将长白从床上叫起来陪自己抽大烟，使长白不能与妻妾同床，妻妾不堪凌辱和折磨很快了却了残生。七巧这种疯狂的嫉妒和报复甚至容不下自己的亲生女儿，她从意志上击溃长安的自尊心，使她读书的梦想变成了一个美丽苍凉的手势；她又以拖延的办法解除了长安惟一的一次婚约，并不惜谎称长安抽大烟以破坏长安和世舫最后的一点恋情。长安三十岁未嫁，七巧眼看女儿的青春在自己面前枯萎，对她来说无疑是一个对过去失落的心理的平衡。七巧本是一个封建伦理的牺牲品，但作者却把她置于害人者的地位，让主人公现身显示封建伦理蔑视人性的直接危害。"三十年来她戴着黄金的枷。她用那沉重的枷角劈杀了几个人，没死的也送了半条命"。这黄金的枷是怎样铸成的，又是怎样戴在自己身上，又用以劈杀包括自己在内的几个人？这就是张爱玲所要表现的封建伦理作用于人的心理而产生变态行为的目的。

到了 30 年代，佛兰克将弗洛伊德心理分析和雅斯培以来的存在哲学结合起来，创立了"存在精神病学"，又叫"意义治疗学"。他以为现代人变态行为和"存在的空虚"，主要是由于人"存在的受挫"或"求意志的意志"受挫所致①，治疗的方法是寻找失去的生命的意义，主要是通过爱和心灵的交流使人意识到自身对生命的责任。徐訏《精神病患者的悲歌》是篇典型的心理治疗小说。"我"治疗白蒂的第一步就是让白蒂知道这世界上还有一个真正而又无私的人海兰深爱着她，然后又以"我"和海兰的假恋情刺激白蒂的嫉妒心理，最后以海兰的死强化"我"和海兰对白蒂的双重爱，使白蒂最终认识到自己对生命和对海兰的责任，精神完全正常了。徐訏的小说往往哲学、心理学和文学浓得化不开，这篇小说是一个体现，而且已进入实用阶段。

在艺术表现上，后期现代派呈现出比新感觉派更为复杂的变异。现实中因果关系的多重性冲突和相互作用，使后期现代派作家常常有意地模糊掉故事叙述链条之间的因果关系，甚至表现出某种神秘色彩。在这里，偶然性与必然性也难分难解，使人一时难以判断。而这种因果判断的模糊性却恰恰透视出作者的价值意识和对生活的无可奈何的慨叹。在这方面张爱玲的小说有较明显的表现。《倾城之恋》写的流苏和柳原由

---

① 佛兰克：《从存在主义到精神分析》。

无爱的"恋爱"到结婚的过程,就呈现为一种多层次交织的既非因果又为因果的故事结构。从上海到香港流苏和柳原因为"我们那时候太忙着谈恋爱了,那里还有工夫恋爱?"在香港,一个城市的倾覆倒使他们真的产生了一点恋情,不过最高潮也仅限于"她突然爬到柳原身边,隔着他的棉被,拥抱着他。他从被窝里伸出手来,握住她的手。他们便彼此看得透明透明。……他不过是一个自私的男子,她不过是一个自私的女人。在这兵荒马乱的年代,个人主义是无处窝身的,可是总有地方容得下一对平凡的夫妻"。小说结尾是神来之笔,意味深长:"香港的陷落成全了她。但是在这不可理喻的世界里,谁知道什么是因,什么是果?谁知道呢?也许因为要成全她,一个大都市倾覆了……"无名氏一生似乎都在追求,但他生命追寻的最终存在是虚无和空寂。人类的愚妄在这里似乎找到了答案:"生与死与离别,都是大事,不由我们支配的。比起外界的力量,我们人是多么小,多么小!"无名氏小说中的生命追寻过程,实质上就是对现实复杂因果关系的躲避和解脱。

弗雷德里克·杰姆逊认为:"现代主义文学中的主要问题是一个表达的问题。"① 如马拉美和艾略特以一种晦涩和艰深的语言来改变被工业化贬值了的另一种言语,试图恢复早已失去的现有语言的活力;新感觉派强调通感的运用,就是为了从多方面刺激被麻痹而迟钝了的现代人的神经。无名氏小说的表达方式是传统语法和修辞所无法接受和分析的,他总体上追求的是一种现代派绘画浓烈和抽象的效果。印蒂和瞿萦有几段自白可以帮助我们理解:

> 她就这样躺着,像马蒂斯画上的那种肿女,安静与懒散中带着深沉的力量,以及原始的蛮犷。
> 这不是我们的爱情,这是毕加索的画……我们的早晨相当他的"青色时代",黄昏可算是他的"红色时代"。
> 我们的生活不只是后期印象派,简直是野兽派,比马蒂斯还马蒂斯的野兽派!

---

① 弗雷德里克·杰姆逊:《后现代主义及其文化理论》。

马蒂斯和毕加索都是现代派最典型和辉煌的画家,马蒂斯有句名言"精确的描绘不等于真实",他希望达到的是,"那些感觉的浓缩来构成画面";毕加索的画不问美丑和张弛,而是几乎疯狂地以各种夸张乃至变形的形式表现生命之力——它的征服力、破坏力、创造力;后期印象派代表画家是梵高、塞尚、高庚。高庚在无名氏书中被称为果根,也是他最喜欢的画家。高庚的代表作是《我们从哪里来?我们是谁?我们往哪里去?》这幅画可以看作是无名氏全书的总体符号特征。后期现代派比新感觉派更注重色彩对感官的刺激以及由此引起的心理效应。他们经常以感觉中色彩的随意性和浓烈来表现作者自己心理感受的主观和强烈。《风萧萧》以银色代表白蘋,象征她的圣洁而又凄凉;用旭日般的红色代表梅瀛子,象征她的热烈艳丽和辉煌。无名氏笔下的夜是金色的蛇夜,死如岩层般黝黑而又坚硬,蜜月叫"红熟",大欢乐时万物为之生辉,大悲哀时世界与他同悼。在这方面,张爱玲也是一个高手,她为我们创造了一个个色彩浓艳而又感受独特的场景,形成一个个强烈的心理磁场。如白流苏初到香港后的描写:"那是个火辣辣的下午,望过去最触目的便是码头上围列着的巨型广告牌,红的、橘红的、粉红的,倒映在绿油油的海水里,一条条,一抹抹刺激性的犯冲的色素,窜上落下,在水底下厮杀得异常热闹。"这种描绘的效果确非一般的描绘所能比拟的。由于主体性情绪强烈介入,这些色彩都是斑斓而流动的。在无名氏那里,又常常冲出种种色彩的包围而直抒胸臆,从而形成语言的激流。如他有时候甚至用最简单的语言重复和感叹号连缀表现洪水决堤式的感情潮流:"野兽、野兽、野兽……"、"海呵!海呵!海呵!……"作者不假思索地直诉笔端,目的是为了避免思考和文字加工的迟延,从而使读者在阅读过程中产生即刻效应,你不能不接受不迎接这感情风暴的袭击。

在现代主义那里,由于心理上许多复杂的如焦灼、孤独和无奈等感情纷呈涌现,有许多是现有语言所无法表达的。但无名氏非常巧妙地借现有语言表达了另一种无法言语的语言,"以达到这样一个目的,那便是传达出他的使用的语言后面还有另外一种语言"[①]。《海艳》第九章

---

[①] 弗雷德里克·杰姆逊:《后现代主义及其文化理论》。

"结合",为了表达印蒂和瞿紫在海边有如亚当夏娃般创世纪婚礼仪式和交欢的大快乐,作者用了长达十页汪洋恣肆石破天惊的文字和感叹号为此作了最后最壮丽的歌唱。但在奏完最后的一个休止符后,文章却迅速地转入了第十章"沉郁",语言也立时变得疲软松散灰暗。司马长风首肯无名氏对传统语言的大胆突破,但对此种巨大落差的转变却感到突然和难以理解。这大概是他那传统的审美眼光阻碍了他对现代派语言背后的另一种语言的感悟。在无名氏的感觉里,获得的快乐和失去的无奈几乎是同时产生的,越快乐越失望,获得的越多,失去的也就越多。此处表达的正是这样一种人生的体悟。

中国现代派小说毕竟是在中国这块土壤上产生的,起初普遍地存在着理论的移植和形式的摹仿,但愈到后来愈成熟愈显出中西交融的倾向和特征。在文化观念上表现出自觉的综合态度,这是后期现代派尤应引起注意的醒目特点。1951年无名氏致卜少夫信中再次提到他的《无名书初稿》的主题和自己的理想:"我主要野心是在探讨未来人类的信仰和理想","此生夙愿是调和儒、释、耶三教,建立一个新信仰"。他坚信"中国文化在吸收西洋文化之后,一定可以产生新文化,正如唐宋吸收佛教思想后,能产生唐代艺术与宋代哲学一样。因为中国人最具有粘液性,也最懂得配合。"① 将不同的文化和艺术综合为一体,寻找人生和艺术发展的新路,这是后期现代派共同的意向。如果说无名氏更多的还是在追求生命永恒中的文化结合,那么,用新的观念关注现实人生并在艺术表现的中西结合上,张爱玲则有一定的代表性。《传奇》封面借用了晚清的一张时装仕女图,画着个女人幽幽地在那里弄骨牌,旁边坐着奶妈抱着孩子,这是中国传统家庭晚饭后平常的一幕图画,"可是栏杆外,很突兀地,有个比例不对的人形,像鬼魂似的,那是现代人非常好奇的孜孜往里窥视"②。作者对这个封面很满意,因为它形象地概括了她作品的特色和她本人的意图。在人生观念和艺术表现上,传统和现代在张爱玲笔下浑然一体,传统的笔致和现代派的感受结合得也比较和谐,从而表现出她的创作个性。值得一提的,还有她的小说对"意象"

---

① 无名氏:《冥想偶拾》,转引自司马长风《无名氏的散文》,见《无名氏研究》。
② 张爱玲:《传奇·有几句话同读者说》。

的追求，既传达了现代派所强调的象征意义和微妙心理感觉的变化，又体现了中国传统文学开拓意境和画龙点睛的传神功能。她小说中基本意象是抬头看"月亮"，低头照"镜子"，和对失去自由的"鸟"的反复不同特征的描绘，与此有关的还有屏风、玻璃和磁盘等。《红玫瑰与白玫瑰》中的振保并不爱他的妻子，而他的妻子却是那么盲从依赖着他，所以他妻子那不发达的乳握在振保手里像"睡熟的鸟"。而在《茉莉香片》中传庆死去的母亲"是绣在屏风上的鸟——悒郁的紫色缎子屏风上，紫金云朵里的一只鸟。年月久了，羽毛暗了，霉了，给虫蛀了，死也还死在屏风上"。传庆本人跟着父亲二十年也被制成了一个精神的残废，"屏风上，又添了一只鸟，打死他也不能飞"。屏风和鸟所暗含的封建壁垒和失去个性自由的象征意义是很深远的。或许张爱玲有感于在长期封建观念压抑下，女子们畸型的性格内都带着几分顾影自怜的因素，都是镜子的奴婢，而且又都是脆弱易碎的东西，所以她小说中每个女子都与镜子结下了不解之缘，命运也通过镜子反映出来。

　　后期现代派的作家们对不同类型的创作方法和不同层次的审美趣味及艺术表现方式，也采取了一种综合吸收并借此进行自我调整的态度。无名氏的小说、徐訏的《鬼恋》等部分小说，有明显的对浪漫主义的借鉴①；而徐訏的《风萧萧》和张爱玲的大部分作品，则又有现实主义的鲜明痕迹。最突出的，还是对于与现代主义距离最远的都市通俗文学的借鉴和吸收②。张爱玲在《多少恨》的开头说，"我对于通俗小说一直有一种难言的爱好；那些不用多加解释的人物，他们的悲欢离合。如果说是太浅薄，不够深入，那么，浮雕也一样是艺术呀。但我觉得实在很难写，这一篇恐怕是我力所能及的最接近通俗小说的了。因此我是这样的恋恋于这故事"。能够不带纯文学的成见，而且在创作实践中主动地进行借鉴，这是难能可贵的。无名氏也承认，他的《北极风情画》和《塔里的女人》也是这种借鉴的产物。"立意用一种新的媚俗手法来夺取广大的读者，向一些自命的拥有广大读者的成名文艺作家挑战。"即使

---

　　① 正因为如此，才使严家炎先生误把这派作家概括为"后期浪漫派"。见《中国现代各流派小说选》和《中国现代小说流派史》。

　　② 也正因为如此，过去即有人把徐訏、无名氏的作品误认作鸳鸯蝴蝶派一脉，转引自司马长风《中国新文学史》下卷。近来出版的《中国现代文学三十年》亦持相近看法。

在一般读者最难解读的《无名书初稿》，从那些浓艳的故事叙述和场景描写中，我们也仍然可以看出并未抹掉的这种影响的痕迹。徐訏的《风萧萧》富有较强可读性，一版再版，也是与他以扣人心弦的故事构架和多角的情爱关系作为进入心理、哲学层次的导入层次有关，而方的原型不同。

在我们进行了以上分析之后，还必须认真指出的一点是，后期现代派作家们与社会政治变革的历史选择都保持了一定的距离，甚至表现为一种不合拍的观念选择。张爱玲说"这时代却在影子似的沉落下去，人觉得自己是被抛弃了"[①]。客观地说，这与她置身"孤岛"的特殊心境有关，不能完全理解为与时代的主动疏离，但毕竟与时代的政治思想选择表现出了距离。徐訏与无名氏也是如此，尤其是无名氏，在对政治的主动疏离方面表现得就更为突出一些。这或许是现代派的通病，或者毋宁说是现代派的一个文化特征。

我们提出并研究后期现代派的意义，在于对这种客观存在的历史现象的文学的和文化的考察。这派作家所作的努力，是要为现代派文学在中国的文化土壤中寻找自己的家园。而为他们自觉追求的文化综合态度，迄今也未失去其可资借鉴的现实意义。

1990.2

（此文与潘学清合作，原载《文史哲》1991年第2期）

---

① 张爱玲：《流言·自己的文章》。

# 对中国现代都市通俗小说的再评价

这里所谓的"现代都市通俗小说",实际上说的是鸳鸯蝴蝶派。鸳鸯蝴蝶派,亦称礼拜六派,也有人合称为鸳鸯蝴蝶—礼拜六派,而为大家多年沿用已成习惯的称谓还是鸳鸯蝴蝶派。这一产生于本世纪初而始终以趣味主义为指归的文学流派,自新文学产生之日起即被目为"小说逆流"而屡遭挞伐,但奇怪的是,这一流派虽经几度式微但却又几度中兴,成了唯一横跨近现代两个时代,历时最久而流派特征又一以贯之的文学流派,其作品数量之巨也远非新文学所能比拟。这一有趣的现象,早在现代时期就已引起新文学界的注意,曾多次以批判的态度对此进行分析。这些批判在抵制和消除鸳鸯蝴蝶派的消极影响方面确实起了极大的作用,但无庸讳言,"道不同不相为谋",作为与新文学有雅俗之分、自成格局的这一文学流派依然存在而且发展。显然,错位的批判(仅指不同文学层次)不如代之以科学的认知和解释。当历史已经超越现代时期它所提出的神圣使命,我们的文学已不再与作为历史陈迹的鸳鸯蝴蝶派直接处于现实性的对峙之后,我们有可能也有必要对这一流派进行较为科学的分析认识了。这样做的意义不仅仅属于对历史的解释,而且更是现实的需要,因为它涉及到了社会的基本选择与人类对文学艺术的多种需要这一带有永恒价值的重要命题。正是出于这一原因,近年来学术界对鸳鸯蝴蝶派开始进行新的认识和评价,不少人在这方面做了许多有益的工作。但这些工作还是初步的,不完善的,在触及上述重要命题时尚缺乏更为自觉的理论意识,往往只是在某些局部问题上进行辨析,目的无非是消除旧有批评中的误解,而不是对这一文学格局固有本质的确认和建立在这一基础上的科学批评。

一

我们并不认为鸳鸯蝴蝶派具有现代新文学，特别是积极推动社会革命变革的新文学的那种严肃崇高的品格。过去新文学界对它所存在的拜金主义倾向和游戏人生的态度的批判，以及对其粗制滥造的恶俗的艺术倾向的贬斥，应该说是切中肯綮，一针见血的。但是，进而说它是代表封建买办势力利益与要求的"小说逆流"，则也是缺乏根据的。

作为一个流派的基本态度，诚如不少论者业已指出的，鸳鸯蝴蝶派在反帝爱国问题上一贯是态度鲜明的。被称为该派"五虎将"之一的周瘦鹃，在他的自叙中曾写道："自从当年军阀政府和日本帝国主义签订了二十一条卖国条件后，我痛心国难，曾经写过《亡国奴日记》、《卖国奴日记》、《祖国之徽》、《南京之围》、《亡国奴家的燕子》等好多篇爱国小说，想唤醒醉生梦死的同胞，同仇敌忾，奋起救国，以致引起了上海日本领事馆的注意，把我列入黑名册，曾派特务到报馆找我，险遭不测。这本黑名册是在日本帝国主义投降后被朋友发现，拿来后我看的。"① 他几十年所坚守不渝的这种爱国精神，在鸳鸯蝴蝶派中还是有很大代表性的。在民族危难深重之日，该派的《礼拜六》等刊物刊登过许多翻译和创作的爱国作品，用以激励国民的爱国之心。一九三六年前后，在全国人民掀起的抗日救亡运动中，他们中的大部分人都参加了抗日民族统一战线。

比较复杂的是他们是否反封建问题。近来一些有识见的论者已经著文承认了鸳鸯蝴蝶派的反帝爱国立场，但在是否反封建上仍持保留态度。因为令人困惑不解的问题是，既然包天笑、周瘦鹃等鸳鸯蝴蝶派的代表人物与新文学的倡导人物不无共通之处，那么他们为什么没有能成为新文学营垒中的一员呢？反帝爱国既已承认，问题就只能出在对封建主义的态度上。因此说，"我们认为，最主要的原因是在反封建这道关隘面前，他们不是去冲闯，而是停滞止步。在'五四'的反帝反封建的

---

① 周瘦鹃《我的经历和检查》，转引自范伯群《对鸳鸯蝴蝶——〈礼拜六〉派评价之反思》，载《上海文论》1989年1期。

双重任务面前，他们仅仅具有反帝爱国思想；他们在译介西方文学作品的过程中，也曾对传统封建道德有过改良的设想；但是在主观意识上，他们没有自觉的反封建的要求。"① 这一论断确有一定道理，我们也认为，鸳鸯蝴蝶派的问题确实主要出在对封建主义的态度上。我们所不能同意的，是这一论断未免把一个本来很复杂的问题弄得过于简单化了。而解决这一问题恰恰是解决正确评价鸳鸯蝴蝶派的关键问题所在。

封建主义应包括政治制度与意识形态两个既有联系又有区别的基本方面，反封建自然也应该包括这两个方面。在反对封建的专制制度和黑暗吏治方面，鸳鸯蝴蝶派的基本态度还是应当肯定的。该派中的蒋著超、陈蝶仙、胡寄尘、徐枕亚、包天笑、周瘦鹃、范烟桥、许指严、贡少芹、朱鸳雏、姚鹓雏、刘铁冷、闻野鹤、赵苕狂等有代表性的作家，早期都曾是以柳亚子为首的进步文学团体"南社"的成员，他们在反对清王朝，拥护武昌起义，反对袁世凯称帝及军阀统治等问题上，态度还是明朗的，积极的。又如何海鸣，"从小就有革命思想，在随营学校的时候，组织文学社，秘密结合，打算推翻清室"，后因办报"着力的鼓吹革命，给瑞澂晓得了，把他捕到狱中，饱尝三个月的铁窗风味"。辛亥革命中，他曾亲身参加军事斗争，"继黄兴之后，血战一月，退游日本"②。应当说，在反清政治立场方面，他们与改良派还是有明显区别的。无疑，对"五四"以后共产党所领导的新民主主义政治革命，他们是没有明朗态度的，但既没有明确的支持，也同样没有明确的反对。对于国统区的腐朽吏治和诸种黑暗的社会现象，他们中的一些人则仍然持批判态度。自然最突出的就是张恨水。他所写的《八十一梦》借梦写实，将神仙鬼物一齐写在书里，讽喻重庆的现实，还曾一度在延安流传。由于这部作品对现实的辛辣针砭，触及到了国民党的疼处，因此被误认为"张恨水'赤化'了"，检查他的来往书信，并派特务对他进行恫吓，以致使《八十一梦》只写了十四个梦便匆匆结束了。③ 固然我们

---

① 范伯群：《对鸳鸯蝴蝶——〈礼拜六〉派评价之反思》。
② 严芙蓉等：《民国旧派小说名家小史》，《鸳鸯蝴蝶派研究资料》上卷。
③ 张恨水：《我的创作和生活》，原载《文史资料选辑》第70辑（1980年7月中华书局版）。

可以把张恨水的后期创作视为对其前期，特别是对鸳鸯蝴蝶派创作规范的突破，但也未始不可以看作鸳鸯蝴蝶派之主流部分在新的时期顺应形势的新发展。因为在这一时期，或者说自张恨水发表《啼笑因缘》以来，他本人以及其他一些同派作家，都相继发表了一些渗透着更多社会批判内容的言情或社会小说，受到了社会的欢迎。如秦瘦鸥的《秋海棠》就是一例。

当然这并不是说，鸳鸯蝴蝶派作家和新文学特别是革命新文学作家在反封建的政治态度上没有区别。第一，他们并不把反封建的政治任务看作自己创作的重要主题；第二，他们一向不以政治标准衡量是非，而只是进行笼统的善与恶的伦理判断，即其所谓"惩恶扬善"。这种区别还是显而易见的。

评价鸳鸯蝴蝶派最为复杂的，恐怕还是他们对待封建观念意识的态度问题。在这个问题上，我们既不好武断地说他们是反封建的，也似乎不能轻易地就下个结论，说他们属于封建保守的一群。虽然包天笑说过他"所持的宗旨，是提倡新政制，保守旧道德"这样的话，但我们也不必就此深信不疑，更不能对整个流派的思想倾向据此便得出结论。包天笑的这种自我说明，诚然是由衷之言，但也未必就没有自我剖辨之意。当时鸳鸯蝴蝶派多写才子佳人、娼门艳情，在文化界一向名声不佳，包天笑自认为与之有别，创作了不少灌输爱国主义思想、提倡平等博爱、改善社会环境的小说，不当同日而语。再则，他说是"旧道德"，也未必全然是旧。他的作品中确有一些旧的道德观念，但也不乏新的意识。比如被他引为得意之作的《爱神的模型》，写一个画家想找一个模特儿创作一幅题为爱神的画，结果遭到了他的妻子、妹妹和相好妓女的拒绝，揭示了这样一种畸形的社会现象：不少人一面侈谈男女平等、妇女解放，一本正经地讴歌爱情，一面却以种种理由维护习以为常的封建礼教的传统观念，即使在夫妇之间，在不耻以出卖肉体为业的妓女身上，也难逃这种潜在意识的支配。这篇小说的题旨很明白，就是对封建礼教观念和道德意识的现实性批判和否定，很难说是保持旧道德。

从传统文化的眼光来看，鸳鸯蝴蝶派本来就不是一群"道德君子"。在我国文化传统中，文化人早有君子、才子之分，按此律例，鸳鸯蝴蝶派作家应属于"才子"一类。鲁迅说："那时的读书人，大概可以分他为两种，就是君子和才子。君子是只读四书五经，做八股，非常规矩的。而才子却此外还要看小说，例如《红楼梦》，还要做考试上用不着的古今体诗之类。这是说，才子是公开地看《红楼梦》的，但君子是否在背地里也看《红楼梦》，则我无从知道。有了上海的租界，——那时叫作'洋场'，也叫'夷场'，后来有怕犯讳的，便往往写作'彝场'——有些才子们便跑到上海来，因为才子是旷达的，那里都去；君子则对于外国人的东西总有点厌恶，而且正在想求正路的功名，所以决不轻易的乱跑。孔子曰：'道不行，乘桴浮于海'，从才子们看来，就是有点才子气的，所以君子们的行径，在才子就谓之'迂'。"① 历来的才子们都不以固守道统为己任，相反倒是常以敢于触犯道统为乐事。古之被称之为才子书的《西厢记》、《红楼梦》等书的作者，虽然谁也无法跳出封建道统的终极圈子，但都在某些方面对此一道统进行了亵渎，表现出了程度不同的叛逆色彩。鸳鸯蝴蝶派的作家们很难与王实甫、曹雪芹相比，可毕竟属于"才子"之流，并不对封建礼法和传统道德十分看重的。他们吟风弄月，诗词唱和，常要做点文字游戏（如所谓集锦小说即属此类），甚至有的还不以沾染恶习为耻，宿娼狎妓，放浪形骸，并把这视为文人的"雅趣"。我们所以指出他们的这一特点，目的在于说明，这些"才子"之流，既不会以卫道为己任，也不会把这当作怎么一回事。尽管有的人，如朱鸳雏曾为复古的"同光体"叫过好，以致弄出了柳亚子和他的一段公案，② 但他的根本目的也不过就是文人之间的恃才之争，并无深层的文化斗争的自觉目的。何况多数人还并不如此呢，他们希望社会进步，自然也不会满足于观念意识的停滞不前。

事实上，鸳鸯蝴蝶派的一些代表人物从早期就积极参与翻译介绍西方思想和文学作品，这本身就是对我国封建观念意识的一种冲击。如包天笑，在我国属于较早接受西方新学影响的人物之一，严复所译《穆勒名学》、《社会通诠》、《群学肄言》等名作，便是经他校对、编辑出版的。截止于一九四〇年，经他翻译的雨果、莎士比亚、契诃夫、大仲马等英法意俄作家的作品不下四、五十种，影响广泛。又如周瘦鹃，也是

---

① 《上海文艺之一瞥》，《鲁迅全集》第4卷《二心集》。
② 见《我和朱鸳雏的公案》，《柳亚子文集·南社纪略》。

我国较早的文学翻译家，他还是最早把高尔基作品翻译进我国的第一人。经他翻译于一九一七年集印的《欧美名家短篇小说丛刊》，介绍了包括高尔基《叛徒的母亲》在内的欧美数十个作家的作品，其意义也是不可低估的。鲁迅和周作人称赞它为"昏夜之微光，鸡群之鸣鹤"①。即使从鸳鸯蝴蝶派代表作家们的创作来看，尽管其中程度不同地掺杂着一些封建主义的消极因素，但反对门阀观念，反对专制婚姻习俗，反对封建礼教的积习和影响等，还是构成了该派小说思想价值选择的主要倾向的，只不过这种倾向只能在该派小说趣味主义的基本规范中委婉地表现罢了。就是程小青和孙了红等人所写的诸多侦探小说，其中叙述的故事内容及其标示的科学的逻辑精神，又何尝不是对封建愚昧及其思维方式的一种客观性的冲击呢？凡此种种，都足以说明，说鸳鸯蝴蝶派作家在反封建面前是"停滞止步"的，是不符合实际的。

关键的问题是，鸳鸯蝴蝶派作家在反封建，特别是反封建的观念意识方面，基本上没有突破他们创作的基本旨趣，不能像新文学那样站在反封建斗争的前哨位上对社会潮流进行导引，而只是顺乎自然地迎合潮流的发展。一个是"导引"，一个是"迎合"，这就构成了二者的真正区别。新文学是要改造国民，鸳鸯蝴蝶派则是适应国民（主要是都市市民），这是构成二者区别的不同出发点。正因为要适应国民而且主要是都市市民的要求，一方面必然有反封建的要求，一方面又必然会出现一些消极落后的东西。于是，就不可避免地在该派创作中呈现出新旧杂陈的复杂局面。郑振铎把这派人物和创作倾向称之为思想界的"蝙蝠"②，意思是既是兽，又是禽，是一种同具两种属性的物事，就是针对这种情况说的。

至于说鸳鸯蝴蝶派是与新文学运动相左的"小说逆流"，与事实也显然是不符合的。这一点有的论者业已据实进行了剖辩。第一，鸳鸯蝴蝶派不仅不反对白话运动，而且早于新文学运动就有了对白话的提倡和创作实践。一九〇三年，包天笑即在家乡创办了木刻版印刷的《苏州白话报》，一九一七年一月，又在他主编的《小说画报》上力主"小说以

---

① 见 1917 年 11 月 30 日《教育公报》第 4 年第 15 期。
② 《思想的反动》，刊于《文学旬刊》1921 年 6 月 10 日第 4 号。

白话为正宗"之说,他在该刊卷首写道:"盖文学进化之轨道,必由古语之文学变而为俗语之文学……自宋而后文学界一大革命,即俗话文学之崛然特起。"在编者《例言》中他又进而指出:"小说以白话为正宗,本杂志全用白话体,取其雅俗共赏,凡闺秀、学生、商界、工人,无不咸宜。"在用白话创作方面,除了包天笑,如陈蝶仙写过《泪珠缘》,张恨水写过《旧新娘》,这种例子还可举出不少,时间都在辛亥革命前后。硬说他们逆流而行,他们也是不会服气的,包天笑就说:"提倡白话文,在清季光绪年间,颇已盛行,比了胡适之等那时还早数十年呢。"① 第二,他们固然不像新文学运动倡导者那样,摒绝一切旧形式,仍然采用传统的章回体,但也不是抱残守缺,泥古不化。对国外的新东西,他们注意吸取,对传统的旧形式、旧手法也能注意改造。张恨水谈他的创作发展过程时说:"我仔细研究翻译小说,吸取人家的长处,取人之有,补我所无,我觉得在写景方面,旧小说中往往不太注意,其实这和故事发展是很有关的。其次,关于写人物的外在动作和内在思想过程一方面,旧小说也是写得太差,有也是粗枝大叶地写,寥寥几笔点缀一下就完了。尤其是思想过程写得更少。以后我自己就尽力之所及写了一些。"② 这种说明还是符合实际情况的。如果说鸳鸯蝴蝶派与新文学的倡导有什么牴牾,那就是一个主张趣味主义,一个则反对以娱乐为目的的消闲文学。这才是问题的症结所在。但若指认为逆流,恐怕还说不上。

## 二

鸳鸯蝴蝶派屡遭挞伐而不衰,这怪异的现象不能不引起人们的诘问和思考。一个读者向新文学界请教道:"我现在决计照着你们所指示的路走,多看些于自己的实际生活有关系的新东西。旧小说是娱乐人的,是引人想入非非的;新小说是刺激人的,是导人深入社会的。这道理的大概,我现在也明白了。""但是,留在我脑内还成疑问的,是'为什么

---

① 《钏影楼回忆录》,大华出版社 1971 年 6 月版。
② 《我的创作和生活》。

这些害人的旧小说还可以风行一时？为什么偏有许多人会入他们的迷途呢？譬如《啼笑因缘》，在目前出版界，依然是一部销行最广的小说；……照你们的看法，世界上的事，即使这样的小事，总也不该有所谓偶然的吧'。"① 其实，新文学界对此并非熟视无睹，他们也清楚地看到，新文学无论是实行怎样的冲击，这种所谓"旧式白话小说"，仍然"可以安安稳稳地坐在他们的'太平皇帝'的宝座上"②。甚至，新文学界在愤慨之余，也不无困惑和危机感产生。且看瞿秋白是如何议论的："这样，'新文学'尽管发展，旧式白话的小说，张恨水，张春帆，何海鸣……以及'连环图画'小说的作家，还能够完全笼罩住一般社会和下等人的读者。这几乎是表现'新文学'发展的前途已经接近绝境了。因为如果新文学继续用现在这种新式的所谓白话，那么，他的前途便有一个不可逾越的界线——顶多发展到这条界线，往下就绝对不能发展的了。这条界线，我们姑且叫他'绝种界线'。"③（凡引文中出现的重点号皆为原文所有）此种议论和告诫，不能不谓之痛心疾首，振聋发聩了。

对这种现象的发生，新文学界主要是从语言隔阂上进行解释的。在这方面瞿秋白的见解尤见深刻。他发人深思地提出了由语言文字的隔阂所造成的"三个城池"之说："第一个城池里面，只有勉强认得千把汉字的'愚民'，所以他们文坛上称王道霸的是《西游记》，《封神榜》，'几侠几义'，《阎瑞生惊梦》，《蒋老五殉情》，《陆根荣黄慧如轧姘头》，十八摸，五更调……第二个城池里面，只有不懂得欧化文和上古文的'旧人'，所以他们文坛上称王称霸的，是张恨水，严独鹤，天笑，西神等等，什么黑幕，侠义，艳情，宫闱，侦探……小说。第三个城池里面，方才有懂得欧化的'新人'，在这里的文坛上，才有什么鲁迅等等，托尔斯泰、易卜生、莎士比亚、高尔基、哥尔德等等。"④ 即使现在，我们也不能不说，这在当时是极为清醒冷静的见解。当然还不仅于此，瞿秋白还看出了与语言习惯相关的艺术形式问题。他指出，那种"摩登

---

① 夏征农：《读〈啼笑因缘〉——答伍臣君》，见《文学问答集》。
②③ 瞿秋白：《鬼门关以外的战争》，见《瞿秋白文集》第 2 卷。
④ 瞿秋白：《学阀万岁》，见《瞿秋白文集》第 2 卷。

主义"的体裁只能被"摩登贵族"享用,"但是对于民众,这种体裁是神奇古怪的,没有头没有脑的。关于人物,没有说明'小生姓甚名谁,表字某某,什么省什么县人氏';关于风景,并不是清清楚楚地说'青的山,绿的水,花的世界',而且象征主义的描写,山水花草都会变成活人似的忧愁或者欢喜,皱眉头或者亲嘴;关于对话,并不说明'某某道','某某大怒道';句法是倒装的,章法是'零乱的'"。这些在欧美的工人早已不成多大的问题,"但是,中国民众还非常之看不惯。普洛文艺至今用全部力量去做摩登主义的体裁的东西。这样,自然发生的结果是:上中下三等的礼拜六派倒会很巧妙地运用着旧式大众文艺的体裁,慢慢的渐渐的'特别改良'一下,在这种形式里面灌注维新的封建道德,资产阶级民主主义的内容,写成《火烧红莲寺》的'大众文艺';而革命的普洛文艺因为这种体裁上形式上的障碍,反而和群众隔离起来。"① 抛开其中包含的成见不说,这些依据现实进行冷静反思后所提出来的见解,确实道出了或一方面的问题所在,并逐渐成为革命文学界的共识,以致开展了"大众化"问题的讨论。从语言乃至体裁形式上自觉矫正与接受者在语言习惯和艺术欣赏习惯之间实际存在的过大偏距,这对发展临近"绝种界线"的新文学来说无疑是切中时弊的重要一环。但值得注意的是,这种见解并没有触及到本属不同层次、不同类型的文学品类之间在文学功能和审美规范方面实际应该存在的差异,给以必要的说明和引导,而只是从同一层面上进行论说和比较,因此,无论是对鸳鸯蝴蝶派的批判,还是对新文学的引导,都很难从根本上解决问题。新文学总不能都写成通俗文学,鸳鸯蝴蝶派的作品也并未因受批判而销声匿迹。

近年来有的论者企图从工业生产的发展和印刷条件的改善方面来说明鸳鸯蝴蝶派的出现和发展,这固然确有一定道理,但也未免显得宽泛,因为这些条件对于鸳鸯蝴蝶派和新文学来说基本上是均等的。

那么,问题的症结到底何在?我们认为,这只有从不同的读者对象、不同的文学类型,以及由此所规定的不同文学功能和审美规范方面才能解释清楚。问题并不难理解,只要我们从实际出发,就会发现,声

---

① 瞿秋白:《普洛大众文艺的现实问题》。

名狼藉的鸳鸯蝴蝶派所以能够长期延续,就是它能紧紧依附在特定的社会读者群体上,在特殊功能选择中不断实现自我调整的结果。

显而易见,鸳鸯蝴蝶派的读者选择主要是现代都市的市民社会,或者准确地说,是现代都市的市民社会选择了这种文学品类,鸳鸯蝴蝶派也是应运而生,随需要发展的。市民社会与知识者阶层不同。知识者阶层以创造知识、传播知识和把知识转化为社会财富为业,虽然他们也要有节奏的生活,也需要或者说更需要以娱乐为内容的文化生活(文化生活在知识者那里被视为生命之必需),但是,他们几乎是把生命的全过程都看作创造的有效期,即便在规定的工作时间之外,也常常是并不停歇他们的思考。因此,即使在以娱乐为目的的活动中,他们对供他们娱乐的对象也并不放弃价值判断,表现为一种有自觉选择和判断的节制性特征。相比之下,市民社会就不同了。他们把工作和娱乐看作完全不同的两种东西,工作就是工作,娱乐就是娱乐,这种自觉的界限比较清楚。在对文学艺术多项功能的选择中,明显地倾向于娱乐这一方面。当然他们也有自己的价值判断,但这种判断是宽泛的、笼统的,仅仅是有害无害而已。而且,由于文化素养的限制,由于对娱乐功能的强烈要求,这一宽泛笼统的价值认识也常常在实际娱乐过程中被不自觉地模糊掉或基本放弃。鸳鸯蝴蝶派就正是适应市民社会的这一欣赏要求而产生,并规定自己总体性基本功能特征的。这派作家不但不讳言这一为新文学阵营所一再反对和鄙视的趣味主义的文学选择,而且还特意要再三地以"消闲"、"娱乐"来进行自我标榜。《礼拜六》在"出版赘言"中说:"礼拜一、礼拜二、礼拜三、礼拜四、礼拜五人皆从事职业,惟礼拜六与礼拜日,乃得休暇而读小说也。""清曦照窗,花香入坐,一编在手,万虑都忘,安闲此日,不亦快哉!"[①]《红玫瑰》在"编者话"中明确声称,它的主旨"常注意在'趣味'二字上,以能使读者感得兴趣为标准"。而《游戏世界》则公然大做广告,说什么"《游戏世界》是诸君排闷消愁一条玫瑰之路",要人们"快到这开放的玫瑰之路上来,寻点新趣味回去"[②]。他们的刊物也大多直接以《礼拜六》、《快活》、《游戏

---

[①] 《〈礼拜六〉出版赘言》,载《礼拜六》第1期(1914年6月6日)。
[②] 《玫瑰之路》(《游戏世界》广告),见《星期》第28号广告栏(1922年9月)。

杂志》、《游戏世界》等命名，使其具有醒目的招徕性特征。对于这一现象的评价，我们以为必须从小说必为纯文学，和小说必为宣传教育工具的自觉不自觉的认识模式中解脱出来，才能有一个实事求是的认识。朱自清先生曾经指出："在中国文学的传统里，小说和词曲（包括戏曲）更是小道中的小道，就因为是消遣的，不严肃。不严肃也就是不正经；小说通常称为'闲书'，不是正经书……鸳鸯蝴蝶派的小说意在供人们茶余酒后消遣，倒是中国小说的正宗。"① 如果不是从狭隘的意义上理解，应该说这话还是很有道理的。小说之自古即被视为"闲书"，无非是以此表示它与一向被视为"正经"的"非闲书"的区别，突出其特具的娱乐性功能特征。由此看来，小说本来就有"消闲"的作用，而为数众多的都市市民为满足"消闲"的目的而选择了它，保留了它，发展了它（接受者的需要是任何一种文艺形式产生尤其是发展的真正母因），也就没有什么可以奇怪的了。

无论哪一种类型的文艺，其社会功能都是多种因素的综合，不会有哪一种文艺只具有一种功能。鸳鸯蝴蝶派小说虽然以娱乐功能为基本标志，但并非毫无社会批判和教育读者的作用，只不过它们也是根据市民社会的特定心理要求而采取了温和委婉的劝诫方式罢了。不使读者的思想过于沉重，不至于因涉嫌而招来麻烦，这样才符合市民心理，才与娱乐消闲的本旨一致，所以鸳鸯蝴蝶派公开声明"不谈政治，不涉毁誉"的创作立场②。但毫无思想、道德是非的判断与褒贬，非但在任何文学体式中都不可能，而且也为市民社会所不取，因为市民们虽不愿因巨大的震撼力和尖锐的刺激打破心理的平衡，但倒是常常习惯于到非现实的娱乐性的精神生活中寻求价值观念上的自我认同，并在此基础上于不自觉间以渐变的方式矫正和改变自己的观念。《〈游戏杂志〉序》说："当今之世，忠言逆耳，名论良箴，束诸高阁，惟此谲谏隐词，听者能受尽言。故本杂志搜集众长，独标一格，冀藉淳于微讽，呼醒当世。顾此虽名属游戏，岂得以游戏目之哉。"③《眉语》在其"宣言"中也说："锦

---

① 朱自清：《论严肃》，载《中国作家》创刊号。
② 王钝根：《〈游戏杂志〉序二》。
③ 《〈游戏杂志〉序》，载《游戏杂志》第1期（1913年）。

心绣口,句香意雅,虽曰游戏文章、荒唐演述,然谲谏微讽,潜移默化于消闲之余,亦未始无感化之功也。"① 采用"谲谏微讽"的方式,"潜移默化于消闲之余",以收"感化之功",是鸳鸯蝴蝶派适应市民心理特点而对这些接受者实现教育功能的自觉原则。依靠这种原则,他们始终不离自己以娱乐为中心的本旨,并据此而牢牢地盘踞在市民社会里。与新文学相比,两者的区别是很鲜明的。新文学作家在与接受者之间的主客体关系中,超越客体的主体意识自觉而强烈,而鸳鸯蝴蝶派作家则相反,是以客体意识来规整主体意识,表现出"主随客便"的特点和重视市场机制的商品意识。在艺术表现和审美趣味上,他们更是像厨师一样以市民社会的"口味"为遵循,来进行选择和加工调制的。在审美要求方面,市民社会有其独特的习惯性规范。这种习惯性规范具有较之知识界更难以改变的相对稳定性,比如,故事的"怪"、"奇"与市民性和人情味的结合,叙述的线索清晰而又波澜起伏,语言的通俗化等,这一切都决定了鸳鸯蝴蝶派的基本艺术底色。不超出市民社会习惯规范的新奇刺激和顺乎其习惯自然的伦理判断与趣味选择,是这派小说的基本特点。由这种特点所决定,这类通俗小说必然具有比较明显的一以贯之的传统性特点。朱自清先生在指出这种"不正经"的"闲书"倒是中国小说的正宗之后,还进而指出:"中国小说一向以'志怪'、'传奇'为主,'怪'和'奇'都不是正经的东西。明朝人编的小说总集所谓'三言二拍'……《拍案惊奇》重在'奇'很显然。'三言'……虽重在'劝俗',但是还是先得使人们'惊奇',才能收到'劝俗'的效果……《今古奇观》还是归到'奇'上。这个'奇'正是供人们茶余酒后消遣的。"② 朱自清先生这里所说的,其实就是两点,一是它规范性的艺术特色,一是与此相关的传统性特点。这在鸳鸯蝴蝶派身上,也是并不例外的。

与国内外有关论者把鸳鸯蝴蝶派笼统地视为"中国传统风格的都市通俗小说"不同③,我们以为其读者对象的主体部分应是都市市民(广

---

① 《〈眉语〉宣言》,载《眉语》小说杂志第1卷第1号(1914)。
② 《论严肃》,见前注。
③ 参见范伯群《对鸳鸯蝴蝶——〈礼拜六〉派评价之反思》。

义理解），因为只有这部分人才是构成都市主体，而习惯规范又最稳定的读者群，不明确这一点，即难以理解鸳鸯蝴蝶派通俗小说难以动摇的根基所在。但是，我们并不认为只有市民才读鸳鸯蝴蝶派作品。在现代都市里，那些"有闲"的上流社会在审美趣味方面实质上是市民化的，他们当然也是该派作品的重要读者面。甚至知识界，也未尝不拿它们来作闲时的消遣，只不过在这时候，恰正反映了他们与市民社会在娱乐领域的审美趣味方面，亦有某些相通之处。

同时，我们还主张在"都市通俗小说"前面加上"现代"二字。这是因为，鸳鸯蝴蝶派是中国进入现代历史（相对于古代来说，近代与现代更为切近，因为从这时起，中国即开始了近代化或曰现代化历史进程）后的产物，它们身上确也具有明显的不同于历史的现代时代特征。它们虽然以相对稳定的形态继承传统，并以此与新文学区别开来，但同时也以不同于传统的新质与传统产生了明显的不同。从思想观念到艺术表现，它们都比较注意吸收新的东西，用来适应新潮流的发展，适应市民社会的新要求。它们明确声称，"力求能切合现在潮流"，"以现代现实的社会为背景，务求与眼前的人情风俗相去不甚悬殊"①。这一主张在他们的创作实践中是得到了自觉贯彻的。事实很清楚，这派作家正是顺应着市民社会观念意识和人情风俗的潮流变化，而不断地进行自身的调整，才出现了不同时期的发展变化，这在一些有代表性的作家身上表现得尤为突出。由于对其现代性缺乏了解，新文学界在进行批判时闹出过笑话：它们作品中出现了对抽血输血的描写，郑振铎便指为愚妄，不得不由深通医学的郭沫若出来更正。② 当然，由于市民社会的观念意识和审美趣味方面实际存在的健康与庸俗并存的复杂性（这也正是市民社会的一个特征），特别是在现代阶段由于社会的深刻变革和中西文化的碰撞交汇，使这一复杂性变得更加突出，从而形成了鸳鸯蝴蝶派作家队伍和创作的种种复杂状况，但是这应该是合乎逻辑而不难理解的。我们不能据此而不分青红皂白地把它们指斥为腐朽守旧和洋场变态产物（把

---

① 见超苕狂《花前小语》，载《红玫瑰》第 5 卷第 24 期（1929 年 9 月）。
② 见西谛《思想的反流》（见前注），和郭沫若《致郑西谛先生信》，载《文学旬刊》第 6 号（1921 年 6 月 30 日）。

它们定性为洋场变态产物的实质，仍然意在说明它们的腐朽性，即旧事物在新因素的刺激下而发生的畸型存在），作为导引它们发展的新质还是应予肯定的，只不过由于读者对象和功能性质的不同，而与新文学有所不同罢了。

\* \* \*

在本文行将结束的时候，我们想郑重指出，要获得对鸳鸯蝴蝶派进行评价的科学性（这对于一切通俗文学的评价都具有启发性和科学价值），必须解决一个批评标准的异同问题。我们认为，作为通俗文学的鸳鸯蝴蝶派小说，与其他文学形式相比，具有不同的功能目标和审美规范，在批评标准上自然应该有所不同，应该着重检查它们在各自不同的功能目标和审美规范里，各自的性能是否得到了充分发挥，并进行了多少新的创造。当然，既然都是文学，它们就不单有一种功能，对于社会来说，也都有个作用如何的问题。因此，除不同的标准之外，也必须有个共同的标准。可是，不能只取其同而否其异，这样就会造成批评的错位，正像我们多年来对鸳鸯蝴蝶派所做的那样。

实事求是地说，这种错位批评从"五四"时期就已开始了。那时候新文学界由其崇高的社会目标所决定，对文艺的娱乐功能是取坚决的摒弃态度的，鸳鸯蝴蝶派自然就成了他们攻击的目标。严格说来，并不是鸳鸯蝴蝶派有什么守旧立场而遭批判，而是他们的文学态度被看作了封建余孽。对这种错位的批评，我们既不能把它视之为科学，也不能对其全面否定。因为那段历史的悲壮要求本身与鸳鸯蝴蝶派的文学态度就有不协调之处（尽管这段历史在造就它的悲壮的同时，还由现代都市的发展而必不可免地提出了对文学娱乐功能的要求）。诚如新文学界所严峻指出的："我们现在需要血的文学和泪的文学似乎要比'雍容尔雅'、'吟风啸月'的作品甚些吧。'雍容尔雅''吟风啸月'的作品，诚然有时能以天然美来安慰我们的被扰的灵魂与苦闷的心神，然而在此到处是榛棘、是悲惨、是枪声炮影的世界上，我们的被扰乱的灵魂与苦闷的心神，恐总非它们所能安慰得了的吧。"[①] 所以，这种错位的批评既是片面的，也是合理的。但由错位批评所造成的成见，如把张恨水等人反映

---

① 郑西谛：《血和泪的文学》，载《文学旬刊》第 6 号（1921 年 6 月 30 日）。

抗日爱国内容的作品也一概加以拒斥，滥施挞伐①，这就不能叫人原谅了。

现在，情况已经不同了，我们应以科学的态度，正确评价与随着工业革命而必然发生的世界性通俗文学潮流相对应的鸳鸯蝴蝶派小说，这将不仅有益于对历史的认识，更有益于现在。这，早已该是不论自明的道理了。

1989.11

（载《悖论与选择》，明天出版社出版，1992）

---

① 见钱杏邨《上海事变与鸳鸯蝴蝶派文艺》，《现代中国文学论》（1933年6月合众书店出版）。

# 历史的补偿与当代意识的追寻
## ——新时期文学发展漫议

自从五四文学革命揭橥了中国新文学发展历史的开端之后，似乎还没有哪一个时期的文学，能像新时期的文学这样，使批评界感到如此的力不从心。当新时期文学色彩斑斓地走完第一个十年的路程，又更加色彩斑斓地跨进第二个十年的时候，对它作出科学的解释和整体性的论断，无疑成了对批评界最富有魅力的现实课题。面对一代全新的发展中文学，批评家们心中被唤起了神圣的责任感，和以具有鲜明独创色彩的理论建构与对象世界求得平衡的强烈欲望。于是，人道主义主潮论、现代现实主义或开放的现实主义论、重铸民族灵魂论等等，一座座深具苦心的理论建筑便矗立在人们面前。我们不能对这些艰难的努力怀有任何轻慢之心，因为他们毕竟是在做着并无先例可循的开拓工作；但我们又不能不遗憾地指出，这些概括与对象之间确然还存在着不小的差距。王蒙说："我作为写小说的人，听到人们要概括新时期的文学的时候，似乎有一种忧心忡忡的情绪，因为在多种多样的文学现象面前，几乎每一种概括都是以牺牲其它角度、其它侧面的观察，或是牺牲其它事实为代价的。"[①] 这话非但不能作为废弃理论概括的依据，而且应该把它视为创作界对准确性批评的焦灼期待。在无限生机的文学世界里难免有几分尴尬的文学批评，着实应该正视这种现实，在开阔视野与观念调整中实现自身的超越，以求得与对象世界的实质性契合了。

新时期文学无论以如何迅疾的速度发展变化，甚至以否定之否定的形式调整自身的价值追求，但其中必定有一个历史与文学之间相关发生

---

① 《小说家言》，见《人民日报》1986年9月24日。

的内在控制力量支配着这一切。如果我们用更悠远的历史眼光和世界化的当代意识，从历史与文学富有个性内蕴的相关性上，主动去触摸和辨析这一内在之谜，是否可以获得更多更深刻的启示呢？

一

我们思考的逻辑起点似乎还应该定位在新时期文学的历史内蕴上。从其所隐涵的社会思潮的全部复杂性，可以窥到它何以会有如此纷乱而匆忙的脚步。

历史从来就是参与现实创造的既定因素。新时期文学所承受的历史前提为它所规定的反封建启蒙任务，虽然与西方思潮的当代性表现出明显的时代落差，但在中国这块土地上，却又有着不容忽视的迫切的现实意义。

人类历史的发展没有一个一成不变的固定模式。且不说中国历史上的奴隶社会、封建社会与西方历史相应阶段上的社会形态未必尽同，仅就中国历史的近代化过程来说，它就决计不会出现西方那种资本主义的阶段。我们尽可以对历史表示种种义愤，甚至可以指责历史为什么是这样而不是那样，但这都无法改变历史的既定性存在。切实的工作倒应该是，从既成的认知模式中跳脱出来，以整个人类的发展为宏阔参照，对中国历史发展的特定内在机制做透彻的研究，从中寻绎出有效的生发之路。对于理解新时期文学来说，则是清醒地看到，中国近代化历史所无力消解的沉重封建性内核，如何把现代革命置入了一个两难的境地；而这一历史的悖论存在，又如何地为新时期文学提供了一个无法回避的历史前提。

众所周知，中国的现代革命以及作为其重要一翼的新文学革命，发源于文化批判。鉴于戊戌变法和辛亥革命两次政治变革失败的教训，知识界的有识之士开始醒悟到一个道理：如果没有对众多国民的反封建文化启蒙，那么无论是模仿日本的"立宪"，还是取法英美的"共和"，这两种政治变革都只能收取失败的结局。陈独秀就曾别发新声，从另一角度提出了问题："今之所谓共和、所谓立宪者，乃少数政党之主张，多数国民不见有若何切身利害之感而有所取舍也。"[1] "吾国年来政象，惟

---

[1] 《吾人最后之觉悟》，《青年》第1卷，第6号。

有党派运动，而无国民运动也。……不出于多数国民之运动，其事每不易成就；即成就矣，而亦无与于国民根本之进步"。① 他这里并非是从当时"党派运动"的阶级局限性着眼，而是从多数国民在文化心理意识上对其"主张"的自然隔膜上立论的。因此他又断言："儒者三纲之说为吾伦理政治之大原……。近世西洋之道德政治，乃以自由，平等、独立之说为大原……。此而不能觉悟，则前之所谓觉悟者，非彻底之觉悟，盖犹在徜徉迷离之境。吾敢断言曰，伦理之觉悟为最后觉悟之觉悟。"② 既然伦理觉悟即思想文化觉悟为最后觉悟或最基本的觉悟，那么进行社会变革的首要大计自然就是文化启蒙了。为了突出这一命题在实践中的独特意义，他甚至对《青年》杂志（后更名为《新青年》）的办刊方向还特意作出了"批评时政，非其旨也"的说明。应该说，基于这种思想，以《新青年》为阵地，由陈独秀及其同伴们所发动的文化批判的凌厉攻势，包含着极为深刻的历史命意。马克思主义在强调生产方式及其内部矛盾运动对社会历史发展的基本决定作用的同时，并不忽视精神文化因素在其中所表现出来的意义。在这方面，马克斯·韦伯对资本主义兴起过程中非经济因素的重视和研究，或者对我们也不无启示。中国传统文化对历史进步因素的巨大消蚀力量在历史的转折关头已成为更加醒目的存在，对它的批判无疑是对深层历史机运的自觉认识。事情是显而易见的，中国稳态的封建文化和稳态的经济结构有效的结合在一起，几乎抹掉了社会历史发展的时空界限，使历史在缓慢的进展中团团打转。一切在封建范畴内部所作的努力固然只能表现为封建政治、经济、文化秩序的内部调整，就连资产阶级旧民主主义革命这些企图从政治上对封建秩序进行突破的空前之举，也会被传统文化消蚀掉它们的内容，甚至也消蚀掉它们的形式。诚如鲁迅所说，新漆渐渐剥落，不久便会露出旧有的底子。因此，道理也是显而易见的，缺少反封建文化启蒙的反封建革命，终难逃脱历史的悲剧。所以说，五四前后的文化批判，表现了对反封建斗争的全新认识，它为新民主主义革命的发生，寻找到了一个合理的逻辑起点。

---

① 《1916年》，《青年》第1卷，第5号。
② 《吾人最后之觉悟》，《青年》第1卷，第6号。

如果以此为起点展开历史发展的逻辑顺序，那么就应该将这一文化批判进行到底。可是历史的发展有多种因素的介入，逻辑的推论和现实的展开并不一定一致。事实就正是这样，文化批判不久就遇到了难题：由于单纯的文化批判并不能使农民的生存方式有稍微的改变，多数国民同样"不见有若何切身利害之感"，加上文化条件的巨大差异，所以这就注定了当时文化批判的某种空想性质。启蒙只能在知识者的小圈子里进行，被启蒙的也只能是启蒙者自己。启蒙者与被启蒙者无法对话的痛苦，使启蒙者不久便由自信而转入苦闷、彷徨，甚至颓丧。显然，批判的武器不能代替武器的批判，要改变人们的生存状态，必须依赖于诉诸暴力的社会革命。中国现代革命的实际进程，就正是这一历史选择的结果。可是新的问题是，哪怕是无产阶级领导的新民主主义革命，也必须充分重视作为多数存在的农民的力量。一九二七年我党便已指出，"国民革命应该首先是一个农民革命"①。这样，在文化启蒙中表现为对象的农民，在社会革命中便成了革命的主人，从而使文化批判与社会革命在现实展开的层次里呈现为一种令人棘手的逆向结构，并自然而然地导致了知识者与农民在教育者与被教育者的关系中互易其位。本来，文化批判和社会革命在解放农民这一深层目的上是并无二致的，但在如何认识农民的现状上却不无抵牾。前者是把他们看作封建文化心理结构的社会载体，后者则把他们更多地视为能量巨大的革命势力。应该说两者各有道理，并可综合为一种思路，但中国的特殊国情提供不出在那一阶段实现这种综合的现实可能。历史是强调轻重缓急的。只要我们了解我国现代革命面对着何等沉重的三座大山，就不会仅从逻辑推论上对历史求全责备。值得遗憾的倒是，当我们超越了这一历史局限，有条件对历史的合理片面性进行补偿的时候，日渐膨胀的极左政治却不仅妨碍了反封建思想文化这一任务的重新提出和真正实现，而且还以其极端的形式发展和凸显了这一历史的缺憾，把历史补偿的任务留给了历史新时期。

新的历史时期，要努力形成有利于现代化建设和改革开放的理论指导、舆论力量、价值观念、文化条件和社会环境，克服小生产的狭隘眼

---

① 《中国共产党为蒋介石屠杀革命民众宣言》，转引自丁守和《中国现代史论集》第484页。

界和保守习气，抵制封建主义和资本主义的腐朽思想。由于小生产意识与封建主义的内在契合性，以及封建主义实际上也成了接受资本主义腐朽思想的母基，因此反封建主义就具有了特殊的切迫性。

由此，我们便不难理解，为什么在已经以现代化为明确目标追求的新的历史时代，文学还要庄严地张扬起反封建思想文化的旗帜。

既然新时期文学不能不承担起反封建的任务，那么，人道主义便成了它无法回避的选择。当我们的文学与历史一起告别了十年浩劫的苦难岁月后，强调以人为本位、肯定人的价值、维护人的尊严和权利，确实成了新时期文学获得内聚力和生命朝气的一个显赫的主题指向。我们不必讳言这种主题意向所显现的近代历史思潮特征，但它与封建文化意识的现实性对峙却又必然表现为新的时代素质。历史的发展不会有一定的模式，评估一种文学观念的革命性和先进性，虽不能忽视与异域文学的参照比较，但更重要的还是分析它发生发展的内在依据和所起的实际作用。当封建主义还像梦魇一样压迫着人们的心灵，由扭曲的人性到扭曲的历史还没有成为遥远的过去的时候，我们怎能要求对此有着切肤之痛的文学，立即跨越现实这块滞重的土地！历史的补偿任何时候都只能表现为一种进步，而它的实现又往往成为一个新的时代或阶段的标志。新时期文学在吮舐伤痕中自觉起来的补偿意识，实质上就是对于历史的超越意识。正是这种意识的自觉化，才使文学在新的视野里认清了新旧时代的分界，并在对历史运行内在机制的感悟中开始进入自为境界。

有的论者因为从东西方文学发展的比较中发现了新时期文学内蕴的近代思潮特征，便对其先进性持贬抑甚至否定的态度，这未免有些脱离实际。事实上，新时期文学的这种补偿特征，既不同于欧洲近代的文艺复兴，也有别于我国的五四文学革命。我们并不否认它在人道主义的内涵上确有与文艺复兴的共同之处，但区别还是显著的。文艺复兴对人道主义作为终极目的的强调，虽然有力地否定了封建主义对人的尊严的彻底蔑视，但却难以逃脱近代资本主义劳动对人性的严重异化，欧洲近代历史的时代规定，无法阻止它背反自己的目的。而新时期文学则有了三个明显的参照；一是马克思主义所指出的人类发展的辉煌远景即共产主义。"这种共产主义，作为完成了的自然主义，等于人道主义，而作为完成了的人道主义，等于自然主义，它是人和自然界之间、人和人之间的矛盾的真正解决,是存在和本质、对象化和自我确证、自由和必然、个体和类之间的斗争的真正解决。它是历史之谜的解答,而且知道自己就是这种解答。"① 明确的目标悬照,使新时期文学不会再把反封建的人道主义内涵认作人类发展的终极目的,而是把它视为"人的解放"历程中一个不可逾越的逻辑层次(初起时不甚了了,但迅即走向自觉)。二是西欧文艺复兴后几百年来对人道主义内涵扬弃和发展的历史。西方那种对"人"的认识的在他律状态中的自然发展,使新时期文学在借鉴的思考里日渐产生了自律意识,使它能够在对人们特定生存现状及其发展的关注中不断较为自觉地调整自己。三是五四文化批判和新文学革命。新时期文学是以赓续五四文学传统为己任的,在与历史的沟通中同时也观照历史。可以说五四文化批判和新文学革命在反封建文化方面给了新时期文学十分深刻的启示,那就是文化变革和政治经济变革必须作综合思考,这就使新时期文学在反封建任务的实现和超越上,获得了一个可靠的现实性认识。新时期文学与五四文学革命的区别也是很明显的,如果说五四文学革命在反封建文化上由于现实条件的制约,不得不和历史一起面对两难情景,那么,新时期文学则完全有条件实现与历史进程的契合。新的历史时期的中心任务是经济建设,它的目标是逐步把我国特别是广大农村的自然经济半自然经济改造为有计划的商品经济。这一经济体制的深层转换,为观念的转变提供了最内在的动力。在自然经济半自然经济没有受到根本触动的条件下,反封建的文化批判很难有根本性的收效。五四文学革命的这种批判之所以在新民主主义革命中难以为继,其最根本的原因,就是在那一阶段里还无法产生经济领域里的这种深层转换。新时期文学由于对"人"的肯定已成为经济体制转换的内在要求,因而它必将逐步消除与社会读者特别是广大农民之间的心理阻隔,日益成为全社会的需要。总之,新时期文学的历史补偿功能既然只有在新的历史条件下才能实现,那就必然表现为新的时代品格,这当是没有疑问的。

　　理解由历史前提所规定的作为思潮内蕴的近代性特征,还只是把握

---

① 马克思:《1844年经济学哲学手稿》,人民出版社1985年版,第77页。

住了新时期文学内在逻辑展开的初级层次。在与此相对应的作为更高目的追求的另一极，则是对世界当代意识的追寻。对于在世界一体化格局里进行自我设计的新时期文学来说，还有什么比进入这一境界更富有魅力呢？

对历史的补偿只是一种现实的需要，而补偿的目的还是在于超越。在人类世界已经打破彼此间的阻隔表现出世界化特点的今天，在世界整体格局中求得平衡，已成为中国历史现代化进程的内在需要。与此相关，悬浮在新时期文学面前的神圣鹄的也必然是在世界文学发展的当代水平线上显现自己的价值。人们早已看得很清楚，新时期文学在开放性的发展中所择取的最醒目的参照系，就是西方的当代文学和与之相关的各种思潮观念。渴望在一个短暂的时期内，实现西方在具有数百年时差的思潮更迭中所达到的目标，必然形成多种观念的交叉和文学发展的快捷超越。在文学令人眼花缭乱的变换发展中，传统意识（此处包括五四以来已形成传统的某些观念，如对生活与文学两大相关范畴的诸多认识和理解）受到了革新意识甚至超前意识的峻急而尖锐的挑战。文学的变换发展之快，不仅令读者目不暇接，而且使作家也不免滋生危急之感。古人说："江山代有才人出，各领风骚数百年"，对于我国新时期作家来说，"各领风骚三两年"已算是奢望了。

新时期文学的发展是一个流速极快的历史过程。在这短暂的过程里，实际上容纳着一个突破现实性局限的巨大时空结构，几乎有代表着几个不同时代特征的思潮观念在这里风云际会，奔突冲撞。文学在其思维领域里以观念的不断自我超越和迅疾发展，复现了西方世界几个世纪社会历史发展的漫长过程。"人道主义主潮"论的失误就在于，它既反映不出新时期文学在思维发展中的巨大时代跨度，也无法揭示新时期文学在观念追求上的当代特点。我们并不否认"人道主义"是个发展的概念，可是西方当代文学对于"人"的新认识却早已走出了它的基本界定之外。对"人"的各种角度（心理学、人种学、人类学等）分门别类的研究，更使人感到了人类自我认识的危机，"在人类知识的任何其他时代中，人从未像我们现在那样对人自身越来越充满疑问"[①]。在后来自

---

① 马克斯·舍勒：《人在宇宙中的地位》，转引自恩斯特·卡西尔《人论》。

然出现的综合汇流的文化研究里,生命意识、人类意识、宇宙意识成了观察"人"的更阔大的视野,但其中新的思索和自觉的危机意识都和文艺复兴时大异其趣。由于受到社会思潮的影响和来自生活的强烈感受,西方文学也不再醉心于赞颂人是"大自然的杰作",从陀思妥耶夫斯基那里我们就已经看到了一个被扭曲的痛苦心灵,到卡夫卡、贝克特和尤奈斯库笔下,人性就更是发生了荒诞的变形。我们的新时期文学虽然表现出在自己土地上生发出来的特点,但它所受西方的影响也是人所共知的。从其思潮观念的大跨度追求和对当代意识的表现来看,"人道主义主潮"论显然无法概括。

与五四文学的发展相比,新时期文学有更为自觉而强烈的文化建构意识。五四文学更偏重于文化批判,在嗣后的发展中,由于面对历史的难题,其建构设想不得不在服从于历史的神圣选择中表现为对革命群众文化心理和审美要求的认同与适应(有些作家更偏重于文化选择但又不能不因此而与历史发生某种偏离)。新的历史时期使文学有条件去思考并实现新的文化建构了,在与历史发展相适应的大文化范围里,它不仅仅是在"重铸着民族的灵魂",而且也在重铸着自己。

## 二

美国人类学家瑞菲尔德说,价值是一种或明确或隐涵的观念。这种观念制约着人类在生存实践中的一切选择、一切愿望以及行为的方法和目标。文学也是有其价值观念的,它的发展变化当然也受着这种观念的制约和支配,尽管有时候并不那么自觉。超越是新时期文学的理想境界。如果我们对新时期文学的发展从总体趋势上认真检视一下,就会发现,文学的发展也是一个悖论,新时期文学是在与人类生存历史的相关性联系中不断调整着自己的价值观念,而以否定之否定的形式不断实现对对象世界与自身的双重超越的。

如果我们不再局囿于"伤痕文学"、"反思文学"、"探索文学"等对新时期文学发展的习惯性概括,而是着眼于其中文学价值观念的嬗变,就可发现,新时期文学的历史发展,大体经历了三个阶段。

第一阶段大约是七十年代末期。这时的文学尚无独立的自主意识。

在"文革"十年乃至前此的十七年中，极左思潮愈演愈烈，文学的苦闷在于无法实现"艺术家的良心"。在这一局面结束后，一代愤怒的文学勃然而起。这时，文学的义愤首先还不是自主文学的长期丧失，而是艺术家良心的被无理剥夺。从表现内容来看，使文学家为之汗颜的违心顺应极左思潮的旧日文学，与以批判极左思潮为崇高职责的新起文学，政治取向当然是截然相反的；但从价值目标选择上来看则别无二致，那就是与历史价值取向的自觉认同。两种文学所共同关注的都是历史发展的正当要求，前者为不能尽责而深感压抑，后者为伸张正义而极度兴奋。至于文学建树本身，当时的认识只是：艺术家良心的实现。

人们常拿新时期文学与五四文学相比。把两者放在一起加以观照，从现实与历史的沟通中感受、理解和阐发新时期文学富有历史感的使命和性质，这固然十分必要，但比较其历时性区别，则更是题中应有之义。新时期文学是在依然封闭的狭小的思维时空中起步于政治批判的。粉碎"四人帮"后，十一届三中全会以前的这一段时间，文学还只是作为政治斗争的工具向"四人帮"的罪恶开火，它以极为强烈的政治责任感和鲜明的情感态度，并凭借着作家的勇气，积极投入了斗争。这时期，文学在保持与社会斗争的同一性上与五四时期是一致的，但缺少五四时期那种开放性的宏观的文化参照系，缺少五四时期那种自觉的文化眼光，而且，由目的而忽略了手段（文学在当时并不同时表现为目的），忽略了对文学自身的审视与变革（当时即使是对"帮文艺"的批判，也只是限于对其政治目的的解剖，也属于政治批判之列）。新时期文学真正走向开放、发展，应是十一届三中全会之后。文学在思想解放的社会涌动中，才逐渐真正找到了五四并超越了五四（此处指五四文化批判精神）。但是这表现为一个过程，在一个较长的时间里，文学观照的着眼点还是在政治方面。以刘心武《班主任》为代表的伤痕文学，一般都把它视为新时期文学起步后第一阶段的成果标志。的确，比起早于它出现的那些新作品来，它已经接触到人的个性、尊严以及人的心灵世界等问题，为文学发展预示了一个将会出现的极富魅力的独特世界。但这一切都还不是作家自觉而明晰的追求，他主要的是通过对这些层面的文学的透视，显现出属于社会思考的政治目的。相继出现的以《记忆》、《天云山传奇》、《剪辑错了的故事》、《黑旗》等为代表的反思之作，显然大大延展了作家思考的历史长度,从而增加了现实问题的历史份量,无疑又是一个进步,但作家由现实追溯历史又由历史反观现实的目的,仍然也是寻求一种政治思考的结论。

第二阶段应是八十年代初期的几年。这是新时期文学寻求并竭力确认自身价值的一个时期。这时,文学开始调整自己的价值认识,从"从属论"和"工具论"中跳脱出来,把价值标准定位于作为文学的文学本身。文学家们发现在"艺术家的良心"被剥夺的同时,文学本身的意义也早已丧失。于是他们开始寻找失落了的文学,为文学正名。一时间,在五十年代中期被批判过的口号"文学是人学"又重放光彩,成了一面庄严的旗帜。虽然这一向就是一个模糊性的判断,很难看作一个科学的定义,但是利用其旧有的威信而赋予它现代经典性的含义,是再合适也不过了。向历史寻求认识的根据,然后作当代需要的合理展开,这常常是新思潮获得社会心理承认的一种办法。更何况,已经演化为政治学的"文学"要向文学自身复归,在我们这里,首要的一步便应该是向文学价值认识的历史复归呢!关键是对"人学"的解释。"人学"本来就是一个内容丰富的概念,对它的强调本身就是对单一社会政治规定的反拨;而对其内涵所作的新的解释,则更能显现出当代性的选择。如果说前一时期文学是在寻找历史,寻找责任,那么这一时期文学则是在确认自己。这时期文学界普遍认为,文学应有自己独特的对象世界,那就是人们感性生命运动的内在心理表现,只有在这一世界里,文学才能飘扬起自己的旗帜。因此,自然而然,文学创作开始以前所未有的自觉向人们的心灵世界进军,并在人们的心理时空中寻找自己的结构形式。了解了这一趋势,就不难理解为什么意识流小说会在一时间形成浩大的声势。

文的自觉是以人的自觉为前提的。我们不会忘记,当时社会上鼓涌着的是以倡导个性意识和自我价值为特征的思潮,文学的自主意识正是在这一思潮的启示中复苏并得以强化的。这不禁使我们想起了魏晋时期的文学。鲁迅说:"曹丕的一个时代可说是文学的自觉时代,或如近代所说,是为艺术而艺术的一派。"① 过去哲学史家对魏晋时期的哲学多有贬词,岂不知正是这一转向主体探求的哲学思考,才促使文的自觉在

---

① 《魏晋风度与文章及药与酒之关系》。

同时代的智慧里获得了全面认可。把艺术的自主推向至上，虽然未免极端，但却反映了文学发现失去自己之后维护自身价值的强烈意愿。当然，新时期文学与魏晋文学又不同，与它结缘甚深的哲学思潮既没有走向虚空，它本身也没有走向"艺术至上"。它只是竭力要社会承认，文学就是文学，文学的价值应与人的自我价值同在。你看张承志的《北方的河》，在自由自主的文学里，蕴纳的就是一个充塞自然与历史的刚毅自信的"自我"，大河的涌动，历史的运行，均与我同在。其自信的力度，代表了这一时期文学追求的坚定信念和勃发的活力。

可是，文学又一次感受到了悖论的存在。只在心理意识和潜意识中徜徉，而疏离了人类生存的社会历史发展，文学就难免要走向空虚浅薄；文学的发展如果忽略了至关重要的非文学因素，也难免步入窘境。王蒙说："文学最大的参照系是非文学"。"搞文学的人一定要努力地生活在非文学的生活环境里，如果周围都是文学的话，有时是一种危险，如果只能从文学到文学，那么文学就要枯萎，就要真的'腻歪'起来了，这不但影响文学，也影响自己的身心健康"。① 这是作家来自切身感受的切中肯綮之谈。事实上，我们的文学在对心灵世界的表现和自我形式完善的过程中，确实感受到了困惑。

第三阶段则是在八五年后。在这一阶段，文学的价值观念又出现了明显的调整。它在复苏了自主意识或者说确定了非依附的独立方位之后，又开始在人类文化的新视野中开拓文学的生命之源。它不再漠视生命存在的客观形态，甚至还竭力以深沉的笔力去再现生活的原生面貌。当然，在进行这一切的时候，它并没有放弃已赢得的自由，而是在升腾中获得了更恢宏的天地。在这里，作家们对超越又有了更深刻的理解，而且找到了"把握时代"与"把握世界"的内在统一。正如作家张宇说："作家要把握一个角落必须得把握一个世界"。"超越是敢于把握生活的命运，站在时代的前列，超越意味着在表现自己所处的那个时代达到极致。……作家的任务就是超越具体环境、具体范围的小的局限，而对民族、国家、人类的命运给予关注，把握时代，把握世界。"② 而且，

---

① 《小说家言》。
② 《文学：用心灵去拥抱的事业——全国青年文学创作会拾零》，《文学评论》1987年第3期。

也正是在前一时期自我意识觉醒的基础上，作家们才懂得了"人类"。矫健说："我们真正认识到这个博大的概念，是在我们克服了个人迷信、经典教条、流行政策之后，是在我们超越了种种心理障碍真正作为一个人生活的时候。或曰：自我意识的觉醒。这是对立的，又是一致的。人同时以两种方式存在：一是具体的人；一是人的类存在物。只有真真切切地体验到自己做为个体存在，才能真真切切地感到人类的存在。"①个人与人类的沟通，使这一时期的文学才真正理解了现代意识。

在新的文学理解里，创作主体的"内"与"外"已不再存在严格的分界，对生活的认识也不再限于哪一个层次（纯政治经济的或纯心理的）。对生活作浑然化一的整体把握和表现，已成为文学新的追求。李锐的短篇小说系列《厚土》就是个突出的例子。李锐没有回避现实，因为他知道，历史真正为我们所关注的实践意义，恰恰都渗透并表现在现实之中；他也没有放过历史，因为他也知道，现实还在不可避免地重演着过去，而且，在我们农民滞重而单调的生活里，历史和现状本没有多少明晰的界限。不要以为《厚土》和前几年的反思文学一样，也在追求铸成现实的某一历史原因，其实不是，它不要求清晰的结论，不追求明确的逻辑意义，作者甚至在有意避开这种"明晰"，"要从这么多的'清晰'和'明确'中拔出腿来，回到那种鲜明甚至模糊的创作心态中去"②。《厚土》所要表现的只是一种具有特定人文色彩的生态，"表现在中国的这块'厚土'上，那种人的困顿，那种生命的沉沦与抗争；那种既要挣离这块厚土，却又只能依赖这块厚土的痛苦与热望"③。

值得注意的是，文学这时期在更深厚的根基上感悟到了更恒定的生力，但对人的自我力量却不再像前一段那样坚信不移。作家们发现，人并不仅仅是心灵意志的存在，在心灵意志之外，还有许多不能自己的因素在支配人类的命运，影响着人类的生存。因此，从生理、心理、社会的整体同构中重新认识人，对文学产生了新的吸引力。变化显而易见，近两年来创作中对"自我"表现的陌生化倾向已为人们所关注。《灵旗》、《隐形伴侣》等作品中"自我"的痛苦分裂和自审意识的发生，决

---

① 《想想人类》，《小说选刊》1987年第2期。
②③ 引自李锐在作品讨论会上的发言，见《小说选刊》1987年第2期。

不是一时偶然的现象。由自信地高呼"我是我",到不无痛苦和迷惘地发问"我是谁",其中隐涵的深刻哲理和人生感悟,难道不更发人深思吗?有的作品,则是有意隐去作者的"自我",把人类生存的种种经过凝聚处理的沉重的"现状"推到读者面前,让人感受沉重,领悟人生,而其宗旨亦在于使人们知道:生活在人们所理解的历史和现实之外,还有许多未知而须知的东西存在。

正是在这种进展中,文学感受到了人类生存的悖论,并进行了积极的思考和探索。矫健说:"现代意识,就是人在现代文明的背景下站到人类的高度对自身历史的反思。这种反思使得人对自己存在的永恒性乃至合理性产生了疑惑,也就是说人类超越了自我,看到了人类本质,发现了人类本身不可逾越的矛盾"。"人类自身正陷入自身的矛盾之中。这个矛盾是巨大的,无所不在的"。① 对此,许多作家都已有深刻的感受,他们开始把个人的幸与不幸置入人类生存的大背景中思索,从而使"已经熟稔到了腻味的生活焕发了新鲜的兴趣"。② 张炜的《古船》,矫健的《古树》、《圆环》、《死谜》等,还有王安忆的《荒山之恋》,在这方面的表现都有一种自觉的沉思。我们的文学在对人类生存悖论的感受中正被激发起对人生和文学双重超越的深刻的积极。

当然这并不是说文学的发展从此就只能在一种模式里发展,决不是的。新时期文学的不断超越和各种艺术追求的多元存在,早已使企图用任何一种创作方法进行概括成为不可能;而且由于上文论及的这一个时代的复杂性,各种观念也不会一下子拉平。但代表时代高度的认识会成为牵动多元存在的文学整体前进的中轴动力,而在由它所开拓的新的视野里,文学将会在对人们生存状态的关注中,引发出"改革文学"(我是从广义改革观念中借用这一习惯用法的)的无限生机。对此,我们深信不疑。

1987.1

(原载《山东大学学报》1987年第2期)

---

① 《想想人类》。
② 王安忆《渴望交谈》,《文艺报》1987年8月15日,第3版。

# 文学的自我调节与超越
## ——也谈新时期文学的总体趋势

文学也需要解释。时下我们面对的是这样一种文学本体：它虽不漠视但却并不以确认和顺应社会心理承受能力为己任，而是以认知和改塑社会文化心理结构为目标，在自我调节与超越的迅速变更中充满自信又不无困惑，从总体上显露出一种醒目的探索特征。《文艺报》就"向内转"问题对新时期文学的总体趋势开展讨论，其意义不言而喻，应该说讨论是富有成效的。但我们却仍不无遗憾地感到，评论主体无论是肯定还是否定的意见，似乎都与对象之间存在着一种隔膜。

问题是从起点发生的。讨论的起点是鲁枢元同志对新时期文学发展趋势"向内转"的认定，此后，不论肯定还是否定的意见便多是在认同这一认定的前提下提出的。于是，指称便取代了本体，新时期文学的客观存在反而被搁置一旁，只是在讨论中不时为用者所取，呈现出支离破碎的实证意义。

这样，辨析清楚"向内转"的概括与新时期文学发展（特别是近期）的客观态势是否一致，把认识从一种理论框式中解脱出来，引渡到对对象本身的重新关注，就具备了迫切的意义。

我们并不否认，可以把"向内转"用作对某一文学类型或文学动势的概括。"向内转"与"向外转"是一对相互对应的范畴，它们源于心理学对人类心理类型的认识。现代著名心理学家荣格就曾以其心理类型理论，解释过浪漫主义与现实主义不同的心理依据。他认为，浪漫主义的艺术创造归属于"内倾"的心理类型，特点是"通过主体有意识的与客体的要求和主张相对立的目标来坚持主体"；而现实主义则表现为"外倾"，"其特征是主体服从客体的要求"。所谓"内倾"与"外倾"，或者说"向内转"与"向外转"，只是对艺术创造的具象模式和艺术形态特征的指向概括，是针对艺术创造过程中对心与物、主体与客体两极（不包含接受者的再创造过程）的不同倚重与类似而言的。它们只有在这种意义的对应比较中才能获得价值，而很难靠这种简单概括的本身，显示出两种不同类型的文学或不同时期同一类型的文学在思潮方面的实质性特征。两种不同类型的文学，它们既可以代表两个不同时代的文学特征，又可以代表同一时代不同文学主张与文学实践的不同特点。对属于不同时代的同一类型文学来说，此种概括也只能标示其粗略的历时性轮廓，而无法揭示其在此处更为重要的共时性特征。因此，用它们来作历史发展的纵向比较，特别是以它们的尺度来作对某一文学类型先进性的确认，显然是很困难的。比如欧洲近代既有"向内转"的浪漫主义，又有"向外转"的现实主义，它们都表现着欧洲近代性的时代特点；而中国现代则既有创造社"向内转"的浪漫主义，又有文学研究会"向外转"的写实主义，它们都表现着中国现代性的时代特点，对此，怎么能说只有谁才代表着一个时代呢？另如，魏晋文学与两汉相比，明显地表现出了"向内转"的特征，那么同样一个"向内转"的概括，怎么能够看出新时期文学与魏晋文学的实质差异呢？

无论"向外转"还是"向内转"哪一种类型文学的出现，都注定要有其特定历史时期的社会思潮和文学自身方面的原因，而且由此被赋予新的素质。这应当是给以理论说明的重要之处。鲁枢元同志对新时期文学"向内转"的时代性内涵作了这样的说明："它们的作者都在试图转变自己的艺术视角，从人物的内部感觉和体验来看外部世界，并以此构筑起作品的心理学意义的时间和空间，小说心灵化了、情绪化了、诗化了、音乐化了。"并以"三无小说"作为"向内转"趋势的先锋性代表。其实这仍然没有说明问题。无论什么时候，只要文学由"外向化"转向"内向化"，都必然表现为艺术视角的转变，并理所当然地要"以此构筑起作品的心理学意义的时间和空间"。这种例子在文学史上是屡见不鲜的。特别是中国文学一向是在儒道互补、诗骚并举的格局中演化发展的，自《庄子》以降，不难找到这种实证。鲁枢元同志的失误在于：他只是关注到艺术视角的转变和作品"心理学意义的时间和空间"，而没有更多地注意到文学中社会文化因素的变化。仅从心理学意义来看，当然要推能够最直观地表现心灵情绪的"三无小说"为先锋性代表了。因此他的解释基本上仍未脱出"向内转"文学在心理学意义上的共通性规范。所以结论只能是：鲁枢元同志用"向内转"来作为新时期文学发展的当代性甚至未来性的标志，显然是缺乏说服力的。

这只是问题的一个方面。如果他所勾勒的这一大体轮廓与新时期文学发展的基本趋势相符，那他也算获得了基本规定上的准确性。可现在的问题是，它们在这最基本的规定上也并不一致。

当然，鲁枢元同志的论断并非毫无客观依据。我们不该否定他对新时期文学某一特定阶段发展动势所做概括的合理性，甚至也不该否定他在对整个新时期文学在确认创作主体性价值上所具有的积极意义。在思想解放的潮涌中，当我们的文学开始觉悟到自己独立的价值，并竭力复归自我时，"向内转"就成了一时必然的趋势。这是发生在八十年代初期那几年的事情。那时候，在以自我确认为特征的社会思潮影响下，文学是充分相信、欣赏和渴望"自我"（人的自我及文学的自我）的，审美意趣也便顺理成章地倾向于对"自我"的审视与表现，相比说来，外部世界则不能不成为次要的方面。在十分急切而活跃的对外借鉴上，与深层心理学的发展密切相关的意识流文学，也自然成了那时观摩的主要热点。鲁迅谈到《浅草季刊》时说："向外，在摄取异域的营养，向内，在挖掘自己的灵魂，要发现心里的眼睛和喉舌，来凝视这世界，将真和美的歌唱给寂寞的人们。"借鲁迅的话来描述我们那一阶段文学的情景，倒有几分相像。由于那一阶段的文学偏重的是心理方面的探察和表现，凸现出来的主要是心理学意义上的特点，因此，便使鲁枢元同志偏重于文艺心理学考察方面的论断获得了某些合理性。

可是问题远非如此简单。新时期文学虽然在嗣后的发展中仍然极其重视主体性因素的发挥，从而使鲁枢元同志的论断获得了更大范围的合理性，但它并没有驻足于"向内转"而使之成为稳态的文学类型。在历史发展的新时期，由于社会对文学、文学对社会、文学对作家、作家对文学这几重选择的快节奏发展和变易，使文学的存在表现出了突出的动态特征，而文学的生命力则表现为它不断实现的自身调节与超越。在八十年代初期那几年，文学界确实曾经虔诚地把"内向化"认作文学追求的目的（这对特定历史前提下的文学发展来说，既是一种现实性的动力，又是一种对于未来的潜在束缚力），但文学发展的历史过程本身，则仅仅把它看作实现文学自身调节与超越的一个带有明显时限性的手段。事实果然就是，文学界不久便在自觉不自觉中由局限感的产生而突破了局限，在文学的升腾与深化中逐渐消融了"向内转"的鲜明印迹。于是，鲁枢元同志的论断便与事实发生了偏离。

文学的发展也是一个悖论。文学因素的削弱或丧失固然会使文学失去存在的独立价值，但对非文学因素的漠视或排拒，也会使文学变得失去份量并导致生命力的枯竭。新时期文学经历过两次苦恼（从文学发展中总是自信与苦恼相伴而生的规律看，它时时都有超越与局限所构成的冲突，因而无时没有苦恼。此处只是就其比较突出、集中的两次而言）。一次是痛感文学因素的长期丧失而渴求自我确认之时，解脱的办法就是对文学因素的高度强调与重视，表现为向心灵和文学回收目光的"向内转"（内视）趋势。又一次是既经"向内转"后所产生的新的窘迫感。文学回到心灵世界并获得新的表现形式后，渐渐感到了天地的狭小和内容的单调，形式也渐有新程式化的危机，于是便滋生了新的渴望：用生命去拥抱、感悟和把握整个人生。这时的文学需要一种新的视界，实现对对象和自身的双重超越。结果，它得到了（人类历史和社会科学的发展提供了这种可能），这便是对人类行为和社会历史作整体性把握的文化眼光。从一九八五年起，我们的文学便开始呈现出新的态势。而此后的文学，无论在内蕴的丰富性上还是在表现形式的多样性上，都很难从心理学的单一角度作出全面的概括了（这并非意味着这种观察角度的不重要）。

在这种具有浑重文化内蕴的文学里，"向内转"与"向外转"之间已不再存在明显的分界，"内宇宙"与"外宇宙"浑然化一的结合已成为作家们艺术追求的目标。张炜说作家"要有一颗大心"，而其所谓"大"，"包括向内开拓和向外开拓两层含义"。这应当说是当前有追求作家的共同心声。他们企望超越，企望升腾，因为"升腾是对现实更深刻更正确的把握"（铁凝语）。他们从对生活的传统理解中挣脱出来，开始把生活作为人类生存的形态进行新的观照，从而打破了文学旧有的格局。这种新的文学不但重视而且需要创作者主体性因素的高扬和发挥，它要求作家必须自觉地以生命自身去感悟和把握生活。但它不同于传统规定中的浪漫主义文学。传统的浪漫主义是藐视生活本身的，它要用主体精神和自我表现来淹没和改变生活的本来面貌。而这种新的文学不是。它是从整体上把握生活，而不是藐视生活，只是穿透生活（包括历史）而不是改变生活，它要尽力表现生活包含着丰富文化内蕴的原生态势，即使采用某些变形、夸饰的手段，目的也是为刺激并改变人们的习惯眼光，使之看到生活的真貌。正如张宇所说："作家要把握一个角落必须把握一个世界。……把握的过程就是超越的过程。……必须超越那些具体的现象，必须要有一种穿透力，然后，夸张也罢，变形也罢，就不会让人感到虚假。"因此，它具有为浪漫主义所缺乏的那种厚重的历史感和浑重的生存意识。洪峰在中篇小说《瀚海》中，叙说的本来都是"我"的有关亲属的一连串几近浪漫的悲剧故事，内蕴着创作主体极为悲怆的生命体验，但他却把它冷却为一种直面人生的冷峻，尽量不以"我"的情绪伤害故事的"客观性"，让读者在真实的感受中看看那些可爱的人们如何在悲剧性的命运里打滚。李锐的短篇系列《厚土》，厚重得就如同那一块古老而现实的土地，它真实而醒目地展现给读者：古老传统的深义文化作为难分难解的浑重一团，是如何不露声色地突破历史发展的时代界限，在朴素而自然的生活形式里支配人们的现实生命的。它就像那块"眼石"一样，在人们心灵深处不时地平衡着被悲剧冲击得失衡了的心理，使人们在稳态的生活形式里延续着生活，也延续着悲剧。对生活作如此深刻而真实的再现，难道不更具备现实主义的品格吗？然而，这种文学又不同于传统的现实主义。它并不囿于传统现实主义对生活时空结构现实性的理解，而是更着重对时空结构的主观性处理。在它们这里，历史与现实、主体与客体之间并无不可逾越的界限，它们根据对生活的整体感悟与把握，可以自由挥洒。这里不能不提到张炜的《古船》。《古船》是凝重的，它写了洼狸镇四十年的苦难历史。它写的是历史，但却模糊掉了四十年中所有重大历史运动和历史分期的界限，只是提取了其中凝聚化了的内核，显现了贯穿在历史发展过程中的沉重的文化力量。它甚至在对人的生存发展意识所作出的永恒性肯定中，把历史发展中的现实可能性都否定了（隋不召居然跟随郑和大叔出过洋）。然而这是文学对真实的确认，在历史的苦难涌动中，我们不是分明地感受到一股强烈的生命之流么？

与前一时期相比，这种文学也是对创作主体和对象世界的重新审视与发现。作家们发现，自己原来熟悉的现实和历史竟然还是一个陌生的世界，在那里有着那么多新鲜而深刻的存在，传统认识之外的非历史因素对他们产生了强烈的诱惑力。与此同时，对人们所坚信的"自我"也陌生化了，开始由欣赏而到困惑，思考与"自我"拉开了距离。如在乔良的《灵旗》中，青果老爹与那汉子明明是一个人，但却分离成了两个艺术形象：一个是五十年中欲望与理智纠缠不清地行动着的自己，一个则是超越时空、俯瞰自己与历史的眼睛与心灵的人化。在《灵旗》和《古船》这类作品中，人们的自觉掺和着盲目，社会的进步伴随着苦难，历史和现实都被重新认识而赋予了血肉和生命。这种文学不再倚重于传统的知识结构和认知范式，人的哲理思考和人先于逻辑的感悟同时受到空前的重视；它不再追求寄寓在艺术具象中的那种清晰的思想结论，也不再拒绝表现感受中的神秘，为文学的发展开拓了一个极为广阔的天地。近几年文学出现所谓多角度、多层次、全方位的发展变化，甚至出现被人们认作两极发展的高度意象化和高度记实化的分离趋势，就都是由这一新的眼光提供可能并受支配于这一整体格局的。

这一态势的文学把时代性与世界性作一体追求，表现出了与世界文化思潮和文学发展的认同趋势。西方自十九世纪末以来，由于人类学、神话学、语言学、深层心理学等学科的深入发展，对人类生存作综合的文化研究已成为必然趋势，一向重视逻辑思维的哲学也开始寻找"逻辑背后的东西"，呈现出醒目的人文特色。这一切都影响到文学，西方文学的当代发展与这一文化思潮有至为重要的关系。"克服一切距离与障碍，使我们的文学与世界的文学交流"（王安忆语），我国作家的这种强烈心愿正在把我们的文学摆进世界文学的整体格局。当然区别也是显著的。西方文学表现了对现代科学文明的厌弃，而我们则是对现代文明的向往，是对不利或拒绝接受现代文明的落后文化心态的厌弃，充溢着蓬勃向上的进取精神；同时，开始向积极的民族艺术精神认同，艺术生命也是空前旺盛的。

当我们总结并且评价这一文学趋势时，自然也有缺憾之感，那就是一些作品与所表现出来的现实改革生活的某种疏远。但这是不难克服的，也是为时不久的，因为文学已获得了新的眼光，完全能够在新的高度上理解生活并给以深刻表现，它将会在社会深化改革的大潮中表现出自己新的能力。

　　面对此种情景，我们评论界如何自觉变革自己的认知模式，及时对文学的发展作出正确解释，那自然也是早已提到日程上的不言而喻的事。

1987.12

（原载《悖论与选择》，明天出版社出版，1992）

## 两度轮回之后……

### ——一种文化视角内的瞻前顾后

对将来寄以希望，是艰难生存中人类的天性。每当一个自然时段的终了和起始，尤其是在一个生命过程和一段历史过程中能够构成相对独立意义的两个单位时间之间，人们总会不期然地瞻前顾后，并在感慨中顿生至少足够自己品味的历史感。对于即将开始但仍在未知之中的将来，人们基于对现实的感受，所作出的无论是肯定性判断还是否定性判断，也无论是深刻还是浅薄，内中无不包蕴着一个在某一取向上的理想的价值期待。

与八十年代相比，九十年代的特殊性是它正介于两个世纪之交。已开始置身于两个世纪交接点上的人们，在评估过去和预测未来时能否因此而自觉地增加一点世纪性眼光呢？与以往不同，九十年代文学虽然也必然承担着短时限的继往开来的任务，但更应看到，这种具体的现实性衔接，又必然延展为世纪性的继往开来。一个世纪的文学将在这里结束，一个新的世纪的文学又将在这里开启，如果我们不能自觉地获取这种眼光，那就意味着在世纪性的认识范畴里缺乏相应的宏阔的历史感，更遑论有效投入的历史主动精神。

风雨百年，二十世纪的中国文化已经接近于完成了两度轮回。从新文化运动到四十年代，人们的文化观念似乎是转了一个圆圈。在价值取向上，从对西方文化的极端推崇，到重返本土传统文化家园中寻找失落的价值，这一历史的迂回，已是现代文化史界和文学史界尽人皆知的事实。无独有偶。由于不同历史时段中时代任务的历时性延续，或者准确地说，出于对失落的时代主题的寻找，和更富现实性魅力的世界当代文化的激励，从七十年代末到八十年代，即我们通常习惯说的"历史新时期"，上一历史运动又在新的层次上匆匆演出了一遍，虽然这一相对独立的过程尚未结束。

这只是一个描述性的粗线条勾勒。其实，从对象本体来说，其内蕴的复杂性和无限丰富性似乎是前此的任何一个时代都不能比拟的。历史、文化、审美三个不同领域的复杂交叉和相互钳制，自律和他律的两种力量之间无可奈何难分难解的纠葛，制造成了多少历史难题！自觉的追求与自觉的放弃，构成了不止一代人的狂热与失望。时至今日，如果我们将眼光投向即将过去的一个世纪，那么就会发现，在文化视野内，无论思维的触角向哪一个向度延伸，都会惊奇于同一结论：每一个完成都近乎一个圆圈，甚至于与原初目的背反。而且，在两度轮回中，从不同的角度，可以指认出众多不同的意义域。单向度追求的非现实性造成了几代人所共有的时代性苦恼。在历史的综合性展开中，不同要求之间的拒斥性终于抵挡不住巨大的历史综合能力；而某一方面，譬如文学，所赖以支持其相对独立性存在的要求的合理性，又会促使它在诸多关系的钳制中不断寻求着现实的生发之路。近乎悖论性存在的几对矛盾，如文化启蒙与实践变革、启蒙的文学与文学的启蒙、西方文化与本土文化等，其中任何一个方面的存在都各有各的充足理由，而且冷静想来，失去任何一方另一方都将不复存在。历史关注的是群体生存，没有生存岂能有文学？可话又说回来，没有文学（充分的审美创造是生命全面要求充分展开的重要标志），又岂能有美好的生存？应该说，在两度轮回中，人们依据不同的理解，都在从不同的角度寻求着超越这一悖论存在的合理方式和途径。至于各自的功过是非评价，那就是另一回事了。

复杂的历史结构及其动作，既能给人以多种深刻的启发，又容易导入某种误解。无论是我们在史学范围里所特指的"现代"，还是"历史新时期"，活跃在这两个阶段中的文化人士的一个共同特征，就是在历史范畴内开创一个新时段（准确说是开创一个新的价值领域）的强烈愿望和责任感，这一点，在两个阶段的起点上表现得尤为突出。对于历史的自觉参与意识，导致了他们对不同范畴中价值标准的混同。变更一种沉重的历史存在，常常需要一种尖锐的冲击力，非如此，则不足以打碎它已经沉积于社会心态中的牢固结构。"五四"文化先驱人物所以在中西文化的对比选择中取极端的态度，意义即在于此。可是，历史的文化批判，和创造性的文化建构不当同日而语，不能用完全相同的价值标准，历史性的作用和科学性的认识在这里还是应当有所区别的。用文化批判中的历史价值标准，取代文化建构中的科学认知，这种误解长期存在，迄未根本改观。这固然表现在创作实践当中，但更突出的还是表现在批评和研究领域，当然，在内容和形式上各有不同，甚至可能是表现为截然不同的极端性意见。

在文学提倡和文学创作里，为了消解审美领域和历史领域的对立，"现代"和"历史新时期"，人们都毫不例外地首先选择了"自我"和"个性"这两个近乎同义的概念。在二十世纪中国的历史与文学双重解放的艰难过程中，这是唯一能够选择的中介点。在中国特定的历史条件下，历史与文学在这里复合重迭。多少人不断重复这一话题，目的无非是在悖论的双方中寻求和谐和心灵的平衡。可是，一味偏执于主体个性的张扬，也会感到一种单薄和狭窄，历史与文学的复合也会由此而离析和疏离，于是，逐渐地，特别是在四十年代和八十年代末期，人们又同样地找到了"类生存"这一感受，在生存的文化意义上沟通历史和文学，由此而滋生了文学的活力。

与此同时，历史的和文化的两种不同价值认识，也在实践发展的提示下逐渐显现了区别。在文化建构领域里（与历史相比的相对独立性），真正科学意义上的文化比较崭露端倪，高层次的文化综合眼光开始出现。四十年代的文学与八十年代末的文学，都展现了这种很可珍视的迹象。

九十年代将为第二个轮回和本世纪划出句号。上述基础性因素会积极地参与这一创造，但愿这个句号十分美丽。但文学仍然置身于多种因素的复杂结构和制约之中，各种因素的变化和调整都将影响到文学的发展，这又是难以预期的。但有一点可以肯定，人们由历史的启示所已经认识到的东西不会被轻易地遗弃。在新的认识领域里，对当代人类文化的内核或精神可能会产生更深刻的感受和理解，而且在综合的文化眼光和文化境界中，文学的更富于本体性特征的创造会在可能的条件中获得多样发展。处于世纪之交的人们，由陡生的历史感而产生对于文学史诗性的期待，这一新的期望值的出现，也是不可避免的。

（原载《文学评论家》1990年第3期）

# 《悖论与选择》自序

这个集子里所收的一束长短不齐的文字，大多是我近年来写的东西。其余的还有一些，但都没有收，因为虽然历时也并不久，但岁月业已洗掉了它们的价值，就连自己一看，也觉得陌生起来。

这些就都有价值么？其实也未必。但以经营文字为业的人，谁不珍爱自己那一点对于历史要求来说已经少得可怜的创造呢！我之所以还愿意把这些零散的东西奉献给读者诸君，是因为在我看来，在它们的零散之中却如一线串珠，贯穿着我对二十世纪中国文学历史特征的一个基本认识：悖论与选择。这也就是这个集子书名的由来。

大约是从八十年代初开始，或许是有感于以往现当代文学研究的缺憾，也或许是出于一种不自量力的自我期待，我在心底里就萌生了一个难以自抑的强烈愿望，那就是，在现当代文学研究方面走出条新路来。回首瞬间而逝的十年，庸庸碌碌，白白让时光滑过，只是徒生了许多感慨。若说没做事情，那也冤枉，十年来又读了些书，而且故意和过去的那个"自己"别着劲想了些问题，自觉还深有所得。至少，第一，我发现在文化问题上存在着两种不同的价值领域，而自世纪初以来，在新的文化理解里却又包含着极大的误解；第二，回到对象本体，应该首先对其所属世界的全部历史景观有所了解，当我们以逻辑的形式发现了历史用全部的经纬线所编织成的结构时，你会发现这是一个多么空前而奇妙的历史时空，它里面又含纳着多少真理性的启迪；第三，打通旧有文学史分期的时限，将二十世纪中国文学按对象本身的要求看作一个历史过程，会使许多深在的因果关系漂移进显现层次，而历史运行轨迹及其背后机制也变得清晰可辨。当然，还有第四、第五……但我以为最重要的还是统管这一切的那个基本历史特征：悖论与选择；而且我甚至十分固执地认为，这是一个通向理解二十世纪中国文学的最基本也是最重要的命题!

　　这不是危言耸听。试想,上下五千年,有哪一个历史时段能像这段历史那样,充塞着那么多自我相关的矛盾,那么令人困惑和苦恼。什么价值判断与情感选择、文化启蒙与民族救亡、启蒙要求与文学独立等等,它们纵横交错地设置在历史运动的核心处,交迭穿插,相生相克,硬是成了一个步步难解的历史方程式。但是,历史只会严酷地考验历史行动的参与者,而它的运行却是不会因此而停滞的。历史不能假设,它的选择只能是现实的。这段历史在诸多因素的合力中所形成的内在机制,以及它的运动所显现出来的"自然法则",这些也都是值得我们深长思之的。

　　书中的文章,并不是正面解答这些问题的答卷。对上面一些问题的思考,在给学生们开设的有关课程中讲过也就算了,并没有及时整理发表出来。这些文章也大多是或任务压顶、或编辑们催债,临时赶写的。虽然写的时候或有意或无意,都融进了上面的思考,但到底是否有价值,也还只能是前边那句老话:其实也未必。好在我深信,我们的努力都没有停止,我们都还有将来。将来应该更辉煌!

　　还要说明的是,书中《性爱:在新时期文学中的确认》和《论中国现代小说发展中的后期现代派》两篇文章,当初是和郭德芳君、潘学清君合作发表的。

　　写下以上要交代的话,就算作自序吧。

1991 年 12 月记于山东大学
(原载《悖论与选择》,明天出版社出版,1992)

# 走出历史的峡谷

三年前,在《悖论与选择》的《自序》里,我曾谈到本世纪中国历史发展的悖论性结构特征,而且,"甚至十分固执地认为,这是一个通向理解 20 世纪中国文学的最基本也是最重要的命题"。

我一向以为,某一时段历史发展的内在机制和驱动力,以及由其决定的多种独特历史景观,与该时期的特定历史结构和特殊结构效应密切相关。就以本世纪而言,如果不是这种悖论性结构,那么一切也许就不是现在我们所知道的那种样子。

众所周知,中国历史向近代化、现代化的转型,是在与外部世界的关系调整中实现的,而启蒙与救亡则是构成这一进程历史结构的两大支点。按人们习惯上的理解,所谓启蒙就是以西方文化批判封建主义传统文化的历史行为,它从上世纪末即已发端,经过一个回旋至五四新文化运动而进入一个更新更深的层面,后历时起时伏,到新时期前期又掀起了一个小小的高潮。所谓救亡,指的是中华民族变革生存与发展的现实斗争,当然构成其主要内容的还是以民族战争和阶级斗争为主要对象指认的暴力革命和政治革命。作为历史力量的聚焦点,这两个方面特殊的结构方式则是悖论性的对峙。尽管这两个方面在深层历史目的上并无二致,都是为了历史的更新发展,但它们在对历史的认识和具体价值取向上却是背道而驰的。当它们以必不可少的前提进入历史的现实进程时,就已经给参与者施与了悖论性的心理内涵——情感价值取向与理性价值取向的冲突。西方与中国的强制性对话,使两方均有双重角色选择:西方列强既是中国人的先生,又是敌人;中国人则既是学生,又是被欺凌和被侵略者。这种心灵的痛苦,无论是坚持启蒙还是坚持救亡的人无一能够逃脱,只不过各有不同的调适办法而已。而在作为历史行动的现实展开中,启蒙和救亡则又表现为两种历史力量的对抗,在不同时期各得风流，并在对峙中转化发展。

我们不能同意只站在一方的立场上否定另一方的观点，事实上双方各有其作用和局限。启蒙主义的文化批判实质上是一种"文化救国论"，它虽然在颠覆历史的文化障碍方面有其独特的功效，但其空想主义的历史特征也是显而易见的。其空想主义表现为两个方面：一是批判的武器确实不能代替武器的批判，它无法完成只有救亡才能完成的任务；二是需要启蒙的现实并没有提供可以实现启蒙目的的历史条件，被启蒙者不具备可以接受启蒙的文化基础，对话不能实现。它所起的作用，只是在知识者范围或曰在作为社会文化核心的知识者话语内改变价值取向和基本结构，从而引导历史的发展。救亡相对于启蒙来说，则是更直接有效地改变阶级或民族现实生存状况的实践性力量。如果说启蒙使用的武器是西方文化的话，那么救亡所依赖的则是社会集团的力量。但也正因如此，在其调动社会集团力量时，就必然向阶级的或民族的本位文化认同，而与启蒙主义相对立。由此可以看出，启蒙和救亡各以其历史不可缺失的一面，支撑着历史，这或者也可以看作中国历史在特殊前提下以特殊方式进入和推进近、现代化过程时，所必然呈现的唯一可能的现实性结构。历史可以评价，但不能假设。

应该说，这种独特的结构，造成了独特的效应。第一，对峙双方各自向极端处的强调，强化了历史的双重需要，保证历史以补偿的方式实现总体上的综合发展。第二，对峙双方均以功利主义的现实性历史目的为行为目标，强化并突出了本世纪社会行为的历史性内涵，同时也保证了历史性目的对文化价值系统的全面笼罩。第三，由悖论性对峙所造成的紧张，使历史参与者们经常处于自觉、警醒的精神状态，强化了历史参与者主体性能力的发挥，并由此形成了本世纪历史的精神性特色。第四，对峙双方之间所产生的疏离性空间，也使一些非历史功利主义的文化和文学艺术派别有了立足之地。否则，也就不好理解像新月派之类的思潮和实践何以会出现并获得发展了。

但问题的另一方面则是它同样显而易见的负面效果。撮其要，至少有以下数端：其一，泛化的历史性批评模式。由于对历史价值范畴的单一化强调，忽视了其他价值范畴存在的合理性，因而对其他价值范畴中的价值创造常常采取否定态度，构成为错位的批评。譬如30年代对梁实秋的"人性论",以及这之后出现的对"自由人"、"第三种人"的批判,尽管从当时的社会斗争的需要来看,其批评有其合理性,但被批评对象在当时的主导性价值强调,并不在历史价值领域,而是在文化科学和文学独立品格方面,这就难免使之攻击不当,引为文化史和文学史上的遗憾。回首检视一下,会发现此种错位的批评几乎贯穿了整个世纪,它们的价值只应到社会史中去获得肯定,而在文化史和文学艺术史中则应另当别论。

其二,形而上学的思维方式与认识处理问题的过激主义态度。最严重的问题莫过于对思维方式的影响和形成了。悖论性对峙必然导致思维方式上非此即彼的简单化、机械化倾向。因此,本世纪以来,对哲学上矛盾双方斗争性的强调达到了前所未有的程度。如果说在彻底批判传统文化中有被抛却的有价值的东西,那么最为可惜的当属传统人文精神的"中庸"思想了。那种"叩其两端"、积极调控各种关系的丰富而深刻的传统哲学遭到唾弃,而过激主义的态度则成为竞相效仿的时髦。迄今人们仍然认为,形而上学和过激主义是极左思潮的产物,殊不知,极左思潮也是一种结果,作为更深层的原因,还是在于历史结构的深处。

其三,工具理性主义和唯"新"是骛。强烈的历史功利主义追求,使"功利性"成了所有创造的价值核心。因此就不难理解,同样是西方知名哲学家,而罗素和杜威到中国来为什么其反响的不同竟有霄壤之别了。实用主义作为一种哲学方法论,所以被欢迎但又被庸俗化理解的原因,也当是不言而喻的。文学艺术理论中长期奉行的"工具论",就是这一思潮的必然结果。尤其需要说一说的,是在上述形而上学思维方式和这种功利主义的结合中,对"进化论"这个鼓舞了本世纪一代一代人历史信心的理论,也作了简单而庸俗的理解,一切唯"新"是骛。这种倾向与其他不良倾向相比,迄未被人们认识,应引起深思。现在有的人仍竞相以制造"新"的效应来作为博取名利的手段,则不但叫人扼腕,而且更是令人生厌了。

现在本世纪即将结束,而值得庆幸的是在其结束之前,历史终于有条件找到了能够指向于消解悖论结构的道路,那就是以经济建设为中心的治国方略的确立,以及不再在政治、经济、文化之间强化对立而是关注其内在统一关系的主导性观念的日渐自觉。本世纪历史曾经历过文化革命、暴力革命、政治革命，它们都是历史必经之路，但却都无法完成这一任务。只有经济的改革开放，以及上述观念的形成，才能够真正在深层意义上将生存现状的改变、文化的变革和科学转型统一起来，并转变为有效的实践。虽然随之会出现商潮冲击文化的遗憾，但这是秩序调整和这一历史过程中必然出现的现象，而不是根本性的矛盾症结。我以为，倒是我们应该以更主动的姿态调整自己，尽快走出本世纪历史的峡谷！

（原载《文学世界》1995年第2期，《新华文摘》1995年第6期摘转）

# 超越五四文化模式

在进入本文题目所指示的意义阐释之前,我想有两点需要申明。第一,历史对象的确认。"五四",无疑是本世纪的一个热门话题,但人们触及这一话题时,常常对两个历史内涵不同的活动,即肇始于1915年的新文化运动和发生在1919年5月4日的学生爱国运动不予细分,混同于一个历史单位,均以"五四"笼统称之。这种粗纹路的历史处理,实际上掩盖了二者之间深刻的甚至逆向的历史差异。虽然两者都是作为一种历史活动而表现为共同的历史目的,而且在历史行程的动态结构中也不可否认地存在着深层的因果关系,可前者是文化的,表现为向外性,后者是政治的,表现为向内性,这也是不可不识的。否则,就会像事实上已经发生过的那样,在共同的肯定中却隐藏着两种误导:政治话语中把新文化运动作政治的比附,文化话语中把政治的爱国运动作文化的曲读。这样就容易忽略历史至此所发生的重要转折,而只是看作一般的深化。我们在此文中也沿用"五四"的称谓,是尊重长期以来历史形成的习惯,在这个已经符号化了的称谓后面,所指的对象实际上是发生在"五四"以前的新文化运动。

第二,所谓"超越"的意义所指。作为一种历史的对应物,文化本位主义的思潮从一有西化思想出现时就出现了。自新文化运动发生后,则更是以其前所未有的尖锐的针对性,和不断丰富发展的理论说服力,与之抗衡。由两种文化思潮构成的犄角之势,在本世纪的历史流程里互动发展,此长彼消,迄未终结。不管文化本位主义有没有或者有多少近期或远期的历史作用和内在合理性,我们都不能同意其对新文化运动和由其标举的"五四精神"的根本性否定。试想,如果没有新文化运动及至60年后新时期前期的富有攻击力的文化批判,没有在其精神导引下对数千年历史沉积而成的滞重文化心理结构的颠覆性调整,哪会有今天的文化心理内涵和社会话语！因此，我们所讲的"超越"，决不等同于"重新站队"，转到文化本位主义的立场上去进行反评价。现在，本世纪行将结束，围绕文化问题，历史也已打了几次旋转（大的回旋至少有维新运动、新文化运动、新时期三次），是该回过头来，把视野放开，认真进行反思性的总结了。但是，当一段历史日渐远去的时候，没有比简单否定再轻而易举的了；同时，也没有比这种行径更不负责的了，因为它于史无补却于现实有害。

　　我们说的"超越"，还与另一种评价的取向不同。近些年来，台港及海外的一些学者们对新文化运动及其"五四精神"的评价，比较趋新的一种认识基调是：历史性地肯定和现实性的否定。他们把对象放置在两个不同的历史时空内辨析其不同的作用，从而得出了从"五四批判"到"批判五四"的动态性评价。这种评价注意到了历史时空的转换和对象正负面内涵的作用消长，应该说是比较接近于科学态度的。可是，我们注意到，当他们进行这种动态的考辨时，只是单一角度地从对传统文化的态度着眼，无非是对传统文化采取坚决批判态度的"五四精神"在当时是对的而在现在则另当别论之类，这就未免流于狭窄和浅薄了。我们以为，"五四精神"对传统文化的过激态度固然诚如他们所言，但这是不难被认识并矫正的，众多的新文化运动先驱人物自身的态度转换及本世纪文化的实际发展过程，即是明证。更深层的问题倒是"五四精神"内在的价值认识结构是什么，它形成了一个什么样的文化认知模式。而这才是问题的真正症结所在。在今天与"五四精神"进行新的对话，必须超越在同一认识层面上的是非争论（转换了时空并不一定改变了认知层面），而从新的高度往更深处看，才能实现真正的超越。

　　那么，"五四精神"的内在价值认识结构或简言之"五四文化模式"究竟是什么呢？我们认为，它由两个支点构成，一是目的性的，一是标准性的，而两者构成为一个认识模式时又随时转换，并无严格的界限。先说前者。新文化运动乃至其后不同历史时期内对其精神的张扬，虽然举起的是文化变革的旗帜，但其目的却是社会历史的变革，文化变革只是被视为跨出古老历史进入新天地的必经之途。这已是不争之论，同时也是前此多少年来对"五四精神"评价中形成主流的"目的论"研究的基本着眼点。但如果沿此逻辑往下引申，结论就会是：当文化只是被当作历史（注意：不是包容着一个民族或全人类丰富生存内涵的长远的历史，而是具体历史时空内的社会政治史）并进而视之为历史障碍物时，文化的丰富内涵在人们的认识范围里就已经发生了重大变异，并被简化为枯燥的毫无意味的存在了。对攻击目标的单向化简单变异，势必同时简化了历史进程的方程式，这样固然增加了攻击的力度，但终因由此而造成的对象的非全部真实性即一定程度的虚拟性，而致攻击与对象之间难免有隔靴搔痒之感。攻击者们有声有色的打打杀杀，似乎也不能有效地致敌于死命。如前所言，在这里我们无意于否定这一悲壮的斗争，而且实际的历史斗争总是用"减法"的，对此要做历史的、科学的评价。我们的目的不过是以此为基础，说明一个更深一层的结论，就是：由对文化的这种单一的历史价值取向，导致了对文化价值多范畴性存在的否定。本来，文化价值的丰富性表现在多重范畴之中，如历史的、文化的、审美的等等，不能一概而论。而且，文化价值内涵的多范畴性又相互关联和制约，它对历史的作用也更多地表现为对其丰富内涵或多方面要求的系统性复杂参与上，即使在历史价值范畴里论定其价值，也不能只看单方面的效应。否则，在赢得在某一具体历史过程中的功勋的同时，却丧失了在其多种范畴中的科学性，以及作为历史准绳的长远合理性。以"五四精神"看取文化时，不仅对传统文化取这样的态度，因为它们代表的是"古"；而且对现代发生的非启蒙型的其他文化走向也取这样的态度，因为它们是站在或者似乎是站在"古"的一边。所以，其中不单是一个对待传统文化的态度问题，而在深层更起作用且会延及对其他异己文化的态度的，还是决定其基本价值估衡的既泛化又狭窄的历史性目的。

　　第二个支点是其价值尺度。"五四文化模式"所取的标准是西方文化，这也应该是不争之论。当时在文化问题上的"中外"之争，既然是"古今"之争，那么毫无疑问，代表着历史进步的西方文化也就是我们的理想参照了。这种西方中心主义的文化立场，在新文化运动和新时期前期构成了与文化本位主义的紧张对峙。上述所言历史冲击力，正是在这个对峙中形成的，非如此，大概不会有已为我们所熟知的那种历史效果的出现。新文化运动的先驱及其后的追随者们，追求的也正是这样的效果，他们利用这种紧张所产生的势能，形成对现实文化格局的巨大冲击力。作为一种历史性活动，这种紧张的制造包容着一个巨大的策略性策划和非宣言性目标期待。取法乎上，仅得其中。他们清楚地知道，不这样做，一切都难于改变；而这样做的结果，也不过是"仅得其中"，能从传统中开出一条生路来罢了。在它凝聚为"五四文化模式"的一个组成部分，为人们所认识时，却不能不清醒地理解作为以历史先锋为角色选择的那些启蒙主义者们的深在苦心，及其个人在文化建树方面所作出的崇高的牺牲。但是，无论怎么说，从文化科学的角度来讲，要评价和发展中国文化，把标准确立在西方文化的基点上是行不通的。开放性的借鉴是完全必要的，但不能以西化为标准。

应该看到，在本世纪的历史发展中，"五四精神"作为一种巨大的思想力量和人格力量，鼓舞着一代又一代人，使他们主动地承担起历史的责任，不断前行。但由此形成的文化模式也从另一面约束着人们对于历史的理解，尤其在文化学术领域，由其造成的误解和误导，则更见严重。其突出表现就是以启蒙主义立场的排他性，否定其他价值范畴的合理存在。对于发生在其他价值范畴里的文化、艺术主张和流派，基本取否定态度，对其近期的积极效应和远期的合理性一概视而不见。而价值评判亦呈倾斜状态，其核心则为西方文化中心主义。新时期登上学坛而表现出深刻创造性的许多学者，其历史性的创辟就是对于启蒙主义文化立场的寻找和回归，但诟知幸耶非耶，当他们重开解放之路时却难以实现新的超越。至今仍使他们困惑的不应是对社会历史批评方式的选择，而是对启蒙主义历史责任的主动承当和角色选择！他们以历史参与者的角度进入研究，越是投入就越是翅膀沉重。现在，已经开始世纪性的辞旧迎新，我们应该调整、转换角色选择，从"五四文化模式"中超越出来，只有这样，文化、艺术批评，文化史、文学史、艺术史建构的科学时代才能够早日到来。

(原载《文学世界》1995年第2期，《新华文摘》1995年第6期摘转)

# "新文学"史断代上限前延的依据和意义

## ——对"20世纪中国文学"的一种必要阐释

"20世纪中国文学",是近年来学界提出的一个新的文学史概念。从时间的界定上来说,顾名思义,它所指称的当然是20世纪的中国文学,但这也只是一种大致不差的说法,很难说它的上限就一定是1900年。从文学发展的实际进程来看,作为一个相对完整的历史阶段,其上限应在上一世纪末和本世纪初。至于下限,因为这一过程迄未完结,亦不能就预定在1999年。

长期以来,人们习惯于将这一文学过程分解为近代、现代、当代三个阶段。和"20世纪"一样,"近代"、"现代"、"当代"也是表述时间的概念,而且,由于这三个概念所包容的历史内容及其对文学的制约和要求不同,三个时期的文学确有不同的时代内涵和表征,据此来研究文学发展的阶段性特征,还是很有必要的。但是,和"20世纪"不同,这三个概念虽然也是表述时间的阶段性的,但它们却带有明显的历史人文色彩,有着特定的社会政治指向,即旧民主主义革命、新民主主义革命和社会主义革命。因此,依据这种社会政治革命的分期来划分文学发展阶段,又必然会有削足适履之憾。事实上正是如此。对政治分期的依附,意味着对政治尺度的依附,其结果必然是对文学史固有尺度的相对漠视甚至放弃。于是,一个相对完整的文学过程可能被腰斩,使二级分期上升为一级分期,而且会导致分界线的错认;同时,分期标准直接关联着评价标准,对文学现象的错评误评也会在所难免。

由于传统的文学分期,从学界到一般社会读者,都形成了一种牢固的印象，似乎与古典文学相颉颃的新文学到了五四文学革命才开始发生。殊不知这种认识是有悖于事实的。如果我们不仅仅把"新文学"看作是对"五四新文学"的特指，而是从与古典文学相颉颃的意义上，从新文学基质的规定性上作松动一些的理解，那就不难发现，虽然五四文学革命表现出了更为彻底、更为强劲的叛逆精神和摧枯拉朽的力量，但这一文学的历史变革则早已开始。从新文学所必备的基质和由其所决定的基本倾向而言，早在上一世纪末和本世纪初，这种文学就已萌生且自成规模了。

这由以下几个方面可以得到证明：

一、白话文的提倡。

白话文的提倡一向被视为五四文学革命的主要内容和表征，可是早在 1897 年，裘廷梁就已响亮提出了"崇白话而废文言"的口号。在《论白话为维新之本》一文中，他从国之兴亡的高度，异常尖锐地直陈了文言的弊端：

> 有文字为智国，无文字为愚国；识字为智民，不识字为愚民：地球万国之所同也。独吾中国有文字而不得为智国，民识字而不得为智民，何哉？裘廷梁曰：此文言之为害矣。
>
> ……文言之害，靡独商受之，农受之，工受之，童子受之，今之服方领习矩步者皆受之矣；不宁惟是，愈工于文言者，其受困愈甚。二千年来，海内重望，耗精敝神，穷岁月为之不知止，自今视之，廑廑足自娱，益天下盖寡。

作为比照，他一一历陈了白话的八大益处，并于结语处旗帜鲜明地主张：

> 由斯言之，愚天下之具，莫文言若；智天下之具，莫白话若。吾中国而不欲智天下斯已矣，苟欲智之，而犹以文言树天下之的，则吾前所言八益者，以反比例求之，其败坏天下才智之民亦已甚矣。吾今为一言以蔽之曰：文言兴而后实学废，白话行而后实学兴；实学不兴，是谓无民。

从裘廷梁的文章中可以看出：第一，废黜文言是因其误学、误民、误国，立足点在于开发民智，振兴中国。与"文学革命"论者相比，都是把倡兴白话视为相关于历史变革的必经环节，"工具革命"的意识已相当明确。第二，在其对白话"八益"的具体解释中，已涉及到有利于发展创造性思维的问题，即"六曰炼心力：华人读书，偏重记性。今用白话，不恃熟读，而恃精思，脑力愈浚愈灵，奇异之才，必将迭出，为天下用"。往下再作引申，又提出了便于不同类型思维的开发培养和人才的多样性发展问题："七曰少弃才：圆颅方趾，才性不齐；优于艺者或短于文，违性施教、决无成就。今改为白话，庶几各精一艺。游惰可免。"第三，从语言文字的价值认定来说，对文言实用价值的否定自然在于首当其冲之列，而对传统文人势必固守的最后防线即美的价值确认问题，也从语言发展的规律上给予了有力的批驳，断言"文言之美，非真美也"。第四，对文言之为害的愤激已达到空前的程度。历史上虽然白话文（主要是白话文学）也流传多年，但作为文人的价值认定，尤其是把它与文言文对立起来进行褒贬，弄成不两立之势，这却是以裘文为代表的新工具革命的功绩。从以上几个方面可以清楚地知道，无论从其内涵的历史深度，也无论从其价值认知的正反框架设置和倡导者的基本态度上，这时的批判与倡导，和五四文学革命时的白话文运动，并没有内在性质上的隔世之别。相反地，作为肇始于上世纪末、张大于本世纪初并贯穿于整个20世纪的启蒙主义运动的一个重要前提和构成部分，表现为"工具革命"的白话文运动，早在这个时候就已开始了。

嗣后，陈荣衮也积极予以响应，发表了《论报章宜改用浅说》一文，进一步阐发了裘廷梁的观点，指出："大抵变法，以开民智为先，开民智莫如改革文言，则四万九千九百分之人，日居于黑暗世界之中，是谓陆沉；若改文言，则四万九千九百分之人，日嬉游于琉璃世界中，是谓不夜。"裘廷梁、陈荣衮的观点，与梁启超等变法核心人物关于言文合一的主张是一致的，事实上代表了一股不可小觑的思潮。其影响所及，白话报刊竞相而生，据有人统计，从1897年到1918年，全国各种白话报刊有一百七十余种。[①]

---

[①] 蔡乐苏：《清末民初的一百七十余种白话报刊》。

蔡元培先生曾明确指出："民元前十年左右，白话文也颇流行，那时候最著名的白话报，在杭州是林獬，陈敬第等所编，在芜湖是独秀与刘光汉等所编，在北京是杭辛斋，彭翼仲等所编，即余与王季同，汪允宗等所编的《俄事警闻》与《警钟》，每日有白话文与文言文论说各一篇，但那时候作白话文的缘故，是专为通俗易解，可以普及常识，并非取文言而代之。主张以白话代文言，而高揭文学革命的旗帜，这是从《新青年》开始的。"[1] 这段带有论断性的话，在文学史界有重要影响。蔡先生的话的确反映了历史的基本事实，如果事实上不如此的话，那就没有文学革命时再作白话倡导的必要了。可是，在我们全面而且准确地把握白话文运动及其与现代语体的文学发展过程时，有两点却不得不给予重新的认识，因为，蔡先生为了估评或者说着重为了说明"文学革命"的意义，强调的是"事实"的一个方面，而若从我们所说的角度看，"事实"则还有另外的一面。其一，从白话文与文言文的关系看，虽然事实上白话文并未全面取代文言文，但就当时的主张来说，对崇白话废文言的对置性认识还是相当深刻的，"主张以白话代文言"，并非自"文学革命"始。其二，把白话文的倡导与文学革命联系起来，确实是从《新青年》揭起"文学革命"旗帜时开始的，但这也并不等于说，前此的白话文倡兴于新文学变革没有作用。实际的情况则是，当时的白话文热潮即为维新思潮的一个组成部分，它的倡兴又转过来推动了维新思潮的发展，也就是说，"工具革命"和近代启蒙主义思潮是一而二、二而一的一件事，二者不能分割。作为"工具革命"，当维新思潮重点强调改良政治、智民益国时，它所突出的当然是普及知识的作用，但一俟维新派变法失败转而求诸文学的社会作用时，它也便立即就成为梁启超等人倡导"诗界革命"、"文界革命"和"小说界革命"的思考对象和倡导内容了。梁启超说："文学之进化有一大关键，即由古语之文学变为俗语之文学是也。各国文学史之开展，靡不循此轨道。"[2] 其实，梁启超等人所以如此看重三界"革命"，尤其是"小说界革命"，其原因也就在于它因语言的通俗而带来的社会接受的普遍性。因"小说界革命"的

---

[1] 《中国新文学大系·总序》。
[2] 《小说丛话》。

鼓吹和倡导，发轫于本世纪初的小说创作热潮，从其主流或主干部分看，即可视之为白话小说的热潮。据统计，仅 1900 年至 1919 年的长篇通俗小说就有 500 余部，而白话短篇小说则数量更多。① 至于众所周知，最能代表这个小说潮成就的《官场现形记》、《二十年目睹之怪现状》、《老残游记》和《孽海花》，所用的就全是白话，尽管还不能完全脱尽文言的痕迹。要之，正是这次白话文热潮及与之相呼应的白话小说热潮，开启了 20 世纪现代语体的文学革命的先河，并为其发展打下了基础。

二、新文学文体格局的开辟和初创。

文体的生成变异和不同文体间关系的调整，常常表现为不同文学时期的重要表征；而在一定时期被特别推重并获得突出性发展的某一文体，又常常被作为那一文学时代的代表，如唐诗、宋词和明清小说等。然而，现实的价值认定和后世的史的评价常常是并不一致的，譬如明清小说，尽管现在看，无论怎么说，它都最有资格作为明清时期文体的首席代表，可是在当时，在小说仍为末技的价值规约之中，依然不能登大雅之堂。在后来的评价中，小说真正被作为中心文体推重，那则是新文学所独有的自豪。

在文体格局的调整中，小说由圈外进入圈内，由边缘进入中心，始之于上世纪末到本世纪初的文学变革运动。这次变革运动虽然表现为对三界"革命"的全面提倡，但着力最多、最被看重的还是"小说界革命"。维新派人士对小说文体的"发现"，缘之于对小说价值的新认识。"夫说部之兴，在入人之深，行世之远，几几出于经史上，而天下之人心风俗，遂不免为说部之所持。"② 对这种社会接受效果的重视，来自两个方面：一是西方的启发，发现"欧洲化民，多由小说，搏桑崛起，推波助澜"③，颇值得我们借鉴；一是回首检视过去一直不敢于承认的实际接受差异，即小说的功效"几几出于经史上"。对这一价值的认可，本已是对于传统观念的突破，既已有了最基本的解脱，于是就可以率性

---

① 江苏社会科学院文学研究所明清小说研究中心主编：《中国通俗小说总目提要》。
② 严复、夏曾佑：《本馆附印说部缘起》。
③ 《编印〈绣像小说〉缘起》。

作出解释和发挥了。首先，他们从人的本性方面找到了依据。"凡为人类，无论亚洲、欧洲、美洲、非洲之地，石刀、铜刀、铁刀之期，支那、蒙古、西米底、丢度民之种，求其本原之地，莫不有一公性情焉。此公性情者，原出于天，流为种智。儒、墨、佛、耶、回之教，凭此而出兴；君主、民主、君民并主之政，由此而建立：故政与教者，并公性情之所生，而非能生夫公性情也。何为公性情？一曰英雄，一曰男女。"① 可是，人们虽然都喜欢英雄和男女之事，但不同的语言和记叙方式又有不同的效果。于是，严复、夏曾佑又从五个方面比较了易传与难传的区别，并得出结论说："据此观之，其具五不易传之故者，国史是矣，今所称之廿四史俱是也。其具有五易传之故者，稗史小说是矣，所谓《三国演义》、《水浒传》、《长生殿》、《西厢》、'四梦'之类是也。曹、刘、诸葛，传于罗贯中之演义，而不传于陈寿之志。宋、吴、杨、武，传之于施耐庵之《水浒传》，而不传于《宋史》。玄宗、杨妃，传于洪昉思之《长生殿传奇》，而不传于新旧两书。推之张生、双文、梦梅、丽娘，或则依托姓名，或则附会事实，凿空而出，称心而言，更能曲合乎人心者也。"② 夏曾佑还进一步发挥说：

> 人之处事，有有为而为之事，有无所为而为之事。有所为而为之事，非其所乐为也，特非此不足以致其乐为者，不得不勉强而为之。无所为而为之事，则本之于天性，不待告教而为者也。故有明知某事之当为，而因循不果，明知某事之不可为，而临溺不返者，多矣。读书为万事中之一，亦有有所为而读者，有无所为而读者。有所为而读者，如宗教、道德、科学诸书是，其书读之不足以自娱，其所以读之者，为其于生平之品行、智慧、名誉、利养大有关系。有志之士，乃不得不为此嚼蜡集蓼之事。（作者于此加一小注：亦有成嗜好者，殆习惯使然，非天性也。）无所为而读者，如一切章回、散段、院本、传奇诸小说是，其书往往为长吏之所毁禁，父兄之所呵责，道学先生之所指斥，读之绝无可图，而适可以得谤，而方百计以觅得之。山程水驿，茶余饭罢，亦几几非此不足以自

---

①② 严复、夏曾佑：《本馆附印说部缘起》。

遣。寝假而毁禁、呵责、指斥人之长吏、父兄、道学先生，亦无不对人则斥之，独处则玩之。是真于饮食、男女、声色、狗马之外，一可嗜好之物也。然而此习则无人不然，其理则无人能解。今为条析其理，未能尽也，以为解人嗜小说之故之发轫云尔。①

显然，当他们从人的自然本性找到读者接受的主动性差异的时候，同时也发现并强调了一种对立，即对具有娱乐消闲作用的文学作品的顺乎人性的主动选择，和对宗教、道德、知识说教读物的逆乎自然本性的"不得不为"的他律或自律的强制性接受，在接受的自觉与否和乐不乐为上，二者是适然而反的。正是在这一基础上，他们便很自然地把小说抬到了前所未有的高度，并把其潜移默化作用作了无限的夸大。最有代表性的，当然是"小说界革命"的倡导者梁启超。他在理论解说方面的贡献，是在娱乐之于人性之需要的基础上，仍由"普遍人性"出发，对人之生存的实际有限性和渴求的无限性问题，作了更切近社会性生存的阐发：

吾今且发一问：人类之普遍性，何以嗜他书不如其嗜小说？答者必曰：以其浅而易解故，以其乐而多趣味。是固然；虽然，未足以尽其情也。文之浅而易解者，不必小说；寻常妇孺之函札，官样之文牍，亦非有艰深难读者存也，顾谁则嗜之？不宁惟是。彼高才赡学之士，能读坟典、索邱，能注虫鱼草木，彼其视渊古之文，与平易之文，应无所择，而何以独嗜小说？是第一说有所未尽也。小说之以赏心乐事为目的者固多，然此等顾不甚为世所重；其最受欢迎者，则必其可警可愕可悲可感，读之而生出无量噩梦，抹出无量眼泪者也。夫使以欲乐故而嗜此也，而何为偏取此反比例之物而自苦也？是第二说有所未尽也。吾冥思之，穷鞫之，殆有两因：凡人之性，常非能以现境界而自满足者也。而此蠢蠢躯壳，其所能触能受之境界，又顽狭短局而至有限也。故常欲于其直接以触以受之外，而间接有所触有所受，所谓身外之身，世界外之世界也。此等

---

① 《小说原理》。

识想，不独利根众生有之，即钝根众生亦有焉。而导其根器，使日趋于钝，日趋于利者，其力量无大于小说。小说者，常导人游于他境界，而变换其常触常受之空气者也。①

这是一方面。另一方面，他又从人之摹写情感体验的"能"与"不能"上，对小说的作用作了辨析：

人之恒情，于其所怀抱之想象，所经阅之境界，往往有行之不知，习矣不察者；无论为哀为乐，为怨为怒，为恋为骇，为忧为惭，常若知其然而不知其所以然。欲摹写真状，而心不能自喻，口不能自宣，笔不能自传。有人焉，和盘托出，彻底而发露之，则拍案叫绝曰："善哉善哉，如是如是。"所谓"夫子言之，于我心有戚戚焉"，感人之深，莫此为甚。②

有鉴于此，梁启超认为："此二者，实文章之真谛，笔舌之能事。苟能批此窾，导此窍，则无论为何等之文，皆足以移人；而诸文之中能极其妙而神其技者，莫小说若。故曰：小说为文学之最上乘也。"③梁启超在这里表述的是一个递进性的逻辑肯定，先是肯定了文学的独特作用和价值，继而肯定"能极其妙而神其技"的小说，把它自然推上了"文学之最上乘"的宝座。于是，很自然地，他就得出了那个影响颇大的极端化结论："欲新一国之民，不可不先新一国之小说。故欲新道德，必新小说；欲新宗教，必新小说；欲新政治，必新小说；欲新风俗，必新小说；欲新学艺，必新小说；乃至欲新人心，欲新人格，必新小说。"④这种认识虽不免偏颇，但对于扭转传统性认识，打破传统文体格局，却是起了很大作用的，而且成了革新派的共识。恰恰是这种言之有理而结论偏颇的鼓吹，汇成了一种突围力量，并引发出一个盛况空前的小说热潮。诚如吴沃尧所说："吾感夫饮冰子《小说与群治之关系》之说出，提倡改良小说，不数年而吾国之新著新译之小说，几于汗万牛充万栋，

---

①②③④　《小说与群治之关系》。

犹复日出不已而未有穷期也。"①

在世纪初的小说潮中,人们即毫无怀疑地认为,小说这种文体,必成为整个20世纪的文体中心,甚至把它夸张到世纪中心的高度。陶佑曾以充沛的激情这样描述:

> 咄!二十世纪之中心点,有一大怪物焉:不胫而走,不翼而飞,不叩而鸣;刺人脑球,惊人眼帘,畅人意界,增人智力;忽而庄,忽而谐,忽而歌,忽而哭,忽而激,忽而劝,忽而讽,忽而嘲;郁郁葱葱,兀兀矻矻,热度骤跻极点,电光万丈,魔力千钧,有无量不可思议之大势力,于文学界放一异彩,标一特色,此何物欤?则小说是。②

其实这不只是一个人的看法。在那一时期,许多人都以极大的热情肯定了小说入主文体格局中心的既成事实,并预期了它对20世纪文体格局的开创意义。"二十世纪系小说发达的时代"③,"当二十世纪,为小说发明时代"④,"二十世纪开幕,为吾国小说界发达之滥觞"⑤,"二十世纪开幕,为吾国小说界腾达之烧点"⑥,等等,这种种表述都反映了革新派人士的一个主导性认识。也确如他们所预期的那样,在20世纪中,尽管其他文体的变革,如这一时期的"诗界革命"、"文界革命","文学革命"时期的新诗勃发,30年代小品文的张扬,都曾在文体的变革方面起到了引人注目的作用,并在文体总格局的调整和富有生力的协调发展上作出了贡献;但是,小说事实上构成了贯穿一个世纪的文学的中心文体,这是没有什么人会怀疑的。而且,由于它的带动,各种叙事文本均被相应地推重。戏曲改良(本在"小说界革命"的基本范围之内)成了一个世纪的话题,话剧这个舶来品得以艰难发展,纪实文学也以各种

---

① 《月月小说·序》。
② 《论小说之势力及其影响》。
③ 计伯:《论二十世纪系小说发达的时代》,《广东戒烟新小说》第1期。
④ 邯郸道人:《月月小说·跋》,《月月小说》第1卷第12期。
⑤ 耀公:《小说与风俗之关系》,《中外小说林》第2卷第5期。
⑥ 老伯:《曲本小说与白话小说之宜于普通社会》,《中外小说林》第2卷第10期。

新创的形式得到社会的青睐。叙事文本的升值，或者勿宁说是在作为历史变革工具和社会接受趣味性选择两方面结合最好的文本形式的确立，也诱发了其他文体向其靠拢的趋势，如叙事诗在现当代时期的繁荣发展，及叙事诗小说化倾向的出现。

很显然，新文学文体格局及其基本趋势，是由上世纪末到本世纪初的三界"革命"尤其是"小说界革命"初辟并奠定基础的。或者可以说，只有从这时进行考察，才可见出一个相对完整的新文体格局生成并发展的过程。

三、新文学文化、审美基质的初步呈现。

新文学的发展表现为一个过程，虽然在不同的时期，其文化内涵和审美追求也并不一致，甚至表现为否定或否定之否定的进展形式，但从其文化内涵和审美基质的基本规定性来看，却必然有其一致之处，正是这种一致，使之才能成为与旧的传统文学相区别的一个相对统一的历史过程。而明确了新文学文化与审美基质的基本内涵，并把它们作为文学改革的依据和鹄的的文学活动，却正是始于上世纪末到本世纪初的文学改良运动。

为人所共知的一个基本历史事实是，新文学是在与传统文化和旧文学的对抗中发生发展的。这一基本的趋势，既表现为在某些特殊时期，例如新生期（文学改良运动）、高倡期（文学革命）和再倡期（新时期初期）对传统文化与文学的价值否定；也表现为在否定中的认同或对抗中的沟通，如在更多时候倡导的更新传统和批判继承等。而支撑着这一趋势并给予人们信心的，则是至今支配着人们历史观念的进化论思想。1898年是一个对于20世纪至关重要的年代，因为就是在这一年，一个永远会被载入史册的人物——严复，他的译作《天演论》刻版印行（早此一年曾刊载在《国闻报》上）。大约连他本人也未想到，他的译介，无异于在历史、文化观念上启动了一个新的世纪。"自严氏书一出，……物竞天择之理，厘然当于人心，而中国民气为之一变。"① 为梁启超等人所发动的文学革新（实即文学革新）运动，也是在进化论观念的影响下而发动起来的。依进化论看来，"宗教有宗教之革命，道德有道

---

① 《述侯官严氏最新政见书》，《民报》第2号。

德之革命,学术有学术之革命,……风俗有风俗之革命,产业有产业之革命"①。所以,梁启超认为:"革也者,天演界中不可逃避之公例也。凡物适于外界者存,不适于外界者灭,一存一灭之间,学者谓之淘汰。"②文学的革新、进化,自然也是"天演界"中之"公例",这样,从文学革新运动起,文学的转型发展便与进化论的历史观、文化观结合在一起了。

从新文学所依傍和涵纳的文化思潮来看,自由主义思潮是一个重要的方面,尤其在借以对抗传统文化和进行启蒙教育上,它作为新文学文化内涵的特征就更为突出。而这一点,恰恰又适值表现为这次文学革新运动的开创性特色。自由、民权、平等,成为当时最令人向往的理想之境,"自由主义文学"也成了文学革新的诱人目标。梁启超鼓吹说"自由者,亦精神界之生命也"③,而"中国数千年来,无'自由'二字"④,"故今日欲救精神界之中国,舍自由美德外,其道无由"⑤。"今日而知民智之为急,则舍自由无他道矣"⑥。他认为:"言自由者无他,不过使之得全其为人之资格而已。质而论之,即不受三纲之压迫而已,不受古人之束缚而已。"⑦也就是说,他把自由看作解脱传统专制文化的压迫和束缚,使人们获得"全其为人"的资格的唯一之途。他强调,"思想自由、言论自由、出版自由",应"三大自由,兼备于我"⑧;但"思想自由,为凡百自由之母者"⑨,应予特别注意。主张"惟意所之",独立思考,以公理为衡,即所谓:"我有耳目,我物我格,我有心思,我理我穷,高高山顶立,深深海底行,其于古人也,吾时而师之,时而友之,时而敌之,无容心焉,以公理为衡而已。自由何如也!"⑩而这一些,正是倡导三界"革命"的依据,也是他对新型文学基质的解说。蒋智由讲得就更明白了:

按近世纪文化之一大进步,要而言之,谓为"自由"之所产出

---

①② 《释革》。
③④⑥⑦ 《致康有为书》,1900年4月29日。
⑤⑨ 《十种德性相反相成义·其二:自由与制裁》。
⑧ 《自由书·叙言》。
⑩ 《新民说》。

可也。盖古代之人，或拘牵于其一国之政治、一国之宗教、一国之风俗，至不敢创一自得之见，发一独到之论，此守旧积习之所由成，而数千年世界之所以无进步，其弊盖坐于此也。然穷久变生，此风渐为人心之所厌弃，而自由之说，遂承其流而代之。因自由而于宗教界、于政治界、于学术界，无不破坏其旧习惯，而开一新面目。文艺亦然，应用自由之一原理，遂得脱去古人种种之窠臼，文艺于是有新生命。不然，谓文章之气运，至古人而已尽可也。伟矣哉！开近世纪之新天地者，一自由神之权化力也。①

与此相关，几乎为一个世纪的作家都十分看重，并把它视为文学历史使命的一个基本母题即"国民性"问题，在这时，不但已经开始成为历史的关注点，而且在文学的批判指向中也开始初露端倪。梁启超把小说视为"国民之魂"②，并称赞日本的政治小说《佳人奇遇》和《经国美谈》为"浸润于国民脑质，最有效力者"③。所以，当时连办刊物也以此为提倡，说什么"其足以唤醒国魂开通民智，诚莫小说若"④。甚至表示出极大的决心："藉思开化夫下愚，遑计贻讥于大雅。"⑤ 既然"新民为今日中国第一急务"⑥，而小说又被视为"新"世道人心之利器，因此这样提倡是势在必然的。其实，不仅小说，所谓三界"革命"莫不导源于启蒙开智的主张。虽然当时对"国民性"的认识和文学表现与嗣后的新文化运动和"文学革命"时的情况有别，这时还更多地侧重对于"群"的关注，而后者则侧重于个人本位主义的强调；但是，这时对"国民性"问题的揭示和凸现，在其重视国民的觉悟和素质方面，与后者还是有其一致性的，无论是作为一种新质的历史活动，还是作为一种新的文学思考，它都是一个值得珍视的开端。

新的文化基质和对历史的独特关注，固然使文学无法摆脱被作为工

---

① 《维朗氏诗学论》第2章"按语"。
② 《小说与群治之关系》。
③ 《文明普及之法》。
④ 《小说林之旨趣》，《中外小说林》第1期。
⑤ 严复、夏曾佑：《本馆附印说部缘起》。
⑥ 《新民说》。

具使用的命运,甚至一开始便成了历史工具的首选对象;但是,新的时代形势也为文学新的审美品格的确立和对文学审美特性的认识提供了必要的条件。新的时代要求,西方艺术精神的启示,使标新立异成了一代人充满激情的追求。"新世瑰奇异境生,更搜欧亚造新声","意境几于无李杜,目中何处著元明"①。思想的解放必然促进文学的解放,一种新的文学生机必然表现为新的审美品格的崇尚和确立。从上世纪末到本世纪初,一代文学所表现出来的由"雅"向"俗"的平民化倾向、从内容到形式相对自由的创造,和求新逐异的种种艺术意趣的呈现,都表现为一种新的审美品格而与古典文学区别开来。人们惯常容易看到的是,文学一旦被作为历史活动的工具使用,那就必然预示着文学独立品格的丧失,殊不知,当它被作为工具给予推崇时,首先进行宣传的,却恰恰是它的独特价值。梁启超等人当年的鼓动就充分说明了这一点。当然,当他们一旦将这种特性只是作为手段而使之臣服于直露的社会政治目的时,文学的特性也便立时成了几乎无足轻重的存在,梁启超的《新中国未来记》为代表的一类"政治小说"就说明了这一点。但是必须看到,即使如此,它们那微不足道的所谓文学特性的存在,连同密集而直露的政治说教的新的指向性一起,也与古代小说明显地不能同日而语。梁启超对三界"革命"的全面发动,虽然实际的贡献最大者当推"小说界革命",但就他本人的创作而言,最为失败的却是小说。从实际的成绩和实践的示范作用来说,倒是对"新文体"的创作更突出一些。胡适后来评价说:"但这种文字在当日确有很大的魔力。这种魔力的原因约有几种:(1)文体的解放,打破一切'义法''家法',打破一切'古文''时文''散文''骈文'的界限;(2)条理的分明,梁启超的长篇文章都长于条理,最容易看下去;(3)辞句的浅显,既容易懂得,又容易模仿;(4)富于刺激性,'笔锋常带情感'。"②显然,所谓"新文体",还是名实相副的。

梁启超对小说理论的贡献是功莫大焉的。尤为卓异之处,是他首倡"小说界革命",并对小说的文学特性作了大胆的肯定,指出其"惮庄严

---

① 康有为:《与菽园论诗兼寄任公、孺博、曼宣》。
② 《五十年来中国之文学》。

而喜诙谐"①，"浅而易解，乐而多趣"②的审美娱乐的艺术基质，和"熏、浸、刺、提"③四种特殊的社会作用。同时，他首先明确指出了"写实派"与"理想派"④两类小说的区别，这实际上已在一种理性认识指导下开了本世纪两大类小说基本框架的先河。梁启超，当然也包括他的同代人或追随者的认识，是在西方理论的影响下，对传统认识所作出的对抗性反响，所以从基本取向上就是反其道而行的。而且，闸门既开，从基本精神到具体技法，异域的观念和艺术经验大量涌入，从不同的层面上推进了文学的新生。有意味的是，梁启超等视之为目的的意图并未能够实现，他们所倡导的"政治小说"在沉重的历史面前也并非无往而不利；而被他们视之为工具优势即手段方面的宣传，却在新小说潮中起了相当大的作用。虽然"小说革命"的政治性指向不可能不影响到小说潮的发展，但它们的创作成就却是突破了教条式"政治小说"的规约，更多地是靠在小说艺术的创辟上实现的。

更有意味的是，当把文学的历史功利性推向极端的时候，作为一种对应物，又势在必然地出现非功利重艺术的倾向或潮流。王国维与梁启超是近代对峙存在的两个有代表性的人物，在艺术理解上他们各趋于一极。王国维彻底地反对艺术的功利主义，认为"唯美之物，不与吾人之利害相联系，而吾人观美时，亦不知有一己利害"⑤。"美之性质，一言以蔽之曰，可爱玩而不可利用者"⑥。那些"汲汲于争夺者，决无文学家之资格也"⑦。如果把文学和哲学视为"政治教育之手段"，即难辞"亵渎哲学与文学神圣之罪"⑧。他是一个置身于政治历史漩涡之外的人，但正因为此，他却比别人更有可能侧重于接受西方非功利主义哲学与美学的影响，特别是以叔本华为代表的现代哲学与美学更能引起他的共鸣。在政治态度上他是守旧的，在文化态度上他也不是一个激烈的反传统派，但恰恰是他，却在接受西方现代哲学、美学，和在新艺术观念的建构上走在了前面。虽然他的主张也未免失之于片面，但正是他，以

---

① 《译印政治小说序》。
②③④ 《小说与群治之关系》。
⑤ 《叔本华之哲学及其教育学说》。
⑥⑦ 《文学小言》。
⑧ 《论近年之学术界》。

其实绩真正开创了本世纪新美学研究和审美批判的或一局面,而且以其与功利主义艺术观的对峙,开启和奠定了本世纪文学观和文学批评发展的基本格局。

四、翻译文学热潮的出现和中国文学世界化趋势的启动。

新文学发生发展的过程,表现为中国文学世界化趋势的发生和发展,或者可以依据实际的因果关系倒过来表述:中国文学世界化趋势的发生和发展,即表现为新文学发生和发展的历史。这已是学界的共识。

"异域文术新宗,自此始入华土。"① 中国文学世界化趋势的真正启动,却不能不归功于由上世纪末到本世纪初的翻译文学热潮。

早在上世纪末之前,译介"西学"的工作即已开始,但那时所译之书主要集中在兵学、技术及政事几方面,极少有文学作品的译介。因为,在当时的人们看来,"泰西有用之书,至蕃至备,大约不出格致政事两途"②。这种观点,是由当时的主流思潮,即强国之路在于借鉴西方的兵学、技术、政事所直接决定的。即使变法派人物如梁启超,直到1897年也还没有把文学列入必译书之中。③ 引发翻译文学热潮的首功应推林纾。同应该记住1898年《天演论》的出版一样,人们也应该记住1899年,因为在这一年林译《巴黎茶花女遗事》的出版,也同为译界的一件大事。"可怜一卷茶花女,断尽支那荡子肠。"④ 正是它的出版,展示了西洋文学的魅力,引起了人们的注意。林译小说的大量面世,更形成了集束式的影响。它无异于为人们开辟了一个新的天地,如钱钟书所说的:"商务印书馆发行的那两小箱《林译小说丛书》是我十一二岁时的大发现,带领我进了一个新天地,一个在《水浒》、《西游记》、《聊斋志异》以外另辟的世界,我事先也看过梁启超译的《十五小豪杰》、周桂笙译的侦探小说等,都觉得沉闷乏味。接触了林译,我才知道西洋小说会那么迷人。"⑤ 钱钟书算是后一辈的人,但连他也还因此而眼界大张,对于时人来说,其新异诱人之处就更不必说了。事实上,五四新

---

① 周树人:《域外小说集·序言》。
② 高凤谦:《翻译泰西有用书籍议》。
③ 见《论译书》。
④ 严复:《甲辰出都呈同里诸公》。
⑤ 《林纾的翻译》,见《七缀集》。

文学的一代创辟者,对林译小说也都是极其推崇的,周作人就曾说过:"老实说,我们几乎都因了林译才知道外国有小说,引起一点对于外国文学的兴味。我个人还曾经很模仿过他的译文。"① 他的说明是很有代表性的。胡适说"林纾是介绍西洋近世文学的第一人"②,这话还是很符合实际的。正是由于林纾的影响,从上世纪末开始,到本世纪初,出现了翻译文学的热潮。一时间,"远摭泰西之良规,近挹海东之余韵"③,成了接踵而起的许多新小说杂志的办刊宗旨,翻译小说的出版也与日俱增,甚至有人不无夸张地说:"余尝调查每年新译之小说,殆逾千种以外。"④

这次前所未有的翻译文学热潮的出现,固然是与林译小说的导引有关,但从深层来说,更是文学价值观念更新的结果。同样是出于政治的需要,维新派于变法前后十分看重译介域外小说的作用上,特别是在变法失败后,更是把希望寄托于小说的社会作用,对小说的价值认识从艺术特性到社会作用作了与传统迥然有别的阐释。这些解释,明显地以西方为借镜,显然是在带有世界化特征的新价值坐标上获得灵感并得以展开的,尽管作为一种世界的对话,从这时起在价值评估方面就是一种倾斜的状态。新的文学历史的展开,在其起始阶段上呈现出两种奇妙而又有效的结合:一是理论上的提倡与实证(翻译)互为印证,互相推动。正是在这个意义上,三界"革命"尤其是"小说界革命"才产生了实效;一是译作与创作的并生并存。从基本的动势来讲,作为范本的提供,启动时期当然是以译作为多,即以1907年为例,按照徐念慈的说法,"著作者十不得一二,翻译者十常居八九"⑤。这当属于正常的现象。以后虽然创作渐次增多,但译作与创作的并生并存状态,却并没有根本的改变,以至成为新文学发展的一个重要表征。此时的小说热潮,实际上包括着翻译热潮与创作热潮的两个内容,这一局面的出现,开辟了中国文学向世界化发展的道路,其意义是不能轻估的。

---

① 《林琴南与罗振玉》。
② 《五十年来中国之文学》。
③ 《编印〈绣像小说〉缘起》。
④ 披发生:《红泪影·序》,《红泪影》,广智书局1909年版。
⑤ 觉我:《余之小说观》,《小说林》第9期。

从以上四个方面足可以看出，把新文学的起始时间定在上世纪末到本世纪初，应当是没有疑问的了。过去，文学史界为了突出强调五四文学革命的意义，而把从上世纪末到五四文学革命之前的一段文学过程与鸦片战争以后的文学发展连成一气，总其名曰：近代文学。而且用力搜求的，也是它们与古典文学在质上的一致性，或者与"五四"新文学的区别所在，从而与新文学划开一道分界线。这样一来，便将新文学的实际发展过程一刀切开，同时将本来作为新文学起点的文学革新运动与此之前的文学发展两种基质有别的文学过程硬行纳入了同一的文学史范畴。

陈子展先生在1929年出版的《中国近代文学之变迁》一书中就曾经说过："所谓近代究竟从何时说起？我想来想去，才决定不采取一般历史家区分时代的方法，断自'戊戌维新运动'时候（1898）说起。……中国自经一八四〇年（道光二十年）鸦片之战大败于英，……尤其是一八九四年（光绪二十年）为着朝鲜问题与日本开战，海陆军打得大败。以致割地赔款，认罪讲和。当时全国震动，一般年少气盛之士，莫不疾首扼腕，争言洋务。光绪皇帝遂下变法维新之诏，重用一般新进少年。是为'戊戌维新运动'。这个运动虽遭守旧党的反对，不久即归消灭，但这种政治上的革新运动，实在是中国从古未有的大变动，也就是中国由旧的时代走入新的时代的第一步。总之：从这时候起，古旧的中国总算有了一点近代的觉悟。所以我讲中国近代文学的变迁，就从这个时期开始。"至于中国社会经济政治史的分期如何，不在我们现在的讨论范围之内，但陈子展先生作为一个文学史家，特别注重"觉悟"即精神的变化和区别，则是值得我们给予重视的。从文学的特殊性来看，注重精神的变化和界分是尤为重要的。陈子展先生把"近代文学"的起点定在"戊戌维新运动"，是很有见地的，遗憾的是这种比较符合实际的见解未能为主流性的文学史研究所采纳。近年来他的观点又为文学史界重新提起，但只是被用来证明一个世纪文学的起点，而并没有因此消解对于这一起点与新文学之间的传统性成见。殊不知陈子展先生在这里所讲的"近代"，与我们今天的理解含义并不相同。他用的这个概念，取的是今古、新旧的对比之义，当与今日之"近代"不同。

其实，倘若细究起来，陈先生的指定又未免过于笼统。更准确地说，新文学的起点不是"戊戌维新运动"，而是它的失败之日。"戊戌维新运动"尽管是"中国从古未有的大变动"，表现了"一点近代的觉悟"，但它属于"政治上的革新运动"，于文学并没有过多的关注和倚重。倒是它的失败，促使其代表人物调整了思路，由政治上的（严格说是政治制度上的）变革转向了思想启蒙，才为文学革新运动的出现提供了历史的契机，从而由政治上的维新运动转向了文学上的维新运动。当他们以极大的热情献身于政治上的经国之大业时，文学在其眼中不过是无用的雕虫小技，正所谓"词章乃娱魄调性之具，偶一为之可也；若以为业，则玩物丧志，与声色之累无异"①。可是后来，同是说出这个话的梁启超，却说出了迥然不同的另一番话："读泰西文明史，无论何代，无论何国，无不食文学家之赐；其国民于诸文豪，亦顶礼而尸祝之。"②其原因即在于思想认识的转化。1898年流亡日本，在居留日本期间，他免除了在中国肯定会被加上的各种限制和不便，可以自由地表达他的思想。梁启超也说："既旅日数月，肆业日本之文，读日本之书，畴昔所未见之籍，纷触于目，畴昔所未穷之理，腾跃于脑，如幽室见日，枯腹得酒。"③ 结果使他"脑质为之改易，思想言论，与前者若出两人"④。变法失败后的思考，域外考察中视野的扩大和更新，给梁启超一个意外的良机，使之有可能以今日之我挑战往日之我，从而实现了对以康有为为代表的变法期的思想观念的超越，不再恪守"托古"、"保教"的师教和今文经学的思想方法，必然地转向了思想文化方面的启蒙宣传。而这，恰恰是文学革新运动必要的历史前提。就政治上的变法来说，其改良主义的性质是显而易见、勿庸怀疑的；但就文学的三界"革命"来说，这次文学的维新运动则似乎不当同以"改良主义"概之。从其对古旧文学断然否定的态度和竭力提倡开放的、更新的文学观念来看，还是以"文学革新运动"称之为宜。虽然不可否认，在这新旧文学转换的枢纽之区，从理论到创作都难免其粗疏与幼稚，从文坛状况看也是新旧杂

---

① 梁启超：《林旭传》，《清议报》第8册，1899年。
② 《饮冰室诗话·七七》。
③ 《论学日本文之益》。
④ 《夏威夷游记》。

陈，连梁启超也称之为"过渡时代"①，但其时观念的深刻变易和新文学在草莱初辟中的萌生，这一切均与"改良主义"的既定性理解不相符合。

作为一个新的文学史范畴，"20世纪中国文学"的提出，还意味着对传统认识中现、当代文学的打通。中华人民共和国建国后的文学，即当代文学，分明是"现代"文学的延续与发展，对此，学界早有共识，不必再作论析。

"20世纪中国文学"的提出，实质上是对文学发展过程在史学领域中的重新整合。其意义至少有三：第一，从根本上解脱了社会政治历史分期对文学史考察的教条式束缚，使文学相对独立的品格得到科学的尊重，并使其发展过程得到相对完整的体认。"20世纪"是一个"宇宙时间"的概念，用它来标示一个文学过程的时间长度，由上述论析可以见出，完全是出自大体一致的"巧合"，不含其他的原因。构成这一时期文学主流或曰决定该时期文学史性质的是新文学，它的发生发展，是我们决定其时间长度和基本刻度的主要依据。据此进行的时空定位，应该是比较科学，也比较客观的。第二，对社会政治历史分期的疏离，意味着研究者主体学术观念的调整，意味着他们将从非文学的价值认知系统中超越出来，与对象进行科学的对话和沟通。第三，由于文学发展过程的完整展示，这一过程中许多深在而复杂的因果关系才会变得连贯而明晰，许多长期困惑人们的历史的症结，也便有了释解的可能。总之，"20世纪中国文学"这一新文学史范畴的提出，必将预示着一个新的文学史研究局面的呈现和发展。

（原载《二十世纪中国文学史》，山东文艺出版社出版，1997）

---

① 《过渡时代论》。

# 经济变革与20世纪中国文学

一代文学的发展，其原因可能有多种多样，但究其极，却无不与该时期历史的基本构成因素及其结构状态，以及由此形成的运行机制有关。

与以往的历史阶段一样，20世纪的中国历史也是由经济、政治、文化三个基本因素构成的。所不同者，只不过是各有各的具体内容和运行方式罢了。而这，恰恰是不同历史阶段的基本分野，也是我们考察某一历史时期独特内容和运行机制的基本出发点。

被我们习惯地称之为"古代史"的那一段漫长的历史，可以而且也应该分解为若干个阶段，它们之间也自然有着明显的不同，但是它们毕竟是在同一母基的经济、政治、文化系统中的自我调节和发展，是由此而形成的差异或区别。但20世纪不同了（此处我们把"20世纪"作为一个历史阶段的代称，是出自对文学发展历史的迁就，事实上中国历史的近代化过程应从上个世纪的中期算起，两者并不吻合）。它与以往的不同处，表现为从经济、政治、文化三个方面对"母基"的全面颠覆和解构，且以此为前提，来推动历史发展的。因为，这一段历史的发生与发展，是在威胁到国家和民族基本生存利益的强大外力干预下，由对作为"母基"存在的历史三要素的价值反思而渐次展开和深化的，不能不触及到最基本的或者说最本位的价值观念。如果说中国历史的近代化过程，在实际意义上是由"洋务运动"首开其端的，那么我们也就可以说，这个过程从一开始，就缘于对"数千年来未有之变局"的认识。其代表人物李鸿章说："东南海疆万余里，各国通商传教，来往自如，麇集京师及各省腹地，阳托和好之名，阴怀吞噬之计。一国生事，诸国构煽,实为数千年来未有之变局。"① 又说:"江海各口,门户洞开,已为我与敌人公共之地。无事则同居异心,猜嫌既属难免;有警则我虞尔诈,措置更不易周。值此时局,似觉防无可防矣。"②这种"数千年来未有之变局",必然引发中国各种历史因素的巨大变易和关系调整,形成为如《孽海花》作者曾朴所说的历史、文化的"大转关"③。于是,在中国历史的近现代化过程里,从经济到政治到文化,新生的历史因素都呈现为与"古代"的全面对抗之势,使"今"与"古"的更替表现为"新"与"旧"的对立。虽然这段历史的深刻性与复杂性始终相伴而生,难分难解,甚至时有回旋与反复,但基本的历史态势却是如此的。

众所周知,中国历史的近现代化过程是在与西方的不等值对话中实现的。而且从包容经济、政治在内的广义文化观念来说,这种对话又是两种文化的关系生成。英国著名历史学家汤因比在谈到西方文化对远东的冲击时总结过这样一个"定律":

> 我们偶尔发现了一条不仅适用于该事例,也适用于任何文化势力互相冲突的定律(如果能这样称谓的话)。这条定律大意是说,一种从文化整体分离出来的分支,在自发地传向国外的过程中,不易碰到很大的阻力,因此它将比整个文化势力的共同传播来得更快更广。④

他还进一步解释说:

> 当一根运动着的文化射线被它所碰撞的外在机体的阻力衍射成科技、宗教、政治、艺术等学科成分时,其科技成分比宗教成分易于穿透得较快和较远。……文化辐射中各种成分的穿透力通常与这一成分的文化价值成反比。在被冲击的社会机体中,不重要的成分所引起的阻力小于决定性成分所引起的阻力,因为不重要的成分没

---

①② 《李文忠公奏稿》卷二十四。
③ 《修改后要说的几句话》,见《孽海花资料》第2辑。
④ 《文明经受着考验》。

有对被冲击社会的传统生活方式造成那么猛烈或那么痛苦的动乱的征兆。这种对辐射性文化的最小成分作最广泛传播的自动选择,显然是文化交流运动一条不幸的规律。①

汤因比的这条"定律"确实能够概括西方文化向东方"传播"的实际进程。五四以后梁启超总结中国人借鉴西方文化进程时,所归纳的由"器物上感觉不足"到"制度上感觉不足",再到"文化根本上感觉不足",②即与汤因比的总结相副。至于汤因比的这条"定律"是否全面,我们暂不与论;但中国被迫接受西方文化的冲击并早期从"器物上感觉不足",却符合规律地把经济问题从历史的潮流中首先凸现出来。当人们长期以来不无遗憾地痛感历史的渐进和指责历史的觉悟之迟,并把这也作为文化心理沉疴难医的实证时,却在所难免地忽视了历史行进的另外一条规律,也就是影响和决定人们生存的基本条件即经济基础对历史的重大启动和支撑作用。多少年来,人们对"政治"或"文化"作用的"膨化"理解,不仅直接影响到对某些经济性历史行为的正确评价,同时也不能不使对历史由局部到宏观的研究和把握,发生有悖于规律的偏斜。

无论我们对近代以发展实业的救亡之举作何评价,但在客观上首先把经济问题作为救亡的首要环节推出,还是契合了历史发展的规律的,尽管被称作"洋务派"的那些曾被后人涂抹成三花脸的人物也并没有想到这一些。毫无疑问,从文化观念上来讲,他们是实质上的中国本位文化中心主义者;从政治上来讲,也是封建专制统治的维护者,正是在这两个问题上他们与后起的维新派和革命派构成为对立。但是,他们在器物和科技的文化层面上,却明显地表现出新的历史觉悟,自觉地把中国与西方置于世界性的比较之中,并作出了自我否定式的评价。"若舍西法一途,天下无足以图治者。"③ 这种认识代表了一代历史先觉者的心声,它如一线曙光,照亮了陈陈相因、危机深重的古老帝国。虽然洋务

---

① 《文明经受着考验》。
② 《五十年中国进化概论》。
③ 王韬:《弢园文录外编·杞忧生易言跋》。

派最终无法走出因袭的制度与精神文化的樊篱,甚至必然地走向历史的反面,可是在他们的时代,却是由他们率先启动了历史的机运,把历史推上近代化进程的。他们重经济,重实业,以振兴工商为"立国之本原"[1],并由此激荡起一股势头并不为小的"实业救国"之风,而且成了中国历史近代化过程第一个阶段中主潮性的历史行为和历史观念。其代表人物之一的薛福成说:"昔商君之论富强也,以耕战为务,而西人之谋富强也,以工商为先。"[2] 这种自觉的与历史求异发展的认识,和带有明显资本主义经济性质的观念与实践特征,富有实效地将中国历史的变异先在经济的轨道上推进了一程。中国近代实业的发展,不仅开始打破了自给自足的传统经济形态的桎梏,为民族资本主义经济开拓了艰难行进的道路,而且也正是它的悲剧性结局,才使政治制度变革以及开发民智的启蒙行为的必要性,在现实的层面中显露出来。

也许是因为人们过于习惯于从政治和文化的角度考察文学的发展变化了,在许多有关新文学史的著述中,经济发展对文学的作用被相应地忽视了。殊不知文学的发展也需要一定的物质基础和传播条件,尤其是20世纪中国文学,与古代文学相比,它是以高能力的印刷条件和商品化的快捷传送为发展特征的,没有从上世纪中期到本世纪的近现代经济发展,是根本不可能变成为这种新的文学现实的。同时,经济基础如何,决定着政治,决定着文化,也从根本上制约着人们的生活志趣和审美追求,这更是文学能否发展和如何发展的重要原因所在。倘若只从政治、文化或者文学自身寻绎其发展的原因,是难以对所有问题都能解释得清的。

现在我们已经可以肯定,基质有别于传统文学的新文学的起点在上世纪末到本世纪初,而这个起点的形成即与近代实业的发展有关。近代经济既为之提供了必要的物质条件,又为之开拓了市场。印刷业和交通运输业的发展,使众多报刊的创立和作品快捷而大量的印刷、转送才成为可能;而文化市场的商业化,也才使报刊和图书得到持续而广泛的流布。阿英在总结晚清小说繁荣的起因时,认为第一位的原因"当然是由

---

[1] 陈炽:《庸书·自立》。
[2] 《筹洋刍议·商政》。

于印刷事业的发达，没有前此那样刻书的困难；由于新闻事业的发达，在应用上需要多量产生"①。与实业发展相关的，现代商业化都市的形成和诸种信息交流的需求，使新闻事业发展起来，必然影响并规约文学的发展。在近代新型文学由传统到新型的转换过程中，一个很重要的现象就是对于新闻传播形式的依托，由报纸副刊到刊物，都曾是近代文学尤其是小说的重要发表园地。即使到了现、当代，情况也依然如此。另外，同样也很重要的一点，就是新文学主要是借助文化市场的商业化发展起来的。在新文学的初萌期，与诗文等文体相比，小说是率先计付报酬即实现商品化的，而且润笔不菲，据《小说林》1907 年发表的《募集小说启事》说："入选者分别等差，润笔从丰致送：甲等每千字五圆，乙等每千字三圆，丙等每千字二圆。"包天笑在《钏影楼回忆录》中说，倘能得到一百元稿酬，除了可支付到上海的旅费外，还可以供家中几个月之资。这对文学的发展起了至关重要的作用。此之后，一切文体的作品，只要在报刊发表或成书出版，一般情况都是要计付报酬的，从而过渡到了文学作品的全面商品化。我们并不是说"著文皆为稻粱谋"，新文学作家所以进行创作，都是出自于商业的目的；但是作家也要生活，只有当他所生产的产品也能转化为生存条件时，职业的作家队伍才能出现。而作家队伍的职业化，恰恰表现为 20 世纪文学发展的又一特征，或者说，是与传统文人相比作家生存的一种新的方式。从 1892 年韩邦庆在上海创办中国第一份小说期刊《海上奇书》，成为最早的职业小说家之后，既办报刊又创作作品乃至只以创作为业的作家便相继出现，以致成为众多作家基本生存方式的选择了。

不同于传统经济的新经济因素和新经济形态的出现，势必在社会发展的最基本处构成为调适社会运行机制和人际关系的动力。由于经济形态的近现代转型，以及由它所率先启动的包括政治、文化在内的综合性历史变动，使许多传统性的社会关系都发生了深刻的变化。与此前相比，发生于上世纪末本世纪初的文学革新运动，从一开始就在作者与读者的关系上表现出了新的理解与选择，而且愈来愈显豁地贯穿于整个20 世纪。朱光潜先生曾作过这样的比较，他说："就文学而言，读者群

---

① 《晚清小说史》。

变了，作者的对象和态度也随之而变了。二千年来中国文学在大体上是宫廷文学，……这是一个进身之阶，读书人都藉此获禄取宠，所以写作的对象是达官贵人，而写作的态度就不免要逢迎当时的习尚。……于今作者的写作对象是一般看报章杂志的民众，作者与读者是平等人，彼此对面说话，……文学从此可以脱离官场的虚矫谀媚，变成比较家常亲切，不摆空架子；尤其重要的是从此可以在全民族的生活中吸取滋养与生命力。"① 写作的职业化与读者对象的大众化，无疑是本世纪文学与过去时代文学的一个显著的区别。虽然由于启蒙或者救亡的历史需要，常常把作者或作品与读者的关系规约在教育者、宣传者与被教育者、被宣传者的关系框架之内，但对双方社会人格平等的确认，却始终是作家们至少在理性上的共识。传播媒体的大众化与语言工具的大众化，则在事实上有力地支撑了本世纪文学"大众化"意图的实现。梁启超为达"新民"的目的，曾大声疾呼："报馆者，作世界之动力，养普通之人物者也。"② 而裘廷梁则更强调办白话报的重要性："欲民智大启，必自广学校始；不得已而求其次，必自阅报始，报安能人人阅之，必自白话报始。"③ 由于这种鼓动，从上世纪末到本世纪初，《演义白话报》、《无锡白话报》、《女学报》、《觉民报》等大量创办，一时间各种"白话报"、"俗话报"如雨后春笋般出现，以上海为中心，在长江下游一带蔚为大观。这种传播媒体与语言工具的大众化亦即现代化的出现与发展，为文学的大众化乃至现代化的转型发展起着开路与奠基的作用。从梁启超提倡"俗语之文学"，标榜"自由思想"；到"文学革命"时期高举"白话文学"大旗，力主"人的文学"和"平民文学"；再到左翼文学时期开始的"大众化"讨论，从价值内涵到语言形式，都清晰地显现出了文学现代化转型中作者与社会读者关系的根本性变化及其发展脉络。在这种与传播媒体的发展以及人际关系的历史调整结合发展的新的文学社会关系中，作者与读者的对话，表现为一种更为突出的互相制约又互相促动的关系。这无论对于作者还是对于读者来说，就都有一个既保持各自自

---

① 《现代中国文学》。
② 《新民丛报章程》。
③ 《无锡白话报·序》。

主性又彼此被塑造的问题。

尤其值得指出的是，新经济因素和新经济形态的出现，除在广义范围里对文学的上述关系和内涵必然产生整体性的影响外，还因其生成与影响的差异性，以及文化变革的独特要求，而形成了颇为独异而新颖的文学冲突与景观。新的经济因素和经济形态，最突出地表现于现代都市的形成和发展中，在这里，它为文化增加了不同于内地的新的内涵，也为文学开辟了新的接受领域并催生了新的审美趣味的需求。商业化现代都市的形成和现代都市市民阶层的出现；使文化和文学的现代通俗品格被极为醒目地凸现出来，从而与内地形成为明显的差异。由此，文化和文学即呈现为雅俗分流并在对立互补的关系中发展的趋势，以致成为20世纪文化和文学的一种基本存在状态。虽然传统文化和文学中也有雅俗之分，但是，第一，它们不像现在这样有那么多精英文化人物的参与，而且更多地表现为与精英文化和文学对抗的民间状态，或者相对于精英文化、精英文学来说只是一种"泛化"的状态存在。第二，从文化内涵和审美趣味来说，也必然地规范于所属时代的局限之中。但这时期不同了，有那么多像包天笑、张恨水等精英文化人物（如果我们不再局囿于以往的评价，从表现为价值多元的文化生成意义来说，这样称谓并不为过）的毕生参与，并创造出了大量虽然通俗但却不同于民间状态的作品，而且其中含纳并生成的文化内涵和审美意味，也不乏应归属于新一时代的品格。也许为现在的读者难以理解，曾经以反对"消闲"、"娱乐"为其特征发展起来的五四新文学，却是首先靠近代以通俗化为特征的文化叛离从传统文学的禁锢中解脱出来，并开辟了道路的。严复、夏曾佑、梁启超等人当初正是从小说的"通俗性"魅力中发现了小说的无可替代的巨大社会教化作用的，虽然他们提倡小说的命意在于其历史变革作用的实现，但并未在雅、俗问题上划一道清晰的界限。因此，随之而起的，倒是一个规模更大而且难以界分其雅、俗的通俗报刊和通俗小说的热潮。从上个世纪末到本世纪初，上海在几年内便创办了《游戏报》、《笑报》、《消闲报》、《通俗报》、《笑林报》、《趣报》、《娱闲日报》等以消闲娱乐为标榜的报刊，它们群体性的孳生与发展，充分显示了一个潮流的规模。其影响之大，即使像曾以其小说作品真正显示了新文学初萌期实绩的李宝嘉、吴沃尧等人，也概莫能免。李宝嘉就创办过《游戏报》，吴沃尧也曾在《寓言报》等小报主过笔政。当然，随着对服务于历史目的的严肃主题的强调，这种通俗的文学屡遭挞伐，并自然地游离于历史性的文学主潮之外，但它却在未曾终止的实际接受需要中长期存活，且时有发展。现代商业化都市的形成，不仅培养了现代都市市民，为新通俗文学的产生和发展提供了立于不败之地的接受基础；而且也为都市文学的产生和发展培育了作者和读者。有了现代都市，才会有现代都市文学，这是最明白不过的道理。作为20世纪中国文学的一个新生因素，现代都市文学的萌生，实际上从内容到观念到审美追求，都表述了对于传统文学生态全面突围的欲求。以新感觉派及其他以此种追求为创作目的的作家为代表，他们的作品对于文学史来说自有一种新的意义。尽管由于现代都市的发展的不充分，和来自政治、文化各方面的规约，使之不能充分发展，但其企图寻求主、客体双重现代化契合性表现的愿望，还是颇值得人们深思的。

　　以上海为代表的中国现代大都市的形成，是中外经济、政治、文化冲突性交汇的结果。虽然在经济上和文化上都不免成为畸形物生成的"十里洋场"，但客观上却是中外交流的窗口，并在实际上变成了新型文化向内地辐射的中心。它的辐射与以京派文化为代表的内地文化的抗拒便构成了人所共知的京海派文化的对立和冲突。本世纪的30年代初，曾不可避免地发生过京海派唇枪舌剑的争论。争论中，作为京派文人代表的沈从文指出："'海派'这个名词，因为它承袭着一个带点儿历史性的恶意，一般人对于这个名词缺少尊敬是很显然的。过去的'海派'与'礼拜六派'不能分开。那是一样东西的两种称呼。'名士才情'与'商业竞卖'相结合，便成立了我们今天对于海派这个名词的概念。"[①] 并说："我所说的'名士才情'，是《儒林外史》上那一类斗方名士的才情，我所说的'商业竞卖'，是上海地方推销×××一类不正当商业的竞卖。正为的是'装模作样的名士才情'与'不正当的商业竞卖'两种势力相结合，这些人才俨然能够活下去，且势力日益扩张。"[②] 而应战者苏汶（即杜衡）则指出："居留在上海的文人，便时常被不居留在上

---

① 《论"海派"》。
② 《文人在上海》。

海的文人带着某种恶意称为'海派'。"① "新文学界中的'海派文人'这个名词，其恶意的程度，大概也不下于在平剧界中所流行的。它的涵意方面极多，大概的讲，是有着爱钱，商业化，以至于作品的低劣，人格的卑下这种意味。"②他不无冤枉且暗含讥讽地剖白说："文人在上海，上海社会的支持生活的困难自然不得不影响到文人，于是在上海的文人，也像其他各种人一样，要钱。再一层，在上海的文人不容易找副业（也许应该说'正业'），不但教授没份，甚至再起码的事情都不容易找，于是在上海的文人更迫的要钱。这结果自然是多产，迅速的著书，一完稿便急于送出，没有闲暇在抽斗里横一遍竖一遍的修改。这种不幸的情形诚然是有，但我不觉得是可耻的事情。"③因为，这些人虽"确然是居留在上海，在生活的压榨下，却还是很郑重的努力写着一些不想骗人的东西"④。苏汶还自信地预言："也许有人以为所谓'上海气'也者，仅仅是'都市气'的别称，那么我相信，机械文化的迅速的传布，是不久就会把这种气息带到最讨厌它的人们所居留的地方去的。"⑤

在通常的文学史著述中，京海派的冲突不过是发生在30年代初文坛上的一场具体的争论，而且，为时不久，双方即或改弦更张（如新感觉派向现实主义的皈依）或风流云散（如京派文人因战火而分别南下）了。但在事实上，或在非浪头式的史的涌流中，作为两种不同类型文化（更突出地表现于文学）的冲突及其消长变化，这一冲突是长期存在，迄未终止的。如果我们稍稍疏离一下只着眼于政治或启蒙文化（即所谓"救亡"和"启蒙"）的传统性视角和思维模式，认真地观察一下中国历史近现代化过程中文化的相应变化，那么很容易就会发现，看来似乎是双方均置身于历史涡流之外的非历史功利性的冲突，却恰恰是与构成历史发展基础的经济生态联系更为切近的一种必然而又特殊的文化生态，它们之间的对峙与冲突，实际上构成了20世纪中国文化结构生成中的一个重要方面。在以政治或启蒙轮替成为历史活动中心的历史过程中，这一冲突很难成为文坛的中心性冲突，像上述京海派之争也不过是发生在历史边缘区域的小插曲，相对于当时由左翼文艺思潮所引发的文坛涡流来说，那是决不可能同日而语的。但是，这并不意味着两种文化对抗

---

①②③⑤ 《文人在上海》。

的消失，只要有不同经济生态的对比逆差存在，它们就不会彻底消解，而且这种更多由经济生态变异致发的冲突一旦在历史潮流中浮现出来，其文化对抗也就很快成为显性的存在，甚至会成为文坛的焦点或冲突。为苏汶所不幸言中，到了本世纪末，即从80年代后期开始，"海风"明显北移，曾长期以来为京派所不齿的"海派"作风，竟在古老的京都恣肆文坛，势头甚炽，一时间成了众人争说的话题。

无论是京派还是海派，对政治采取的都是一种疏离的态度，它们的对峙、冲突与现实的政治并没有直接的关系。这种独特文学景观和文化景观的动态性呈现，实质上是近现代化过程中人们经济生态变动引发的结果。海派文学或海派文化，其所由发生与上海这一现代都市的形成与发展密切相关。有异于传统的近现代生产方式即如苏汶所说"机械"文明的发展，必然影响到人们的生存状态。当它把人们都毫不容情地抛入商品社会之后，人们会比任何时候都更有切肤之痛地感受到经济的迫压与牵制。与经济即基本生存利益的直接面对，使文学乃至文化的商品品格更见浓重，以致成为人们的自觉追求。这便是京海派文学、文化的根本区别所在。然而，这一区别本身，和新都市特征形成的多方面构成，都使京海派的对立冲突内蕴着极为丰富复杂的内涵，并为我们展示了多侧面评价的可能性。第一，从历史的角度来看，京海派文学和文化的对立冲突，意味着或表征着两种不同的经济形态和社会观念的对抗及其互为制约的发展。海派文学和文化所依附或所由孳生的基础，是近现代化的开放性的工商业经济，这种经济形态及其相应的社会观念显然代表着中国历史近现代化的基本方向，表现出一种前趋性特征。在新文学史的范畴中，海派文学及其所代表的文化观念的独特性，就在于它们与这种新经济形态及其社会观念的亲和性关联。其即如苏汶亦不讳言的"商业化"特点，实际就是这种关联所决定的经济功利主义的表现。从文学和文化的发展来说，或许这并不值得过多地称道，但由它们的发展繁荣所直接表征出来的社会经济形态和生存观念的变化，却是历史进展的最基本的成效。倘若没有经济基础的更新发展，只在政治和文化中旋转的历史，是很难获得真正进展的，至少在改善人们的生存条件方面是这样。在中国历史近现代化过程中，海派文学和文化的传播，呈现为辐射之势，实际上反映了新经济形态和生存观念向内陆不断发展延伸的历史线路。到历史的新时期即80至90年代，以北京为中心的北方经济也在改革开放的劲风鼓动下发生了摧枯拉朽的变化，社会观念急速刷新，于是便发生了海风北移的文化现象。这种现象的耐人寻味之处，从历史的深层变动来看，也是不言而喻的。与海派文学和文化相比，京派倒是一种不仅疏离政治而且也远离经济的审美文化和人文学术文化建构，照理，它是不会以如此激烈的态度与海派直接对垒的。然而要从历史发展的综合作用和中国历史近现代化的独特性来作深入一点的考察，就会发现，这又是十分必然的事。一种异质的新经济形态及其人生观念的出现，其冲击力所及，当是从经济形态到文化各领域的一切方面，而历史的发展，却是一个极为复杂的综合过程，它既要求经济的发展，又要有文化的繁荣。可是文化的繁荣，却并不仅仅或主要并不表现在文化与经济的亲和性发展，或者直接的功利性结合上，尤其是集中表现人文精神的审美文化和人文学术文化，它们的发展倒是更多地表现在对这一关联的疏离，和对切近于经济性、政治性生存现实的逆向叩问上。它们与经济乃至政治的关系，既是互动的又是互相制约的。这样，才会有健全的人生、健全的社会、健全的历史。中国历史的近现代化，又有其不同于西方帝国的特殊性。从经济到人文的非自主性变异，一方面可以使我们打破传统格局，走出古旧的樊篱，而另一方面却也会使我们从一种奴隶变为另一种奴隶，从一种奴性走向另一种奴性。如果没有一种精神的自觉，没有一种非功利的崇高和优美，那么历史的发展也将是难以想象的事。所以，从历史需求的另一面来说，京派文学和文化作为一种非功利的审美文化和人文学术文化的守望者，更有其不可忽略的价值。

第二，从文学和文化的角度来说，情况也比较复杂，不好只在一个价值层面上判分轩轾。若从借鉴域外新潮文化的操切与文化心态的外趋性来说，自然是当推海派为上，事实上从20年代起，上海即为现代主义文学的实验场。从李金发在北新书局出版诗集《微雨》，到《现代》推出的现代派小说，都发生于上海。与此相较，京派的文化营建则更多地表现为内趋性特点。当海派急切地寻找和表现都市中的"都市"时，他们却情有独钟于乡村中的"乡村"，且常以"乡下人"自我标榜。沈从文曾多次作如是说：

> 在都市住上十年，我还是个乡下人。第一件事，我就永远不习惯城里人所习惯的道德的愉快，伦理的愉快。……
> 
> 曾经有人询问我："你为么要写作？"
> 
> 我告诉他我这个乡下人的意见："因为我活到这世界里有所爱。美丽，清洁，智慧，以及对全人类幸福的幻影，皆永远觉得是一种德性，也因此永远使我对它崇拜和倾心。这点情绪同宗教情绪完全一样。这点情绪促我来写作。……人事能够燃起我感情的太多了，我的写作就是颂扬一切与我同在的人类美丽与智慧。……"
> 
> 朋友萧乾……的每一篇文章，第一个读者几乎全是我。他的文章我除了觉得很好，说不出别的意见。……至于他的为人，他的创作态度呢，我认为只有一个"乡下人"，才能那么生气勃勃勇敢结实。我希望他永远是乡下人，不要相信天才，狂妄造作，急于自见。……①

> 请你试从我的作品里找出两个短篇对照看看，从《柏子》同《八骏图》看看，就可明白对于道德的态度，城市与乡村的好恶，知识分子与抹布阶级的爱憎，一个乡下人之所以为乡下人，如何显明具体反映在作品里。②

萧乾虽为北京人，但也确如沈从文所指出和所希望的，以"乡下人"为个人的理想化角色体认："《篱下》企图以乡下人衬托出都会生活。虽然你是地道的都市产物，我明白你的梦，你的想望却寄托在农村。"③ 有的人甚至不惜将它推向极端，以示其与"都市气"的区别，譬如老向就说过："我是天生的乡下人，仿佛连灵魂都包一层黄土泥，任凭怎样洗，再也不会洗去根儿。白天不土气了，夜里作梦也还是土气的。坐着不土气了，立着也还是土气的。"④

如果追根溯源，京派虽然没有海派那种急切浮躁的经济功利主义倾

---

① 《篱下记·题记》。
② 《沈从文小说习作选·代序》。
③ 萧乾：《给自己的信》。
④ 《黄土泥·自序》。

向，但究其实质，它也在深层中表现出了对于由自给自足经济形态所决定的乡村化人生状态的亲和态度。它所疏离的只是商业化或都市化的经济功利倾向，以及决定此种倾向的都市化生存状态，但与政治问题相比，他们倒是更看重决定人生状态的社会经济形态问题，以为只有在理想的即自然化的人生状态里，人类的"美丽与智慧"才能发生，道德与审美文化的渴慕也才能成为现实。从这个意义上说，京派作为"乡村中国"的文化代言人与海派发生对峙和冲突，就不仅是必然的，而且也是意味深长的了。然而，即使在文化问题上，京派亦不能被视之为保守主义者或文化本位主义者。京派不同于文化复古主义者，也不倡言"国粹"，作为一种文化态度，为他们所看中的却并不是既有的文化之"粹"，而是有利于人类理想生存的"美丽和智慧"。他们并不反对文化当然也包括文学的开放性对话和借鉴，事实上他们中不少人也都曾受过欧风美雨的洗礼，在他们所拟定的人生理想之境和建构的理论阐释中，作为一种文化的内质，也都明显地包蕴着异质文化的因子。与海派所不同的，是海派那种企图对传统道德文化与审美文化连根拔起而将西方的东西原型移植过来的做法，在京派中是决不可能被认同，更不可能去做的。他们是以从容的态度进行吸纳，用以培育理想人生之根，所做的努力偏重在"化"的方面。所以，如果从对既有文化格局和文学范型的冲击力来讲，海派似乎当仁不让地具有一种冲击力；但若从立足于本土的建构来讲，则又当推京派技高一筹了。

其实放到历史的特定情境中来看，与其说京、海派是两种不同的文学景观或文化板块，倒不如把它们看作一种特殊的历史过程更为准确。随着开放性新经济形态及其伴生的社会观念像浪潮一样滚动扩散，浪头所及之处难免一片喧嚣龃龉，而在浪头已经过去的地方却会相对沉静下来，呈现出新的秩序和新的进境。从今天京海两地学风、文风的反向变异即可得到证明。当然，北京自然还是北京，上海也自然还是上海，各自不同的历史积淀和地理人文环境的不同，在任何时候都是不会互相重复的。它们都会变化发展，也都会以其各自的优势，竞相孕育出文学艺术和人文学术的丰硕之果。

综观百年来的发展，经济问题作为一种最基本的历史因素，对文学的牵制和影响力当是不容忽视的。从上世纪末开始，上海即为文化和文学变革的中心,新文化运动和文学革命时曾一度北移,嗣后又旋即南迁,回到了上海。这种局面的出现,固然有其政治方面的重要原因,但上海作为一个开放性的现代都市,它对各种新潮主张的包容性,毕竟也是一个十分重要的方面。当然,现在我们来冷静的回观历史,在正确地估价经济因素对文学的重要作用时,也应该看到这种作用的直接的负面效应,即经济功利主义所导致的对文学崇高意义的消解、对审美品格的蚀坏,和健康的人文精神的缺失。从当年沈从文所批评的某些海派文人"玩文学"的态度①,到近期文坛上媚俗文学的热炒,均可见出其一脉相承的恶俗之风。

(原载《二十世纪中国文学史》,山东文艺出版社出版,1997)

---

① 见沈从文《新文人与新文学》。

# 政治变革与 20 世纪中国文学

相对于经济、文化变革来说，20 世纪更是一个政治变革的世纪。世界是如此，中国就更是如此。由政治制度到政治观念的一系列深刻的变动，构成了 20 世纪中国历史演进的中心环节。这一显见的事实，其对文学发展的规约力量，无论人们从什么角度去理解，都是极为醒目的存在。它不仅作为社会价值认识的主宰性力量，而且也以其政权的力量，引导和规范着文学的发展。

一个时代的文学，无论是怎样繁花纷披、果出多枝，呈现为多元发展的状态，也无论是怎样沉寂，在文学史上成为相对失色的一页，但它们都一定会有在观念甚至文体方面的基本取向，以致构成该时代的主潮文学和主潮性文体。而这一切，又都无例外地与当时的政治形势有关，虽然在许多时候看起来并没有多少直接的关系。与古代文学相比，20 世纪中国文学的不同处表现为与政治使命的直接关联。从梁启超把文学革新推崇为实现政治目的的直接的根本的途径，到毛泽东把文学视为革命的重要一翼，并把它规定为"团结人民，教育人民，打击敌人，消灭敌人的武器"[①]，几乎一个世纪，就其主流部分而言，文学都是作为工具的存在而服膺于政治使命的。这种文学发展的基本格局，不仅使文学有效地承担了历史的责任，而且也使其社会政治功能发挥到极致。从梁启超倡导"政治小说"，到"革命文学"的鼓吹，到左翼文艺运动，一直到为工农兵服务方向的确立和革命现实主义文学的长期发展，这一清晰的脉络，即为 20 世纪中国文学发展的贯穿性主线。这一主线，经常居于制动的中心位置，牵动着整个文坛的变化。文坛中的一波三折，虽并不尽为政治性文学所为，但无论是何种内涵何种形式的冲突，只要是

---

① 《在延安文艺座谈会上的讲话》。

在主潮性的动势中发生，或在主潮性干预下发生的，究其所由起，均无不与其有关。

概览本世纪的文学冲突，虽林林总总，乱径迷眼，但细察起来，不外以下三类：第一类是政治性的冲突。其中最为典型的，莫过于共产党所领导、并力图体现其政治意志的左翼文艺运动，与国民党所支持、且也以体现其意志为目的的"民族主义"文艺运动的对立冲突了。左翼文艺运动主张阶级的文学、斗争的文学，以马列主义为指导（虽然未必所有的人都真正懂得了马列主义），而"民族主义"文艺运动则是以"民族主义"作为徽号与之抗衡，实际上却也是以国民党的政治需要为遵循的。两者斗争的实质，说到底还是两种政治观念的冲突。表现于文学领域的两种政治的对立，延续到40年代，即发展到了两种政权之间的近乎法典式的抗衡。毛泽东的《在延安文艺座谈会上的讲话》和国民党政要张道藩的《我们的文艺政策》在同年内先后发表，即为这一形势的明显表征。到了50年代初，国民党在台湾还高倡"战斗文学"，虽然两岸阻隔，但在文学方面的政治性对峙并未就此消释。

在政治性冲突当中，还有一种情况是同一阵线或同一基本范畴内的摩擦与冲突。如20年代后期关于革命文学的论争和30年代中期关于两个口号的论争，即均属此类。在20年代中期，鲁迅和以茅盾为代表的部分文学研究会中人，企图从文化启蒙的历史局限中实行突围，正渴望寻找到进行更富实效的社会批判的途径和武器，而以郭沫若、成仿吾等为代表的部分创造社中人，也正以过激的自我批判态度进行角色转换，力图走出自设的艺术樊笼，希冀成为普罗运动代言人，照理，这使他们彼此在文学活动的基本目的上已经开始靠近，不应该发生抵牾的。但是，部分创造社中人激进的角色自认必与排他性共生，所以这之后的后果，势必发展到与太阳社中钱杏邨等激进青年互为犄角之势，对稳健的而且仍在痛苦中思索的鲁迅乃至茅盾进行毫不容情的批判。此次论争中双方行文的尖刻性，是为人们所共知的，但其中所内蕴的深刻性，却并不表现为政治上的尖锐对立，而是表现为不仅是一个文学家，即便是作为一个社会革命者，超越现实的激进主义都可能导致对正确选择的干扰，而且其排他的宗派主义倾向也势必发生。事实上，文学界中曾经长期存在的宗派主义倾向，从某种角度来说，就是这样形成的。发生在

30年代中期的关于两个口号的论争,细察起来固然也可以从不同角度辨出个是非曲直,但实在地讲,从所提倡的主张和基本目的来看,并没有多少实质上的差异。其情绪上的互不相容,倒是更多地反映了左翼文学内部存在的宗派主义倾向。当然,这一次次论争的结果,也不能一言以蔽之曰不好,正所谓真理愈辩愈明,辩论会促使双方进一步理明思路,丰富和发展自己的认识,双方都会往前跨出一步,只是对此亦不可作等量齐观而已。

在同一政治阵线内的冲突中,除了政治上的激进主义、人事上的宗派主义可能会成为致发因素外,认识上的教条主义倾向也是一个不可忽视的因素。这三个方面虽然常常是相生相随,有此必有彼,但侧重表现为教条主义倾向的批判斗争亦时有发生,特别是在当代,它与激进的政治态度或者说极左思潮,同时也与宗派主义情绪的结合,常常是以运动的方式进行的,以致使之成为当代很长时间内文艺斗争的主要形式。比如对胡风文艺思想的批判。早在40年代,胡风的文艺思想即已遭到批判;由于他的坚持,到50年代初期,则更以政治运动的方式进行了全社会参与的大规模的批判斗争。应该说,倘若从文艺科学的角度看,胡风的文艺主张对于意识形态化的政治性文艺理论的某些偏颇,确实不失为一种补正,还是有相当重要的合理性内涵的。胡风对于创作主体作用的强调,力倡"作家底献身的意志,仁爱的胸怀","作家底对现实人生的真知灼见,不存一丝一毫自欺欺人的虚伪"①;对于现实主义文学的基本原则"写真实"的强调,主张向人物精神世界的深处掘进,表现精神奴役的创伤;对于创作中复杂创造过程的强调,即所谓只有通过主客体"相生相克的决死的斗争"②,才能达到主客观的统一,等等,这些意见都不应被一笔抹杀。从整体倾向上看,胡风是在以文艺的独特要求,对抗已日渐严重的教条主义倾向。他认为,以政治取代艺术的教条主义如果不予以克服,"那就要堵死了艺术实践,取消了艺术本身"③。这就决定了对胡风文艺观点评价的双重价值呈现:一是其本身的合理性内涵,一是在整体文坛格局的调节发展中,它在客观上所发生的作用。

---

① 《在混乱里面》,作家书屋1946年版。
②③ 《胡风对文艺问题的意见》。

从此以后，在当代文学发展中，同一性质的对抗或隐或显或高或低地总是时有发生，构成了不同文学观念互为制约、协调发展的基本方式。虽然无论是哪一次冲突（主要是指"文革"前），由于双方力量的不均衡性，总是由这种"胡风式"话语的失败来作结束，但其逆向平抑的制约作用还是客观存在的。比如从50年代中期对"人的文学"的重新倡明，对"现实主义广阔道路论"的积极主张，到60年代初期对"中间人物论"、"反题材决定论"、"现实主义深化论"等所谓"黑八论"的全面提出和阐发，就都曾起到过这种作用。胡风的过错，实质上是出在对政治性中心话语的幼稚理解和偏离。他并没有真正懂得，占据历史活动中心的政治力量，其对文学的社会功能性规范，是以从主体到客体、从内容到形式与政治话语的高度一致为基准的，从历史或政治价值范畴的目的性认识来看，自然有它的道理，当你以理论的形式与其构成功能性对抗，以"五把刀子"① 说伤害到它的基本利益时，所遭遇到的，也就只能是悲剧了。当然，以解决政治斗争的方式来解决毕竟只是属于文学艺术范畴内的认识分歧，又必然会伤害到文学艺术的正常发展和其社会功能更富实效的发挥，这对文艺对政治，又都构成了非个案的另一层悲剧。这从此后文艺和政治同步向极端化发展的基本态势上即可得到证明。从胡风文艺主张的内部构成和预设目的来看，其中也包含着一个深刻的悲剧，那就是他企图把革命性政治功能要求与来自于西方的文艺理论结合起来，而这些理论又分明具有与其政治要求异质的特征，难以糅合在一起。从其文艺理论扩大到他及其志同道合者的人生追求来看，也是如此。既不对革命的政治目标表示怀疑，也不对现代文化哲学的人生体味表示放弃，造成为一种颇富悲剧意味的人生追求过程。路翎小说《财主底儿女们》中的主人公蒋纯祖漂泊追求的生命经历，他对革命目标至死不悔的执著，和主动迎取与体味到的带有明显非目标规范的异质性苦难体验的结合，构成为一种悲壮的人生。通过他，或者说结合他，我们可以对胡风派及其文学创作，作意蕴深刻的双重观照。

第二类，是政治功利性文学观与非政治功利性文学观的对立与冲突。从20世纪中国文学发展的整体性结构来看，真正贯穿全过程并在

---

① 《胡风对文艺问题的意见》。

文坛形成基本性对抗,而且又有效地在相互对立的牵制中既实现了文学政治功能又保证了文学相对独立的多元发展的,还是这一种冲突。如果说前一类冲突还只是在基本相同的目标或功能认同中,对如何才能艺术地实现目标所发生的分歧;那么,这一类冲突则发生于对文学功能认识的根本性对立。从梁启超和王国维的时代起,这一对抗就已发生了。从梁启超对文学政治功能的强调和王国维对文学功利化倾向的诘难,即可明显地见出。但那时的方式,还更多地只是不同认识的对抗性存在,大家各自勤勉地做着自己的工作,彼此之间唇枪舌剑的冲突,尚不多见。可到文学革命尤其是革命文学出现后,情况就不同了,明显情绪化的笔战和常常超出文学边界的辩论成了常见的基本形式。比如与所谓"新月派"的论争。其实"新月派"并不自认为派,梁实秋后来作过辩白:"《新月》不过是近数十年来无数的刊物中之一,在三四年的销行之后便停刊了,并没有什么特别值得称述的,不过办这杂志的一伙人,常被人称为'新月派',好像是一个有组织的团体,好像是有什么共同的主张,其实这不是事实。我有时候也被人称为'新月派'之一员,我觉得啼笑皆非。……'新月派'这一顶帽子是自命为左派的人所制造的后来也就常被其他人所使用。"① 闻一多也曾在解释为什么不再写诗时反感地说:"还写什么诗!'新月派','新月派',给你把帽子一戴,甚么也就不值一看了。"② 本来,文化也罢,文学艺术也罢,从流派的角度来看,都也是可以有"派"的,就如"新月派",虽然是一个极松散的群体性存在,但就其总体上的自由主义文化归属和非政治功利性的文学主张来看,即便叫着"派"亦无什么不可。可是问题在于,当时的称之为"派",却主要是因为对方超文学边界的政治性批判所加上的称谓,也就是正如新时期学者所说的:"新月派这个名称,是30年代左翼作家在批评'新月'杂志一群作者时使用的,名称本身当然包含着批评。"③

当时对"新月派"的批判,主要是从政治的角度进行的,以后的文

---

① 《忆〈新月〉》,《文星》第11卷第3期,1963年1月1日。
② 臧克家:《海——回忆一多先生》,《文艺复兴》第3卷第5期。
③ 蓝棣之:《论新月派诗的特征及其文学史地位》,《正统的与异端的》,浙江文艺出版社1988年8月版。

学史著述均又进一步升级，无不把他们指斥为国民党政府的御用文人。其实这是与实不副的。事实的真相是，因为"新月派"坚持的是自由主义的政治态度，与国民党的权力政治并不相契相合，国民党政府对他们亦未给予善待。梁实秋就说过：

> 最初是胡适之先生写了一篇《知难行亦不易》，一篇《新文化运动与国民党》。这两篇文章，我们现在看来，大致是平实的，至少在态度方面是"善意的批评"，在文字方面也是温和的，可是那时候有一股凌厉的政风，不知什么人撰写了"党外无党，党内无派"的口号，只许信仰，不许批评。胡先生说："上帝都可以批评，为什么不可以批评一个人？"所以虽然他的许多朋友如丁谷音、熊克武、但懋辛都力劝他不可发表这些文章，并且进一步要当时作编辑的我来临时把稿径行抽出，胡先生还是决定要发表。发表之后果然有了反响。我们感到切肤之痛的是《新月》被当局扣留不得外寄，这一措施延长到相当久的时候才撤消。……我写了一篇《论思想统一》，也是主张思想自由的。这时节罗隆基自海外归来，一连串写了好几篇论人权的文章，鼓吹自由思想与个人主义，使得新月有了更浓厚的政治色彩，引起了更大的风波。①

对于"新月派"在国民党当局统治下的实际处境，当代史学界亦给予了真实的论述：

> 在"新月派"喊出"保障人权"、"确定法治"的口号之后，国民党当局便从各方面对"新月派"加以压制和打击。国民党当局一面利用御用文人组织围剿，一面在出版发行上施加压力，直至逮捕与《新月》有关的成员。国民党御用文人潘公展、张振之、陶其情、王健民等，或在《民国日报》、《新生命》等报刊上发表文章，或在"纪念周"上演讲，并在一九二九年十一月间，由国民党中央宣传部出版《评胡适反党义近著》一书。他们给胡适和新月派戴上

---

① 《忆〈新月〉》，《文星》第11卷第3期，1963年1月1日。

"反党义"、"违反党义"、"抵毁党义"的帽子，攻击它"反对革命的哲学理论"，"反对革命的政法理论"，"是信着欧美民治主义的谬说"。……

罗隆基抨击"约法"的文章，使国民党当局恼羞成怒。于是，对《新月》月刊及罗隆基本人再次进行打击。七月底，国民党北平市"整委会"和天津市"整委会"分别发出"公函"声言取缔《新月》月刊。称"查《新月》月刊发行以来，时常披露反对本党言论。近于第八期中，竟载有抵毁约法、诟辱本党之文字，迹近反动，亟应严行取缔，以闭邪说，以正听闻。"接着，国民党当局便搜查新月书店北平分店，逮捕店员，没收千余份第八期《新月》月刊。……国民党当局出于惧怕新月派发表言论与己不利，也为了恫吓其他新月派成员，使之就范，十一月四日，在上海吴淞公学逮捕了罗隆基，将他押送至上海市公安局审讯，罪名是所谓"言论反动，侮辱总理"，"有共产的嫌疑"。①

就"新月"的文学主张来说，他们在《"新月派"的态度》中所批评的13种倾向，并不都是针对"革命文学"来的，但也明显地包括革命文学在内。诚如台湾学者侯健所说："这13种流派当中，部分是创造社当初的特质，即感伤、颓废、唯美，或由创造社分出的'新才子'，如张资平、郁达夫，和上海的礼拜六和鸳鸯蝴蝶派，其余功利、训世、攻击、偏激、热狂、稗贩、标语、主义等，显然都是革命文学的倡导者的特质。"② 但在当时实际进行的文艺批评中，梁实秋作为"新月派"的理论家，是唯一正面批评过革命文学的一个人，他说：

> 以我个人而论，我当时的文艺思想是趋向于传统的稳健的一派，我接受五四运动的革新的主张，但我也颇受哈佛大学教授白璧德的影响，并不同情过度的浪漫的倾向。同时我对于上海叫嚣最力

---

① 王金铻：《中国现代资产阶级民主运动史》，吉林文史出版社1985年9月版。
② 《革命文学的前因与实际》，《从文学革命到革命文学》，台北，中外文学月刊社1974年12月版。

的"普罗文学"运动也不以为然。我自己觉得,我是处于左右两面之间。我批评普罗文学运动,我也批评了鲁迅,这些文字发表在《新月》上,但是这只是我个人的意见,我并不代表新月。我是独立作战,《新月》的朋友并没有一个人挺身出来支持我,《新月》杂志上除了我写了文字之外没有一篇接触到普罗文学。①

但是,梁实秋的话虽这么说,他的批评实际上还是代表了一批人的文学价值取向的。其实从广义上来说,对于过于注重思想而相应偏废艺术的倾向,早就有人或正有其他的人进行过或进行着批评了。比如闻一多,就曾对文学革命中在戏剧引进和创作方面存在的问题进行过批评:

> 近代戏剧是碰巧走到中国来的。他们介绍了一位社会改造家——易卜生。碰巧易卜生曾经用写剧本的方法宣传过思想,于是要易卜生来,就不能不请他的"问题戏"。……从此我们仿佛说思想是戏剧的第一个条件。不信,你看后来介绍萧伯纳,介绍王尔德,介绍哈夫曼,介绍高斯俄绥……哪一次不是注重思想,哪一次介绍真的是戏剧的艺术?……
>
> 现在我们觉悟了,现在我们也许知道便是易卜生的戏剧,除了改造社会,也还有一种更纯洁的——艺术的价值。……
>
> ……艺术最高的目的,是要达到"纯形"pure form 的境地,可是文学离这种境地远着了。……你可知道戏剧的为什么不能达到"纯形"的涅槃世界吗?那都是害在文学的手里。……甚么道德问题、哲学问题、社会问题……都要黏上来了。问题黏的愈多,纯形的艺术愈少。……就讲思想这个东西,本来同"纯形"是风马牛不相及的,但是哪一件文艺,完全脱离了思想,就能够站得稳呢?文字本是思想的符号,文学既用了文字作工具,要完全脱离思想,自然办不到。但是文学专靠思想出风头,可真没出息了。……你尽管为你的思想写戏,你写出来的,恐怕总只有思想,没有戏。……你看我们这几年来所得到的剧本里,不是没有问题、哲理、教训、牢

---

① 《忆〈新月〉》,《文星》第11卷第3期,1963年1月1日。

骚，但是它禁不起表演，……为思想写戏，戏当然没有，思想也表现不出。……

若是仅仅把屈原、聂政、卓文君，许多的古人拉起来，叫他们讲了一大堆社会主义，德谟克拉西，或是妇女解放问题，就可以叫做戏，甚至叫做诗剧，老实说，我宁可不要。①

老实说，闻一多的批评也够尖锐了，但因为并未直接批评普罗文学，加之我们亦为尊者讳，所以这话也就在文学史中不再提起了。梁实秋于是便一力担承，极言其对普罗文学的批判仅属个人行为了。

其实问题的实质不在于出面批评者人数的多少，而在于批评的着眼点在哪里，和批评得有没有道理。从我们当时的反批评和事后的文学史著作中看，无疑都是从政治的角度进行批判的。即使现在重新来看，梁实秋及"新月派"在政治观念和政治立场上，与左翼文学所坚持的阶级斗争观点和无产阶级革命立场都是颇有差异的，这方面的分歧是客观存在的。但值得注意的是，这种分歧，只是梁实秋及"新月派"所坚持和标榜的在当时中国毫无实践意义的西方民主政治，与左翼文学所服膺的阶级革命的实践政治及其观念的歧异和疏离，并不同于国共两党之间表现为权力政治或曰实践政治的对抗和冲突。从其内涵和实现方式上来讲，梁实秋等一类自由主义文化鼓吹者对政治问题的理解和追求，还仅仅限于文人式的文化鼓吹或宣讲，既无权力政治作后盾，又无促其实现的现实性实践力量，说到底只是一种政治乌托邦的文化理想。这种乌托邦式的政治说教，如前所述，与国民党政府的权力政治也常常会处于互不相容的关系之中。既然如此，我们就可以明白，梁实秋及其"新月派"对左翼文学的批评并不具有两种权力政治或实践政治对抗的实质。而且，其着眼点根本不在于政治，而是在于强调文学乃至文化与政治的不可同日而语，是在于文学而不是政治。明辨这一点很重要，因为长期以来人们对其大施挞伐就是误解了其真实目的所在。殊不知梁实秋反对政治干预文学，并不仅限于对左翼文学的批评。对国民党政府以暴力压迫文艺的作为，他倒是进行了真正的批评，表现出了正直的人格精神。

---

① 《戏剧的歧途》，《闻一多全集》第3集，开明书店1948年版。

对于国民党的"文化围剿",他在题为《对于民族主义文学的要求》的文章中说:"共产党可否用一个'匪'字来包括干净是一个问题,我并不要讨论,普罗文学可否也算是一种'匪',也是一个问题,我也并不要讨论,我只是觉得,剿匪而剿到文化上来,文化似乎根本的就变成武事了,不论是'官'军胜,或是'匪'胜,都没有什么文化可言了。文化这东西不是剿得的。……文坛上是很广大的,并不像是一个擂台,只能由一个人霸占着,……文学永远不能成为清一色。"① 对于国民党查禁书刊的行径,他也撰写了《谈上海查禁杂志事件》一文予以批评,指出:"第一,政府不应该以'反动'的罪名轻轻地加在人民的出版物上"。"第二,人民不犯法,便不应该受任何势力剥削其自由"。"第三,当局者在国难如此严重时期对一切爱国分子应该力持宽大,人民批评政府,不能算是反动,……只有法西斯蒂的国家才只要人民服从而不准人民思想"。"第四,这些刊物里有几种是纯文艺刊物。尤其没有查禁之必要,若说这些文艺刊物的思想左倾,则或者是事实,但左倾不算罪状,现在青年思想左倾,乃明显的事实,其原因乃国内外刺戟太大,使得他们不得不左。……只有思想能纠正思想,理论能克服理论,一切外在的强制力量在文艺界、思想界是没有用的"。② 若说这些言论发表在1935、1936年,已到国难深重之时,或许他的思想已经有了发展;那么早些时候他也表示过类似的态度,并对左翼文学进行过较为客观的评价。1933年,针对国民党政府要审禁包括普罗文学在内的一些书刊的"实施计划",他指斥为"当局愚昧之又一表现"。他说:"普罗文学含有多量的宣传作用,自无庸讳。可是左翼他们自己近来也默默地进步了不少。知道文学(不管普罗不普罗)是必须要具备一些艺术条件的,对于真正爱好文学的人,文坛上添出了一批普罗文学,这是该加欢迎的事。"③ 再从批评得对不对方面看,当时左翼文学对文艺与政治的关系的理解,不少人存在着简单化的倾向,往往以对政治宣传功能的强调相应轻视了艺术方面的刻苦探索,"革命浪漫蒂克"式的简单化、公式化

---

① 该文刊于《世界日报》副刊《文学周刊》,1935年3月11日。
② 该文刊于《学生与国家》,1936年12月16日。
③ 《文艺自由》,《益世报·文学周刊》,1933年10月28日。

创作曾一时成为风潮，对这种状况进行批评，还是有其现实依据和一定道理的，也不能一笔抹杀。事实上革命文学队伍本身也在不断地对这种以思想取代艺术、对思想和艺术均作简单化理解的倾向，进行着批评和矫正，鲁迅等对艺术与宣传关系的辨析，瞿秋白等对"革命浪漫蒂克"创作的批评，就都是明证。梁实秋所说的"左翼他们自己近来也默默地进步了不少"即是由此而发的。只不过，由于政治上的拒斥和不同文艺观的隔离，难以对其冷静地、适当地认可罢了。

那么，我们是否可以说，历史上包括鲁迅在内的左翼文学阵营对梁实秋和"新月派"的批判就完全错了呢？文学史的重写不等于做简单的翻案文章，科学的分析也决不等同于非此即彼的线性判断，对这个问题亦不能草率为之。我以为可作以下几点辨析说明：第一，这是一次不同价值范畴错位的对话，可在不同的价值层面上确认其意义所在。左翼文学对政治功能的强调，所选择的是历史的价值，即文学在历史活动中的作用和意义，而梁实秋和"新月派"所重视的则是审美的和文化的意义。他们虽然也对理想的政治充满向往，但从来不把文学当做现实政治的工具，所以他们的文艺观和文学活动，其价值的基本取向也限于审美和文化的领域。从历史的价值立场来看，梁实秋和"新月派"的批评，企图使文学从政治性历史活动的中心处分离出来，无疑是对左翼文学历史性价值追求即政治功能实现的否定和干扰，所以，左翼文学对它的批判，在政治历史价值层面上便获得了意义。而问题的另一面是，梁实秋和"新月派"的主张，强调文学创造的个性化特征，强调非现实功利的真善美追求，强调共同的人性和超阶级的人文精神，虽与阶级的、实践的政治抵牾，但却在审美和文化的价值层面上展示出了意义。对两者不能仅在单方面的价值层面上判分轩轾，进行褒贬，而是必须把它们放到不同的价值范畴里去做具体分析。但是，这种不同价值范畴间错位的对话，毕竟包融着深刻的误解，而这种误解在政治上主要来自左翼方面，把本来并非来自相对立的权力政治方面的不同文学见解，误当做政治对象来反击了；在文学和文化上，梁实秋与"新月派"也表现为一种误解，即把本属于政治历史活动范围中的东西当做纯文学问题来批评了。第二，这毕竟是一次发生于文学界的冲突，在文学观上也表现出了尖锐的对立。梁实秋说："……伟大的文学乃是基于固定的普遍的人性，从人心深处流出来的情思才是好的文学；文学难得的是忠实——忠于人性。至于与当时的时代潮流发生怎样的关系，是受时代影响，还是影响到时代；是与革命理论结合，还是为传统思想所拘束，满不相干，对于文学的价值不发生关系。"因为"文学家所代表的是那普遍的人性，一切人类的情思；对于民众并不负着什么责任和义务，更不曾负着什么改良生活的担子。所以文学家的创造并不受着什么外在的拘束，文学家的心目中并不含有固定的阶级观念，更不含有为某一阶级谋利益的成见。文学家永远不失掉他的独立。"[1] 与之相对的，便是鲁迅的那段影响颇广的话了："文学不借人，也无以表示'性'，一用人，而且还在阶级社会里，即断不能免掉所属的阶级性，……自然'喜怒哀乐，人之情也'，然而穷人决没有开交易所折本的懊恼，煤油大王哪会知道北京捡煤渣老婆子身受的酸辛，饥区的灾民，大约总不去种兰花，像阔人的老太爷一样，贾府上的焦大，也不爱林妹妹的。"[2] 现在来看，已经比较明白了，他们各执了问题的一个极端。梁实秋突出标榜的是人性的共同性和文学的非功利性，而鲁迅所强调的是在具体生存状态中人性的歧异尤其是阶级性的不同，和文学对于改良社会的历史责任。两种主张凭心而论各有各的合理性，但一作极端化强调便又都不免失之于片面了。文学本来应该是多元发展，功利的和非功利的各有存在的价值，对人类"健康"与"尊严"的维护和对改良社会历史责任的承当也没有文学基本意义规范上的矛盾，梁实秋把两方面绝对对立起来，一般性地否定文学对于社会的责任和义务，而且在文学表现人性问题上把"普遍人性"与人性生存的复杂变异和"时代的潮流"对立并割裂开来，即使现在看来，也不能不说是一种偏颇。它适足表现了梁实秋等在文学观念和文化观念上的书卷气和绅士作派。而在左翼方面，又偏重于对人性之间阶级对立的强调，相应忽视了对更为复杂的人性生存状态的全面关注，并把阶级性与普遍人性对立起来，则明显地表现为一种现实性的政治功利倾向。在这方面，鲁迅尽管在和梁实秋的争论中不得不作偏于一端的证明，但综合其全面的理解来看，还是对另一端亦有所考虑的。其他人则表现得更为

---

[1] 《文学与革命》，《新月》第1卷第4期，1928年6月。
[2] 《"硬译"与文学的阶级性》。

突出些。如果我们并不急于寻找一个"立场"进行孰是孰非的判断，而是着眼于文学发展的阶段性特征来看，就会有新的视角和"判断"方式。从新文学发展的过程来说，当时正是不同文学观念和文化观念分流发展的阶段，尚未进入综合发展时期，彼此之间采取对抗的方式分庭抗礼，这是很必然的事。第三，正是因为这个道理，左翼文学与梁实秋和"新月派"的对立冲突，恰恰是由他们（当然不止于他们）共同支撑了一段历史中的文学时空，而且彼此之间均有一种警示作用，既防范着不被同化，又自律着不要过于走向极端，同时双方对峙在客观上形成的张力，对整个文坛的多样发展还是起到了一定作用的。

  类似的冲突还表现为对"自由人"和"第三种人"的批判、对"与抗战无关"论的批判，和对"战国策"派的批判等。发生于1932年的与"自由人"（胡秋原）和"第三种人"（苏汶）的论争，既是一种必然，又充满了误解。胡秋原和苏汶分别以"自由人"和"第三种人"自命，反映了一种明确的角色选择意识，既是自认，又是声明，意思是在于消除在政治划线方面的误解。事实上胡秋原起始的发难并不是首先针对普罗文学，而是针对"民族主义文学"和"将成为时髦的"的"民主文艺"的。他那段被经常拿来批判的话，即"艺术虽然不是'至上'，然而决不是'至下'的东西。将艺术堕落到一种政治的留声机，那是艺术的叛徒。艺术家虽然不是神圣，然而也决不是叭儿狗。以不三不四的理论，来强奸文学，是对于艺术尊严不可恕的冒渎"①，就是对着"民族主义文学"而发的。当然，从其"艺术至上"的文艺观点来说，对普罗文学也取了不赞同态度，但诚如他所说："我并不想站在政治立场赞否民族文艺与普罗文艺，因为我是一个于政治外行的人。其次，对于文艺的态度，也有根据艺术理论的分析与根据艺术之政策的排斥扶植的不同。但是我并不能主张只准某种艺术存在而排斥其它艺术，因为我是一个自由人。"②（重点号为原文所有）他这话的真实性还是不应被怀疑的，不能视之为掩藏政治目的的策略性说辞。从"自由人"胡秋原到"第三种人"苏汶，表现了现代自由主义者的艺术立场，同时也表现了

---

① 《艺术非至下》，《文化评论》创刊号。
② 《勿侵略文艺》，《文化评论》第4期。

他们在政治对垒中对包括文学在内的一切复杂社会问题的幼稚。坚持纯艺术立场的人,常常在一些时候表现得不合时宜,譬如梁实秋、沈从文等人在抗战时提出和坚持的文艺"与抗战无关"和"文学运动的重造"等主张,也是如此。但他们一不是有什么政治企图,二也不是在文学见解上毫无道理,不当全部否定。如果说上述论调反映了非功利主义的文学立场,那么,40年代初的"战国策"派的出发点则是更侧重于表现了一种文化立场。"战国策"派实际上是一个文化学派,推崇的是文化形态学(又称历史形态学或文化形态史观)。这一学说发源于西方,最早由德国人施宾格勒在《西方的没落》一书中提出,后又由英国人汤因比在《历史研究》中作了发展。早在20年代和30年代,即有人将它介绍到中国,并吸收其观点研究中国文化。[1] 到40年代初,其代表人物雷海宗将其一系列文章编辑为《中国文化与中国的兵》一书出版,并与林同济等先后编辑、出版《战国策》半月刊和重庆《大公报·战国》副刊,一时形成了有一定影响的文化派别。该派的基本理论是认为历史是多元的,世界上存在着许多性质不同的文化,它们各有特点,不能替代。但它们又是可以比较的,因为有着大致相同的发展规律和"历史形态"。他们把文化的发展划分为封建时代、列国时代和大一统时代,认为列国时代对任何一个文化系统来说都是最活泼、最灿烂、最紧张而又最有创造性的阶段。而抗战时期,恰恰是可以重振民族精神,激活文化生力,进行文化再建的极好时机。这种主要由大学教授们张扬起来的理论,其科学性与否那是另一个问题,但它并没有更深的政治背景和目的,不过是一种文化再建的主张而已。为这一文化潮流鼓动而出或者说表现为这一潮流的"战国策"派文学主张,情形亦如是。作为文化认识的偏执,在其文学主张中也是存在的,如以什么恐怖、狂欢和虔诚为创作上的"三道母题",说"恐怖是生命看到了自家最阴暗的深渊",狂欢是叫人"不要忘了醉酒香,异性之美",虔诚则是"神圣的绝对体面前严肃之屏息崇拜",[2] 就是一种证明。但它们源之于文化理论而非法西

---

[1] 参见俞颂华:《德国之文化形态学研究》,《东方杂志》第20卷第20期;张荫麟:《施宾格勒之文化论》,《学衡》第66期;朱谦之:《历史哲学大纲》、《中国文化哲学》等书。

[2] 独及(林同济):《寄语中国艺术人》,《大公报》1942年1月21日。

斯政治，这是不能不予以明辨的。

由于政治力量的牵制，以上两类冲突无疑构成了 20 世纪中国文学运动和观念冲突的基本内容，至于另外一种，即第三类，不同艺术派别在艺术追求方面所发生的相互拒斥或冲突，如京海派文人沈从文、苏汶的争论，则只能成为边缘区的小波小澜，与主潮区的冲突相比，就远没有那种气势和声色，其影响所及，自然也就小得多了。

从创作方法的角度来说，政治方面的历史因素对文学的基本选择当然是现实主义，而且似乎还没有哪一时代能像 20 世纪尤其是现当代的中国这样，把创作方法作为一种不仅是文学的同时更是世界观的原则，推崇到如此重要的地步。现实主义文学构成了一个世纪以来文学发展的主潮性类型，自勿庸讳言；而对现实主义文学原则的明晰规约，和作家把创作方法的选择视为文学价值确认的基本体现的"方法意识"，也都是前所未有的。

当然，现实主义文学在 20 世纪中国的繁盛甚至独擅胜场，这首先是历史选择的结果。因为，与其他创作方法相比，它毕竟对现实的历史内容表现为更为直接和倚重的关系。在创作主体和社会现实的关系中，它对现实的超个体的历史性关注和对人类生存发展即历史的责任承诺，都更适合于历史对文学社会功能性要求的实现。虽然在历史发展的某些特殊时期，尤其是个体精神需要以其高昂的状态对滞重的现实形成一种精神冲决力的时候，历史可能会对浪漫主义表现出更多的热情，使之成为首选的对象；但是，当历史的目光一旦挪移到对人们生存状态特别是生存危机的关注，或者换言之，当历史的要求由侧重于精神化内涵而转变为侧重于物质化内涵时，现实主义的独异之处便立刻显现出来了。本世纪的中国历史，尽管我们可以因其有关内容的突显而分别称之为经济变革史、政治变革史或文化变革史，但若论其根本，其荦荦大端或制动各项内容的枢纽之所在，还是民族的救亡和生存发展。因此我们说，现实主义文学在 20 世纪中国的发展，并非是因为哪一个单项历史内容对它的情有独钟，而是缘之于历史基本动势、基本要求与它的契合。即使不是出自于政治利益的直接需要，而是从文化启蒙的角度关注历史，也是必然会选中现实主义的。比如在新文化运动和"文学革命"初期，鲁迅开始是提倡浪漫主义精神的，这在《摩罗诗力说》等文章中就有充分的反映，直到创作《狂人日记》时，其浪漫主义的精神倾向还是颇为突出的，尽管在艺术表现上更多地表现为象征主义的特点。可是为时不久，他就在历史性目的的调控下，选取了现实主义（即当时的所谓写实主义）的文学精神和原则，并把它作为启蒙文学的基本遵循来提倡，主张"真诚地、深入地、大胆地看取人生并且写出他的血和肉来"①。从鲁迅小说创作的整体倾向来看，启蒙现实主义构成了它的基本特征。正是这种直面人生的写实主义创作原则，才使其作品把笔触探伸到国民现实生存的精神悲剧深处，笔尖带着血和泪，第一个活生生地和盘托出了"人吃人"的民族悲剧。胡适信奉的是西方的自由主义精神，他与国人的生存现实还是比较隔膜的，虽也写过表现人道主义关怀的《人力车夫》这样的新诗，但那毕竟是当时文人就身边所及对民生疾苦的一种浅近和狭窄的理解和表现。可是，即使是他，也是比较推崇写实主义文学的，他甚至劝说一度鼓吹"新浪漫主义"的沈雁冰矫正自己的认识，"不可滥唱什么'新浪漫主义'"，因为"现在西洋的新浪漫主义的文学所以能立脚，全靠经过一番写实主义的洗礼。有了写实主义作手段，故不致堕落到空虚的坏处"。②沈雁冰确实也很快矫正了认识，也开始说"新浪漫主义在理论上或许是现在最圆满的，但是给未经自然主义洗礼、也叨不到浪漫主义余光的中国现代文坛，简直是等于向瞽者夸彩色之美"了③。当然，沈雁冰的转变未必都是胡适劝说的结果，从根本上说，还是历史和文学发展的大势所由然。从 20 年代后期，特别是 30 年代及以后，表现为阶级政治取向的现实主义文学虽然已成为文坛骏奔的潮流，但非阶级政治取向的现实主义创作也是峰峦迭出，时有影响深远之作的，如老舍、巴金、曹禺等，俱属此类。他们虽已程度不同地不再类同于"文学革命"后启蒙主义文学的早期之作，加强了对于民众生存的综合性关注和社会批判，可是和前此的启蒙主义文学一样，作家和历史之间有着深深的承诺。

然而我们又不能不看到，20 世纪中国文学中现实主义的强化发展，

---

① 《论睁了眼看》。
② 胡适 1921 年 7 月 22 日日记。
③ 《自然主义与中国现代小说》。

确实与政治性的倡导和规约有着极为重要的关系。从其内涵到外延的日渐明晰的明确规范，使现实主义对历史的承诺变成了对政治责任的直接担承。而其批判与理想的同一价值呈现，与政治利益的一致性，又使其经常处于制导文坛的优越地位，从而在文坛上形成了一种特异的风景。从本世纪中国文学发展的实际状况来看，这一政治与现实主义的有效结合和颇具声势的对文坛的制控，集中表现为革命文学一方。革命文学对于现实主义的推重，实事求是地讲，并不是先作为一种方法来强调，而是看中了它对现实的特殊关注和工具实现的有效性。早在20年代初期，邓中夏在对"新诗人"进行批评时就指出：新诗人"须多做表现民族伟大精神的作品"，"须多作描写社会实际生活的作品"，"须从事革命的实际行动"，而且说，身居"艺术之宫"的人"必以为我这种以文学为工具的贡献，真是浅薄而且卑陋极了，和他们的'新浪漫主义'、'为艺术而艺术'的高尚信条，绝对不相容。虽然，不论他们如何鄙视我的贡献，但是我却仍然是诚诚恳恳地希望他们接收我的贡献呢。我相信中国需要这样的新诗人"①。萧楚女也批评了脱离现实的"艺术至上"的主张，指出他们是"把生活和艺术底事实的因果，颠倒转来"了②。而恽代英则对做革命文学家必先做革命家的道理作了突出强调，指出："我相信最要紧是先要一般青年能够做脚踏实地的革命家"；"倘若你希望做一个革命文学家，你第一件事是要投身于革命事业，培养你的革命感情。"③ 他们作为革命家，所要求于文学的有以下三点：第一，从文学与革命的关系看，要求文学为革命的工具；第二，从作家的目的实现和角色选择来看，强调文学目的与革命目的的一致性，和作家要做文学家必先做革命家的双重角色选择的因果关系的一致性和必要性；第三，从文学与生活的关系看，强调文学与生活之间反映被反映的关系，更强调对革命性时代精神的突显和依据这一精神对现实的理解和取舍。虽然对这种革命现实主义作为一种创作方法的称谓，是到了30年代中期由于接受了苏联的影响才日渐明确起来，但是其基本要求或者说其基本规

---

① 《贡献于新诗人之前》，《中国青年》第10期，1923年12月22日。
② 《艺术与生活》，《中国青年》第38期，1924年7月5日。
③ 《文学与革命》，《中国青年》第31期，1924年5月17日。

约，在20年代就已作为一种观念雏形萌生并存在了。到了30年代及以后，随着对这一概念的明确规定，固然对其内涵的理解日渐丰富深刻，但对其革命性质的强调和工具性能的强化，也是与日俱增的。到这时，革命现实主义创作方法已作为一种原则固定下来，并视之为文学担承政治职责的基本途径，即冯雪峰所说的："民主主义革命思想在政治上与文化上的任务和要求，在文艺上主要的是在现实主义的创作实践上去达到。"[①] 中国革命现实主义的明晰化与权威性，来自于苏联的影响，这是不争的事实。30年代初苏联批判了"唯物辩证法的创作方法"，提出了"社会主义的现实主义"的口号。从此这一方法作为一种原则马上就成了苏联文坛带有法规意义的必遵的规约，如其剧作家基尔洵所说："没有一次演说不重复着社会主义的现实主义这句话。辩士们口里讲着社会主义的现实主义，批评家们笔下写着社会主义的现实主义，评论家们站在社会主义的现实主义的基础上活动着，社会主义的现实主义已经成了咒文。"[②] 其原则的基本规约连同其权威性效应一起为中国革命文学所接受，又经更适合于中国革命需要的改造和发挥，遂成了中国革命文学的价值认知系统，和长期相沿并日渐规整化的基本文学范型。

在革命现实主义的发展中，随着对其精神内容规范的政治指向性的凸现，作为一种文学的范型，其边缘也越来越明晰起来。在启蒙现实主义倡兴时期，"写实主义"只是作为一种基本的创作取向和文学历史价值实现的一种基本途径来予以强调的，对其边缘的认识和界分则是相当模糊的。在一个相当长的时间内，许多人对写实主义与自然主义的区别都没有搞清楚，甚至混为一谈。最有代表性的就是茅盾。如众所周知的，他曾把巴尔扎克视为自然主义的"先驱"，又把左拉和莫泊桑一样看作是"写实主义的重镇"[③]。他那时认为"文学上的自然主义与写实主义实为一物"[④]，可以把福楼拜、左拉和契诃夫"拉在一起，请他们

---

① 雪峰：《论民主革命的文艺运动》。
② 转引自周扬《关于"社会主义的现实主义与革命的浪漫主义"》，《现代》第4卷第1期，1933年11月1日。
③ 《文学上的古典主义、浪漫主义和写实主义》，《学生杂志》第7卷第9期，1920年9月。
④ 《"曹拉主义"的危险性》，《时事新报·文学旬刊》第50期，1922年9月21日。

住在'自然主义'——或者称它是写实主义也可以，但只能有一，不能同时有二——的大厅里"①。另如，谢六逸在《西洋小说发达史》中也说："写实主义与自然主义在实质上并没有区别。写实主义其范围比自然主义狭窄些，我以为在自然主义里面，已包括写实主义。"② 还有，愈之也把左拉称之为"写实主义的巨魁"③。或许我们会把这种混淆看作一种幼稚，正如嗣后的许多文学史著所理解的那样，但今天再来冷静地想想，好像问题又不那么简单。其一，自然主义强调观察与实验，标榜科学，排斥情感与想像，虽然未免作了绝对化的理解，但它与现实主义有着内在的血脉联系，只不过是"它遵照现实主义理论的种种暗示，走到了该理论逻辑上必然达致的结局"④。把自然主义视为反动，是革命现实主义边缘清晰化之后认识的结果，似乎不能作为现在和当时判断是非的依据。其二，五四时期强调科学精神，又特别推崇达尔文的进化论观念，而要把这种精神和观念与文学的写实态度调和起来，自然主义便不可避免地成为关注的对象，和对现实主义的指称性选择。所以，对此要做细密而客观的分析，不可简单地以一语概之。当时，对现实主义（写实主义）边缘的模糊性理解，还突出地表现在对浪漫主义和现代主义的包容性接纳上。看起来似乎现实主义和浪漫主义分别为"为人生"派和"为艺术"派作了对立性选择，实际上"为人生"派高倡写实主义时，对浪漫主义并未作绝对的排斥。这从鲁迅的许多小说散文作品中即可见出。对于现代主义，由于启蒙现实主义对表现对象文化心理现实的尤为关注，和对主体自身心灵感受的极度敏感，就更是采取了主动迎取的态度。还以鲁迅为例。他非常看重安特来夫小说中的"神秘幽深，自成一家"的深度表现，认为其作品"都含着严肃的现实性以及深刻和纤细，使象征印象主义与写实主义相调和。……消溶了内面世界与外面表现之差，而现出灵肉一致的境地"；"虽然很有象征印象气息，而仍然不失其现实性的"⑤。人所共知，鲁迅对厨川白村的理论甚为推崇，并且

---

① 《通信——答吕南》，《小说月报》第13卷第6、7期，1922年6—7月。
② 见《小说月报》第13卷第5、6期，1922年5—6月。
③ 《近代文学上的写实主义》，《现实主义与浪漫主义》，商务印书馆1923年版。
④ 达米安·格兰特：《现实主义》，昆仑出版社1989年版。
⑤ 《黯淡的烟蔼里·译者附记》。

亲自翻译了他的代表作《苦闷的象征》，称赞"作者据伯格森一流的哲学，以进行不息的生命力为人类生活的根本，又从弗罗特一流的科学，寻出生命力的根柢来，即用以解释文艺尤其是文学"，表现了"独到的见地和深切的会心"①。显见地，鲁迅立足于"现实性"这一基点上，对现代主义作了可接受性的理解，认为它们的独到之处，即在于比一般的现实主义更深入地触及到"人类生活的根本"和"生命力的根柢"。也正是这种对现实主义的包容性理解和借鉴，使其作品在进行文化心理批判性表现时获得了独到的生命深度和人类性。

革命现实主义对其边缘的明确界分，有效地杜绝了启蒙现实主义在作文化与生命关系的独特关注时，所可能导致的对人们政治生存层面的相对漠视和对"现实性"的非政治性宽泛理解，从启蒙现实主义到革命现实主义的必然过渡，从史的角度看，实质上是完成了历史中心行为对文学原则的选择和界定，从而保证了文学与历史中心行为的直接隶属关系的实现。如果我们并不拘囿于对文学所作的非政治性单向度价值判断，而对这段历史作宽容性客观评价的话，那就会理解，革命现实主义作为一种独具阳刚之美和现实性历史力度的文学样态，是如何不可替代地以其对历史的直接参与性支撑了一代文学的时空。作为一种"历史形式"，它或许更有资格进入历史学家的视野。然而，历史的进程就是这样，当一种行为的"意义"获得明确性展示时，其"形式"上的约束力和"意义"上的规定性便会一起呈现出来。革命现实主义的发展就是如此。当它从前此的现实主义脱胎而出时，不仅与前此的现实主义划清了界限，而且与浪漫主义、现代主义等更是拉开了距离。郭沫若等创造社中人倡导革命文学，便是以先与浪漫主义划清界限为标志的。郭沫若认为在现在的欧洲，"浪漫主义的文学早已成为反革命的文学，一时的自然主义虽是反对浪漫主义而起的文学，但在精神上仍未脱尽个人主义与自由主义的色彩。自然主义之末流与象征主义、神秘主义、唯美主义等浪漫派之后裔，均只是过渡时代的文艺，它们对于阶级斗争之意义尚未十分觉醒，只在游移于两端而未确定方向。而在欧洲今日的新兴文艺，在精神上是彻底表同情于无产阶级的社会主义的文艺，在形式上是彻底

---

① 《苦闷的象征·小引》。

反对浪漫主义的写实主义的文艺。这种文艺，在我们现在要算是最新、最进步的革命文学了"。所以他昭示并号召青年文学家，"你们不要以为多饮得几杯酒便是什么浪漫的精神，多诌得几句歪诗便是什么天才的作者，你们要把自己的生活坚实起来，你们要把文艺的主潮认定！你们应该到兵间去，民间去，工厂里去，革命的漩涡中去，你们要晓得我们所要求的文学是表同情于无产阶级的社会主义的写实主义的文学"。① 虽然当时他们的主张失之于偏执，事后革命现实主义的发展不断地矫正了对浪漫主义的偏见，但是为其所鼓励的浪漫主义仅限于革命理想的描绘和革命情怀的抒发，它只是作为革命现实主义的一个补充或组成部分而存在的，和传统的浪漫主义已大异其趣。那种游离于革命大潮之外的任何个人感伤的抒发，都是为革命文学的原则所不能允许的。至于各种现代主义，因其对个人与群体、主体与客体关系的悖谬性感悟和人生意义的怀疑性叩问，与革命现实主义就更为无缘了。在建国后三十余年内，现代主义在大陆文学中几近于绝迹，便是很好的说明。这种情势，固然保证了革命现实主义"纯质"的发展，并使其以鲜明的对所属意识形态的坚定立场，将其形式和风格发挥到极致，但也却因其由此而生的排他性，而必然导致生命力的枯竭和走向极端。而其对政治表现的超艺术要求，也必然导致对艺术的全面背离。到了"文革"中，严格的"题材"决定论，纯政治化的"本质"论，和人物塑造方面的"三突出"（即在人物中突出正面人物，在正面人物中突出英雄人物，在英雄人物中突出主要英雄人物）原则，终于把"革命现实主义"送上了末路。其实到这时，它已完全背离了现实主义文学的基本要求，我们已不能再把它看作现实主义文学了。

　　政治对于文学发展的规约力，也表现在对于文体的选择和要求上。20世纪对于中国文学来说，也是一个文体创造和发展的时期，茅盾曾盛赞鲁迅"常常是创造'新形式的先锋'；《呐喊》里的十多篇小说几乎一篇有一篇新形式，而这些新形式又莫不给青年作者以极大的影响，欣

---

① 《革命与文学》，《创造季刊》第1卷第3期，1926年5月16日。

然有多少人跟上去试验"①。沈从文甚至还被称为"文体作家"②。新文学的产生和发展必然表现为文体的创造和发展，这本为题中应有之义。正如胡适所说："文学革命的运动，不论古今中外，大概都是从'文的形式'一方面下手，大概都是先要求语言文字文体等方面的大解放。……这一次中国文学的革命运动，也是先要求语言文字和文体的解放。"③而革命文学对于文学的要求，也必定在文体上表现出来。在新文化运动初期，"文学革命"的意识初萌时，陈独秀就表述过这样的认识："吾国文艺，犹在古典主义、理想主义的时代，今后当趋向写实主义。文章以纪事为重，绘画以写生为重，庶足挽今日浮华颓败之恶风。"④这中间在谈到写实主义的取向时，就已经透露出对于文体的"以纪事为重"的要求了。而在文学革命中胡适所提出的"八不主义"和陈独秀所提出的"三大主义"，也无不带有明显的文体革命色彩。革命文学是服务于政治的文学，自然会适应其政治目的和接受对象向工农大众的转移而提出新的要求。瞿秋白曾作过这样的分析："中国人的文艺生活显然划分着两个等级，中间隔着一堵万里长城，无论如何都不相混杂的。第一个等级是'五四'式的白话文学和诗古文词——学士大夫和欧化青年的文艺生活。第二个等级是章回体的白话文学——市侩小百姓的文艺生活。"并提出这样的问题："直到今天为止，普罗文艺的作品是属于哪一个等级？"⑤他的答案很明确："普罗文艺应当是民众的，新式白话的文艺应当变成民众的。"即应该是"普罗大众文艺"⑥。那么，怎么实现这一目的呢？他的主张也很明确：第一，"开始俗话文学革命运动——这是要完成白话文学运动的任务，要打倒胡适之主义"，进行"彻底的俗话本位的文学革命"。因为，"没有这样一个条件，普罗大众文艺就没有自己的言语，没有和群众共同的语言"。⑦第二，开展"街头文学运动——开始做体裁朴素的接近口头文学的作品：说书式的小说、

---

① 雁冰：《读〈呐喊〉》，《文学周报》第91期，1923年10月8日。
② 苏雪林：《沈从文论》，《文学》第3卷第3号，1934年9月1日。
③ 《谈新诗——八年来一件大事》，见《中国新文学大系·建设理论集》。
④ 《现代欧洲文艺史谭》，《青年杂志》第1卷第4期《通信》。
⑤⑥⑦ 《普罗大众文艺的现实问题》，《文学》第1卷第1期，1932年4月。

唱本、剧本等"。① 还有第三、第四等。瞿秋白所强调的，首先是语体的变革，同时还有体裁的变革，方向是俗语化和向民间朴素体裁的靠近。他把这看作一场针对"胡适之主义"实际上即为"文学革命"的新的革命。左联时期所发动的关于"大众化"问题的讨论，实质上是革命文学所发动的一次文体革命，虽然它所要求于文学的，已经涉及到文体背后的一些相关的非文体性问题。从1939年初开始，在延安又首先开展了关于"民族形式"问题的讨论，那是在民族矛盾突出的前提下，革命文学试图在域外文化和民族文化遗产中做出抉择的努力，实际上也可看作文体变革的深化发展。但当时对"民族形式"的强调仍然是以"大众化"为基础的，因为它是革命文学与远期目标一致的追求。就像何其芳所说的："我们谁也不会反对新文学更中国化，更多地接受中国旧的文学遗产，因为我们都是中国人。我们谁也不会反对新文学更大众化，因为我们不但认为进步的作者，在目前应该写一些通俗的同时多少有点儿文艺性的作品来，作为影响大众参加抗战的宣传鼓动的工具，而且认为他终身应该站在大众的立场，为着大众的利益，写出大众能享受的东西。"② 巴人说得则更为明晓："文学上民族形式之创造，那是文学之历史传统（包括口头文学与写的文学）的接受，渗透以人民大众的生活实际，而完成文学之政治的历史任务，使文学本身发扬光大的一种运动与口号。"③

在以政治任务为责任承诺的革命文学中，对文体的要求呈现为两个层面：第一，大众化的即时性文体的倡兴。特别是在阶级的或民族的两军对垒和直接性冲突中，那些短小精悍、直接诉诸民众的文艺形式，如墙头诗、街头剧、民间曲艺等，便会格外地被器重起来。再扩而大之，那些传播迅捷而又思想指向性鲜明的文体，如朗诵诗和带有新闻特征的报告、通讯等，也成了被钟爱的选择。第二，从以艺术世界比较完整地复现现实世界的能力和实现社会功能的全面性、深刻性来看，叙事性文学体裁是更被重视的。梁启超当年为实现其政治变革目的，虽曾三界

---

① 《普罗大众文艺的现实问题》，《文学》第1卷第1期，1932年4月。
② 《论文学上的民族形式》，《文艺战线》第1卷第5号，1939年11月16日。
③ 《民族形式与大众文学》，《文艺阵地》第4卷第6期，1940年1月。

"革命"并提,但更为其看重且富有文学性实效的还是"小说界革命"。陈独秀高揭文化批判的旗帜,着眼点却在于历史,所以在讲到写实主义时也意识到"文章以记事为重"。"文学革命"在创作方面诚然是以新诗打头的,但热闹的时间并不长。1922年胡适自信地预言:"十年之内的中国诗界,定有大放光明的一个时期。"① 可是六年后朱自清就指出:"现在是六年后了,情形已是不同:白话诗虽也有多少的进展,如采用西洋诗的格律,但是太濡缓了;文坛上对于它,已迥非先前的热闹可比。"② 其实自鲁迅的小说一出,即以其沉宏深郁、新警奇崛的艺术力量使新诗相对失色。到了革命文学的倡兴和发展时期,小说,尤其是中长篇小说,以其叙事性的优势,不仅强化了自己中心性文体的位置,而且还形成了一种对其它文体的影响力量。延安时期和当代十七年中诗歌向叙事化甚至小说化的密集型发展趋势,于此便不难得到解释。

新文学新"载道"趋势的出现和革命文学对政治性历史功能的强化,在文体问题上也势必导致对抗性格局的出现。其中最典型的,大概莫过于小品文的出现及其争论了。小品文在文学革命时期就已出现了,那时是作为"美文"来提倡的,用意在于展示白话作美文的能力。胡适和鲁迅都表述过类似的意思。胡适说:"白话散文很进步了。长篇议论文的进步,那是显而易见的,可以不论。这几年来,散文方面最可注意的发展,乃是周作人等提倡的'小品散文'。这一类的作品,用平淡的谈话,包藏着深刻的意味;有时很像笨拙,其实却是滑稽。这一类作品的成功,就可彻底打破那'美文不能用白话'的迷信了。"③ 鲁迅也说:"这是为了对于旧文学的示威,在表示旧文学之自以为特长者,白话文学也并非做不到。"④ 其实,在小品文与"旧文学之自以为特长者"对抗时,它与新载道文学的歧异性发展趋势也已经出现,并且日渐走上由隐到显,直至从主张到实践在客观上全面对抗的道路。在其发展初期,如鲁迅所说:"这之中,自然含着挣扎和战斗,但因为常常取法于英国的随笔,所以也带一点幽默和雍容;写法也有漂亮和缜密的";但到后

---

①③ 《五十年来中国之文学》。
② 《论现代中国的小品散文》,《文学周报》第345期,1928年7月31日。
④ 鲁迅:《小品文的危机》。

来，即鲁迅接着指出的："现在的趋势，却在特别提倡那和旧文章相合之点，雍容，漂亮，缜密，就是要它成为'小摆设'，供雅人的摩挲，并且想青年摩挲了这'小摆设'，由粗暴而变为风雅了。"① 这个过程中包含着一种转换，由与旧文学的对立置换为与新载道文学的对立，随之，由对西方（特别是英国）的借鉴，也逐渐置换为对"和旧文章相合之点"的确认了。早期的"语丝"派，主张"自由的思想"和"美的生活"②，实际上即已暗含了分歧的种子和向"性灵"小品发展的可能性，从《语丝》到《论语》、《人间世》，所走的就是这样一条路子。从 30 年代初期到中期，表现"闲适"和"性灵"的小品文创作呈繁盛之势，小品文的刊物也一时风起云涌。1934 年，茅盾在文章中称"今年文坛上小品文大为流行"③，而且说"今年的文坛大有小品文'值年'的神气"④。但是，"论战"也就来了。

从文体发展的角度说，小品文到此时算是已经明确了自己的类型特征，并到了鼎盛时期。林语堂把小品文归入"言志"一派，并与"载道派"划清了界限，认为它是"主观的，个人的，所言系个人思感"，"而载道文系客观的，非个人的，所述系'天经地义'"。⑤ 对小品文的具体内容要求和文体特征，他的解释是："盖小品文，可以发挥议论，可以畅泄衷情，可以摹绘人生，可以形容世故，可以剳记琐屑，可以谈天说地，本无范围，特以自我为中心，以闲适为格调，与各体别，西方文学所谓个人笔调是也。……宇宙之大，苍蝇之微，皆可取材。"⑥ "盖此种文字，认读者为'亲熟'的故交，作文时略如良朋话旧，私房娓语。此种笔调，笔墨上极轻松，真情易于吐露，或者谈得忘形，出辞乖戾，达到如西方所谓'衣不钮扣之心境'，略乖新生活条件，然瑕疵并存，好恶皆见，而作者与读者之间，却易融洽，冷冷清清，宽适许多，不似太

---

① 鲁迅：《小品文的危机》。
② 《语丝·发刊词》。
③ 见茅盾：《关于小品文》。
④ 《庐隐论》。
⑤ 《论小品文笔调》，《人间世》1934 年第 6 期。
⑥ 《人间世·发刊词》，《人间世》1934 年第 1 期。

守冠帽膜拜恭读上谕一般样式。"① 撮其要旨，可以其"以自我为中心，以闲适为格调"一语概之。这一指归显然与新载道文学尤其是革命文学呈对峙之势，论战自然难以能免。而且这种无关宏旨的"小摆设"与植根于血与火的现实、背负着历史和政治责任的文学发生抵牾，相距似乎太远，所以也难怪有人戏呼为"宇宙和苍蝇之争"了②。反对者首先便从严酷的现实和它对文学的严正要求上立论批驳的："在风沙扑面，狼虎成群的时候，谁还有这许多闲工夫，来赏玩琥珀扇坠，翡翠戒指呢。他们即使要悦目，所要的也是耸立于风沙中的大建筑，要坚固而伟大，不必怎样精；即使要满意，所要的也是匕首，是投枪，能和读者一同杀出一条生存的血路的东西。"③ 这种批判当然是严正而富有历史意义的，但是也未免对文学的生存作了过于划一的要求。文学的发展，即使在严酷的现实中，也应是多元的状态，如朱自清所说："各体实在有着个别的特性；这些特性有着不同的价值。抒情的散文和纯文学的诗、小说、戏剧相比，便可见出这种分别。"④ 特别在主潮文学的发展中，作家的个性不得不在对社会性的认同中受到抑制，发展一下以个性见称的小品散文，在现实的文学时空中也不失为一种重要的补充。郁达夫说："因为说到了散文中的个性（我的所谓个性，原是指个人性与人格的两者合一性而言），所以也想起了近来由林语堂先生等所提出的所谓个人文体那一个的名词。文体当然是个人的；即使所写的是社会及他人的事情，只教是通过作者的一番翻译介绍说明或写出之后，作者的个性当然要渗入到作品里去的。……在尤重个性的散文里，所写的文字更是与作者的个人经验不能离开了；我们难道因为若写身边杂事，不免要受人骂，反而故意去写些完全为我们所不知道，不经验过的谎话倒算真实么？"⑤ 他所表述的显然是一种不同的意见，应该说也是不无道理的。当然，当林语堂等人把小品文作上述极端的强调和表现时，也难免使之变得琐屑与单调，对此，连坚持自由主义文学立场的朱光潜也表示了不满："《人

---

① 《论小品文笔调》，《人间世》1934年第6期。
② 见茅盾：《关于小品文》。
③ 鲁迅：《小品文的危机》。
④ 《论现代中国的小品散文》，《文学周报》第345期，1928年7月31日。
⑤ 《中国新文学大系·散文二集·导言》。

间世》和《宇宙风》所提倡的小品文，尤其是明末的小品文，别人的印象我不知道，问我自己的良心，说句老实话，我对于许多聪明人大吹大擂所护送出来的小品文实在看腻了。我在《人间世》里也忝在特约撰稿人之列，它和《宇宙风》的执笔者大半是我敬仰的朋友们，如果我对于他们表示不满，徐先生，你知道，我决不是一个恶意的批评者。我们要知道怎样爱护一个朋友，使他在脑子里常留一个好印象；我们也要知道怎样爱护一样爱吃的菜或爱玩的东西，别让我们觉得它腻，因而生反感。我的老妈看见我欢喜吃菠菜，天天给菠菜我吃，结果使我一见菠菜就生厌。《人间世》和《宇宙风》已经把小品文的趣味加以普遍化了，让我们歇歇口胃吧。"①

总之，政治对于 20 世纪中国文学的影响之著，充分地表现在各个方面。政治要求文学成为服务的工具，又强调艺术的特性以完善工具的效用。它把文学的政治历史功能发挥到淋漓尽致的地步，给了它特殊的生机，又因其极端化强调曾把文学导入了末路。但新时期文学的生机确又由政治的作用滋生出来，那便是政治的开放与开明。政治强化了文学的上层建筑功能，但也有泛意识形态化的负面影响。超越艺术边界的政治干预，有时也遏制了文学的生力。作为一种世纪性的特异现象，值得我们从不同的方面做出科学的研究。这种研究，不是非此即彼地作一个简单化的结论所能代替的，需要花大的力气才能做到。

（原载《二十世纪中国文学史》山东文艺出版社出版，1997）

---

① 《论小品文——一封给〈天地人〉编辑者徐先生的公开信》，见《孟实文抄》，上海良友图书印刷公司 1936 年版。

# 文化变革与20世纪中国文学

在20世纪中国风诡云谲的历史的转型变革中,文化的变革无论是在社会价值观念的重构还是在经济、政治、文化等遍及社会生活一切领域的具体变化中,都无所不在地发生着极为重要的作用。这是不争的事实,也是被本世纪文化人最为关注的话题。就其对文学的作用来看,则更是不待言说的基本制约因素所在,文坛格局的调整、文学主题与文体的变化,乃至从文学观念到表现技巧的一切变异与发展,无不与之息息相关。尤其是在开放性的历史语境中域外异质文化的大量引进,以及由此必然形成的文化冲突和渗透,几乎是勿庸置疑地构成了一个世纪文学生存发展的生成动力和文化特征。所以,难怪作家和史学家们都一遍遍地重复着一个基本的表述:没有西方文化的引进与借鉴,就没有中国新文学的发生与发展。或者是没有西方文化的引进和借鉴,就没有中国文学的现代化转型和这一转型的实现。

当我们面对着百年文学的历史沧桑,俯瞰一个世纪文学之流的迭宕流转,并企图在历史与逻辑的一致中寻绎出"史"的动态结构时,一方面不能不服膺于这一表述的真理性,一方面却又不能不指出它在对"史"的整体把握中所可能造成的遮蔽或者是误导。因为,作为这一新的文学历史发生发展的必然性前提之一,这一表述虽然无可辩驳地赢得了它的真理性;但是,就文学史发展的复杂性而言,不论在文化介入因素的多维性方面,还是在文化作用的多重性方面,抑或是在文化与文学生成机制的复杂性和非自主性方面,这一对历史因果关系的简化方程式都不能对历史作出全面而准确的阐释。而更为重要的是,即使是一个正确的命题,也要看是把它置设于一个什么样的价值视野内来认识。长期以来,这一表述事实上是在文化批判的立场上确立并得以延续的,而且常常成为西方文化价值立场的言说。我们不否认这一价值立场的倾斜在特定历史情境中的作用，也不赞同再拘泥于非此即彼的对抗性选择，而是认为，随着历史与文化的综合性演进和新的"进境"的呈现，文化价值观念的调整也该是题中应有之义。特别是回过头来对这段文学的历史作"史"的观照时，尤应在"史识"的眼光中对价值立场做必要的科学调整。只有如此，才有可能对西方文化的冲击、传统文化的对抗，以及相关的复杂效应作出科学的认知。而这，不仅是文学史结撰中必须解决的问题，同时也是时下文化批判和文学批评中有必要反思的内容。

就对文化的广义理解而言，诚如梁启超所说，中国对外国文化的认识和借鉴，经历了一个"先从器物上感觉不足"，到"从制度上感觉不足"，最后到"从文化根本上感觉不足"的不断深化发展的过程。而为我们所特别给予关注的历史对象的发生及其历史运动之逻辑起点的初辟，也正是始于上一世纪中期开始的历史运动的结果，即"从文化根本上感觉不足"的时期。于此，我们不能不惊喜地发现，真正在价值观念也就是"文化根本上"引发革命，且因此才可能实现历史的现代转型的现实性契机终于出现了。所以，连梁启超也认识到："最近两三年时间，算是划出一个新时期来了。"[①] 不过，有一点需要捎带给予说明，就是，梁启超的这种逻辑整合和历史描述，无疑是颇为深刻和准确的，从历史运行的大势和基本层次上来看，都的确是如此。但是，梁启超是从作为历史中心性活动的基本层次上着眼的，所以他把"变法维新"和辛亥革命都归入了"制度变革"的同一阶段，而两次政治变革活动的迭合，结果即省略掉了夹在中间的那次由他倡导的文化启蒙活动。事实上他那次启蒙，就已经接触到了文化的基本价值认识，虽然从批判的广度、深度和态度的决绝上都还不能与新文化运动相比。有鉴于此，我们不妨把他所说的"从文化根本上感觉不足"更侧重于视之为一种历史的层面，而不仅仅限于时间的长度，这样可以有利于对螺旋发展的历史作出明晰的逻辑阐释。因为事实上嗣后的历史，也是在不同层面尤其是政治和文化方面螺旋发展的。要而言之，只有在历史的变革深入到"文化根本"即基本价值观念和与之相关的民族心理结构的层面，或者说这一认识成为一种基本的觉悟并参与历史的创造时，其变革才会是深入而富有实效

---

[①]《五十年中国进化概论》。

的。当初，戊戌变政失败后梁启超鼓吹"开发民智"，其出发点就在于此。面对辛亥革命后的实际状况，他进而加深了认识："革命成功将近十年，所希望的件件都落空，渐渐有点废而思返，觉得社会文化是整套的，要拿旧心理运用新制度，决计不可，渐渐要求全人格的觉醒。"①这种认识与新文化运动主将陈独秀几近一致，从中可以看出历史的一脉相承之处（虽然他的这番言论比陈独秀类似的言论要晚出数年，未必没有受到陈独秀的影响）。陈独秀就正是从政治变革与文化观念的不相表里处提出问题的，他指出："如今要巩固共和，非先将国民脑子里所有反对共和的旧思想，一一洗刷干净不可。因为民主共和的国家组织、社会制度、伦理观念和君主专制的国家组织、社会制度、伦理观念全然相反。"②他进而指出："欧洲输入之文化，与吾华固有之文化，其根本性质极端相反。数百年来，吾国忧忧不安之象，其由此两种文化相触接相冲突者，盖十居八九。凡经一次冲突，国民即受一次觉悟。……最初促吾人之觉悟者为学术（按，即梁之所谓"器物"者），相形见绌，举国所知矣；其次为政治，年来政象所证明，已有不克守缺抱残之势。继今以往，国人所怀疑莫决者，当为伦理问题。此而不能觉悟，则前之所谓觉悟者，非彻底之觉悟，盖犹在惝恍迷离之境。吾敢断言曰：伦理的觉悟，为吾人最后觉悟之最后觉悟。"③他还说过："吾人倘以为中国之法，孔子之道，足以组织吾之国家，支配吾之社会，使适于今日竞争世界之生存，则不徒共和宪法为可废，凡十余年来之变法维新，流血革命，设国会，改法律，及一切新政治、新教育无一非多事，且无一非谬误，应悉废罢，仍守旧法，以免滥废吾人之财力。万一不安本分，妄欲建设西洋式之新社会，以求适今世之生存，则根本问题，不可不首先输入西洋式社会国家之基础，所谓平等人权之新信仰；对于与此新社会、新国家、新信仰不可相容之孔教，不可不有彻底之觉悟，猛勇之决心，否则不塞不流，不止不行。"④比较而言，陈独秀以更明晰、决绝的态

---

① 《五十年中国进化概论》。
② 《旧思想与国体问题》，《新青年》第3卷第3号。
③ 《吾人最后之觉悟》，《青年杂志》第1卷第6号。
④ 《宪法与孔教》，《新青年》第2卷第3号。

度把传统文化从根本上设置于与西方文化对立的地位并作了彻底的否定，这则是梁氏所不能及的。其不同处也正预示着他们朝不同方向转化的内在必然性。待到几十年的政治风雨过去，历史于 70 年代末进入新的时期后，人们迅即又去寻找并高扬文化批判的传统，其原因显然也是出自对深层文化觉悟对历史变革作用的痛切理解。可以这样说，面对着西方文化的冲击，在中国历史的实际变革过程中所必然形成或者说觉悟到的文化批判精神，实则是一种难得的历史觉悟，它不仅实际地反映着历史变革的深层需要，并与历史发展的"现代化"和"世界化"的目的性追求密切相关，而且，它的自然呈现，往往都是历史的实际运行付出了某种代价之后的结果。

　　对传统文化的批判和否定，不可能是传统文化自身发展的结果，如前所述，它只有在外力冲击下，在历史的近、现代转型中作为一个重要的历史环节出现时，才会成为可能。而众所周知，中国历史的近、现代转型，虽然是在中外不平等的非正常的对话中启动并艰难运行的，其间必然伴随着民族的屈辱和正义的对抗，但列强之强于我的事实却是人们所无法回避的。因此，以强者为师，或者说以西方为楷模的追趋，亦势必成为中国历史近、现代转型的基本进展趋势。从器物到制度并最终到观念文化的借鉴，实则就是一个逐步深化学习的过程。特别是在这个过程的末端，人们已经以为没有什么再可以固守，不从根本的文化价值观念上来一个彻底的自我否定，就决不可能走出一条自新自强之路。实际上，就是这样的一种历史趋势和历史需要，决定了自我文化批判的特定的内涵选择和基本价值立场。在那些坚持文化批判的人物看来，确定文化价值优劣的基本依据就是国家的强盛与病弱、时代的先进与落后，中外文化的差异即在于古今之别，并因此而明白无误地确立了西方文化的价值立场。他们对传统文化的批判采用了中外对比的方式，通过对比，意欲在鲜明的差异中进行彻底的否定。这几乎成了一个基本的模式。早在上世纪末，严复就率先进行过这种比较，他指出："中国最重三纲，而西人首明平等；中国亲亲，而西人尚贤；中国以孝治天下，而西人以公治天下；中国尊王，而西人尊民；中国贵一道而同风，而西人喜党居而州处；中国多忌讳，而西人众讥评。其于财用也，中国重节流，而西人重开源；中国追淳朴，而西人求欢虞。其接物也，中国美谦屈，而西人多发舒;中国尚节文,而西人乐简易。其于为学也,中国夸多识,而西人尊新知。其于祸灾也,中国委天数,而西人恃人力。"① 陈独秀创办以文化批判为宗旨的《青年杂志》,在开手文章的一开始就作了类似的比较:"窃以为少年老成,中国称人之语也;年长而勿衰(Keep young while growing lod.),英美人相勖之辞也。此亦东西民族涉想不同现象趋异之一端欤。"而紧接着所告诫于青年的三条,即"自主的而非奴隶的"、"进步的而非保守的"、"进取的而非退隐的"②,实际上也都是这种东西对比的认识。在嗣后写成发表的那篇有名的《东西民族根本思想之差异》的文章中,他则作了情绪更见激烈的系统性的对比分析,指出:

(一)西洋民族以战争为本位,东洋民族以安息为本位。儒者不尚力争,何况于战?老氏之教,不尚贤,使民不争,以佳兵为不祥之器。故中土自西汉以来,黩武穷兵,国之大戒。……若西洋诸民族,好战健斗,根诸天性,成为风俗。……东洋民族或目为狂勇,但能肖其万一,爱平和、尚安息、雍容文雅之劣等东洋民族,何至处于今日之被征服地位?西洋民族性,恶侮辱,宁斗死;东洋民族性,恶斗死,宁忍辱。民族而具如斯卑劣无耻之根性,尚有何等颜面高谈礼教文明而不羞愧!

(二)西洋民族以个人为本位,东洋民族以家族为本位。西洋民族自古迄今,彻头彻尾个人主义之民族也。……举一切伦理、道德、政治、法律、社会之所向往,国家之祈求,拥护个人之自由权利与幸福而已。思想言论之自由,谋个性之发展也。法律之前,个人平等也。……东洋民族自游牧社会进而为宗法社会,至今无以异焉。……宗法社会以家族为本位,而个人无权利,……律以今日文明社会之组织,宗法制度之恶果盖有四焉:一曰损坏个人独立自尊之人格;一曰窒碍个人意思之自由;一曰剥夺个人法律上平等之权利;一曰依赖性,戕贼个人之生产力。东洋民族社会中种种卑劣不

---

① 《论世变之亟》,《严复集》第1册。
② 《敬告青年》,《青年杂志》第1卷第1号。

法惨酷衰微之象，皆以此四者为之因，欲转善因，是在以个人本位主义易家族本位主义。

（三）西洋民族以法治为本位，以实利为本位；东洋民族以感情为本位，以虚文为本位。

陈独秀的这篇文章，表述系统而态度果决，在当时最有代表性，而且事实上成了文化批判阵营的纲领性意见，影响至为深远。在陈氏转向政治活动之后，在文化批判方面最有代表性的人物是胡适。他在文化批判问题上特点有二：一是更侧重于对西方文化之精神价值方面的辩护。针对本位主义文化观对东西文化分别侧重于精神的和物质的这种流行的见解，胡适认为："今日最没有根据而又最有毒害的妖言是讥贬西洋文明为唯物的（materialistic），而尊崇东方文化为精神的（spirltnal）。"他说："我们可以大胆地宣言：西洋近代文明绝不轻视人类精神上的要求。我们还可以大胆地进一步说：西洋近代文明能够满足人类心灵上的要求的程度，远非东洋旧文明所能梦见。在这一方面看来，西洋近代文明绝非唯物的，乃是理想主义的（ldealistic），乃是精神的（Spiritnal）。"因为与东方文化相比，西方文化的一个重要特点就是不知足，像西方文化"这样充分运用人的聪明智慧来寻求真理以解放人的心灵，来制服天何以供人用，来改造物质的环境，来改造社会政治的制度，来谋人类最大多数的最大幸福，——这样的文明应该能满足人类精神上的要求，这样的文明是精神的文明，是真正理想主义的（ldealistic）文明，决不是唯物的文明"。① 二是张扬了"全盘西化"论的口号。其实，就这个口号所内含的实质性见解而言，陈独秀的主张与它并无二致，他曾旗帜鲜明地主张："吾人倘以新输入之欧化为是，则不得不以旧有之孔教为非；倘以旧有之礼教为非，则不得不以新输入之欧化为是，新旧之间绝无调和两存之余地。"② 而且还指出："若是决计革新，一切都应该采取西洋的新法子，不能拿什么国粹、什么国情的鬼话来捣乱。"③ 但这一口号的倡

---

① 《我们对于西洋近代文明的态度》，《东方杂志》第23卷第17号。
② 《答佩剑青年》，《新青年》第3卷第1号。
③ 《今日中国之政治问题》，《新青年》第5卷第1号。

言者和张扬者是胡适。胡适应该说是较先使用这一口号的人物之一，及至到了30年代中期文化论战时，为剖辩更为激烈的西化论者陈序经对他的误解，又竭力对它进行了张扬："我很明白的指出文化折衷论的不可能。我是主张全盘西化的"；"我是完全赞成陈序经先生的全盘西化论的。"① 由于这一口号的过于极端，流行并不很广，并不为多数人经常使用。连胡适也不得不很快就作了更正性说明："这个名词的确不免有一点语病。这点语病是因为严格说来，'全盘'含有百分之一百的意义，而百分之九十九还算不得'全盘'。其实陈序经先生的原意，并不是这样，至少我可以说自己的原意并不是这样。我赞成'全盘西化'，原意只是因为这个口号最近于我十几年来'充分'世界化的主张。"所以他又认为："与其说'全盘西化'，不如说'充分世界化'。"② 只是到了80年代中期，这一口号曾又一度被使用，但很快也就销声匿迹了。但80年代新的启蒙主义的文化批判，在作东西文化的对比性批判时，所采用之基本模式和价值立场，却是与陈独秀、胡适等人所代表的历史的一脉直接相承的。回顾已逝去的百年，它或者可以称之为世纪的模式。

这种批判模式自然要有两个认识上的前提：一是要必须承认我们"百事不如人"，即胡适所讲的："这种急需的新觉悟就是我们自己要认错。我们必须承认我们自己百事不如人。不但性质上不如人，不但机械上不如人，并且政治、社会、道德都不如人。"③ 一是把中西文化绝对对立起来，彻底否定了它们之间价值互补和互渗创造的可能性，而把其对话只规范为一种以新换旧即以西代中的替代关系。陈独秀在进行东西方文化的系统比较前，就开宗明义地置设下这样一个前提："五方风土不同，而思想遂因以各异。世界民族多矣，以人种言，略分黄白；以地理言，略分东西两洋。东西洋民族不同，而根本思想亦各成一系，若南北之不相并，水火之不相容也。"④ 现在看来，尤其是从对文化交流发展的学术性立场看，这些意见未免太过绝对、太过偏激了。然而，如果

---

① 《编辑后记》，《独立评论》第142号。
② 《充分世界化与全盘西化》，天津《大公报》1935年6月21日。
③ 《请大家来照照镜子》，《胡适文存》第3集。
④ 《东西民族根本思想之差异》，《青年杂志》第1卷第4号。

历史地看，特别是结合中国历史转型的实际需要看，这种态度（与其把他们的看法看作认知结果，倒不如更多地视之为"态度"）的历史必要性和实际效果还是应该给予积极肯定的。陈、胡等文化批判者面对的是双重对象，而此两者的基本特征，都决定了他们必取这种态度才能奏效。一个是中国传统文化，这是他们亟欲攻击和变革的对象。中国传统文化虽然蕴纳着博大精深的东方智慧，但它的基本内涵和生存方式却与历史的转型要求大相抵牾。比如它的偶像化特点。"圣人"的立言是不容被怀疑的，对它，后人只能有阐释的义务而无进行否定性建树的权利，所以必然导致历代论家"重圣言，而轻比量，学术不进"的局面①。因此，陈独秀才高呼："破坏！破坏偶像！破坏虚伪的偶像！吾人信仰，当以真实的合理的为标准。宗教上、政治上、道德上，自古相传的虚荣，欺人不合理的信仰，都算是偶像，都应该破坏！此等虚伪的偶像倘不破坏，宇宙间实在的真理和吾人心坎里彻底的信仰永远不能合一。"②"要拥护那德先生，便不得不反对孔教、礼法、贞洁、旧伦理、旧政治；要拥护那赛先生，便不得不反对旧艺术、旧宗教；要拥护德先生又要拥护赛先生，便不得不反对国粹和旧文学。"③再如它的人文性宗法特征与国民即民族心理文化结构的高度契合，又如它对"中庸"、"中和"的主张尤其是对这一主张的世俗化理解，等等，这一切，综合起来，使传统文化形成为一种超稳定的具有极大内敛力和同化力的结构系统，并在历史的运演中时常表现为一种"惰性"。对于它，倘不使用尖锐的攻击和颠覆性的引进，便很难在其中造成一种"熵增"，也很难瓦解其结构并在深层观念上实现变革。另一个对象是他们先后所遭遇到的那些对手，他们虽经数易其帜，但在坚持本位主义文化方面却有一个共同性的特点，那就是折衷主义的论说方式。其实早在此之前，洋务派面对西方文化的凌厉攻势和中外实力悬殊的实际，其所倡言的"中体西用"论，就已经不同于那班抱残守缺的腐儒，而是主张在"先以中学固其根柢，端其识趣"的前提下，"然后择西学之可以补吾阙者用之，西

---

① 陈独秀：《圣言之学术》，《新青年》第5卷第1号。
② 《偶像破坏论》，《新青年》第5卷第2号。
③ 《本志罪案之答辩书》，《新青年》第6卷第1号。

政之可以起吾疾者取之"①。此后，从"国粹"派到"学衡"派，到30年代中期的"本位主义文化"派，在对西方文化的价值认识和引进的必要性上，实际上比"中体西用"论更有了新的发展，更不是以对传统文化的全面固守为口实了。他们共同性的主张，就是在对中西文化的调和折衷中坚持传统文化的精神立场。正如1935年王新命、何炳松等十位教授联名发表"宣言"后②，胡适所指出的："十教授口口声声舍不得那个'中国本位'，他们笔下尽管宣言'不守旧'，其实还是他们的保守心理在那里作怪。他们的宣言也正是今日一般反动空气的一种最时髦的表现。时髦的人当然不肯老老实实的主张复古，所以他们的保守心理都托庇于折衷调和的烟幕弹之下。对于固有文化，他们主张'去其渣滓，存其精英'；对于世界新文化，他们主张'取长舍短，择善而从'，这都是最时髦的折衷论调"③。与以折衷主义为特征的论敌论辩，自然也是以陈、胡那种彻底否定论最见实效，因为这毕竟不是学术之争。连梁启超都懂得："不破坏之建设，未能有建设者也。"④陈、胡所进行的原本就是破坏性的工作，属于历史活动的范畴，当然也就不能用学术讨论的规则去进行理解。他们自己清楚地知道，非如此是不足以实现文化之历史变革的，所以特别警惕所谓"二重思想"的干扰。如鲁迅所说："既许信仰自由，却又特别尊孔；既自命'胜朝遗老'，却又在民国拿钱；既说是应该革新，却又主张复古：四面八方几乎都是二三重以至多重的事物。每重又各自相矛盾。一切人便都在这矛盾中间，互相埋怨着过活，谁也没有好处"；"要想进步，要想太平，总得连根的拔去了'二重思想'。因为世界虽然不小，但彷徨的人种，是终究寻不出位置的。"⑤

作为一种历史行为，这种文化批判的实际收效是不容忽视的。首先，正是在文化批判对传统文化的破坏性解构中，引进了西方的进步思想观念，并为长达一个世纪的历史转型运动铺设了必要的思想基石。撮其要者，比如进化论的引进和深入人心，就铸成了一代代人们在艰难曲

---

① 张之洞：《劝学篇》。
② 即《中国本位的文化建设宣言》，《文化建设》第1卷第4期。
③ 《试评所谓"中国本位的文化建设"》，《胡适文存》第4集第4卷。
④ 《新民说·论进步》。
⑤ 《热风·随感录五十四》。

折中仍然奋斗不息、坚信将来必定美好的历史乐观主义的精神基础和思维定势。上世纪末严复把进化论介绍进中国,"物竞天择之理,厘然当于人心,中国民气为之一变"①,以致"《天演论》便变成一般救国及革命人士的理论根据,而'物竞天择'、'适者生存'等等名词,也便成为社会上最流行的口头禅了"②。陈独秀发动新文化运动时,即以进化论为根据作鼓吹,宣扬"万物之生存进化与否,以抵抗力之有无、强弱为标准。优胜劣败,理无可逃"③。他及其他文化批判的先驱人物,无不以此作为自己认识事物、判断优劣的最不容置疑的规律性依据,其无可争辩性甚至连论敌也是不予否认的。再如,作为新文化运动两面旗帜的"德先生"与"赛先生"即"民主"与"科学",则是以现代社会文明精神的两个标志被确认下来的。反专制、争民主,反愚昧、倡科学,构成了长达一个世纪的历史运动的主流。无论在历史运动的变异和深化中对"民主"与"科学"如何进行内涵的调整和发展,也无论是把它们延伸到英美化的自由主义或是更新为马克思主义,但作为一种思想的基质,还是有其内在的一致性的。尤其值得指出的是,其间对个性解放的重视与提倡,事实上找到了文化对抗的真正焦点,并在社会人文方面找到了人们现代生存的标志。

其次,开拓了文化转型创造的新的历史时空,并为多种文化的生成、变异和发展提供了现实的可能。文化批判,特别是陈、胡那种激烈主义的态度,有如一把巨剪,剪开了密闭而暗黑的幕布,使历史的时空一下子变得无比阔大和光彩迷离。为众多的论者都已注意到,从世纪之交梁启超鼓吹西方的"民主"、"自由"时,对文化借鉴价值取向的历史功利的和非历史功利的不同便已崭露,譬如王国维便和他有了极明显的差异,但倘若没有文化批判开路,中国知识界仍然是传统眼界中的一群,那就绝对也不会有非功利主义借鉴的出现。更为明显也更为深刻的例证,自然当属新文化运动及其以后的分化发展。罗素曾对影响中国的西方近代思潮作过这样的概述,他认为近代西方思潮有两大派:一是自

---

① 《述侯官严氏最近政见》,《民报》第2号。
② 王栻:《严复与严译名著》。
③ 《抵抗力》,《青年杂志》第1卷第3号。

由主义思潮,"初期的自由主义在有关知识的问题上是个人主义的,在经济上也是个人主义的,但是在情感或伦理方面却不带自我的气味。这一种自由主义支配了十八世纪的英国,支配了美国宪法的创造者和法国百科全书派"。自由主义在美国最为成功,因为没有封建制度和国家教会的阻碍,在美国建国以后的两个世纪里一直占优势地位。而另一个是浪漫主义思潮,卢梭为其源头。与前者带有一定程度的理性认知不同,它伴随着强烈的情绪,"从本质上目的在于把人的人格从社会习俗和社会道德的束缚中解放出来"①。这种思潮影响了法国,还影响到了德国和俄国。事实上确如罗素所说,两种思潮有很大的不同,而且陈独秀和胡适也各有自己推崇的对象。陈独秀说:"欧罗巴文明,欧罗巴各国人民有所贡献,而其先发主动者率为法兰西人";"近代文明之特征,最足以变古之道,而使人心社会划然一新者,厥有三事:一曰人权说,一曰生物进化论,一曰社会主义是也";"此近世三大文明,皆法兰西人之赐。世界无法兰西,今日之黑暗不识仍居何等。"② 胡适心目中的榜样却是美国,直到晚年还感叹说:"美国开国只有三百多年,开拓了那么大的地域,成为文化最高,人民生活最安乐,国力最强大的国家,实为人类历史上的奇迹!"③ 照理,有如此内在分歧的两个人是不可能同为一个文化批判运动的领袖的;但在以西化的立场批判传统文化、"重估一切价值"的文化性统一笼罩中,两人却势出必然地站到了一起。而且,正是这一趋同的合力所形成的运动,以凌厉的攻击力,从深处拓展了文化转型发展的新天地。后来虽然道不同不相为谋,不久便分化,各自走了自己的路;两种思潮也各自沿着不同的路向转化、衍生和丰富发展,但都得益于新的历史语境,这是没有疑问的。比如,后来新月派以梁实秋为代表的新人文主义,不论怎样从反对"浪漫"的角度批评新文化运动,可如果没有这一运动则会连他们这一派本身都不会产生。从历史的实际发展来看,文化输入的内容自然可以分为上述两种,渠道也大体分为两个方面:一是通过日本(既以日本为镜又以日本为桥)或直接

---

① 《西方哲学史》,北京,商务印书馆1988年版。
② 《法兰西人与近世文明》,《青年杂志》第1卷第1号。
③ 《美国的民主制度》,《胡适作品集》第25册。

由法国传入，一是由英美引进。明乎此，不仅可以明了本世纪中国由于文化引进和文化创造中价值确认的不同，所造成的文化与历史中许多复杂纠葛的来龙去脉和多绪状态中的基本骨架，同时，有些似乎很奇妙的现象，亦可得到解释。比如从启蒙主义文化批判向政治变革的转移，许多人以为这是陈独秀放弃了"文化"性的初衷，走上了政治革命的道路。胡适便是以此为由而与之分道扬镳的。殊不知这却正是其所借鉴的西方思潮必然会导致的命运。连罗素都看到了卢梭的民主政治理论所能衍生成的历史结果，指出"它在实际上的最初收获是罗伯斯庇尔的执政，俄国和德国（尤其是后者）的独裁统治一部分也是卢梭学说的结果"①。罗素的说法虽未必没有偏见，但沿着卢梭学说发展势必引发政治革命却是无疑的，从法国大革命到德国到俄国的变革；或者从另一角度即从法国的空想社会主义到德国的马克思、恩格斯之科学社会主义再到俄国的无产阶级革命看，似乎都能说明这一点。只不过由于中国历史转型中的特殊条件和历史规定性，使陈独秀的转化显得更为急促罢了。再如，比较早而且在较长时间内影响到中国的西方现代哲学和文化流派，如叔本华、尼采的个性主义，柏格森的生命哲学，海德格尔、萨特的存在主义，以及斯宾格勒的"文化形态学"（又称"文化类型学"）等，这些看起来更新潮、更远离政治历史现实，似乎也更为极端的现代主义哲学和时髦的文化主张，恰恰也都是从德国和法国传来。这似乎也是很奇怪的事。其实，个中的道理同样不难理解。法国的启蒙主义运动和民主政治学说，不仅可以导致社会历史领域的政治大革命，同时也势必导致哲学、文化领域内的一系列从近代到现代的思辨。所以，由相同的输出源输入，也就没有什么好奇怪的了。还可说明的是，这些极具"个性"色彩和内涵的哲学思辨，因其对"个性"的突出和与现实的极端化对抗，致使它既可以被王国维等不关历史变革的文化学术之士借鉴，更可以为文化批判的干将们吸纳利用，有的还可以因其对个体生命的关注而被新传统主义者如玄学派和梁漱溟等拿来比照。有趣的是，这从现代主义文学在中国现代的传播也可以见出。究其根源，其间的现代主义多从法、德、俄等国传来，而那些追慕和模仿现代主义创作的人，

---

① 《西方哲学史》，北京，商务印书馆1988年版。

有的固然与政治无涉,有的却也和政治表现出一种内在的亲和关系。而且,不论哪类情况,都又以调整的迅捷为特点,有的湮没无闻,有的改从他业,有的变换了文学的眼光和原则,远不像那些"新月派"的人士在文学眼光的调适上那样恒定和稳健。

再次,由本世纪的文化批判特别是新文化运动中所表现出来的那种批判精神是极为可贵的。胡适说过:"尼采说现今时代是一个'重新估定一切价值'(Transvalution of values)的时代。'重新估定一切价值'八个字便是评判的态度的最好解释。"① 时至今日,人们尽管可以对本世纪的文化批判特别是新文化运动那种中外文化不两立的西化立场也来个"重新估定",而且这种"重新估定"的反思性研究绝对是必要的,不如此便不足以发展;但是,当我们来进行"重新估定"时,绝对不可以将这一应被视之为宝贵精神传统的富有朝气的批判精神也一起否定掉。因为,对于任何一个民族来说,这种敢于面对自己的弱点,敢于自己批判自己的勇气和精神,都只能是一种生命活力的表现。只不过,需要科学地辨析清楚其珍贵的内核和历史的局限所在,根据不同的历史条件加以发展罢了。

关于新文化运动,人们可以从不同的角度对它作出不同的评价。而我们则认为:第一,作为一种历史行为,特别是历史的运动已把它作为历史的中心环节推出时,它所表现出来的那种历史的激情和凌厉的攻势,都应被放在历史的具体情境中给以充分的肯定。虽然即便在当时的具体历史情境中,它也未必没有可商榷之处,但就其所表征的历史趋势来讲,还是当为难能可贵之举。而且,作为历史层面的批判,它对传统文化中历史层面内容的批判,至今也还是有益的。对这种历史价值范畴中的行为,很难仅以学术文化的价值尺度作出科学的、实事求是的评价。如果他们当年不去竭力地在批判中维护住价值认知的一元性,而是时时想着如何更好地全面地表述对传统文化的看法问题,那就怕是他们只能成为学者而不会成为历史变革的斗士了。第二,其实,他们并不是真的对传统文化认为是一无可取的,但他们清楚地懂得非如此便难以有稍许的变革,因此在其指导思想中,既把这种批判视为历史的原则而给

---

① 《新思潮的意义》,《胡适文存》第1集第4卷。

以真诚的守护，但同时亦包含着基于对历史变革规律理解的策略意识。比如鲁迅，本来他早就指出了中国文化重建的途路："外之不后于世界之思潮，内之仍弗失固有之血脉，取今复古，别立别宗。"① 但后来给青年开列必读书目时却说，中国书一本都不要读。态度变得如此决绝，是因为谙熟国人的习惯心理："中国人的性情是总喜欢调和，折中的。譬如你说，这屋子太暗，须在这里开一个窗，大家一定不允许的。但如果你主张拆掉屋顶，他们就会来调和，愿意开窗了。没有更激烈的主张，他们总连平和的改革也不肯行。那时白话文之得以通行，就因为有废掉中国字而用罗马字母的议论的缘故。"② 胡适也发表过类似的议论："我们不妨拼命走极端，文化的惰性自然会把我们拖向折中调和上去的"，"成为一个折中调和的中国本位的新文化。"③ 所以难怪更为偏激的西化论者陈序经说，在胡先生心里，"好像只是一种政策，而骨子里仍是折衷论调"④。岂只现在，当时就有人担心，连胡适本人早年也曾担心过文化全面替代的恶果，但后来他改变了看法，指出："一种文明具有极大的广被性，必须会影响到大多数一贯保守的人。由于广大群众受惰性规律的自然作用，大多数人总要对他们珍爱的传统百般保护。因此，一个国家的思想家和领导人没有理由也毫无必要担心传统价值的丧失。如果他们前进一千步，群众大概会从传统水平的原地向前移动不到十步。如果领导人在前进道路上迟疑不决，摇摆不定，群众必定止步不前，结果是毫无进步。"⑤ 到了 30 年代中期，此时新文化运动久已过去，为了驳斥中国本位文化面临毁灭危险的论调，他又用事实作了辩驳："在今日有先见远识的领袖们，不应该焦虑那个中国本位的动摇，而应该焦虑那固有文化的惰性之太大。今日的大患并不在十教授所痛心的'中国政治的形态，社会的组织，和思想的内容与形式，已经失去了它的特征'。中国今日最可令人焦虑的，是政治的形态，社会的组织，和思想的内容与形式，处处都保持中国旧有种种罪孽的特征，太多了，

---

① 《坟·文化偏至论》。
② 《三闲集·无声的中国》。
③ 《编辑后记》，《独立评论》第 142 号。
④ 《再说全盘西化》。
⑤ 《文化的冲突》，原载《中国基督教年鉴》1929 年英文版。

太深了，所以无论什么良法美意，到了中国都成了逾淮之橘，失去了原有的良法美意，政治的形态，从娘子关到五羊城，从东海之滨到峨嵋山脚，何处不是中国旧有的把戏？社会的组织，从破败的农村，到簇新的政党组织，何处不具有'中国的特征'？思想的内容与形式，从读经祀孔，国术国医，到满街的性史，满墙的春药，满纸的洋八股，何处不是'中国的特征'？"① 所以，发动新文化运动的深意，概而言之，还是如胡适所说的："新文化运动的一件大事业就是思想解放。我们当日批判孔孟，弹劾程朱，反对孔教，否认上帝，为的是打倒一尊的门户，解放中国的思想，提倡怀疑的态度和批评的精神而已。"②

其实，任何一个历史现象的出现都必有其复杂性，决不会是一眼盯过去所看到的那样简单。同样，一些历史人物也是如此。作为新文化运动领导者的那班人物，除了为大家所特别注意到的文化批判者这一历史角色之外，事实上都还有另外一种角色承当。事实中的"双重角色"选择和"二重价值"取向，使其历史活动变得复杂而耐人寻味。新文化运动的领袖人物自然是首推陈独秀和胡适，连新儒家代表人物的梁漱溟都承认，"当时发生最大作用的人，第一要数陈独秀先生，次则胡适之先生"③，这当是没有疑问的。陈独秀本来就不是一个学者型的文化批判者，新文化运动发起后不久便转向了对苏联革命的研究和马克思主义的宣传，转向了政治革命，且不去说他。就说胡适。其实在胡适对"新思潮"的理解里，一开始就包含着两个方面，即他所说的："新思潮的意义对于旧有文化的态度，在消极的一方面是反对盲从，是反对调和；在积极一方面，是用科学方法来做整理的工夫。"因为在他看来，"文明不是笼统造成的，是一点一滴地造成的。现今的人爱谈'解放与改造'，须知解放不是笼统解放，改造也不是笼统改造。解放是这个那个制度的解放，这种那种思想的解放，这个那个人的改造，是一点一滴的改造。"④ 所以对旧文化的改造亦应认真做一番整理的工作，"若要知道什

---

① 《试评所谓"中国本位的文化建设"》，《胡适文存》第4集第4卷。
② 《新文化运动与国民党》，《人权论集》，上海，新月书店1930年版。
③ 《纪念蔡元培先生》，《我的努力与反省》，漓江出版社1987年版。
④ 《新思潮的意义》，《胡适文存》第1集第4卷。

么是国粹，什么是国渣，先须要用评判的态度，科学的精神，去做一番整理国故的工夫"。① 他不同意"国粹派"为宣扬汉民族的"文化统绪"才去做搜求"国粹"的做法，也不同意用别的什么主义来干扰，而是主张为学术而学术。他说："我不认为中国学术与民族主义有密切的关系。若以民族主义或任何主义来研究学术，则必有夸大或忌讳的弊病。我们整理国故，只是研究历史而已，只是为学术而作工夫。所谓实事求是是也。从无发扬民族精神感情的作用。"② 他认为开展新的"整理国故"运动有三项要求："第一，用历史的眼光来扩大国学研究的范畴。第二，用系统的整理来部勒国学的资料。第三，用比较的研究来帮助国学的材料的整理与解释。"③ 他不仅要求别人这样做，他自己也是几乎终其一生，在这方面做了大量的工作。关于胡适倡导的"整理国故"，久已成为一段历史的公案。其时即有人持不同意见，以为这是对新文化运动精神的背离，后来的史著也多持批判的态度。1925年时，鲁迅就说过："前三四年有一派思潮，毁了事情颇不少。学者多劝人蹩进研究室，文人说最好搬入艺术之宫，直到现在还不大出来，不知道他们在那里面情形怎样。这虽然是自己愿意，但一大半也因新思想而仍中了'老法子'的计，我新近才看出这圈套。"④ 客观地讲，作为学者的胡适确实很难与作为文化批判者的胡适很恰当地结合起来，特别在文化批判的激浪奔涌时，这种"整理国故"的调子亦很难与之成为一种"和弦"，负面的作用也还是有的。胡适自己就有所发现、有所警觉："现在一班少年人跟着我们向故纸堆里钻，这是最可悲叹的现状。我们希望他们及早回头，多学一点自然科学的知识与技术，那条路是活路，这条故纸的路是死路。"⑤ 这说明胡适的初衷与客观效果的不一致，若是把负面的效果当作目的来责难，就有点冤枉他了。要是再换个角度看，胡适对"新思潮"两重含义的理解，确实也包含着合理的内容。倘若只破坏不建设，只批判不整理，那又会是一种什么结果？这也该是不言而喻的。作为学

---

① 《新思潮的意义》，《胡适文存》第1集第4卷。
② 转引自耿云志：《胡适年谱》。
③ 《〈国学季刊〉发刊宣言》，《胡适文存》第2集第1卷。
④ 《华盖集·通讯》。
⑤ 《治学的方针与材料》，《胡适文存》第3集第2卷。

者的胡适,他在学术方面的创辟和建树,是相当引人注目的。在古典小说考证方面,"从1917年5月的《再寄陈独秀答钱玄同》,到1962年2月逝世前夕发出的《红楼梦问题最后一信》,他一生写作的中国古典小说考证文字达四十余万字,内容几乎遍及中国古典小说名著。……为开创中国古典小说研究的新局面起了极为重要的推动作用"①。朱自清对此有过评价,他说:"将严格的考证方法应用到小说上,胡先生是第一人。他的收获很大,而开辟了一条新路,功劳尤大。这扩大了也充实了我们的文学史";"这些小说考证的本身价值是不朽的";"这些篇旧小说的考证也是划时代的。"② 即如鲁迅,也对其成就作了实事求是的肯定,称他的考证"时有善言"③,并将其材料和见解征引在自己的《中国小说史略》中。同时,在文学史、哲学史、禅宗史、经学史、历史地理等诸方面,胡适都有开拓性研究,而且也各有价值,在学界有一定影响。

如果说胡适原本就是在这方面看法上有分歧的人,仅他还不足以说明新文化运动中骨干人物的普遍性,那么我们就再以鲁迅为例。鲁迅是被公认为文化批判立场最坚定也最有韧性战斗精神的人,然而他又如何呢?还是先来看事实。鲁迅对中国小说史的研究及其扎实严谨的治学态度是众所周知的。早在1920年秋,鲁迅在北京大学和北京高等师范学校开始讲授中国小说史,就曾排印了《中国小说史大略》,而对小说史的实际研究,则比这更早。就是在新文化运动势头正盛之时,鲁迅一方面参加文化批判与进行文学创作,一方面也进行着极为冷静而严谨的学术研究。为给小说史的研究和写作作准备,他"废寝辍食,锐意穷搜"④,搜求、考证、编纂成了三部书。一部是《古小说钩沉》,此书辑校散佚,对唐以前小说作了最完备精细的汇辑和校订。郑振铎评价它是"用最谨严的'汉学家法'来校辑的,较之《玉函山房辑佚书》和《吴氏逸书考》的草草成书,大有天渊之别"⑤。一部是辨伪正谬的《唐宋传奇集》,此书为六朝后唐宋单篇小说的总集,经过鲁迅辨伪正谬,考

---

① 欧阳哲生:《自由主义之累——胡适思想的现代阐释》,上海人民出版社1993年版。
② 《〈胡适文选〉指导大概》,《朱自清全集》第2卷。
③ 转引自许寿裳:《亡友鲁迅印象记》。
④ 《小说旧闻钞·再版序言》。
⑤ 《中国小说史家的鲁迅》,《人民文学》创刊号。

证源流，使后世坊间版本中张冠李戴、文句错落等烟埃一扫而空。再一部是《小说旧闻钞》，此书为作者"博览群书，从浩如烟海的古书、旧籍、笔记中摘录出有关小说的记载、史料、考证，编纂而成。从此书所引用的书目，可知鲁迅参考了明清人九十余种书籍，翻阅了一千五百余卷，所引'皆撷自本书，未尝转贩'，完全根据第一手材料"①。鲁迅"钻"故纸堆的学术行为，实际上也遭受过误解甚至攻击，即其所谓："海上妄子，遂腾簧舌，以此为有闲之证，亦即为有钱之证也。"② 鲁迅的《中国小说史略》，就是在如此扎实的材料和深厚的学术功力的基础上写成的中国的第一部小说史。"中国之小说自来无史"③，此书一出，影响颇大，许多学人都为其折服。郑振铎在《中国新文学大系·文学论争集·导言》中曾总结说："对于小说、戏曲和词曲的新研究，曾有过相当完美的成绩。鲁迅的《中国小说史略》乃是这时期最大的收获之一，奠定了中国小说研究的基础。"鲁迅还著有《汉文学史纲要》等学术著作。不仅如此，他甚至多年都希望着自己能编一部中国文学史。1926年9月14日，他在给许广平的信里说："看看这里旧存的讲义，则我随便讲讲就很够了，但我还想认真一点，编成较好的文学史。"直到1932年12月12日，他在给曹靖华的一封信中还又说："倘终于没有什么事，我们明年也许到那边（按：指北京）去住一两年，因为我想编一本《中国文学史》，那边较便于得到参考书籍。"鲁迅、胡适均治史，而且又都有过人的"史识"。他们那种历史的眼光、科学的态度，至今都有值得我们深思和借鉴的地方。在他们以及与他们同时乃至后来活跃在文化批判战线上的现代文化人身上，我们分明能够感觉到两种不同价值视野的存在。在其所坚持的不容置疑的历史性文化变革的视野之外，或者说在其竭力维护的历史价值范畴之外，分明还存在着同时也为其认可并坚持着的学术性文化变革的视野，存在着一个学术性的价值范畴。虽然他们都想努力把批判的精神与历史的眼光统一起来，力戒学术行为对历史行为的冲击，但由上可知，两种行为或者说两种价值标准之间的差异，实

---

① 储大泓：《读〈中国小说史略〉札记》，上海文艺出版社1981年版。
② 《小说旧闻钞·再版序言》。
③ 鲁迅：《中国小说史略·序言》。

际上也在被他自觉地维护着，并不愿将两个方面混为一谈。鲁迅在这方面的警觉性比胡适更高一些，时常提醒大家特别是青年不要模糊或放弃了文化批判的责任，但这并没有妨碍他对学术价值范畴的承认，有时他甚至会以更冷静、理智的态度去规范自己的学术行为和创造。这从他在《中国小说史略》出版后又不断吸取新的发现并予以明确的说明即可见出。以上这种情况的历史真实性是勿庸置疑的，只不过以往很少被人们同时予以确认罢了。过去的情况是，对胡适这类人，是把两种行为对立起来，并以对后者特别是对"整理国故"的提倡的否定进而影响到对其批判性历史行为的评价；对鲁迅，则是不敢或不愿涉及其两种眼光之间的区别，更多地是以对前者的高度评价去笼统地统一对后者的认识，致使其中的牵强附会处时有所见。最后到"文革"中甚至发展到，鲁迅在历史价值范畴内批孔的言论固然成了"批孔"运动的依据，就是他在学术价值范畴内对《水浒》的看法，也成了"批《水浒》"这一政治运动的口实。

从科学的史观来看，历史的研究是个艰难而复杂的认知过程，不是不同观念之间简单的对抗和跳跃，更不能只是简化为说"是"或者是说"不"。重要的是，要把所研究的对象都置放在属于它的历史位置之上，根据具体的条件及其结构性动势，对其作出合理的阐释，并从中把捉住历史的脉搏。历史对于后人的启示，既来自于异峰突起式的历史行为，更来自于它深刻的复杂性。今天，当我们立足于新的世纪之交，回顾贯穿于一个世纪的文化批判及其文化引进，尤其是新文化运动那种激烈的批判行为和西化倾向时，我们所面对的，将会是一个更为复杂的课题。世纪性的必要反思，要求我们尤须以积极而又审慎的科学态度对待这一切。当然，在我们所倾力进行的与历史的对话和认识历史的渴望中，也理所当然地包含着对历史对象的负面作用的认识。因为，历史是一个过程，在这个过程中，任何一个历史环节或历史活动，它的作用和影响都是一种综合性的效应，而且随着时空条件的变化而发生变化。在当时表现为尖锐攻击力的认识片面性在变化了的条件中就可能而且事实上大多都会在某一方面表现出它的负面作用。片面性的认识和行为在任何时候都是片面的，但当历史把某种契合其转型要求的价值指向凸现出来时，应运而生的偏激却会比任何书生之见都更能赢得历史的激情和骄傲。然而，片面性毕竟是片面性，它固然可以引动历史的激荡并激发历史的活力，可它即使在当时也必定就种下了负面作用的根苗，而且会在历史的变动发展中日渐显露出来。这也是不当不予注意的。

新文化运动与西化主张的认识局限性及其负面作用，我们以为有以下诸端：第一，把中国文化的"现代化"乃至表现为其目的的历史的"现代化"，与"西化"作了趋同性理解，对"现代化"与"西方化"、"世界化"与"民族化"这两对在中国文化、历史转型中必然遭遇到的基本概念之间的异同，未能适时地作出科学的辨识。有一点是无须再作出论证的，那就是这些问题得以发生发展的历史转型的特殊性启动和价值标准的倾斜性设置。中国历史的近、现代转型既然是在列强的外力冲击下发生，西方的文化及其一切既然不得不被承认为我们追慕的榜样，那么把"现代化"与"西方化"或"世界化"作认同性理解就是势在必然的了。依此逻辑，中国对西方的学习、追慕越是充分，距离"现代化"的理想目标也就越近，所以陈序经在解释他何以坚持"全盘西化"论时，就力陈了这样一种理由："现在世界的趋势，既不容许我们复返古代的文化，也不容许我们应用折衷调和的办法；那么，今后中国文化的出路，唯有努力去跑彻底西化的途径"；"我们的唯一办法，是全盘接受西化。"① 胡适因认同"全盘西化"论而遭到诘难时，如前所述，对这个口号又作了一些纠正②。他的矫正性表述和陈序经的说法，亦即和他本人曾经坚持过的说法，在字面和内涵指涉上是有不同，但在实质或者说在基本意义上还是一致的。不管怎么说法，也不光是陈序经、胡适，实际上新文化运动的骨干人物在面对传统文化的姿态和价值评估上，与他们及其主张并无二致。虽然，西方的文化尤其是器物、制度乃至个性自由等方面，就大家心目中所认定的"新"与"旧"相比的"现代性"而言，确有比我们先进之处；但是，即便是西方文化代表着"现代化"，靠这种彻底换血的办法就能使中国文化、中国社会"现代化"吗？而且，能做得到吗？在新文化运动的先驱者来讲，他们可以把它视为或期待为一种冲击的力量，但他们认识上的笃诚也是事实。再说，在

---

① 《中国文化之出路》，《全盘西化的理由》，商务印书馆1934年版。
② 《充分世界化与全盘西化》，天津《大公报》1935年6月21日。

传播中众多受者接受理解又会如何？在他们的认识里，实际上深藏着一种误解，从而用"置换"取代了"创造"。他们以为只要向西方学习，现成的东西在那里，拿过来就可以了。殊不知，学习和拿来只是个前提，更重要的是在自己的特殊条件中所进行的转换和创造。新文化运动的高潮过去，30 年代上半期学术界有过一次关于"中国现代化"的讨论，人们开始对"现代化"与"西化"的区别给予更自觉的关注和辨析。有人就指出："西化差不多抄袭西洋的现成办法，有的加以变通，有的不加变通。现代化有两种：一种是将中国所有西洋所无的东西，本着现在的智识，经验，和需要，加以合理化或适用化，……另一种是将西洋所有，但在现在并未合理化或适应的事情，与以合理化或适用化，……现代化可以包括西化，西化却不能包括现代化。这并不是斤斤于一个无谓的空洞名词，这其中包含着许多性质不同的事实。"① 虽然也还是比较笼统，但类似的看法，还是颇有见地的。在主张"西化"的人的眼里，"西方化"代表着"世界化"，亦即代表着"现代性"，这三个概念在价值确认上基本上是同义的，所以，中国文化要想"现代化"就必须"世界化"，而要"世界化"也就必须"西化"。这个逻辑的前提和结果，也就是对中国传统文化的价值认识和"西化"实际所可能导致的结果，都命定地只能是对民族文化的虚无主义倾向。其影响所及，盲目崇洋的民族虚无主义，也便成了本世纪以来某些人时有张扬的思想倾向。而西方刮什么风，中国便或早或晚地起点什么浪，这也是本世纪百年来社会文化思潮和文学思潮发展的一个特点。现在，当我们重新面对这一段文化引进和文化批判的历史时，有一点是应该被看到的，那就是在西方列强眼中，我们文化的"西化"过程，实则为他们所期待的文化征服过程。如果我们对此木然不觉，放弃文化重建的自主性立场和原则，那么文化方面的殖民主义倾向便会成为现实。事实上这种倾向并非逻辑推演的虚构，只要想一想近现代时期开放性都市中的那种不无病态的洋场文化，不就一目了然了吗？更为发人深省的是，尤为文化方面志士仁人所深恶痛绝的国民心理中的奴性尚未根除，而一些人特别是一些文化人竟又不期然地增添了一种新病：洋奴心理。一切唯"洋"是从，一切以

---

① 张奚若：《全盘西化与中国本位》，天津《国闻周报》第 12 卷第 23 期。

"洋"为准，在国人面前骄气十足，在洋人面前卑躬屈膝，作为一种本世纪的"流行病"，迄未有绝。这种带有文化畸形生存特征的病态心理，是在中国文化近、现代转型中的必生之物，但其危害却不能不识。

　　第二，以历史价值范畴的眼光看待一切，把古与今、旧与新的比较视为中西文化比较的基本模式甚至唯一模式，从而忽略了文化比较中多重价值范畴的实际存在及其必要性。就文化生存之历史性形态及其与一个地域或一个民族的历史发展阶段的必然性联系而言，文化确实存在着一个古与今、旧与新的问题。人们时常把某种文化的发展划分为古代的、近代的、现代的，就是基于这样一种根据所作出的判断。既然如此，从这个角度进行不同文化性质和存在形态的比较分析，应该是没有什么问题的。特别是当时的中国与西方列强相比，首先触人眼目、撼人心魄的巨大差异也必定是表现在这一方面。西方那种表现着近、现代工业文明和民主、自由思潮的文化，确然会令中国人感到自愧弗如。率先突破自卫的心防，从文化变革方面主动寻求历史进步的契机，这种比较的必然性和进步性，无论何时都应给予理解。但我们今天，有必要从多角度对历史进行全面反思时，又不能不看到，他们那时确实忽略了不同地域、不同民族文化个性生存的合理性问题。不同的文化，都是在不同的地理、人文环境的制约中发展起来的，它们都会形成为个性化的系统性结构，其中包含着独特的内涵和意义。既呈现为那个地域或民族的人们对人与自然和宇宙、人与社会和历史等基本生成关系的理解，及其所采取的相应的对话姿态和价值设置，同时也包蕴着他们独有的智慧。从文化学术的科学意义上讲，不同文化系统的比较，最基本的要求，首先应该是不同个性的比较。个性的差异与优劣的区别并不是一回事，这正如东西民族之间，不能因其民族性即民族的个性不同而做出孰优孰劣的结论。当然，由于两种文化内在规约性及其制导社会发展的作用有所区别，比如西方文化必然导致现代科技、现代民主与法治的出现，而中国传统文化靠自身的作用则确实难以如此，因此就此进行比较也完全可以而且必要，特别是在当这种比较成为历史的独特需要的时候。但是，这种比较在历史和学术的不同价值范畴内也有不同，在学术价值范畴内它只作为一个方面存在，而这一方面又必定与其他方面以及对民族乃至人类生存发展既现实又长远的思考联系在一起；在历史价值范畴内就另当别论了，对其所作的大多只是局限在单方面的、现实的评估之内，于是，片面性与非科学性也就难以避免。比如说陈独秀对传统文化的批判，一开始就把其重"想象"的特点与西方的重"科学"对立起来并作了否定，显然就是片面而且不妥当的。尤其值得指出的是，如果把这种片面的带有现实功利色彩的价值认识和比较模式同时也应用到审美艺术范畴中，那就更欠妥当了。审美意识和审美形式，艺术的理解和创造，固然也有一个历史性生态问题，但作为一种更为独特的生命需要和精神创造，审美艺术具有更恒久的甚至超时空性的魅力。人类的某些基本情感和审美需要，常常是在这些艺术作品中才得到了激动人心的保留。对中西文学艺术的比较，则更应侧重于艺术个性的比较。倘若把它们也笼统地认同于一般的文化，并置放于批判性的比较模式之中，偏误性就可想而知了。当年，胡适如果不是因为强调白话文学的历史性存在，而作了些肯定性的历史追溯，怕是连宋代以来的白话小说也不会有被承认的可能了。如前所言，对此种批判模式在当时的历史作用不当讳言，那时也顾不了那么许多；但最可虑者，是这种模式的影响，已在长时期内遍及历史、文化和艺术的所有领域，贻害亦日渐显豁，这就不能不令人深思了。

第三，是在思维模式方面的影响。新文化运动中对文化所采取的那种绝对以彼为是、绝对以此为非的态度，即所谓好便一切皆好、所谓坏便一切皆坏的判断方式，对本世纪影响极大。这种二元对立设置进而作一元价值肯定的认识方式，已成为一种思维模式，曾经严重地影响了社会各方面的发展。而且，由于这种简单化、片面化、极端化的思维方式与两种特定社会历史观念的结合，则使其又具有了具体的价值依附和指向。一是社会进化论。进化论是被作为一种遍及自然和社会的科学法则而为中国的有识之士接受和传播的，在文化批判尤其是新文化运动中，更是成了人们理直气壮地否定传统文化的依据。但是，凡是"新"的就比"旧"的好，这一认识一旦成为一种绝对对立的简单化思维模式，拿它来判断处理社会的、文化的、艺术的方方面面的复杂性问题，其弊端早已为大家感同身受了。另一个是功利主义价值观念。本世纪的文化批判带有极鲜明的历史功利主义特点。进行文化批判的目的是实现历史的变革，文化是被作为一个必要的基本环节来对待的。在这种崇高而且不乏悲壮感的历史行为里,功利主义的目的紧紧地与历史的要求联系在一起,这勿庸置疑。可是这种功利主义的欲望表现在文化理解和文化引进方面,却不能不决定了对实用主义哲学的更为亲和的态度。1919年5月杜威来华讲学,可谓盛况空前,有人记述说:"自杜威氏来华讲演教育哲学以来,因其弟子之推动,与印刷之迅速,笔记流布,以亿万计。家喻户习,寖成风气。"① 而与之相反,事隔两年后罗素来华时却要冷清得多。所以胡适曾不无得意地说:"我们可以说,自从中国与西洋文化接触以来,没有一个外国学者在中国思想界的影响有杜威先生这样大的。"② 他甚至还预言:"杜威先生虽去,他的影响仍旧永远存在。"③ 现在看来,胡适的话的确没有说错,只不过并没有完全照他的意思发展,而是对其所作的庸俗化的理解在许多场合常常倒是占了上风。当实用主义哲学与绝对化的二元对立的思维模式一旦结合,特别是在到了种种物欲被合理肯定的时候,那么社会上庸俗之风弥漫、人文精神缺失的现象出现,就是必然的了。

至此,我们对本世纪的文化批判运动特别是新文化运动已作了多方面分析,对它算是有了个基本交代。之所以用那么多篇幅分析这个问题,是因为它是中国历史在其近、现代转型中所面临和必须解决的一个重要问题,也是中国近、现、当代文学孕育发展的一个重要背景和直接的介入因素。如果把本世纪文学的发生发展喻为一棵树由培育成苗到生长壮大,那么我们可以说,它的条条根须都与作为母基的文化变革相连。不搞清楚文化变革尤其是迄今仍为人们关注和争论不休的文化批判与文化引进问题,那对本世纪文学的历史变化则是无法从根本处得到理解的。其对本世纪文学影响之深,制约之大,是极为醒目地标示于文学的历史之中的。

从史的角度探触本世纪文学变革的过程,会惊异于它与历史变革的那种极富历史激情的逻辑连接及不断被荡开去又游过来的韧性精神。在文学的转型变化中,从前一个世纪之交梁启超的三界"革命",到1917年初开始的"文学革命",再到80年代前期的新启蒙主义文学主潮,都

---

① 缪凤林:《评杜威平民与教育》,《学衡》第10期。
②③ 《杜威先生与中国》,上海《民国日报·觉悟》1921年7月13日。

是首先把文化变革推到历史的中心环节时应运而生的。而每一次，尤其是前两次，文学又都是被视为深层文化载体和文化变革即启蒙的工具而被拥入历史漩流中心的。作为"载体"，它被看作文化批判深入发展的必然所向；作为工具，它又被看作传播新文化、改变国民文化心理的最有效工具，甚至对此不惜作夸大的理解。梁启超在戊戌变政失败后，反思的结果是在域外文化的影响下，转向了以"新民"为目的的文学界革命。由于他对专制主义文化的批判及对自由主义文化的鼓吹尚嫌笼统，客观上还没有构成中西文化之间尖锐的全面对抗之势，因此，与后起的新文化运动及在这个运动中发生的"文学革命"相比，他对旧文化的批判远不如后者深刻、全面。但他因此更多地把"移人"的希望寄托在文学的作用上，故而把文学尤其是小说的工具性作用几近空前绝后地推向了极端。看起来他提倡的是"文学"的革命，而且确实也因此对属于"文学"本体范畴的特征作了强调，但究其根本，看到其独特性是以其"移人"的独特效力而予以重视的。说到家，他最基本的目的是在于历史变革的实现，三界"革命"只不过是其寻找到的手段或途径而已。1917年初的"文学革命"，明显地表现为1915年始的文化批判运动的重要组成部分和向深入发展的表征。"文学革命"伊始，陈独秀即明确倡言："吾苟偷庸懦之国民，畏革命如蛇蝎，故政治界虽经三次革命，而黑暗未尝稍减。其原因之小部分，则为三次革命皆虎头蛇尾，未能充分以鲜血洗净旧污。其大部分，则为盘踞吾人精神界根深底固之伦理道德、文学艺术诸端，莫不黑幕层张，垢污深积，并此虎头蛇尾之革命而未有焉。此单独政治革命所以于吾之社会，不生若何变化，不收若何效果也。"他在列举了"贵族文学"、"古典文学"和"山林文学"的"公同之缺点"后，指出："此种文学，盖与吾阿谀、夸张、虚伪、迂阔之国民性互为因果，今欲革新政治，势不得不革新盘踞于运用此政治者。"①显然，他是把"文学革命"看作是政治革命、文化革命深入发展的必然阶段，而且带有明显的"工具批判"意识。所以，"文学革命"又顺理成章地举起了批判"文以载道"的旗帜。从胡适的《文学改良刍议》到陈独秀的《文学革命论》，都力倡反对"文以载道"，因为他

---

① 《文学革命论》，《新青年》第2卷第6号。

们那时确实认为"文学本非为载道而设"①，不像梁启超那样一开始就立足于工具的选择。然而，他们从所选定的逻辑起点即文化与历史的变革出发，文学作为旧文化的载体，自然是反"载道"；而一旦要求文学承载新的内容时，又会必然因启蒙的要求而命定地落脚于新载道的一途。于是，文学也便被作为新的工具而被确认。所以周作人事后曾发过这样的感慨：新文学本来从反载道始，结果却又落入了新的载道。新文学把这种"载道"看作是历史责任承当的有效方式，同时也看作文学自身在历史深处汲取到活力的必要努力，由此可以理解，为什么本世纪文学能够在历史中心转移时能随之旋转。到了80年代中前期的新启蒙主义思潮涌动时，应运而生的那股几乎占尽文坛风流的人道主义文学潮流，其实也是在大家对政治变革反思之后进入文化反思的结果。其醒目的文化批判承当，又何尝没显露出它的工具意味。

"文学革命"对于文学来说，所带给它的是工具的选择和工具的解放的同时实现。当旧文学被认定为旧文化的载道工具而对其发动革命之际，文学本身就已成了被解放的对象。新文学也正是于这种解放中找到了活力和朝气的。至于它被作为新的工具而被选择，这一选择实际上也为它提供了赖以孕育、生长的土壤和机会。首先，它从文化批判和文化引进中获得了坚定不移的历史观念的支撑和开拓发展的信心。进化论的引进和广为流布，在社会上几成不争之论，正是它，给一次次文学变革提供了变革正义性的依据。梁启超发动三界"革命"时即以此为据，到"文学革命"时，陈独秀、胡适也是以此为据，而且更为彻底和果决。胡适说："文学者，随时代而变迁者也。一时代有一时代之文学，周秦有周秦之文学，汉魏有汉魏之文学，唐宋元明有唐宋元明之文学。此非吾一人之私言，乃文明进化之公理也。"② 陈独秀则据以引申为革命之必要："今日庄严灿烂之欧洲，何自而来乎？曰：革命之赐也。欧洲所谓革命者，为革故鼎新之义，与中土所谓朝代鼎革绝不相类。故自文艺复兴以来，政治界有革命，宗教界亦有革命，伦理道德亦有革命，文学

---

① 《文学革命论》，《新青年》第2卷第6号。
② 《文学改良刍议》，《新青年》第2卷第5号。

艺术亦莫不有革命，莫不因革命而新兴而进化。"① 当时人们则把这种进化的文学观念明确称之为"历史的文学观念"，即胡适所强调的："居今日而言文学改良，当注重'历史的文学观念'。一言以蔽之，曰：一时代有一时代之文学。"② 而且，一时间有新文化阵营的一些人，在《新青年》上研讨起新文学的各种问题来。有的就观念问题，有的就语言、形式或文体问题，发表了各自的意见。但话虽如此，要把"文学革命"变作一种生机勃然的创作局面，那还是很过了一些时候的。诚如茅盾所指出的："民国六七年的时候，好像还没有纯然文艺性质的社团。那时的《新青年》杂志自然是鼓吹'新文学'的大本营，然而从全体上看来，《新青年》到底是一个文化批判的刊物，而'新青年社'的主要人物也大多数是文化批判者，或以文化批判者的立场发表他们对于文学的议论。他们的文学理论的出发点是'新旧思想的冲突'，他们是站在反封建的自觉上去攻击封建制度的形象的作物——旧文艺。"③ 茅盾认为"这是'五四'文学运动初期的一个主要的特征，也是一条正确的路径"④。茅盾的看法应该说是十分准确的。"文学革命"在文化批判中发生，早期倡导者大多不是作家，尽管如胡适也尝试写了一些诗，但实在地说除了倡导的意义外，也算不得什么成功。真正能够代表这一时期文学成就的作家除鲁迅较早崭露了头角外，其他的大多还未出现。但是，经过了大约五年时间的孕育、酝酿，蓄积的河水终于破堤而出，继1921年"文学研究会"和"创造社"之后，"一个普遍的全国的文学的活动开始来到"⑤！据茅盾介绍说："这一时期，是青年的文学团体和小型的文艺定期刊蓬勃滋生的时代。从民国十一年（一九二二）到十四年（一九二五），先后成立的文学团体及刊物，不下一百余。"⑥而且，可以这样说，"文学革命"孕育出了现代时期以鲁迅为代表的一批大家乃至大师级的作家。鲁迅小说自1918年发表《狂人日记》一发而不可收，其激情就正是由文化批判及其推拥而出的"文学革命"而来。其实，此前应梁启超三界"革命"的号召而出的大批小说刊物和小说创作热潮的

---

① 《文学革命论》，《新青年》第2卷第6号。
② 《历史的文学观念论》，《新青年》第3卷第3号。
③④⑤⑥ 《中国新文学大系·小说一集·导言》。

出现，80年代中前期新启蒙主义文学潮流的形成，其内在原因又何尝不是当时的文化批判及与其相应的文学革命要求呢！

　　文化批判不仅使新文学得以出世，而且它也成为一种历史的规约性制导着新文学的发展。尽管表现得时强时弱、时隐时显，但几乎贯穿于一个世纪的文学母题——"国民性"问题，就是在开放性的文化批判中浮出历史地表的。"国民性"首先并不是一个文学问题，而是一个文化启蒙主义的历史命题。梁启超的启蒙倡导，即基于国民的智性问题，所以提出了"新民"的口号，只是未能和个性解放的问题相并提出。蒋智由较梁启超提得更尖锐、深刻些，写了不少文章探讨"国民性"问题。他提出："谋国者必先考知国民之性质，取其优者而保存之，药其短者而改革之。又非特谋国者当如是也，凡国民皆不可不悬一鉴察性质之宝镜，以去己之短而师人之长。"① 新文化运动对传统文化的批判，陈独秀从一开始就是立足于对"国民性"即民族文化心理的批判发动起来的，其批判的深度和尖锐性，都非其前人所能比。新文学正孕生于这历史的一脉，正是在这里，崭露着它与文化批判的历史血缘。在一代启蒙主义文学中，鲁迅是当之无愧的开拓者和代表者。早年他在日本留学时，就十分关注"国民性"问题，并提出了相关的三个方面进行思考：一、怎样才是最理想的人性？二、中国国民性中最缺乏的是什么？三、它的病根何在？② 他之弃医从文，其动机即为以文艺救治国人精神上的痼疾，以文艺为改造国民灵魂的工具。所以，从他发表第一篇白话小说《狂人日记》起，就以振聋发聩之影响为一代启蒙主义文学定下了基调。有如沉沉暗夜中的一声惊雷、一束闪电，使人们在惊悚之中如醍醐灌顶，看明了作为现实的历史、历史的现实，原来从古至今、从今到古，一个惊人的字眼贯串于史册——吃人！而且所谓的食人者和被食者都在吃人！鲁迅是擅写文化精神悲剧的圣手，在他的笔下，食人者即位尊的权利和文化的双重占有者，与被食者即位卑的社会下层的小人物之间，固然确有一条大致分明的界限，如赵太爷、鲁四老爷、七大人等这算是前一类，而如孔乙己、华老栓、祥林嫂、阿Q等则为后一类。而且，

---

① 《华年阁丛谈·各国人之特征》。
② 见《亡友鲁迅印象记》。

对由这一差等造成的悲剧亦作出了相当深刻而独到的描绘。其深刻独到就在于，突破了强取豪夺、以势欺人的社会性悲剧的传统模式，对权利和文化双重占有者对小人物悲剧命运制造的独特方式和内涵作了开拓性表现，即他们对小人物悲剧命运的制造，主要不是靠政治压迫和经济掠夺，而是以其自身的双重优势对小人物心灵形成的威压，并最终还是通过与小人物自身精神内质的交互作用而完成的。然而，在鲁迅笔下，表现最为深刻且富有警示意义的，还是对所谓被食者的精神性自食的悲剧性展示。我以为，在这方面，即便如陈独秀等最先起而进行决绝斗争的批判者，也没有鲁迅在其小说里对旧文化的生成与生存方式认识得更深刻、更清晰。鲁迅所展示出来的情况是，真正难以改变而又不能不改变的，不是传统"精英"文化观念的书本流传或精英性流传，而是它在心理文化结构的深处，超验地与众多无文化者即下层人物的难以解构的契合。每一个这样的小人物，他们本人既都是这种心理文化的载体，同时又都是其生成体。所以，他们既被人食着，这是他们无法改变的命运；同时，他们又互食和自食，这更是他们无法改变的命运。面对这在精神悲剧里打滚的一群，鲁迅真是既悲哀又无奈。面对如此沉重的现实，鲁迅一生未改其启蒙主义初衷。即便后来他更多地转向了社会政治批判，但直到 30 年代他仍然这样表示："说到'为什么'做小说罢，我仍抱着十多年前的'启蒙主义'，以为必须是'为人生'，而且要改良这人生。我深恶先前的称小说为'闲书'，而且将'为艺术而艺术'，看作不过是'消闲'的新式的别号。所以我的取材，多采自病态社会的不幸的人们中，意思是在揭出病苦，引起疗救的注意。"① 以"为人生"为标榜。坚持写实主义创作原则的启蒙主义文学，在鲁迅的引导下，虽然经历过精神"彷徨"的苦恼，并由此增添了中国启蒙主义文学对启蒙主义者精神自审的重要侧面；但是，它没有放弃自己的原则，而是以不断创辟性的努力，形成了 20 年代新文学的辉煌。

在 30 年代，因为历史的中心点已由启蒙转向了政治革命，文学的主流也随之发生了转移，所以在文学中启蒙与历史之间的紧张也逐渐弱化。但是，在比较松动而从容的关系中，文学却也因此而获得了对启蒙

---

① 《我怎么做起小说来》。

的内涵作更丰富的理解和对其姿态作相应调适的可能。这主要表现在两类文学身上。一类是所谓的民主主义文学，即以老舍、曹禺、巴金为代表的文学倾向。不妨就以他们三人为例作些说明。老舍被公认是始终都坚持着文化批判立场的作家，但实际上他却是在走着与五四文化批判并不完全相同的道路。他已经不再执著于对传统"精英"性文化观念的批判性关注，也不再对所表现对象的生存作单一文化方面的展示，而是抓牢了为他熟悉的北京市民社会，对这一对象世界独特的生存状态作"原生状态"的丰富描绘。当然，最为老舍所关注的，也还是文化生态问题，老北京市民的文化心态被他表现得淋漓尽致。可是，这一非别处所能有的世俗性文化心态，却是与其纵横交错的社会性生存互为表里，难分难解。传统文化的观念已在其特殊理解中化作他们自己的血肉，而他们自身又都是一个接受着也创造着这种世俗性心理文化的生成体。对他们，老舍采取了温和的批评态度，并形成了他主导性的创作风格——幽默。曹禺在其剧作中则不仅容纳进了比20年代文学更多的社会历史内容，接触到了历史转型中新的社会矛盾，如劳资双方的矛盾冲突等；而且，他更独具慧眼地看到了封建主义与资产阶级交合孕育的畸形生态，及其导致的各种悲剧。其文化批判的现实性与历史感的互渗，以及与社会批判的深刻结合，都达到了相当的高度。巴金在其创作的前期，似乎更钟爱于解放的激情和诉诸行动的革命期待，但其对封建专制文化尤其是家族性宗法文化的批判，却也是情绪激越而且攻势凌厉的。到了40年代创作"人生三部曲"即《憩园》、《第四病室》和《寒夜》时，则明显地转向了对社会下层人物痛苦生存状态的人道主义关注。此时对文化的批判尽管已不是再设置于家族与社会斗争的漩流之中，但它与小人物痛苦生存状态的悲剧性渗透和情感深沉的描写，倒是多了些启人思考的新内容。另一类是自由主义倾向的文学。这类文学虽然没有民主主义文学对于历史变革的较为切近的或者说民主主义角度的关切，可是它却从更侧重于"人性"的角度，与启蒙主义的文化批判作了有距离的呼应。这类作家如沈从文等，他们对现实的历史性行为如政治变革等采取了相对疏离的态度，对文学的本体性护卫的意识十分突出，然而这却也正为其批判非人性文化提供了可能。比如沈从文，在他的笔下，就既否定了封建主义文化，同时也否定了现代商业都会的畸形文明。启蒙主义主题又被强化起来,那是发生在 80 年代中前期的事情。到了这时,文学又集中对封建主义的专制性和戕害人性的特点进行了强劲的批判,以致蔚成了文坛近乎整体涌动的繁盛景观。

在谈到新文化运动的意义及其对文学的作用时,郁达夫发表过这样的意见,他说:"五四运动的最大的成功,第一要算'个人'的发现。从前的人,是为君而存在,为道而存在,为父母而存在,现在的人才晓得为自我而存在了。我若无何有乎君,道之不适于我者还算什么道,父母是我的父母;若是没有我,则社会,国家,宗族等哪里会有?"①"五四运动,在文学上促生的新意义,是自我的发现。……自我发现之后,文学的范围就扩大,文学的内容和思想,自然也就丰富起来了。"② 事实也确如郁达夫所言,五四新文化运动因对"人"的发现和个性主义的提倡,还为新文学开辟并规范了另一母题——个性解放。批判扼杀个性的传统文化,与张扬个性的解放,原本就是新文化运动同一题旨内两个互为依傍的不同侧面。批判传统文化的目的即在"人"的发现和解放,反之,没有对"人"的解放和抗争,那么对传统文化的批判也就失去了意义。1907 年鲁迅就著文对"立人"的问题进行了强调,他认为"欧美之强,莫不以是炫天下者,则根柢在人",而"中国在昔,本尚物质而疾天才矣,先王之泽,日以殄绝,逮蒙外力,乃退然不可自存"。"是故将生存两间,角逐列国是务,其首在立人,人立而后凡事举;若其道术,乃必尊个性而张精神"③。在新文化运动发起后,《青年杂志》和更名为《新青年》后,其中发表的大量文章,根本题旨都在于对传统文化的批判和号召"人"的解放。1918 年《新青年》还专门出了一本"易卜生专号",译载易卜生的剧作。同时还发表了胡适的文章《易卜生主义》。胡适在文中指出:"社会最大的罪恶莫过于摧折个人的个性,不使他自由发展";而"社会国家没有自由独立的人格,如同酒里少了酒曲,面包里少了酵,人身上少了脑筋:那种社会国家决没有改良进步的希望"。易卜生主义的传入对中国影响很大,正如茅盾事后所说:"易卜生

---

① 《中国新文学大系·散文二集·导言》。
② 《五四文学运动之历史的意义》。
③ 《坟·文化偏至论》。

和我国近年来震动全国的'新文化运动'是有一种非同等闲的关系；六七年前，《新青年》出'易卜生号'，曾把这位北欧的大文豪作为文学革命，妇女解放，反抗传统思想……等等新运动的象征。那时候，易卜生这个名儿，萦绕于青年的胸中，传达于青年的口头，不亚于今日之下的马克思和列宁。"① 鼓吹、震动尽管大，但真正为新文学的这一题旨作出系统而完整阐释的，还是周作人的两篇文章：《人的文学》、《平民文学》。他在《人的文学》一文中明确指出："我们现在应该提倡的新文学，简单地说一句，是'人的文学'。"接着，便对这一概念的内涵作了具体的阐释：

> 我们要说人的文学，须得先将这个人字，略加说明。我们所说的人，不是世间所谓"天地之性最贵"，或"圆颅方趾"的人。乃是说，"从动物进化的人类"。其中有两个要点：（一）"从动物"进化的，（二）从动物"进化"的。
>
> 我们承认人是一种动物。他的生活现象，与别的动物并无不同。所以我们相信人的一切生活本能，都是美的善的，应该完全满足。凡是违反人性，不自然的习惯制度，都应排斥改正。
>
> 但我们又承认人是一种从动物进化的生物。他的内面生活，比他动物更为复杂高深，而且逐渐向上，有能够改造生活的力量。所以我们相信人类以动物的生活为生存的基础，而其内面生活，却渐与动物相远，终能达到高上和平的境地。凡兽性的遗留，与古代礼法可以阻碍人性向上的发展者，也都应排斥改正。
>
> 这两个要点，换一句话说，便是人的灵肉二重的生活。……
>
> 但现在还须说明，我所说的人道主义，并非世间所谓"悲天悯人"或"博施济众"的慈善主义，乃是一种个人主义的人间本位主义。……
>
> 用这人道主义为本，对于人生诸问题，加以记录研究的文字，便谓之人的文学。……

---

① 《谈谈〈傀儡之家〉》。

很显然，按照周作人的理解，这种"人的文学"必须立足于"个人主义的人间本位主义"，对人性之"灵肉二重"的合理性构成给以全面的理解和肯定。依照这个理论，每个人作为"个性"生存的平等性就是必然会推导出的结论了。因此，他紧接着便又提出了"平民文学"的口号。他在《平民文学》一文中说：

> 平民的文学正与贵族的文学相反。但这两样名词，也不可十分拘泥，我们说贵族的平民的，并非说这种文学是专做给贵族，或平民看，专讲贵族或平民的生活，或是贵族或平民自己做的。不过说文学的精神的区别，指他普遍与否，真挚与否的区别。
> ……
> ……上文说过贵族文学形式上的缺点，是偏于部分的，修饰的，享乐的，或游戏的，这内容上的缺点，也正是如此。所以平民文学应该著重与贵族文学相反的地方，是内容充实，就是普遍与真挚两件事。……世上既然只有一律平等的人类，自然也有一种一律平等的人的道德。

周作人所讲的，自然是一种"理想"状态的主张，不仅在现实生活中难以做到，即使在文学作品中也不可能处处都贯彻得到。但是，作为一种精神原则，作为一种表现为"人的解放"这一启蒙主义历史潮流特定价值内涵的展现，它却在实际上对文学发展起着启发和引导的作用。

正是在新文化运动的新旧搏击的斗争中和"人"的启蒙的精神摇篮里，以反映人的解放即个性解放要求的文学应运而生，而且成为贯串本世纪中国文学的另一世纪性主题。"个性解放"的主题在"为人生"派作家中更多地包容在对"人"的解放的文化启蒙的理解中，更多地侧重于对传统文化扼杀人性的现实性层面的揭露和鞭挞。在他们笔下，也有正面表现这一主题的作品，如鲁迅的《伤逝》。其中子君与涓生不顾家长势力和传统世俗力量的压制和包围，毅然而爱而自由结合，就充分表达了在与现实抗争中年轻一代对个性解放的强烈渴望和付诸行动的勇敢。带着新的文化质素所实行的突围，这种显现观念和实践双重力量的努力，正是历史发生变动的希望的征兆。鲁迅对此是极为珍视的，但热烈中却透着冷峻，终于还是把它处理成了觉醒者的悲剧。爱需要有所附丽，否则出走了的"娜拉"也不会有真正的出路可走。鲁迅在其诸多作品中，还喻示了这样一种理解：身患"国民性"顽疾的国民，在"人"的解放中亦有个自身的解放问题，否则，你就不难想象，阿Q式的革命会是什么样子！所以，总起来看，鲁迅比任何人都更熟知中国的文化、中国的历史，会如何毫不容情地制造"觉醒者的悲剧"和大量并非真觉醒者的悲剧。其中所给予人们的启示，当是十分丰富而深刻的。当然，对于"个性解放"所必然遭遇到的悲剧性命运，是为更多作家共同感受到的。许多作家或正面或侧面都对此作了表现。较为突出的是庐隐。茅盾对她作了准确的评价："在《海滨故人》这四万字左右的中篇小说里，我们看见所有的'人物'几乎全是一些'追求人生意义'的热情的然而空想的青年在那里苦闷徘徊，或是一些负荷着几千年传统思想束缚的青年在狂叫着'自我发展'，然而他们的脆弱的心灵却又动辄多所顾忌。这些'人物'中间的一个说：'我心彷徨得很呵！往哪条路上去呢？……我还是游戏人间罢！'（《或人的悲哀》）这是那时候（1921年顷）苦恼彷徨的青年人人心中有的话语！那时他们只是心里想着，后来不久就见于行动。所以，在反映了当时苦闷彷徨的站在享乐主义边缘上的青年心理这一点看来，《海滨故人》及其姊妹篇（《或人的悲哀》和《丽石的日记》）是应该给予较高的评价的。"①

有意思的是，"个性主义"本来是启蒙主义者更着力提倡的口号，但在文学创作中，"个性解放"的旗帜却是在"创造社"一脉的浪漫主义者手中举得更高。这是因为：第一，"创造社"一派的人对于以"文学研究会"为代表的启蒙主义主张加之于文学的理解，想着起一种补偏救弊的作用，因而特别以"为艺术而艺术"为标榜。他们以为启蒙主义的"人生派"文学因对社会承担的使命，而不能有效地进行文学自身的发展。在其极端化的强调中，看似对启蒙性的历史责任拒绝承诺，但作为由新文化运动掮起传统文化的沉重闸门后才得以涌出的新的文化之流，它与启蒙主义的文学主张在个性解放问题实则还是一脉相承，并无

---

① 《中国新文学大系·小说一集·导言》。

抵牾的。第二，可是，因为"创造社"的浪漫主义主张转向对作者主体自身的表现，这与面向沉重现实的"人生派"相比，其内转倾向在实际上就变得更有利于作家作主体性的"个性解放"、"自我表现"的呼叫和充分展示了。郁达夫说："艺术既是人生内部深藏着的艺术冲动，即创造欲的产物，那么，当然把这内部的要求表现得最完全最真切的时候价值为最高。"① 就是因为具有这种认识，他才写出了惊世骇俗的《沉沦》。这篇作品以无所顾忌的真率，大胆地写出了主人公"他"被压抑成近乎病态的灵肉双重的痛苦，并于最后让"他"喊出了发自心灵的悲苦的呼叫："祖国呀祖国！我的死是你害我的！""你快富起来！强起来吧！""你还有许多儿女在那里受苦呢！"从浪漫主义文学对"个性解放"的大胆呼叫的角度看，这篇作品无疑是这类文学和知识者主体解放要求的《呐喊》！正是在这种精神潮流的鼓动下，不少作家投身于此类创作，如淦女士即以其描写个性解放的大胆而为文坛注目。然而，此类作品中人物的那种逆"情"悖"理"之举，虽然内蕴着或更确切说是揭示着时代的精神要求，但却与社会的现实格格不入，因此大都孤立无助，愤怒，感伤，甚至沉沦。于是，这就有了郁达夫为现代文坛所提供的一个特殊的形象系列——"零余者"。其实，这也恰恰正是郁达夫以及其他一些基本倾向相同的作家精神感受的真实写照。"个性解放"究其实质，它的出现和执拗呼叫，反映的还是历史的要求，但中国历史的转型在敦促和刺激着人们发出这种呼叫时，却并没有为他们准备下一条朝发夕至的现实性道路，所以使他们注定地只能在浪漫的精神氛围里品味那亮丽而悲苦的梦。在长达一个世纪的知识者的跋涉里，他们曾在面对"个性解放"的窘境，特别是面对社会之疾风暴雨的政治变革时分化，也曾在革命的激情和魅力中聚合并作精神的调整与重塑；但他们总以时隐时显、或强或弱的精神之波，时不时地拍击着历史之河的堤岸。在集体的解放和献身于民族民主革命的崇高精神里，他们确实感到了"自我"的价值所在和喜悦。可是一旦政治的左倾化发展衍成对个性价值的根本否定时，思想解放与个性解放的潮流便又被历史鼓动而起。这也是已为80年代中前期文学的发展所证实了的文学史的事实。

---

① 《文学概论》。

以上诸项，就文化批判和文化引进对本世纪文学的影响而言，自然都是极突出的方面。但若从文学生态的整体性特征来看，文化批判和文化引进的历史功绩，则不能不归结到它对中国文学由"古典的"到"现代的"这一历史转型的推动、制导，且保证了它的过程性实现。为众人所熟知的一个基本历史事实是：古典文学主要是文言的，而本世纪文学主要是白话的；古典文学的内容、观念和审美情致是古代的，而本世纪文学的内容、观念和审美情致是近、现、当代的；古典文学的文体是传统模式的，而本世纪文学的文体则是明显地与古代不同的。这些在读者的对比性阅读中可以极明显感受到的差异，实际上就是文学属性和时态的不同。看来不过都是些很简单很显露的区别，但殊不知这却是极深刻而且也极艰难的历史变革，付出的也是长达一个世纪而迄未终止的努力。而这一切，又都是与本世纪的文化变革互为因果，密不可分的。就说对白话文学的提倡吧，看来很简单，但它却在工具变革和文体变革的意义上启动了文学的转型。胡适说过："文学的生命全靠能用一个时代的活的工具来表现一个时代的情感与思想。工具僵化了，必须另换新的，活的，这就是'文学革命'。"① 他还对文学革命的必然性递进、深化，作过这样的解释："我常说，文学革命的运动，不论古今中外，大都从'文的形式'一方面下手，大概都是先要求语言文字文体方面的大解放。……这一次中国文学的革命运动，也是先要求语言文字和文体的解放。新文学的语言是白话的，新文学的文体是自由的，是不拘格律的。初看起来这都是'文的形式'一方面的问题，算不得重要，却不知道形式和内容有密切的关系。形式上的束缚，使精神不能自由发展，使良好的内容不能充分表现。若想有一种新的内容和新的精神，不能不先打破那些束缚精神的枷锁镣铐。"② 胡适讲的这些确有一定道理，其实早在上个世纪末到本世纪初，维新派也是先从倡用白话（那时偏重的是报章文体）和文体革命入手，发动以"开发民智"为目的的报章文体和文学革命的。历史以此种方式启动文学的革命，自有它自身的道理。但胡适也确有为自己辩解之意，因与陈独秀等人的主张相较，他过于偏重

---

① 《逼上梁山》。
② 《谈新诗》。

了语体形式。综观本世纪文学的转型变化，虽然各时期有不同的侧重，历史目的的实现亦有其逻辑展开的具体而复杂的过程；然而，从语言文字的转换到各种文体形式的转化与创造，从文学的内容、观念到文学本体生成的各种艺术规范，总起来说，实际表现为一个综合性生成发展的过程。哪一个单项都不能离开这一综合性的努力而奏效。这从"文学革命"初期的情况看即可说明。当时无论是胡适对白话文学的强调，还是陈独秀对精神观念的强调，其实都还"没有在'文学是什么'上多多的思虑过"①，连胡适后来也承认，"当时中国的运动尚未涉及艺术"②。到了后来，沿着他们所开辟的道路，文学才必然地走向了本体性的思考与变革，并开始形成了在这一意义上的与传统文学的本体性对抗和对国外各种文艺思潮的全面引进和借鉴。

在这一新的历史进境里，文学获得了本体性发展的无限生机。郑伯奇总结20年代中前期的情况时，指出："由一九二二到一九二六这后半的五年，情形的确'大不同了'。不仅是'一个普遍的全国的文学的活动开始到来'，而且十九世纪这百多年来在西欧活动过了的文学倾向也纷至沓来地流入到中国。浪漫主义，现实主义，象征主义，新古典主义，甚至表现派，未来派等尚未成熟的倾向都在这五年间在中国文学史上露过一下面目。"③ 以后的发展不在他的总结范围之内，他未予介绍。其实，岂止这五年，这之后新文学的发展始终就没有间断过引进和借鉴，只是不同的时期有不同的理解和侧重性取向罢了。大家都清楚，无论对传统文学取全面否定还是不同程度否定的态度，有一点却是都必须承认的：现时代的文学要发展，就不能守旧泥古，就必须开放、借鉴。从新文学发展的实际情况看，大概新文学队伍中没有哪一派哪一人没有受到过外国的影响，甚至可以一一数点出谁更多地受了什么人的影响，就像郑伯奇所说的创造社那样："创造社初期的主要倾向虽说是浪漫主义，因为各个作家的阶层，环境，体格，性质等的不相同，各人便有了各个人独自的色彩。只就最初四个代表作家来看，各个的特色便很清

---

① 舒舍予：《文学概论讲义》。
② 《胡适口述自传》。
③ 《中国新文学大系·小说三集·导言》。

楚。郭沫若受德国浪漫派的影响最深，他崇拜自然，尊重自我，提倡反抗，因而也接受了雪莱，恢铁曼，泰戈尔的影响；而新罗曼派和表现派更助长了他的这种倾向。郁达夫给人的印象是'颓废派'，其实不过是浪漫主义涂上了'世纪末'的色彩罢了。他仍然有一颗强烈的罗曼谛克的心，他在重压下的呻吟之中寄寓着反抗。成仿吾虽也同受了德国浪漫派的影响，可是，在理论上，他接受了人生派的主张；在作品行动，他又感受着象征派，新罗曼派的魅惑。他提倡土气，他主张刚健的文学，而他却写出了一些幽婉的诗。在这几个人中，张资平最富于写实主义的倾向，在他的初期作品还带着人道主义的色彩。"[1] 新文学发展中对国外文艺思潮的借鉴，很明显地带有多元性选择的特征。由于对责任实现和文学价值所在的不同理解，在借鉴的取向上就会有所不同，从而在对新文学的创造上也呈现为不同的流派特征，如"人生派"与"艺术派"，左翼文学与新月派等。第二个很明显的特点是多元借鉴与综合性吸收的独特实现。在国外，某些思潮之间是壁垒分明的，有的甚至是对抗性的，但在我们这里，却奇妙地可以结合融汇在一起。从大的方面说，国外近代、现代本属于层次分明的分属于不同历史阶段的思潮，在我们这里则同被请进了同一节车厢，让它们拥挤在一起，而且居然真的是都为我们起了作用。如近代的启蒙思潮和现代的各种哲学、文艺思潮，就都成了反封建文化的武器。即使在一个作家身上也是如此。前述创造社的情况即可说明。再比如鲁迅，他居然能把托尔斯泰、尼采、安特莱夫，甚至弗洛伊德等都请在一起，而且把写实主义和现代主义结合得那么得体，以其"表现的深切和格式的特别"，"颇激动了一部分青年读者的心"。[2]当然，像鲁迅这样成功的毕竟为数不多，但表现为这一趋势而从中大为受益的，却为数众多，而且在不同的流派和个人风格上，开拓了新文学繁盛发展的局面。但与以上两点相关，却也不可避免地出现了第三个特点，即在借鉴态度上自觉与盲目混杂，在引进对象上积极与消极杂陈。鲁迅谈到20年代中前期时，曾指出："但那时觉醒起来的智识青年的心情，是大抵热烈，然而悲凉的，即使寻到一点光明，'径一周三'，却是

---

[1] 《中国新文学大系·小说三集·导言》。
[2] 《中国新文学大系·小说二集·导言》。

分明的看见了周围的无涯际的黑暗。摄取来的异域的营养又是'世纪末'的果汁：王尔德（Oscar Wilde），尼采（Fr. Nietzsche），波特莱尔（Ch. Baudelaire），安特莱夫（L. Andrev）们所安排的。'沉自己的船'还要在绝处求生，此外的许多作品，就往往'春非我春，秋非我秋'，玄发朱颜，低唱着饱经忧患的不欲明言的断肠之曲。"① 这段话很难说是批评，它只是客观地陈述了由国内情况和异域提供的营养两方面的结合所产生的一种"样态"，其中自有对其合理性的肯定。但这种"样态"中所蕴含的复杂性和鲁迅对玄发朱颜"强说愁"的温言的批评，也是分明可见的。其实比这更为严重的也并不少见，那种种生搬硬套，以摹仿代替创造的现象，不可避免地要伴随着引进的过程不断发生。直到80年代中期，中国文坛又一次发动起向西方引进、借鉴的热潮时，固然给文坛带来了生机和新意，但生硬的摹仿、套用，甚至竞相争"新"斗"异"，以致"走火入魔"，却也是人所共见的事实。当然，从文学转型发展的基本要求和实际趋势看，这一切都不应该成为指责开放性借鉴的理由。还是鲁迅说得对："没有冲破一切传统思想和手法的闯将，中国是不会有真的新文艺的。"② 历史的基本走势没有错。

　　论及这类问题时，则不能不涉及到一种独特的借鉴方式，那就是李金发和"新感觉派"诸人对象征主义和新感觉主义的"原型移植"的尝试。这些人并不承诺启蒙的历史责任，也无意于在文化批判的视野自觉地寻到一个对抗性的立场归属。比如李金发，他甚至以为自己取的是一种"调和"的立场。他说："余每怪异何以数年来关于中国古代诗人之作品，既无人过问，一意向外采辑，一唱百和，以为文学革命后，他们是荒唐极了的，但从无人着手批评过，其实东西作家随处有同一之思想，气息，眼光和取材，稍为留意，便不敢否认，余于他们的根本处，都不敢有所轻重，惟每欲把两家所有，试为沟通，或即调和之意。"③ 我们也不怀疑他这种表述的真诚性。然而，事实却是，恰恰是他们这些"现代派"的引进性实验者，在文艺本体的意义上把对域外异质文化的

---

① 《中国新文学大系·小说二集·导言》。
② 《坟·论睁了眼看》。
③ 《食客与凶年·自跋》。

引进以实践的方式推向了极端。对这类现象，我们的看法是：第一，有其出现的必然性和可能性。新文化运动为异端性文化的移植开辟了可以兼收并蓄的历史空间，而中国特定的现实景况又易于使艺术敏感的人们去寻找某种域外在感受和表现方面的对应。比如新文化运动落潮后知识界普遍的苦闷与迷惘，感伤主义情绪的弥漫，象征主义思潮的普遍性认定等，这一切都实际上构成了李金发对象征主义作原型移植的必然性背景。再如"新感觉派激性地感觉到人们生存中的心理二重性问题，而这，也就自然会在追新逐异的海派风气中触发起作家寻找适合的表现方式的欲望。第二，应该看到这种努力在积极方面的效果。他们在文坛上无异于制造了一道新的风景，其开拓性的、启示性的实绩和意义，还是不当不予认可的。李金发的诗歌一出，周作人便肯定为"诗界中别开生面之作"；而"新感觉派"的面世，也是得到了文坛的重视，钱杏邨就曾将穆时英提名为1931年间有重大成绩的新兴作家之一，施蛰存也被他认定为在文坛上"表示了一个新的倾向"①。就说施蛰存吧，他在"新感觉派"里是更侧重于接受了弗洛伊德的影响的，在心理的二重性中也更侧重于表现生命的本能冲动与理智和道德的矛盾。而在这个问题上，他以这种理解与中国传统文化和文学中几近于原型意识的东西构成了尖锐的对立，并在客观上起着颠覆和解构的作用。他的名篇《石秀》，是对《水浒》故事的重新讲述。在他的讲述中，故事的基本框架和人物的设置均与原作无异，但故事的内容却完全翻了个儿。石秀从暗恋上杨雄的妻子，亟欲得到情与欲的双重满足；到为理智和道德所囿，在克制中经历痛苦；最后到以惩处杨妻的方式得到畸形的心理满足，这一切都是按着弗洛伊德的理论设置的。这似乎又推向了另一个极端，但却也在人物心理中揭示了为传统文化和小说所掩遮的另一面的真实。第三，他们的认识和表现也确有极端化和不成熟的一面。朱自清谈到李金发的创作时说："他要表现的是'对于生命欲挪揄的神秘及悲哀的美丽'。讲究用比喻，有'诗怪'之称；但不将那比喻放在明白的间架里。他的诗没有寻常的章法，一部分一部分可以懂，合起来却没有意思。他要表现的不是意思而是感觉或情感；仿佛大大小小红红绿绿一串珠子，他却藏起

---

① 《一九三一年文坛之回顾》，《北斗》第2卷第1期。

那串儿，你得自己穿着瞧。这就是法国象征诗人的手法，李氏是第一个人介绍它到中国诗里。许多人抱怨看不懂，许多人却在摹仿着。他的诗不乏想像力，但不知是创造新语言的心太切，还是母舌太生疏，句法过分欧化，教人像读着翻译；又夹杂着些文言里的叹词语助词，更加不像——虽然也可说是自由诗体制。"① 这个评价应该说是颇为公允、确当的了。"新感党派"在艺术理解和表现上的偏执之处，也是为大家所公认的事实。连施蛰存本人事后也说过，等到从《魔道》写到《凶宅》时，他自己也实在是已经写到魔道里去了。因此他们常常于事后悔其旧作或悔其少作，施蛰存的话自然是表述了这一意思；李金发晚年也说，那些"弱冠时的文字游戏"，回头再读，"仍觉得尴尬"。②

现代文学中以"原型移植"为特征的现代派试验，均如新亮的流星，亮得刺眼，流逝得也快。李金发很快地转向了浪漫派，施蛰存也皈依了现实主义。细审其原因，大约可以从两个方面作出解释：第一，对附着于文化变革、社会历史变革的文学变革发展基本潮流的逸出和疏离。处于历史和文化深刻变动中的文学，尽管会由此获得阔大的生发空间和相对自由的多元发展，但也必定受到历史、文化变革的内在规约，如果疏离了这相辅相成两方面中哪怕是侧重于哪一个方面的目的，并且逸出了历史、文化变革所规约形成的综合性吸收、创造的轨道，那它的存活就不会是长久的。第二，与接受者的文化理解和阅读习惯逆差过大，难以被接受。李金发说过，他的诗"是个人灵感的记录表，是个人陶醉后引吭的高歌"③，并不希望人人都能了解。可事实上不能被社会阅读接受的东西，它能维持多久呢？他本人不是也改弦更张了吗？由以上可知，"原型移植"过来的现代派文学，难以在中国这块土壤上成活，似乎也就不难索解了。可是话虽如此，但有一点是可以肯定的，即对西方现代派艺术的引进和借鉴却是不会终止，而且"原型移植"或近乎"原型移植"的摹仿尽管何时都不会长命，然而也仍然会"适时"而出。比如80年代中期以后，对现代派的引进和借鉴确实又成了一时之盛，

---

① 《中国新文学大系·诗集·导言》。
② 《文艺生活的回忆》，《飘零闲笔》，台北，1964年。
③ 《我的创作态度是个人灵感的记录表》，《文艺大路》第2卷。

而且比李金发和"新感觉派"幸运得多,几乎是成了一个时期内文坛的主潮!这是因为在社会的开放改革中,文学似乎已没有了过去的那种沉重的包袱,可谓此一时彼一时了。可是漫无收敛的追趋与摹仿之风,与丛生不已的诸多"误读"、"误导",却也成了本世纪末的一个重要话题。

要从整体和历史结构制动的意义上考察本世纪的文化变革及其对文学发展的影响,那么,对习惯上称之为复古主义(时下国内外亦有人称之为"新传统主义"、"文化民族主义"、"文化保守主义"等)的这一"反派"角色进行实事求是的研究,就应为题中应有之义了。有鉴于过去多少年来一直都是在明确的反派角色设置和否定性价值预设中谈论这一问题的,难以避免对这一历史对象的倾向化阐释,所以,我们有必要先来做一番为其清洗面目的工作。本世纪以来,与以新文化运动为代表的文化批判构成对抗的,是起始于世纪初的"国粹"派及继起的"东方文化"派、新儒家、学衡派与"文化本位主义"等等,即使今天看来,他们也确实有一个共同的特点,即对中国传统文化精神的守护和与此相关的复古倾向。但是,过去我们在确认其对象特征性时,把他们视为守旧泥古、顽固不化的卫道士,这却是不符合实际的。事实上,除了袁世凯、军阀政府多次以行政的力量和方式大搞过"尊孔读经"一类的把戏,当然也总有一帮食古不化的文人与之应和外,是没有多少真正有见识的文人、学士与之趋同的。那种僵化、古旧的见解和行为,在文化变革、冲突的漩流中也根本没有立足之地。真正连续不断与文化批判运动有资格对抗的,则是一些既不反对进化也不反对开放引进、既不笼统地以古代文化为是也不笼统地以文化批判为非的,以"调和"为其基本特色的文化本位主义者。他们的见解中蕴含着远比我们的批判所指涉到的内容和意义更多。

比如"国粹"派。过去我们总以为这是一种极为守旧的论调,动辄进行尖锐的批判。其实,以章太炎为代表为核心的这帮在政治上积极支持和投身革命的饱学之士,在文化问题上只是坚持了民族主义立场,而不是一味地拉车向后。他们也痛感于传统文化的衰败,并采取了相应的批判态度。在他们看来,汉学满足于繁琐考据,"剿袭成说,丛脞无用";宋学又是空谈心性,"固陋寡闻,闭目塞聪",都是无实无用,实在为害不浅;而"近三百年之天下",就更是"谓之适于无学之世可也"①。他们甚至还在东西中外实际发展的比较中印证这种批判:泰西之民,自重自强,充溢着进取和创造精神;而泰东之民,"愚鲁顽顿,志识卑下,其德慧术智,远逊欧美"②。其民智、民德、民力"衰堕"的原因,则在于君主专制政治及其独尊儒术政策对学术思想的禁锢。他们也不反对文化的进化,其复兴"古学"的灵感甚至都是来自域外,以为这是文化振兴发展的规律。"安见欧洲古学复兴于十五世纪,而亚洲古学不复兴于二十世纪也。呜呼,是则所谓古学之复兴者矣。"③基于此,他们感慨于"欧洲以复古学科学遂兴,吾国至斯,言复古已晚",还特别强调应"急起直追"④。他们之所以能够把批判的态度、进化的观念与复古结为一体,是因为对传统文化有其独到的辨析与区分,"国粹"一词即由此而来。他们的一个理论支点和对文化实施辨析的切入口,是对原为一体流传的传统文化作了"国学"与"君学"的价值性解构。他们认为,所谓"君学",就是"以人君之是非为是非者";所谓"国学",则为"不以人君之是非为是非者",它为历代帝王所排斥⑤。只是在实际中不为人们所自觉区分:"近人于政治之界说,既知国家与朝廷之分矣,而言学术则不知有国学、君学之辨,以故混国学于君学之内,以事君即为爱国,以功令利禄之学即为国学,其乌知乎国学自有其真哉。"⑥两相比较,自然是"君学"当废,而"国学"当兴。他们把"国学"视为立国之元气,民族之精神,即所谓"国粹者,一国精神之所寄也,其为学,本之历史,因乎政俗,齐乎人心之所同,而实为立国之根本源泉也。"⑦他们更把"国粹"与"国魂"联系起来认识,强调说:"国有魂,则国存,国无魂,则国将从此亡矣。"⑧ 正是由他们的张扬,"陶铸国魂"的口号不仅在世纪初革命党人中成为极有感染力的宣

---

① 邓实:《国学保存论》。
② 邓实:《鸡鸣风雨楼民书·民智》,《政艺通报》1904年第6号。
③ 邓实:《古学复兴论》,《国粹学报》第1年第9期。
④⑦ 许守微:《论国粹无阻于欧化》,《国粹学报》第1年第7期。
⑤ 邓实:《国学无用辨》,《国粹学报》第3年第6期。
⑥ 邓实:《国学真论》,《国粹学报》第3年第3期。
⑧ 高旭:《南社启》,《南社会员通讯录》。

传，而且成了贯串一个世纪的号召。与文化批判者"改造民族魂"的追求和实质虽有不同，但作为两个抗衡性的主张，却交相辉映地共同规约和参与着民族时代精神的铸造。

在对待中西文化比较和文化引进上，"国粹"派与文化批判者固然有明显区别，但他们却提出了另外一种价值尺度和比较的方法。他们认为，一民族有一民族文化之特性，文化的创新必须立足于对这一特性的认识，因为"特性者，运用文明之活力也"①。因此，他们认为中西文化是两种不同的"类文化"，是平行发展的不同区域性文化体系，可靠的比较应该是不同特性的比较。否则，"盛称远西，以为四海同贯，是徒知枦梨桔柚之同甘，不察其异味，岂不惑哉"②。现代的文化人类学认为："我们实无理由认为某一文化是首善的典型，……人类文化具有无数形貌，西方文化只是其中一例。我们若想从事科学研究，只有朝极力保持这种态度之一途了。"③"国粹"派的见解，应该说是颇有价值的，从"科学研究"的角度看，它无疑开辟了一条新的思路。而在文化引进和借鉴上，他们并不否定引进、借鉴的必要性，相反，倒是认为"国粹者，助欧化而愈新，非敌欧化以自防"④。只是，他们认为"必洞察本族之特性，因其势而利导之，不然勿济也"⑤。他们认为，对中国文化"不轻自誉，亦不轻自毁"，当"拾其精华，弃其糟粕"；对于西方文化，"不可一概拒绝，当思开户以欢迎之"⑥，"尊己卑人"和"醉心欧化"的两种态度都是不可取的。从道理上讲，这话也是没有什么错的。

继"国粹"派之后出现且与其见解的流传并行发展的，虽然有这样那样的旗号亮出，但从实质上看，其复古的主张，则大多集中在东方哲学人文的方面。而且，这些人多为"学贯中西"的人，有着接触西洋文化的经历。所以，他们是在比较开阔的世界视野里，从世界文化变动发展的格局中，进行文化价值的比较性阐释的。梁启超虽然算不上"学贯

---

① 余一：《民族主义》，《浙江潮》1903年第1期。
② 章太炎：《春秋平议》，《国粹学报》第6年第3期。
③ 本尼迪克：《文化模式》。
④ 许守微：《论国粹无阻于欧化》，《国粹学报》第1年第7期。
⑤ 飞生：《国魂篇》，《浙江潮》1903年第1期。
⑥ 高旭：《学术沿革之概论》，《醒狮》1905年第1期。

中西"，但其文化立场的转变却无疑因其影响之巨而发生了极大的影响。梁启超曾作为出席巴黎和平会议的中国代表团的非正式成员得以出访欧洲，其间，正值第一次世界大战后欧洲的萧条时期，域外的许多思想家也正感受着沮丧和困惑，如罗素、泰戈尔等人开始批评西方文明并赞美东方文明。这些所闻所感，使其思想倾向发生了转折，回来后即发表了《欧游心影录》。他认为"西洋文明已经破产"，"世界末日、文明灭绝的时候快到了"，而出路则在于以"东方文明"为主体，"拿西洋的文明来扩充我的文明，又拿我的文明去补助西洋的文明，叫他化合起来成一种新文明"，然后"把这新系统往外扩充，叫人类全体都得着他的好处"。他的这一思想嗣后在以"新儒家"著称的一派中得到了高度的发挥，尤其是梁漱溟，更是从"生命"和"直觉"的意义角度把以儒学为中心的东方文化推上了至高无上的地位，甚至断言："世界未来文化便是中国文化的复兴。"① 当然，梁漱溟对中国传统文化也不是全盘肯定、冥顽不化的，对于宋儒的禁欲主义，就曾表示了不满，并赞成戴震对其所作的批判。20年代初的几年，是新旧文化观念的论战交相而起的热闹时期。"新儒家"的一脉与新文化阵线发生过一场"科玄论战"。"玄学"派的代表人物张君劢认为科学不能解释人生，因为人生是主观的、直觉的、自由意志的。他深知与英美经验主义传统相反的德国哲学，并能很快地从康德认识论的怀疑主义转到王阳明宇宙论的直觉主义。"玄学"派或者说"新儒家"的这些人都偏重于接受了西方"生活哲学"即倭伊铿、柏格森等人的影响。他们认为，近世世界哲学潮流主要是两大派：一是以生活为出发点的生活哲学，代表人物主要是尼采、詹姆斯、柏格森等；一是以思想为出发点的思想哲学，代表人物主要是笛卡儿、康德、黑格尔等。而前者对于人生对于世界的发展则有着特殊的意义。张君劢认为："东西思想之相交，如海潮之接触，如光线之远来，无复有能阻者。……吾以为居于今日东西关系之日迩，与其求彼此之特殊，不如求彼此之会通。"② 由此可见，他是主张以"会通"的方式沟通中西，光大中国的生命哲学，以冀有益于人生与社会的健全发展。

---

① 《东西文化及其哲学》。
② 见《中西印哲学文集》，台湾，书生书局1981年版。

也是 20 年代初期，围绕"文学革命"问题，发生了新文学阵线与学衡派的论战。这派的代表人物梅光迪、吴宓等，曾在美国哈佛大学接受过白璧德新人文主义理论的直接影响。他们宣称创办《学衡》杂志的宗旨是："论究学术，阐求真理，昌明国粹，融化新知。以中正之眼光，行批评之职事，无偏无党，不激不随。"① 而在他们看来，新文化运动和"文学革命"都以其偏激而背离了科学的态度，因此攻击新文化运动的倡导者为"非学问家乃功名之士"，攻击新文学创作是"模仿西人，仅得糟粕"，"雷同因袭，几乎千篇一律"②。从白璧德新人文主义立场出发，他们认为："孔孟之人本主义原系吾国道德学术之根本，今取之与柏拉图、亚里斯多德以下之学说相比较，融会贯通，撷精取粹，再加以西洋历代名儒巨子之所论述，熔铸一炉，以为吾国新社会群治之基础，则国粹不失，欧化亦成。所谓造成新文化，融合东西两大文明之奇功，或可企及。"③ 实事求是地讲，他们在这方面还是做了不少工作的。对其主张和实绩，都不应一概予以否定。

平心而论，如果从学理即学术的价值角度讲，以上这些所谓复古主义派别的言论和见解，应该说包含着更多合理的内涵，虽然对他们也不能一概而论。如果说，文化批判的激进派是以制造历史的"断裂"来实行对传统桎梏的解构的话，那么，这些所谓复古主义者则是以强调历史发展的连续性来进行变革调整的。他们一不笼统地反对改革，二不笼统地反对开放性借鉴，不能一下子就把他们打入顽固、复古、倒退的行列中去。从某种意义上说，他们是在开放、变革的形势下，对陶铸国魂和会通中西文明、造成新文化的不无积极意义的思考，而且从文化发展的规律来看，他们的主张尽管各有其片面性、学究气和一厢情愿的意味，但都能从历史的连续性和不同文化系统间的不可替代性方面，至少在学理上更符合于规律性的要求，也更贴近文化发展的实际情况。就拿我们新文学的发展来说吧，一个明显的事实是，一方面诚如前面所言，在几乎每一个流派甚至每一个作家的背后，都可以明确地数点出几个或更多

---

① 《〈学衡〉杂志简章》，《学衡》第 1 期。
② 梅光迪：《评提倡新文化者》，《学衡》第 1 期。
③ 吴宓：《论新文化运动》，《学衡》第 4 期。

一些给予过他们影响的外国思想家和作家；而另一方面，几乎可以同时地，我们也可以毫不含混地指出分别站立在他们背后的中国古代的思想家和作家。如鲁迅之于魏晋风骨，郁达夫之于黄仲则，郭沫若之于庄子，周作人之于公安、竟陵，何其芳、戴望舒、陈梦家之于温庭筠、李商隐、李贺，等等，难以尽数。当然，这些新文学作家所创作出来的作品，已经在价值观、文学观和审美情致上与古人大异其趣，也决不能在抹杀其深刻差异的前提下谈论其与古人的历史一致性；但是，其内在的历史承继性毕竟是一种客观存在着的事实，这也是不容回避的。

然而，"学理"是一回事，历史的动作则又是一回事。这些所谓复古主义者的基本过错，就在于在历史需要实现深刻的变革时，它们是作为一种历史中心性动作的对抗性力量出现，必然地成了障碍性设置。试想，如果没有为激烈的文化批判所开辟出来的新的历史时空，尽管按他们的那些主张去做，又有多少现实的可能性？国粹派改变不了辛亥革命前后的暗沉的文化现实，"新儒家"、学衡派也改变不了军阀政府时期社会文化的基本局面，这本来就是不难想像到的事。但他们自己却硬要把自己的主张视作历史的正途，这就难免有些不识历史时务的味道了。而且，一旦他们势在必然地把自己推入历史的漩流时，他们的见解也就毫无疑问地变成了历史的动作，相对于似乎片面、偏激的文化批判来讲，他们之对于历史理解的那种书生气或者说另一种片面性，也就暴露无遗了。更何况，在他们成了论战的一方，和对方发生笔战时，其尖刻性和偏激性，也是颇为让人吃惊的。在新文学史上，一般地说和复古主义的斗争有三次。第一次是与坚守桐城义法的林纾，他讲不出道理，只好写小说骂人。这且不去说它。第二次是与学衡派的论战。且看他们如何说：攻击新文化运动是"数典忘祖"，"模仿西人，仅得糟粕"；攻击新文学，说浪漫主义是"虽杀人放火，弑父淫妹，亦不为过"，"行将率天下而禽兽"，而现实主义则是"竭力描写社会中种种卑鄙龌龊污秽恶浊之习，以取快于一时"，"把人看作和兽类一样，尤属荒谬"。[①] 这固然只是撷取了比较恶劣的语句罗列在了这里，但他们与新文学派对立的尖锐性及其施行攻击的极端性，于此也就不言自明了。第三次是与"拦路

---

① 郭斌龢：《新文学之痼疾》，《学衡》第55期。

虎"章士钊。他本是国粹派的一员，但在此时，已做了北洋军阀政府司法总长兼教育总长的他，亦不过老调重弹，而且公然倡导"读经救国论"了。以上各派，他们连白话文学都要反对，那么还有什么能被他们容忍呢？因此，他们之遭受批判实在是必然的事，即使已到了今天，对当时论战的是非，也还是不能混淆颠倒的。

可是从历史变动的必要结构效应来看，所谓复古主义的出现及其与新文化运动、"文学革命"的抗衡，实际上却形成了一个互相支撑、互相制约的互动互补的动态性结构，并形成为一种特有的张力。它们不仅以其合理的学理性内涵实际地影响着一些人的思考，同时也会以其抗衡的态势，形成为一种深在的制动效应。在这里，我们有必要揭示两种情况，对此加以说明。一种情况是：在新文学运动开始后不久，即新文学开始活跃起来的 20 年代初期到中期，在新文学阵营里就有一种类乎"中性"的声音发出，并开始进行了另一范型的试验。这就是以闻一多为代表的"新格律"派和以余上沅为代表的"国剧运动"，以及梁实秋的文学主张。闻一多对于文学的变革一向持有独立见解，早在1922年，他和也是刚从美国归来的梁实秋等人，就有了要在中国文坛"领袖一种之文学潮流或派别"的宏愿，且深信将"颇有独立价值"①。他从未放弃过对旧文学的很用心的研究，更不反对新文学的革新、创造，既受到过梁漱溟一类文化观念的影响，又深得进化论的教益。他一方面明确地指出"文学诚当因时代以变体；且处此二十世纪，文学尤当含有世界底气味；故今之参借西法以改革诗体者，吾不得不许为卓见"②，而同时又疾呼："现在新诗中有的是'德谟克拉西'，有的是泰戈尔，亚坡罗，有的是'心弦'，'洗礼'等洋名词。但是，我们的中国在哪里？我们四千年的华胄在哪里？哪里是我们的大江，黄河，昆仑，泰山，洞庭，西子？又哪里是我们的三百篇，楚骚，李，杜，苏，陆？"③ 其实，当时不光他，新月社中有不少人都是既赞成文学的变革，又担心其"重新入

---

① 《致梁实秋、吴景超信》，1922 年 9 月 29 日。
② 《女神之时代精神》。
③ 《女神之地方色彩》。

了西洋人的圈套"①。1922年，闻一多就写完了《律诗底研究》，在其中阐述了自己既借鉴又继承地创造中国新诗的主张。嗣后他所创辟、标示的以"和谐"、"均齐"为基本要求的"新格律诗"主张，即是坚持并实践了这一立场的结果。余上沅则是在戏剧领域坚持这一变革原则的。他是从"通性"与"个性"的关系上立论的，他认为："艺术之所以为艺术，戏剧之所以为戏剧，甚至于人类之所以为人类，都不外乎他们同时具有两种性格：通性和个性。因为有了同情这个通性，人类才能领悟到互助；因为有了形象这个通性，艺术才能受到无论什么人的欣赏。可是一个中国人，一个日本人，一个高丽人站在一起，哪怕他们如何彼此迁就，明眼人便能一望而知其国籍；非但如此，一个广东人，一个上海人，一个北京人站在一起，也不难断定他们的省籍。并不是我们希望有什么国界省界，实在每个地方各有它差异的历史背景，风俗习惯，绝对不可强同，也不应该强同。艺术与戏剧正是如此：一幅中国画，一幅日本画，一幅法国画，其间相差几何！如果我们从来不愿意各国的绘画一律，各家的作品一致；那么，又为什么希图中国的戏剧定要和西洋的相同呢？中国人对于戏剧，根本上就要由中国人用中国材料去演给中国人看的中国戏。这样的戏剧，我们名之曰'国剧'。"② 但他强调"国剧"，并非拒外守旧，而是力主结合创新。在他看来，中国传统戏曲是"写意"的，而外国话剧是"写实"的，新"国剧"的任务是"在写意的和写实的两峰间，架起一座桥梁"，创造出"一种新的戏剧"。③ 这和闻一多的立场、原则是一致的。

梁实秋也取了基本相同的立场，不过他在对新文学运动的批评方面走得更远，采取了整体否定的态度。为其所标举的旗帜是"新古典主义"，或者说是"新人文主义"，二者实质上是一回事，因为"根本的讲，人文主义的文艺论即是古典主义的一种新的解释"④。在这方面，

---

① 刘梦苇：《中国新诗的昨今明》。
② 《国剧运动·序》。
③ 《国剧》。
④ 梁实秋：《白璧德及其人文主义》，《现代》第5卷第6期。

他与学衡派实际上是一脉相承的，而且亦不讳言对他们的赞扬①。早在20年代中期，他就发表了一些文章，基本的理论主张已经提出；至20年代末30年代初在论战中又作了新的发挥。他认为依照"西洋文学批评的正统"，文学可以分为"古典的"和"浪漫的"两类。所谓"古典的"，表现的是以"理性"节制着情感的"人性"的"常态"，是普遍的，是"冷静"、"清晰"、"有纪律的"，自然应该得到推崇；而"浪漫的"则反"常态"，反"理性"，会造成"浪漫的混乱"，应予以拒斥。而且，在他看来，"物质的状态是变动的，人生的态度是歧异的；但人性的质素是普遍的，文学的品味是固定的。所以伟大的文学作品能禁得起时代和地域的试验。《依里亚德》在今天尚有人读，莎士比亚的戏剧，到现在还有人演，因为普遍的人性是一切伟大的作品之基础"②。值得指出的是，他在这里所确立的是和新文学革命者所完全不同的价值尺度和比较范式。他没有认同为新文化运动和"文学革命"所建构的"古今、中外"的价值比较格局，而是以"普遍的人性"为价值基点，打破了艺术价值确认的时空界限。从人的生存行为和艺术创造的具体性生成来看，这种见解以一般否定了具体，是不对的，但若从其内蕴的"一般"来看，它确实也说出了一个常被人们忽略的道理。既然如他所说，那么，古今也罢，中外也罢，就不存在一个不能贯通的界限，所存在的只不过是一种是"古典的"还是"浪漫的"差异了。因此，他说："我以为中国新文学运动第一件要做的事不是攻打'孔家店'，不是反对骈四俪六，而是严正地批评老庄思想。"也正是基于这种认识，他把新文学运动视为"极端的浪漫派"，而进行了否定和批判。就如他的第一本文学批评集《浪漫的与古典的》出版后，《新月》月刊在创刊号上介绍它时所说："梁先生的文艺批评，是遵奉西洋文学批评的正统，谨守古典主义的法则，对时下的浪漫主义文艺下总攻击。"梁实秋对新文学运动的攻击当然是极片面的，表现为一种超然于历史之外的反历史的态度。但他同样也被确认为新文学范畴之内的一员，而且作为新月派的理

---

① 梁实秋曾在《白璧德及其人文主义》一文中说："在中国宣扬白璧德先生最力的当推吴雨僧先生。"他还于1929年将吴雨僧即吴宓的有关论文结集为《白璧德与新人文主义》一书出版。

② 《文学批评辨》，《晨报副刊》1926年10月27—28日。

论家为其定位,这是历来都没有分歧的。由闻一多、余上沅乃至梁实秋的态度和提倡看,他们既顺应历史的大势,积极投身于新文学的建构与发展,同时又对新文学运动的中心话语取疏离态度,以独异的姿态"逆流"而行;既不反对批判和借鉴,同时又坚持从"断"中寻出"续"、从"是"中找出"非"来,对传统文化和西方文化都采取了分析的态度(尽管所找出的像梁实秋那样只是片面的合理性)。他们所代表的,实际上就是新月派的基本倾向。很显然,这种倾向的出现,不仅与上述所谓复古主义与新文学运动两种力量的抗衡所形成的张力有关,而且或明或暗地直接与那些观念有着这样或那样的血缘联系。

另一种情况是,从20年代末开始,一些新文学运动的倡导者如胡适、周作人等,开始重新解释新文学的发生,"源流"问题成了一个具有一定普遍性的话题。胡适是较早接触这一话题,并就白话文学的历史流变进行梳理的。1928年,他基本推翻1921年开始讲授的《国语文学史》,重写《白话文学史》,他在该书的《引子》中说:"我要人人都知道国语文学乃是一千几百年历史进化的产儿","一千多年白话文学种下了近几年文学革命的种子","我们现在的责任是要继续那无数开路先锋没有做完的事业,要替他们修残补阙,要替他们发挥光大。"胡适一直到晚年,还特别强调"文学革命"实质上是一场"文艺复兴"运动。周作人则于1932年出版了《中国新文学的源流》,把中国文学的发展分作"言志"与"载道"两派,并据此把他归之为"言志"派的新文学的历史源头一直上溯到了《诗经》、《庄子》。1935年,在为《中国新文学大系·散文一集》写的《导言》里,又特别表述了这样一个意思:"我相信新散文的发达成功有两重的因缘,一是外援,一是内应。外援即是西洋的科学哲学与文学上的新思想之影响,内应即是历史的言志派文艺运动之复兴。假如没有历史的基础,这成功不会这样容易,但假如没有外来思想的加入,即使成功了也没有新生命,不会站得住。"此时他所表述的,其实已经是一种为新文学界所普遍认可的认识了。从30年代开始,不仅文学史的写作都注重了历史因缘的梳理,而更为重要的,还是有分析批判的继承与借鉴日渐成了新文学阵营在文学发展方面的主流性话语,并且成了文学创作探索性发展的原则遵循。虽然文学的多元分流使它们各有不同的选择和倾向,但有一点却是肯定的,那就是"综合性"

趋势的共同呈现。这固然与历史运动的深在原因密不可分，可在这历史的运动中，由所谓复古主义与新文学运动的抗衡所造成的特殊牵制，以及它们在"学理"上的合理内涵和独特价值在历史进程中的必然显露，这方面的作用也是应该被看到的。

论到最后，我们再回到我们总的逻辑起点上去。历史是一个多维的结构，它的运行则是一个复杂的结构性调控的过程。它所呈现给我们的，也是一个多层面、多角度纠结发展的价值生成和演化的过程。在我们能够把价值的寻绎置设于结构性的动势中时，臻于科学的"史识"也便会由此而生了。

（原载《二十世纪中国文学史》，山东文艺出版社出版，1997）

# 历史结构的悖论性与文学的补偿式调整和发展

20世纪中国文学,从运动的基本轨迹上看,给人的突出印象是出现过三次大的回旋。从梁启超发动意在启蒙的文学革新运动,到辛亥革命时期向民族意识的回归;从"文学革命"到向"革命文学"的转移;从新时期的人道主义文学主潮,到对这一主潮的多元化消解,文学发展的历史延伸,显然是在启蒙性的文化变革与政治性、经济性社会变革对立性替代的基本历史框架中,以不断转换价值选择的方式实现的。这一醒目的现象,早已引起了国内外文学史界的普遍关注。因为在事实上,它确实是一个关系到对本世纪中国文学的价值选择和发展趋势认知、评价的关键问题。

对这一问题的阐释和评价,目前在国内外学界都存在着不同的意见,甚至表现为两种不同倾向的尖锐对立。出现比较早而且持续时间较长,至今仍然在自觉与不自觉间支配着史学界和现实批评领域的,是由启蒙和救亡两种不同立场所衍生出的两种价值倾向的对立。坚持启蒙即文化批判立场的人,认为在中国现代历史的发展中,因为救亡(主要指民族的特别是阶级的政治革命)压倒了启蒙,所以导致了"文学革命"传统的中断,自然也就在文学的自主性选择与发展上受到了严重的甚至是致命的影响。也就是说,随着反封建文化的精神传统在历史中心活动中的消解,与之相关的文学的非自主的工具性异化生成,也就是难以避免的了。另一种意见则相反。坚持政治革命立场的人,认为文学正因服膺了为政治革命服务的需要,才由此获得了无限的生力,而且往往把对文学及其发展的评价,最终将标准都集中于政治的维度。新近几年还出现了一种意见,即主张将对文学以及文学史的分析评价,应该集中在艺术审美的范畴内来进行，认为只有这样，才算是真正恢复了文学的独立性，和文学史建构的独立品格。当然究其实，这种主张也非至今日才有，中国近、现代文学艺术史中时隐时现地早就有过类似的甚至相同的见解。

而我们则认为，在我们面对这一复杂的历史过程时，有鉴于上述三种倾向性意见的各有不同的片面性，有必要首先破除两种作为其前提存在的理论预设。第一是要破除文学与历史的无关论。这里所说的"无关"，不是说有人要把文学与历史完全割裂开来，而是指那种对历史持疏离态度，甚至要把文学从历史的裹缠中剥离出来的观念倾向。多少年来，由于文学的发展，尤其是文学观念与历史的中心性活动捆绑得过紧，以至于损伤到文学独立品格的存在，作为一种文学解放的努力，对这种关系的松动与解构，应该是被肯定的。正是这种松动与解构，既给文学创作、文学批评提供了相对独立的、多元发展的可能，也给文学史的研究和建构开辟了走向科学化的道路。但是，问题在于种种误解也由此而生，在创作上，有些人则认为文学是不对历史有任何承诺的纯"私人化"写作；而同时也有些人认为，文学史的研究则应该是以"人性"为基准的文学发展的考察，或纯审美的艺术创造发展过程的研究。这就显然过于绝对化了。"人性"也罢，"审美"意识或艺术创造也罢，它们都不可能脱离开具体的历史生态而抽象地孤立地存在与发展，一句话，它们不可能脱离开人类的生存发展史即历史而存活。作为创作，应从不同的艺术角度感受、悟解和表现人们的历史生态，并创造出不同价值取向、不同艺术追求的个性化的作品；作为文学史研究，则应把握文学与历史的相关性原则，从它与历史的联系中梳理其各种因果关系，并作出对各种现象和问题的有说服力的回答。尤其是文学史的研究，它和文学批评不同，文学批评可以对某一作家、某一作品，从某一角度，比如"人性"表现如何、审美趣味或艺术表现如何等，侧重于单向度的评论；而文学史却必须从整体性的纠葛、变异、发展中作出综合性的阐释，而且最好能把特定历史阶段中历史运行的内在机制与文学发展的深层关系寻绎出来，倘能如此，那才叫真正获得了"史"的价值和品位。第二是要破除以假设代替现实的历史观念。以假设代替现实的历史观念，常常是取对立立场的双方互相进行攻讦的口实。特别是新时期以来，更成了一种流行颇广的思维方式，不少人动辄"假如历史上没有……，那就不会……"，使之几乎成了一种套话。要总结某种历史的教训，这种思考的方式并非无可取之处，但作为历史的研究和建构性阐释，它则不应成为阐释历史的基本逻辑形式。历史发展的大势，不以人的意志为转移，这已经是人们所熟知的一个基本道理。历史在其发展中出现过什么，没有出现什么，自有其内在的依据，是其内在规约性发展的必然结果。的确，历史常因某一偶然性的事件，甚至某一决策人物的某一种隐秘心理情结而发生变动乃至转折，但说到底，也还是历史的一种蓄势找到了它得以如何发展的现实性力量和实现方式而已。因此，尊重历史发展的自然法则，应该成为治史者的一个基本态度。对历史变动过程之内在机制和对已然性事实之历史必然性的探寻和阐释，与对历史之得与失的评说，固然都是历史研究的必要性课题，但后者应以前者为基础，不能忽略前者或将两者的位置错置，这却不该是有什么疑问的。

如果我们的这种理解能够成立，那么，根据文学与历史相关发展并最终受着历史制约的原则，以及对历史进行科学性解读的态度，我们就不难从对本世纪历史结构的动态解析中，找到对历史乃至文学之基本变动形式的合理解释，和对其进行相关性价值评估的真实依据。

众所周知，20世纪中国历史所进行的是向近代化和现代化转型的深刻而艰难的变革。而这一历史目标的实现，需要的是经济、政治、文化三种历史基本因素向近、现代转型的全面的综合性的实现。然而，一方面，从客观上来讲，由于历史条件的限制，三项变革尚未在同一历史时空内获得综合性实现的可能；另一方面，从历史主体来讲，由于历史变革动机萌发的非自觉性，和人们的认识只能在矛盾的心态中一步步调整、深化，所以历史行为的选择必定表现为对某一历史因素单向突进的方式。对某一历史因素的单向性或一元性价值确认，常常被认为是发现了解决问题的关键所在，从而使人们充满了历史的激情。具体的历史条件和由它所培育而出的历史主体，规定了只能作这种方式的历史选择，而不可能在三个维度或层面的变革中全面开花，齐头并进。可是，历史转型的综合性要求却并不因此而放弃或有所简化，它会在历史的单向性变革中逐渐显露出其异向性的规约作用，从而使任何一种单向度的变革都会或迟或早地置身于悖论的境地。而这，立即又会变作否定性前提，催生着新的向度选择的正义性呈现。但在此时，已被搁置或者说被放弃了的那一向度的变革，它只是在历史变革的综合要求中暴露了单向突进最终的无能为力，可相对于历史转型的综合性需要而言，它的被搁置或者放弃又无异于对它的遗落。于是，当已被变换了的选择也势在必然地进入悖论性窘境后，人们又必然要去找回被历史遗落的课题，进行补偿式的新拓展。这大概就是中国历史近、现代转型变革的基本图式，直到本世纪末的最后十几年，历史综合性变革发展的可能性才终于浮出了历史的地平线。

征之于历史发展的实际过程，道理则只能是如此。中国历史的近代化过程，启动于上一世纪的中期，那就是洋务派本之于"师夷制夷"的原则，在借鉴外国技术、发展实业方面所做的努力。其贡献也是应予肯定的，中国近、现代工商业经济包括民族工商业在内，实际上就是由他们开创和奠基的。但国外列强对中国以暴力开路的经济侵略、清政府及整个政治体制的腐败与腐朽，加上洋务派本身的致命弱点，使他们的努力不可能从根本上改变中国的大局，连其活动本身也不可能长期为继。继之而起的维新变法的政治性改革，正是在否定洋务派的基础上占据了历史活动中心的。在他们看来，洋务派的变革乃"积习难忘，仍是补漏缝缺之谋，非再立堂构之规，风雨既至，终必倾坠"①。而且，事实也证明了这一点："近者设立海军、使馆、招商局、国文馆、制造局、水师堂、洋操、船厂，而根本不净，百事皆非。故有海军而不知驾驶，有使馆而未储使才，有水师堂、洋操而兵无精卒，有制造局、船厂而器无新制，有总署而不通外国掌故，有商局而不能外国驰驱。若其徇私丛弊，更不必论。故徒糜巨款，无救危败，反为攻者借口，以明更张无益而已。"②所以，康有为把它称之为"小变"，声言"观万国之势，能变则全，不变则亡；全变则强，小变仍亡"③。他还把它看作不能触及根本的"事变"，认为："今天下之言变者，曰铁路，曰矿务，曰学堂，曰商务，非不然也，然若是者，变事而已，非变法也。"④ 其结果则必定

---

①② 康有为：《上皇帝第四书》，《戊戌变法资料》第2册。
③ 《应诏统筹全局析》，《戊戌变法资料》第2册。
④ 《敬谢天恩并统筹全局析》，《戊戌变法资料》第2册。

是"微特偏端不举,即使能举,亦于救国之大体无成"①。连梁启超也指责洋务派是"补苴罅漏,弥缝蚁穴,漂摇一至,同归死亡,而于去陈用新,改弦更张之道,未始有合也"②。但被维新派视为寻到了"根本"处的"大变"即戊戌变政,虽然把变革历史的选择由经济扭转到政治制度的维度,然终因其改良主义的空想性而于实施伊始便告破产。戊戌变政失败后,流亡日本的梁启超眼界大张,企图以西方的文化观念开启国人的"民智",遂在文化变革的层面上打开了20世纪中国历史的门扉。

然而,它一开始便别无选择地将自己安置到了悖论性的境遇之中。梁启超的"保皇"立场和对文化启蒙之着眼于"群性"的目的确认,使其启蒙既不会像后起的新文化运动那样与政治判然两分,也不会像它那样与传统文化截然对立。因此,它虽然已经与康有为等人的文化态度和文化观念有了差异,表现出了更多的文化变革的新意,但毕竟仍与"立宪"的政治主张相粘接,无法成为支撑一段历史时空的独立的力量。而与此同时,政治制度层面的变革则深入发展,作为"立宪"派的对立面,以"反清排满"为倡导的"共和"派的革命活动,连同他们向民族文化复归的倾向,一起占据了历史的中心。其对抗的情势,则如孙中山所指出的那样:"革命、保皇二事,决分两途,如黑白之不能混淆,如东西之不能易位。"③ 与之伴生的复杂情况是,若按梁启超等人在积极引进、推崇西方文化和对传统文化的批判来说,他们在文化变革方面的态度和对启蒙的重视,都要比"革命派"更接近于历史在文化变革层面上的实行突围的要求,但却因其与保守政治立场的紧密联系而不能不同时被推出了历史的中心之外。然而,为"革命派"所始料未及,辛亥革命虽然推翻了封建帝制,但却也没有摆脱失败的命运。不但革命的果实被袁世凯窃夺,接踵而至的则是军阀们的争势和战事的频仍,而且社会各方面的腐败也暴露无遗。梁启超于1915年曾这样写道:"我国民积年所希望所梦想,今殆已一空而无复余。……二十年来朝野上下所昌言之新学新政,其结果乃至为全社会所厌倦所疾恶:言练兵耶,而盗贼日益

---

① 《敬谢天恩并统筹全局析》,《戊戌变法资料》第2册。
② 《论变法不知本原之害》,《戊戌变法资料》第3册。
③ 转引自胡绳《从鸦片战争到五四运动》下册。

滋，秩序日益扰；言理财耶，而帑藏日益空，破产日益迫；言教育耶，而驯至全国人不复识字；言实业耶，而驯至全国人不复得食。其他百端，则皆若是。"① 这种情况还是相当真实的。现实的触目惊心，又为新的历史选择的出台提供了必然性基础。其代表人物陈独秀正是由此获取了历史的灵感，并以为捕捉到了历史裹足不前的症结所在。他指出："伦理思想影响于政治，各国皆然，吾华尤甚。儒者三纲之说，为吾伦理政治之大原，共贯同条，莫可偏废。三纲之根本义，阶级制度是也，所谓名教，所谓礼教，皆以拥护此别尊卑、明贵贱制度者也。近世西洋之道德政治，乃以自由、平等、独立之说为大原，与阶级制度极端相反。此东西文明之一大分水岭也。吾人果欲于政治上采用共和、立宪制，复欲于伦理上保守纲常阶级制，以收新旧调和之效，自家冲撞，此绝对不可能之事。盖共和、立宪制，以独立、平等、自由为原则，与纲常阶级制为绝对不可相容之物，存其一必废其一。倘于政治否认专制，于家族社会仍保守旧有之特权，则法律上权利平等、经济上独立生产之原则破坏无余，焉有并行之余地！"按之我国的实际情况，所欠缺者则正是文化变革之不彻底："自西洋文明输入吾国，最初促吾人之觉悟者为学术，相形见绌，举国所知矣；其次为政治，年来政象所证明，已有不克守缺抱残之势。继今以往，国人所怀疑莫决者，当为伦理问题。此而不能觉悟，则前之所谓觉悟者非彻底之觉悟，盖犹在惝恍迷离之境。"因此，他大声疾呼："吾敢断言曰：伦理的觉悟，为吾人最后觉悟之最后觉悟！"② 于是，一个不以"批评时政"为宗旨，而专事对传统伦理文化进行批判的新文化运动便呼啸而出了。

无论是就其规模、气势，还是就其与传统文化彻底决裂的紧张对抗来说，新文化运动与"文学革命"都无疑是本世纪中国最具典范意义和深刻影响的一次启蒙运动。它断然宣布与传统文化的不两立态度，并将批判者主体塑造为"狂人"的形象，把对立之势推向极端。鲁迅发表《狂人日记》，以"狂人"之口发出战斗呐喊，其中自有其对这一历史情势理解的深意。嗣后，傅斯年也撰文鼓吹"狂人"和"疯子"精神，他

---

① 《大中华发刊词》。
② 《吾人最后之觉悟》，《青年杂志》第1卷第6号。

指出:"狂人,狂!耶稣、苏格拉底在古代,托尔斯泰、尼采在近代,世人何尝不称他做狂人呢?但是过了些时,何以无数的非狂人跟着狂人走呢?"并且说:"中国现在的世界,真是沉闷寂灭到极点了,其原因确是疯子太少了。……我近来觉得第一层憾事,是自己没出息,不配当疯子。……疯子以外,最可爱的人物,便是小孩子。……我们最当敬从的是疯子,最当亲爱的是孩子。疯子是我们的老师,孩子是我们的朋友。"① 这次运动以"立人"为启蒙的出发点,以"民主"和"科学"为倡导,这也都是极深刻的见解和颇为准确的历史定位。但是这一以凌厉的攻势建立了历史殊勋的启蒙运动,同样也难以幸免地不久便走入了悖论的境地。就在他们大声疾呼着进行文化批判时,外国列强的侵凌日甚一日,国内当政者们的软弱腐败,则更使国事日蹙,每况愈下。连启蒙主义者们本身,也不能不痛感到仅靠启蒙行为难以改变被启蒙者乃至整个民族的现实生存状态。更何况,与被启蒙者的无法真实沟通,则使之备觉无可奈何。为了向社会基层群众普及启蒙宣传,他们也不是没有采取措施,比如青年学子们组织下基层演讲,就被认为是比较容易奏效的方式而被采用。但其效果却实在不像所期待的那样好。且看"北京大学平民教育讲演团"的两份报告。一份讲的是 1920 年 4 月 13 日去长辛店和赵辛店讲演的情况:"长辛店虽然扯着旗帜,开着留声机,加劲地讲演起来,也不过招到几个小孩和几个妇人罢了。讲不到两个人,他们觉没有趣味,也就渐渐引去。这样一来,我们就不能不'偃旗息鼓','宣告闭幕'啦";"没奈何,向西走,……及到赵辛店,又使我们大大的失望。既到了这个地方,也不得不实施我们的职务。于是仍把旗帜扯起来,留声机开起来。然而一点多钟,到不了五六人,还是小孩。那么,自然又要'免开尊口'了。土墙的底边,露出几个半身妇人,脸上堆着雪白的粉,两腮和嘴唇却又涂着鲜红的胭脂,穿上红绿的古式服装(但不敢拟定是哪个朝代的),把鲜红的嘴张开着,仿佛很惊讶似的,都总不敢进前来。……回去罢,莫要尽在这里作'时间消耗者'啦。"② 另一份讲的是同月内去丰台农村讲演的情形:"……此次讲演,乡里人

---

① 《一段疯话》,《新潮》第 1 卷第 4 号。
② 《长辛店讲演组的报告》,《五四时期的社团》第 2 册。

来听的也不少,共有六十多人。首由王君星汉讲'缠足的害处'。有些女人都半笑半羞的袅袅娜娜的回家去了。……其次我讲了个'平民教育的重要'。再由郭君衍盈讲'为什么要读书'。当讲演时,有一位年轻的媳妇,才要出门来听听,立刻叫一位老妇人痛骂了些混蛋、王八羔子、不学好这一类的话,那媳妇马上关上门了。"①

还有一点很重要,那就是陈独秀等启蒙主义者所虚构的"公理战胜强权"的神话的破灭。按照他们的西化的文化价值立场,在国际关系处理中,势必虔诚然而也未免一厢情愿地认为,既然西方文化是民主、自由的文化,那么就自然会以"公理"战胜"强权"的。对于什么是"公理"、什么是"强权",他们在1918年底出版的《每周评论》的《发刊词》中作了解释:"凡合乎平等自由的就是公理;倚仗自家强力,侵害他人平等自由的,就是强权。"陈独秀甚至天真地主张,在"巴黎和会"上,"我们东洋各国列席的委员,应该联合一气,首先提出'人类平等一概不得歧视'的意见,当作东洋各国第一重大的要求。此案倘能通过,他种欧美各国对亚洲人不平等的待遇,和各种不平等的条约,便自然从根消灭了"。②但事实却给了他们重重一击,"巴黎和会"的不平等结果,国内"南北和会"的破裂,使陈独秀认识到:"两个和会都无用。"国内的"南北和会","两方都重在党派的权利";"巴黎的和会,各国都重在本国的权利,什么公理,什么永久和平,什么威尔逊总统十四条宣言,都成了一文不值的空话。……我看这两个分赃会议,与世界永久和平,人类真正幸福,隔得不止十万八千里,非全世界的人民都站起来直接解决不可"。③可见,陈独秀由启蒙转向政治革命决非出于偶然。其实,就是被认为由此与陈独秀等分道扬镳的胡适,又何尝没有变化。1922年,他在《我的歧路》里回忆当年的情况时说:"那时正当安福部极盛的时代,上海的分赃和会还不曾散伙。然而国内的'新'分子,闭口不谈具体的政治问题,却高谈什么无政府主义与马克思主义。我看不过了,忍不住了——因为我是一个实验主义的信徒——于是发愤

---

① 《丰台讲演组活动的详细报告》,《五四时期的社团》,第2册。
② 《战后东洋民族之觉悟及要求》,《每周评论》,1918年12月29日。
③ 《两个和会都无用》,《每周评论》,1919年5月4日。

要想谈政治。"只不过,他所选择的是自由主义的政治态度罢了。

正是由启蒙向政治革命的转移,拉开了中国现代史的序幕。异常剧烈而艰苦的民族解放与阶级解放的搏战,构成了现代30年中国历史的主要内容。当这斗争的风雨雷霆漫过当代的门槛,阶级斗争的政治取向依然成为共和国的基本遵循时,泛政治化的极左倾向也便不可避免地愈演愈烈,并终于导致了"文革"灾难的发生。当此空前的劫难过去之后,人们从噩梦中醒来,在痛苦的反思中再次发现,封建主义的文化观念仍然是酿制历史巨痛的祸乱之源。于是,人们举首眺望历史的深处,开眼观望世界的风云,有如开闸的洪流,一场接续启蒙传统、力倡开放引进的新的思想解放运动便应运而生了。

文学之河只能在民族生存的历史河床中流淌。在我们认清了本世纪中国历史拓进发展的独特结构模式之后,对文学发展中所出现的上述转型变化,难道还会有什么不可理解的吗?如果我们不只是因某种"立场"的坚持,比如在现实性的政治或文化的对抗中所取的或此或彼的立场,而将目力过多地拘囿在非此即彼的价值确认中,那么即会发现,恰恰是这种历史结构的悖论性,使中国文学在其转型发展的过程中获得了前所未有的历史活力。因为,只有在这种曲折奔突和逆向激荡的历史动势中,文学才更有可能将其与历史的责任认同和与历史之间所形成的张力运演到极致,且从中获得无限生机。无人能够否认,正是这种历史结构的悖论性,和由此而形成的历史之单向突进的尖锐攻击力,使本世纪文学出现了具有空前历史批判力度的崭新的文学范型。不管人们作何评价,以鲁迅为代表的一代启蒙现实主义的文学,和以茅盾为代表的一代革命现实主义文学,它们所表现出来的那种无与伦比的文化批判力量或社会政治批判力量,以及相关呈现的新的历史内涵和艺术创造,都已经作为两种新的文学范型,在本世纪文学史中成了醒目的存在。也无人能够否认,历史选择的悖论性何等深刻地触动着人们的心理,在人们的心灵深处制造了种种矛盾与纠葛,而这,恰恰是文学生长所难得的沃土,它使文学获得了表现历史、表现心灵的深度和厚度,并极大地丰富着文学创造的价值内涵。大约同样无人能够否认,没有这种历史运行的独特结构和效应,也不会有文学发展多元化景观的出现。

对于启蒙现实主义和革命现实主义两种内涵不同、指向有别,然而都以对历史具有自觉"工具性"责任承诺为标志的文学范型，史学界谈论得最多。因为它们在事实上构成了本世纪文学先后对峙出现的主潮性文学生态，自然会成为史的建构中无法回避的主要话题。作为历史对文学的首选对象，这种文学范型的形成，更多地带有历史活动的性质，不能以纯审美的或纯艺术的眼光与其他范型的文学作尺度划一的评价。在我们感受着它们在历史中心的那种极富生力的表现，感受着它们那种呼啸而进的历史冲击力时，也会油然而生一种自豪：原来，在需要的时候，文学也可以铸造为历史的利刃，它不单单只是一种自娱和娱人的欣赏品。须知，在本世纪一代复一代的作家中，多数人始终有一个难以消解的心理情结，那就是对于历史光明的强烈向往和亲自做擎火者引燃那历史光明的不无悲壮的责任自许。虽然为此他们可能付出了个人的或文学的代价，但颇富悲剧意味的努力却使他们感受到无负于历史和人生的崇高。作为历史艰难转型中文人们的一种崇高的精神追求，哪怕是从文学本体性生成的角度，也不应该轻言否定。当然，两者的情况又有不同，不能等量齐观，事实上学界的否定性意见也多是集中在后者即政治性的文学取向方面。其实，若谈到局限性问题，两者概不能免，以对历史的"工具"性效应为追求是它们共同存在的倾向。当把文学的价值定位在"工具"意义上时，无论是它们当中的哪一种，其偏执性和对文学发展的约束力，都不可能不成为一种令人遗憾的现实。试想，五四启蒙文学初期，如果不是鲁迅独树一帜的创作实绩及其示范作用，那当时的情景又会如何？诚然，鲁迅作为启蒙运动的先驱人物，他对文学的历史功利性要求也是相当自觉的，但他对文学创作的理解同时也是超功利的，那就是他对文学的表现人生和文学对人生的艺术表现，有着完整的属于文学本体性的理解，所以，他的作品会成为罕有其匹的现代艺术瑰宝。其时除他而外，内涵比较丰厚、艺术表现比较成熟、文学本体建构意味比较突出的作品极为少见，成为一股潮流涌现的"问题小说"、"问题戏剧"等"问题"文学，即为一个明证。启蒙文学的排他性也是显而易见的，它不仅否定传统文学的基本价值，而且对以娱乐、消闲为旨趣的通俗文学也采取了一笔抹杀的态度，倘若不是随着历史的流转而不断进行了必要的调整，在其统摄之下，文学要想多元并存地发展，那恐怕也是不可能之事。服务于政治变革的革命文学，其对价值内涵的政治规范性和对异己的多义性文化内涵及艺术取向的拒绝，则更容易使之走向背离文学本体要求的极端。这已有历史之鉴，勿须多说。

　　相对而言，那些并非专注于"工具"意义，而是更多地在文学的"表现"意义上呈现出价值，也就是以表现历史关节时期包括创作主体在内的历史主体们的心灵矛盾的作品，倒是有机会拓展了新的天地。这些作品把艺术的笔触探入了历史主体们在历史转折时期复杂的心灵历程，而且常常是在心理矛盾的纠葛与苦恼中向历史发出一种逆向性的叩问。在有别于前两类文学的明确目的的艺术创造中，对主体之历史行为的反思与难得其解的探索，构成了它们异常突出的心理性内涵和悲剧性感受的心理氛围。这种类型的作品又不尽相同，大体说来又可以分为三类：一类是以启蒙者的孤独感为侧重表现的对象。孤独感，从生存哲学的意义上来讲，它是人类生存中普遍性的一种生命感受，但五四启蒙文学曾经赋予它独特的历史文化内涵。当时那些作家们认为，人与人之间的难以沟通的"隔膜"与孤寂，从根本上看就是传统文化造成的恶果。即如鲁迅所说："别人我不得而知，在我自己，总仿佛觉得我们人人之间各有一道高墙，将各个分离，使大家的心无从相印。这就是我们古代的聪明人，即所谓圣贤，将人们分为十等，说是高下各不相同。其名目现在虽然不用了，但那鬼魂却依然存在，并且，变本加厉，连一个人的身体也有了等差，使手对于足也不免视为下等的异类。造化生人，已经非常巧妙，使一个人不会感到别人的肉体上的痛苦了，我们的圣人和圣人之徒却又补了造化之缺，并且使人们不再会感到别人的精神上的痛苦。"[①] 其实不只鲁迅，这是五四启蒙时代作家们的一个共同感受，乃至实际地构成了这时期创作的一个趋同性的表现内容，鲁迅、叶绍钧、王统照等，就都曾在作品中作了各具特色的表现。鲁迅的过人之处在于，他比任何人都更深刻地把这一国人的心理现实，作为国民性的痼疾作了一贯性的批判性表现。但更与众不同的是，他在对启蒙的悖论性感受中，又开拓出了一片新的心理领域，那便是对启蒙者主体"孤独感"的独到表现。我们不难发现，在《呐喊》时期，他主要是侧重于对被启蒙者悲剧性文化生存现实的展示，其中包括"我"在内的人与人之间的

---

　　① 《集外集·俄文译本〈阿Q正传〉序及著者自叙传略》。

隔膜与孤寂，只是被作为一种国民性问题而加以表现的。而到了《彷徨》时期，尽管这一倾向仍在持续，但是已被作为背景材料处理，思考的重点和心理感受都发生了重要的变化。这时，鲁迅所侧重于思考和表现的，已由启蒙对象转到了启蒙者主体，这就是在《彷徨》中所新出现的"孤独者"形象系列。在这一系列新的形象中，明显地增加了历史折射在他们心灵深处的悖论性内涵，已非单从国民性层次上所能解释。吕纬甫像一只飞起来转了一圈又落回原来点上的苍蝇，从激烈的战士又复归了庸常；魏连殳则如一个受伤的狼，以自戕的方式了结了自己的生命，他们想有所为又终于不能有所为，这已不单是国民性的悲剧，实则更是启蒙历史行为的悲剧。

如果说上述一类作品表现的是在启蒙者与被启蒙者关系中间启蒙者的内心矛盾，那么再一类则是在个人与群体关系的转型调整中所必然出现的心理矛盾与纠葛了。历史从文化启蒙到政治革命的转折，必然带来知识者与社会群众关系中的角色转移。在启蒙运动中，先觉的知识者是为人启蒙的"先生"，他们与作为被启蒙对象的社会群众之间事实上是处在一种对立的状态；而在此时，为其所标榜和向往的个性解放，与社会群体也势必构成为紧张的对峙。可是由"文学革命"到"革命文学"，却要求着作家必须实现对上述关系的根本性转变。原来的"先生"在作为革命主体力量的工人、农民、士兵面前，要虚心做"学生"，向工、农、兵学习他们的立场、觉悟和精神，而"个性解放"也必须在阶级利益的基本规约内重新加以认识。这种以自我否定为特征的历史性转折，只有在思想、情感领域的根本转变中才能实现。知识者由此所引发的矛盾、痛苦、迷惘、追求的心路历程，不仅形成了特定时期独异的文学景观，而且还作为一条心理线索或明或暗地贯串于现当代文学的发展之中。这种矛盾心境的造成，其实并非被动承受的结果，要是理解为作家纯被动的接受或纯属不得已的行为，那就未免与实不副了。在当时的情势下，知识者为革命的大潮所鼓舞，加上外来左倾思潮的影响，他们向往并以文学投身于革命的欲望是相当强烈的，但是他们对革命并没有真正的理解，所以在其作品中普遍存在着把凄婉、迷惘的感伤与教条式英雄主义一起作生硬表现的现象，这就是1928—1930年间革命文学初萌时特有的景观。立志革命的青年作家们，以幼稚的理解缔结了一个可以把"个性解放"与阶级革命拼接在一起的文学公式——"革命+恋爱",以为这样就可以万事大吉地两面兼顾了,殊不知实行的结果是,既没有成为对革命的正确表现,也没有成为对"个性解放"的准确表达,因此而牺牲掉的却是文学自身的艺术创造性。但值得指出的是,革命文学的作家们确是由此而找到了一种平衡两种主体性要求的最基本的方式,作为一种隐形的结构,它在革命文学的长期发展中并没有被真正扬弃。还应予以指出的,是历史转折中这种复杂的心理状态,的确也孕育出了内涵丰满的优秀作品,如茅盾的《蚀》三部曲、丁玲的《莎菲女士的日记》等。只不过在流行性的批评框架中难以有其立身之地,只能被作为尚未成熟的作品对待。如丁玲,后来写出了被视之为"新写实主义"的小说《水》,才被认为是"从离社会,向'向社会',从个人主义的虚无,向工农大众的革命",取得了进步,获得了"觉悟"和"新生"①。

还有一类是表现叛离传统文化后又发觉无所凭依的精神苦恼的作品。在启蒙立场看来,中国新文化的建构主要是依靠对西方文化的引进和学习。由于在新文化运动初期,目的是专在破坏而非建构,所以,虽然从引进西方文化伊始中国人就难以走出价值与情感对立的悖论境地,但这时却也没有成为文化批判者心理中的突出矛盾。可是等到在由启蒙向革命转型,而文化批判的行动连同其历史激情一起被推出历史活动的中心时,问题就变得突出起来。一方面,与传统文化无法真正割断的潜在血脉联系,使人们不可能完全与西方文化的价值观念认同,这就使理智与情感的冲突无形中被凸现出来;另一方面,人们虽然在理智中依然亟欲保留对传统文化的否定性认识,也不愿再重返已叛离而出的旧家园,但是,西方人对中国人的歧视及其文化弱点的暴露,都又使人们即便在理智上也逐渐明白,在文化歧视和不等值的交流对话中,是根本不可能被人家平等接受的。这种在中与西、新与旧夹缝中的苦恼和无所凭依的精神感受,在以老舍为代表的许多作家笔下都得到了充分的表现。更有意味的是,由此引发出了中国现代文学史中一种包容着丰富内涵和深刻启发性的精神现象,那就是对精神家园的文学性寻找。乡土文学本来是起之于对落后滞重的传统乡土文化的批判,但却同时又越来越成为

---

① 冯雪峰:《关于新的小说的诞生——评丁玲的〈水〉》,《冯雪峰论文集》上册。

作家们安抚悲凉情感的精神栖息地，使对落后生存和文化心态的滞重表现与批判，和浓得化不开的"乡土情结"，难分难解地成就了一道独异的文学风景。萧红毅然离家，写出了那么具有历史文化批判力度的《生死场》，但后来还是又写出了《呼兰河传》，企图借对儿时故乡的回忆，以文学的方式寻找抚慰一下心灵的精神家园。当然，结果所实际给她的，仍然还是无尽的孤寂与荒凉。

转折即意味着分化。历史结构的悖论性调整，必然导致文学队伍原来相对统一状态的解体，使多元性文学的生存成为可能。最明显的例证是自由主义文学的鼎足而立。早在1919年新文化运动内部出现"问题与主义"之争时，胡适即已生去意，后终因《新青年》的政治性转向而与之分裂。到"文学革命"向革命文学转化时，新月派则成了与之发生冲突的主要对象。一直到40年代，自由主义的文学观依然是作为一种制衡性力量而存在，且不断发出自己的声音。这时的代表人物是沈从文、朱光潜、萧乾等。朱光潜在《自由主义与文艺》一文中公开声称："我在文学的领域维护自由主义。"因为"自由是文艺的本性，所以问题并不在文艺应该或不应该自由，而在我们是否真正要文艺"。他认为："文艺的自由就是自主，就创造底活动说，就是自由生发。我们不能凭文艺以外底某一种力量（无论是哲学底，宗教底，道德底或政治底）奴使文艺，强迫它走这个方向不走那个方向；因为如果创造所必需底灵感缺乏，我们纵使用尽思考和意志力，也决定创造不出文艺作品，而奴使文艺是要凭思考和意志力来炮制文艺。"当时，他的这种主张是有着一定的代表性的。不仅如此，原来坚持"为人生"的研究会作家，如周作人，则转向了对"性灵文学"的标榜。当初，周作人不仅力倡"为人生"的文学主张，而且还宣传过日本的新村主义，行动上也有抗议暴政的表现，是一位颇有建树也颇有影响的反封建战士和文学革命的干将。然而，在历史的转折中他却改变了初衷，认为这一切都无济于事，没有用的。新村主义"在满足自己的趣味之外，恐怕没有多大的觉世的效力"，而"人道主义的文学也正是如此"。所以他不惮于公开声言："以前我似乎多喜欢那边所隐现的主义，现在所爱的乃是在那艺术与生活自身罢了。"[①]

---

① 《艺术与生活·自序》。

由此，也便开了现代名士派"性灵文学"的先河。

常有一种误解，认为文学的转型变化，尤其是由"文学革命"到"革命文学"的否定性发展，完全是政治力量施加给文学的结果。综观本世纪特别是现当代时期的文学发展情势，确有强加性的表现，自不待言；但就其初期而言，历史选择变换的必然性，却也实实在在地激发着作家作自我调适的主动性。现在大家更多看到的是20年中期后左倾思潮对人生派文学的粗暴干预，岂不知早在20年代初期，文学研究会的作家们便已开始了自我调整。从1921年到1922年，他们在上海《时事新报》的副刊《文学旬刊》上开展过一次关于"民众文学"的讨论，就很可以说明问题。从"平民文学"到"民众文学"的过渡，实际上蕴含着一种从文学对象到对话方式的转折性调整。周作人1919年提出的"平民文学"的口号，其"平民"指的是在抽象意义上平等的所有可以称作"人"的人；而"民众文学"中的"民众"，却有了具体的指涉。虽然人们的见解并非十分统一，但朱自清的这段话还是能够代表多数人的认识的。他说："我们所谓民众，大约有这三类：一，乡间的农夫，农妇；他们现在所有的是口耳相传的歌谣，故事之类，间有韵文的叙事的歌曲；以及旧戏。二，城市里的工人，店伙，佣仆，妇女，以及兵士等；他们现在所有的是几种旧小说，……以及旧戏；……另有报纸上（如上海几种销行很广的报）的游戏小说，……间或也能引起他们中一部分人底注意。三，高等小学高年级学生和中等学校学生，商店或公司底办事人，其他各机关低级办事人，半通的文人和妇女；他们现在所有的是各种旧小说——浅近的文言小说和白话的章回小说，报纸上的游戏小说，礼拜六的小说。以及旧戏和文明戏。"[①] 很显然，所谓"民众"，已经是在指社会下层的劳动群众了。虽然这种对象的明晰化选择仍然与其阅读接受的文化取向连同在一起认识，显然也还是服从着文化启蒙立场的规约，但对象的明确选择却也必然地牵动了对话方式的调整。语言以及叙述方式的可接受性问题，已成了当时讨论的必然性内容。尤其是对象所指的具体化，更已经预示了对其作进一步区别性确认的可能性。果然，到了1925年，茅盾便提出了对"民众"作阶级区分的主张。他

---

① 《民众文学的讨论》，《文学研究会资料》上册。

认为"民众艺术"这个名词是欠妥的,是不明了的,是乌托邦式的,因为"在我们这世界里,'全民众'将成为一个怎样可笑的名词?我们看见的是此一阶级和彼一阶级,何尝有不分阶级的全民众"?并据此较早提出了"无产阶级艺术"的口号和主张①。

我们并不讳言文学发展在历史悖论性选择的调整中所受到的制约,也不讳言有在单向度历史层面尤其是政治层面上把文学引向极端的可能性;然而,通过上述分析又可以使我们知道,悖论性转折本身又是如何有效地矫正了文学发展的单向极端性,如何有效地开拓了文学发展的新空间。还须进而说明的是,在历史由替代性递进所形成的回旋式发展的过程里,文学也是以不断的补偿式承继与开拓,获得方方面面的综合性发展的。上文中我们重点剖析的是,由新文化运动和"文学革命"向政治革命运动和"革命文学"转型发展中,给文学发展造成的种种效应。因为就本世纪的情况来看,这一转折具有最为充分、最为典范的特点,所以拿它来做分析是有说服力的。假若拿这一段与近代时期的那一次转折相比,则不论从启蒙文学的角度还是从革命文学的角度,都是不能同日而语的。更需要说明而又难以说明的,是新时期所出现的这次新的转型变化与现代时期文学历程的相似性问题。人们早就普遍地感觉到,新时期文学似乎是又回到五四文学革命的历史起点上重新转了一个圈,其发展过程中的许多现象也都似曾相识,简直都可以在现代文学中找到它们的对应物。如果再上溯到近代,给人的则似乎百年来历史总是在不断地重复,而每次转过来都好像是回头寻找,要找到并重新拾起被冷落甚至是遗落了的话题。我们以为,对此的正确认识应该包含两个方面:第一,要敢于承认这种现象存在的客观性,并相应地作出合理的解释。正如前面所说,历史的悖论性结构,使历史活动的主体很难或者说根本不可能在同一个历史阶段中作出一无遗漏的全面选择。而当它一旦选择了某一维度的努力并把它推到历史活动的中心时,其他的方面自然会被冷落甚至是遗落。可历史的进步对那些方面的需求并未因此而放弃,当它们以其欠缺而再度升上历史的地平线后,历史便以补偿的方式重新对它们重视起来。所以,中国文学的近、现代转型,常常要伴随着历史的曲

---

① 《论无产阶级艺术》,《文学周报》第 172、173、175、196 期。

折，在启蒙与救亡之间回旋。

第二，回旋不等于重复，补偿也不同于恢复。套句老话来说，它是在中国历史转型的独特规约中所表现出来的螺旋式的上升。当然，从文学创造发展的特殊性来看，很难拿成绩的大小、水平的高低来作简单的比较。比如新时期作家至少现在还不能说哪一位已经超过了鲁迅，抑或是郁达夫、老舍、曹禺、朱自清，也很难说已像他们那样已达到大师级的水平。你不能不承认在文化素养方面的起点上，两个时代的作家确实存在着明显的差别。但是，我们却可以从文学理解的时代内涵、文坛格局的调整和文学发展的基本走势上，不难发现新时期文学对现代文学的新发展。因为历史条件业已不同，新时期的作家乃至每一个渴望发展的中国人，所面对的毕竟已不是那个令人徒叹奈何的旧中国，而他们自己也毕竟不再是旧时之身，改革开放的大潮使他们精神振奋，追趋新潮的欲望比任何时候都更为强烈，因此，数十年前为先辈们所坚执的启蒙立场及其面对悖论的悲壮，决不会再在他们身上长期为继。消解主流文学形态的欲望和对文学意义的重新体认，事实上已成为文坛的基本发展趋势。作家们急于另辟蹊径，试图从文学的角度对历史和人生作出新的理解，新的"新写实主义"与"新历史主义"，自然也包括新的现实主义，都在重新寻找人生与历史的超传统性的理解，并由此找出它们与文学的新的意义连接。这一切，大概都足以显示出新时期文学与现代文学的非重复性发展。

令我们感到无比振奋的是，积聚了近百年的努力，到新时期以后，现实已有足够的条件，把发展经济真正推到了历史活动的中心地位。人们生存状态的根本改变，历史诸种因素综合性发展的现实可能性，已改变或者说消解了历史结构的悖论状态，这不仅促生了新时期文学多元并存的新景观，而且也奠定了下世纪文学繁荣发展的历史基础。

(原载《二十世纪中国文学史》，山东文艺出版社出版，1997)

# 20世纪中国文学史"概说"二则

## 其 一

上世纪末，戊戌变法的失败，宣告了维新派政治改良的破产。但历史的演进常常是耐人寻味的，对于维新派来说，变政的失败无疑是一大不幸，然而这一结局却为他们发动文学革新运动提供了历史的契机，并使之成为这一新的历史行为的成功者。在世纪之交，梁启超接连提出"诗界革命"、"文界革命"和"小说界革命"的响亮口号，且力主"戏曲改良"，正是由它以及由它所引发的文坛变革的潮涌，拉开了与古典文学相颉颃的文学新世纪的帷幕。

这并非来自于偶然，实际上还是历史发展的必然结果。以社会发展的现代化为鹄的的中国历史的近、现代化转型，在认识和实践上都是一个不断调适、发展的过程。1922年，梁启超回顾前此五十年历史的进化轨迹，曾经作过这样大致的描述："近五十年来，中国人渐渐知道自己的不足了。这点子觉悟，一面算是学问进步的原因，一面也算是学问进步的结果。第一期，先从器物上感觉不足。……很觉得外国的船坚炮利，确是我们所不及。对于这方面的事项，觉得有舍己从人的必要。……第二期，是从制度上感觉不足。自从和日本打了一个败仗下来，国内有心人，真像睡梦中著了一个霹雳，因想到堂堂中国为什么衰败到这田地，都为的是政治不良，所以拿'维新变法'做一面大旗，在社会上开始运动。……第三期，便是从文化根本上感觉不足。第二期所经过时间，比较的很长——从甲午战役起到民国六七年间止。……革命成功将近十年，所希望的件件都落空，渐渐有点废然思返，觉得社会文化是整套的，要拿旧心理运用新制度，决计不可能，渐渐要求全人格的觉醒。

……所以最近两三年间，算是划出一个新时期来了。"① 这种逻辑整合，与历史的实际大体上是一致的，并迄为学界所公认。从维新变政到辛亥革命再到新文化运动，就其基本分期和不同阶段的基本特征来看，的确如梁启超所言，表现为三个层面认识的深化。但若加细审，就会发现，在其所谓的"第二期"中，亦即在戊戌变政和辛亥革命之间，委实还存在着一个颇有意味的内容穿插，那便是我们所说的维新派的文学革新运动了。

戊戌变政的惨败，使梁启超等人不能不进行痛苦的反思，而流亡日本，又使他有机会开了眼界。他说："既旅日数月，肆业日本之文，读日本之书，畴昔所未见之籍，纷触于目，畴昔所未穷之理，腾跃于脑，如幽室见日，枯腹得酒。"② 通过日本的译书，他接受了西方文化的影响，以至"脑质为之改易，思想言论，与前者若出两人"③。此时的梁启超在认识上已经突破了康有为的局限，而他本人，也由戊戌变政中对于康有为的从属地位，一变而成了新的历史行为的主将。他认识到，"民智"不开，任何制度的变动都万难奏效，因此即必然地把以"新民"为倡导的思想启蒙运动推出了历史的潮面。中国历史的近、现代转型，思想文化启蒙本来就是重要的一维，正是梁启超为代表的维新派人士的这种新认识、新行为，酿成了表现为这一维度的第一次浪涌。也就是在这个浪涌中，吹响了文学改革的号角。虽然梁启超大倡"觉世之文"，从他所关注的基本目的来看，也和政治活动一样，"凡归政治而已"④，而且连他自己在总结历史进程时也没有对它特别地点出一笔；但我们现在重新面对内涵更为丰富的历史，特别是在对新的文学世纪的发生发展作出准确的把握时，对此却不能不给予格外的注意。

当然，梁启超三界"革命"的提出，就其作为一个颇具规模的运动来讲，也不是突兀奇崛，毫无准备的。在此之前，围绕着变政的呼号与宣传，在西方文化的引进方面，已经开始深入到宇宙观、历史观等方

---

① 《五十年中国进化概论》。
② 《论学日本文之益》。
③ 《夏威夷游记》。
④ 《吾今后所以报国者》。

面。尤其是1897年严复开始在《国闻报》上译载《天演论》，使进化论思想迅速传播，"而中国民气为之一变"①。梁启超正是根据了"进化论"的理论，来阐释"变革"和"文学之革命"的。他认为"革也者，天演界中不可逃避之公例也"，"岂惟政治上为然耳，凡群治中一切万事万物莫不有焉"，所以"宗教有宗教之革命，道德有道德之革命，学术有学术之革命，……风俗有风俗之革命，产业有产业之革命"，而文学也必有"文学之革命"②。与观念变革同时，工具革命也已经启动。1897年裘廷梁发表《论白话为维新之本》，主张"崇白话而废文言"，随之白话报刊相继蓬勃而生，这也为三界"革命"在语言文字上的通俗化倾向提供了依据，并彼此构成了相得益彰的影响。

在对文学变革的认识和实践上，虽然此前只是把文学视为政治变革的直接性工具，而且包括梁启超在内，对它价值的认识还有相当的保留；但是，认识和实践方面的变革性发展也依然是显而易见的。比如诗歌，黄遵宪早就有"吾手写吾口"的主张，并率先尝试着引新观念、新词语入诗。比起梁启超之"文学的革命"来，黄遵宪固然还只是"无革命而有维新"③，然而求变是已经开始了的。作为"新派诗"发端的夏曾佑、谭嗣同之"新学诗"，虽多是"颇喜挦扯新名词以自表异"，但丙申（1896）、丁酉（1897）年间，维新派已"皆好作此体"④。散文的变革要求，也自上世纪中期即已开始，冯桂芬就特别反对桐城派的"义法"，反对桐城派的"道统"、"文统"，而王韬则更是近代报章政论体的开拓者。到了变法维新时期，"报章体"已成为维新派手中的利器。小说变革的发端则是始于1897年严复、夏曾佑发表于《国闻报》上的《本馆附印说部缘起》。该文对小说的功能作出了新的解释，梁启超的"小说界革命"，与它一脉相承。

另外一个值得注意的条件，是报刊业的蓬勃发展。维新派是办报的能手，1896年初在上海创办的《强学报》，1896年8月也在上海创办并

---

① 《述侯官严氏最近政见书》。
② 《释革》。
③ 《与严幼陵书》。
④ 《饮冰室诗话》。

由梁启超任总主笔的《时务报》、1897年夏严复在天津创办的《国闻报》等，在维新运动中都发挥了重要作用，使梁启超等名重一时，以至于"自通都大邑，下至僻壤穷陬，无不知有新会梁氏者"①。1898年6月4日起，光绪皇帝开始实行变法新政，明令准许"官民"自由办报。"在这一明令的鼓舞下，各地改良派的报刊活动又有了新的发展，全国报纸的总数比1895年增加了三倍"②。梁启超流亡日本后，又先后创办了《清议报》、《新民丛报》、《新小说》，成了发表言论和倡言三界"革命"的阵地。他后来回顾说："启超既亡居日本……复专以宣传为业，为《新民丛报》、《新小说》等诸杂志，畅其旨义，国人竞喜读之。清廷虽严禁，不能遏，每一册出，内地翻刻本辄十数。二十年来学子之思想，颇蒙其影响。"③ 不仅于此，呼应而起的一些有影响的作家同时也是有影响的报刊创始人或主笔，如李宝嘉、吴沃尧、曾朴就分别为《绣像小说》、《月月小说》和《小说林》的主编或创刊人。

由梁启超发动而有许多人参与的这场文学革新运动，有理论讨论，有创作实践，可谓有声有色，颇具声势。从表面看来，似乎着眼点更多是在文体变革方面，可是实际上却恰恰是由内容的变革而起。其最为新警之处，就在于它所宣传鼓动的自由主义思潮。作为这场运动重要成员的蒋智由，曾经动情地说过："按近世纪文化之一大进步，要而言之，谓为'自由'之所产出可也。盖古代之人，或拘牵于其一国之政治、一国之宗教、一国之风俗，至不敢创一自得之见，发一独到之论，此守旧积习之所由成，而数千年世界之所以无进步，其弊盖坐于此也。然穷久变生，此风渐为人心之所厌弃，而自由之说，遂承其统而代之。因自由而于宗教界、于政治界、于学术界，无不破坏其旧习惯，而开一新面目。文艺亦然，应用自由之一原理，遂得脱去古人种种之窠臼，文艺于是有新生命。不然，谓文章之气运，至古人而已尽可也。伟矣哉！开近世纪之新天地者，一自由神之权化力也。"④ 这确为切中肯綮之论。当

---

① 胡思敬：《戊戌履霜录》。
② 方汉奇：《中国近代报刊史》。
③ 《清代学术概论》。
④ 《维朗氏诗学论·第二章按语》。

时，自由、民权、革命、平等及其他一切新政、新法、新学，都被同时作着倡导。虽然受着历史的局限，这一切都还被纳入在"国家思想"与"新民"和"群治"的特定预设关系框架之中，不可能像新文化运动中那样，在个性主义的价值基点上对"自由"作出更深刻的理解，但突破守旧的文化本位主义和狭隘民族主义的拘牵，宣扬自由，鼓吹向西方学习，建设自由的文学，并由此"开近世纪之新天地"，却是其主要的价值所在，而且是功不可没的。

在文体变革方面，三界"革命"的基本趋势是向通俗化的方面发展。比较起来，"诗界革命"虽然萌生要求最早，但保留也最多，梁启超在强调"第一要意境，第二要新语句"的同时，又认为"须以古人之风格入之，然后成其为诗"①。"文界革命"则相对地更富成效一些，即如梁启超的文章，其"新文体""平易畅达，时杂以俚语韵语及外国语法，纵笔所至不检束"，且"其文条理晰，笔锋常带情感，对于读者，别有一种魔力焉"②。所以，"像那样不守家法，非桐城亦非六朝，信笔取之而又舒卷自如，雄辩惊人的崭新的文笔，在当时文坛上，耳目实为之一新"③。最为梁启超等推重而且成就也最大的当为"小说界革命"。第一，梁启超对小说的社会功能最为看重，把小说视为革新社会政治和启迪民智的最为有效的工具，从而把小说从"不登大雅之堂"的"小道"、"末技"，抬高到了"文学之最上乘"，并竭力鼓吹"今日欲改良群治，必自小说界革命始"④。第二，对小说潜移默化的审美艺术特征作了更为具体和深入的探讨，其"熏"、"浸"、"刺"、"提"的概括和阐发，固然首先还是着眼于小说与受者即广大社会读者之间的功能传送作用，但勿庸讳言地已触及到了小说艺术的本体论内容。第三，对语言变革的主张在对小说的提倡中体现得最为充分。梁启超说："文学之进化有一大关键，即由古语之文学，变为俗语之文学是也。各国文学史之开展，靡不循此轨道。……自宋以后，实为祖国文学之大进化。何以故？

---

① 《夏威夷游记》。
② 《清代学术概论》。
③ 郑振铎：《梁任公先生》。
④ 《论小说与群治之关系》。

俗语文学大发达故。宋后俗语文学有两大派，其一则儒家、禅家之语录，其二则小说也。小说者，决非以古语之文体而能工者也。"① 在梁启超看来，虽然俗语文体"非徒小说家当采用而已"，"苟欲思想之普及"，"凡百文章，莫不有然"，②但小说毕竟和诗文又自不同，"决非以古语之文体而能工者"。由于"小说界革命"的鼓动，本世纪初很快就形成了一个前所未有的小说创作和小说翻译的热潮，并出现了以《官场现形记》、《二十年目睹之怪现状》、《老残游记》和《孽海花》为代表的一批颇有影响之作。在鼓吹"小说界革命"的同时，梁启超等人对以传奇叙事为本、在社会上颇有接受基础的传统戏曲，也力主改良，且亲作示范，由此开启了戏曲改良的先河。话剧也趁势引入，并以其"文明戏"的幼稚的形式，与戏曲改良一起，蔚成了一道戏剧文学的新景观。

维新派的文学革新运动反映了政治变革失败后，他们在对救亡之道和责任担承方面所作的认识调整，使"文学"的手段一度取直接的政治手段而代之。但在内忧外患深重、亟须进行更为深刻有效的政治制度变革的时期，这种格局和相应的文化认识是难以持久的。果然，1903年邹容就吹响了《革命军》的号角，继之，1905年同盟会成立，大批政治家、思想家、文学家迅即集结，一场声势浩大的革命风暴席卷海内外，成了系动天下人心的中心大事。在新的历史情景中，维新派的文学革新运动也便自然地被推拥到历史活动的中心之外，而变得无足轻重了。

由孙中山所领导的革命，反对封建帝制，主张民主共和，是一场远比戊戌改良更为深刻也更为激烈的政治革命。为其精神所激发，一大批思想家、学问家和文学家都舍身忘家、奔走呼号，成了革命的先驱人物。他们"负奇气，怀大志，历山海，逾邦国"，"相与衡盱时局，狂歌痛哭，拔剑起舞，而欲有所为"③。孙中山称赞他们是一个"极精彩之团体"，"以实力行革命之事"。舍身任事者三四百人，"皆学问充实，志气坚锐，魄力雄厚之辈，文武才技俱有之"④。章太炎、秋瑾、陈天华、

---

①② 《小说丛话》。
③ 陈去病：《高柳两君子传》。
④ 《致陈楚楠函》。

马君武，还有当时第一个革命文学社团南社中的陈去病、高旭、柳亚子、宁调元、周实、苏曼殊、黄节、黄侃、于右任、李叔同等，就都既为革命志士，又在科学、文化和文学方面具有渊博的知识或过人的才情。他们对人生价值的首选目标是做革命家，而后才是学问，才是文学。因此，神圣的民族民主革命目标，嚣肆昂扬的愤激之气，使诸多文人才士一时忽略了文化追求、艺术趣味的差异乃至对更深层面的历史与人生的思考，纷纷竞一时之勇，争做革命的前驱。邹容自称"革命军中马前卒"，秋瑾自号"竞雄"，柳亚子自命"亚洲的卢骚"，刘师培则以"激烈派第一人"自居，就连后来成为汉奸的汪精卫，当时也在清朝监狱中口吐"饮刀成一快，不负少年头"的壮语。正是这种"挥斥慷慨，神气无双"的时代精神风貌，使当时的文学尽管直切粗粝，但却弥漫着一种真诚而动情的英雄主义的悲壮之气，而且不乏能传之千古的感人之作。当然，这种情形是难以持久的，一旦革命遭遇失败，希望之光变得黯淡时，人生态度和人格的差异便显现出来了，有的人甚至转向了反面。即如鲁迅后来所说，有的人"原是拉车前进的好身手，腿肚大，臂膊也粗，这回还是请他拉，拉还是拉，然而是拉车屁股向后，这里只好用古文'呜呼哀哉，尚飨'了"①。而且，文化态度和艺术趣味上的或复古或趋新、或崇雅或近俗，嗣后的分歧也越来越显豁了。

从基本文化选择来说，革命派和维新派是有明显区别的。维新派的基本取向是"自由主义"，而革命派则是"民族主义"。维新派固然也讲"民族主义"，但他们对于"民族"的意向具有更大的包容性，即梁启超所讲的"大民族主义"的"国家至上"，目的是以自由主义文化赢得民族也即国家的自新。而革命派则有所不同，他们是以"驱逐鞑虏，恢复中华"也就是"反满倒清"为号召，带有种族革命特点，对"民族主义"有了更为具体的所指，所以在文化上自然就要以民族主义文化为基本选择了。从政治制度变革的角度讲，民主共和比起君主立宪来无疑是一种深化；但就文化选择而言，从"自由主义"到"民族主义"，却更多地是表现为一种方向的调整。当然，革命派对文化选择基点的转移，其本身即带有时代赋予的复杂内涵，不便断言其进退与否。比如，第

---

① 《趋时与复古》。

一，在其着力于发动和鼓吹革命时，针对专制主义的封建帝制，他们对传统文化中的专制内容也进行了剥离和批判，章太炎承袭并发展了顾炎武的思想，对"君学"与"国学"作了判分，有人甚至还宣扬"不肖主义"。第二，其民族革命毕竟又同时是民主革命，因此对西方文化也没有采取"遗老遗少"式的全盘否定和排斥的态度，而是侧重于文化个性的比较，主张输入"欧化"，"必洞察本族之特性，因其势而利导之"。这些，就都是后人研究其文化态度时不当不予明察的。但是，从其基本倾向来看，文化基点的转移则是不容忽略的事实。由此便不难理解，何以在这些人身上，政治态度的激烈和文化态度的保守能够同时集于一身；也才能够理解，他们中不少人为什么在嗣后代之而起的新文化运动和"文学革命"运动中变成了新的历史行为的对立面。客观地说，这一时期的文学，就其属于本体变革的自觉性和创作成就来看，实际上要逊色于上一阶段。

总起来看，从维新文学运动到革命派的潮涨潮落，为本世纪文学发展的第一期。在这一时期中，不仅张起了文学革新的旗帜，而且也初辟并奠定了文坛构成的基本格局。比如，第一，在文学现代转型（思想内涵和语体特征）中雅与俗的分流与互补。如前所述，梁启超发动三界"革命"时即是着意于文学的俗化或者说大众化的，对小说则更是如此，但他当时所看重的，只是小说这种大众化文学形式对于宣传教化的作用，即所谓"专在借小说家言，以发起国民政治思想，激励其爱国精神"，至于"一切淫猥鄙野之言，有伤德育者"，则是不在其认可之列，一定是"在所必摈"的①。然而，连他也始料未及的是，由于上海这种现代商业化都市的兴起和著作界对小说通俗娱乐特征的看重，旨在休闲娱乐的都市通俗小说即鸳鸯蝴蝶派创作却应运而生，以至于酿成了一个世纪的纠葛。第二，功利主义与非功利主义两种文学观的对峙与互补。梁启超首开本世纪功利主义文学观的先河，而王国维则有资格作为非功利主义文学观的先期代表者与之对峙呈现。如果说是梁启超首倡的新文学功利观把文学的政治历史功能推向了极致，且借此抬高了文学的社会地位的话；那么，则是王国维为代表的非功利文学观，使文学能够得以

---

① 《中国唯一之文学报〈新小说〉》。

在对西方现代哲学、美学的借鉴中开始探寻并铸造着新的艺术特质与审美品格。作为构成新文学历史的重要维度，两方面在对立互补中共同担承并完成着新文学的创造与发展。第三，新旧文学的对立与并存。作为转型期的文学特征，新文学与旧文学的对抗与冲突，以及在并存中此消彼长，当是最基本的方面。在这时期，虽然新的文学尝试无论是在内涵还是形式方面都还明显带有初创时期的过渡性特征，不可能做到彻底的脱胎换骨，但却以其彪炳于文坛的新质与旧文学演成对抗之势。这也是观者自明，无须多言的了。

## 其 二

按照我所理解的历史分期，从梁启超提出三界"革命"到辛亥革命落潮后的一段为本世纪文学的第一期。而从1917年"文学革命"的高倡一直到1976年"文化大革命"结束，虽然时间跨度较大，但从阶段性过程的完整性来看，则应作为一个史段处理，即为本世纪文学的第二期。因为在这个阶段中，由于政治力量的对抗与疏离，使得文学在长时间内表现为不同地域内的板块特征，尤其是中华人民共和国建国后，台港地区与大陆的关系隔离，使这一特点更为突出，大陆与台港地区的文学几乎是在完全隔离的状态中各自发展。至于新时期开始迄今的这一阶段，那就是本世纪文学的第三期了。

我们这样分期的基本依据，缘之于历史、文化对文学时代特质的不同规定性，和这种规定性流转发展的基本阶段性界定，当然最终是落脚于文学在不同历史、文化语境中自身生成、发展的阶段性区分。据此观之，从梁启超力倡三界"革命"，以文学的方式与旧有的政治、文化观念对抗，到辛亥革命时"民族主义"思潮高涨，尤其是作为文化观念的传统本位主义的立场日渐凸现，从政治观念上来讲固然已向更深的历史层面发展，但就文化观念而言，却是经历了一次回旋。这自然地呈现为一个阶段。其间，历史经由了作为中心性历史行为表征的由启蒙到救亡的变化，文学也经历了由作为工具的"中心"，到作为"中心"的工具的转化。也就是说，在梁启超发动的三界"革命"中，文学虽然也是作为实现政治变革的工具而被推重，但是，他们那时是把这种通过文学启蒙的行为视为历史运行的中心环节，而加以强调，并因此而势在必然地对工具的历史效用作出极端化的强调。而与此不同，辛亥革命时期被认定为历史中心性行为的是凭借武装对抗进行的政治革命，文学虽也以其宣传功能而被作为工具重视，但此时对"工具"的理解已变得更为具体，已把它视之为为中心行为服务的器具了。随着这种认识的迁演转化，文学本身的变革已不再是被关注的焦点，而前此的三界"革命"与本位传统文化所已形成的对抗之势也被悄然消解，被认作"国粹"的传统文化变作了用以凝聚人心、铸造"国魂"的精神力量。因此，文学本身革命的意识必然为另一种渴望与激情取代，文学也在服务于宣传和思想、情绪的抒发中被作了更为广义的理解。而与此同时，在政治主张上与革命派处于对抗地位的维新派，在文化价值观念上也发生了变化。由于和传统文化难分难解的血脉联系，和维新派的政治文化启蒙虽然将价值立场与传统文化设定在对峙框架内但却无力支撑起这一框架结构，不得不使其实际的展开表现为价值方向认知的泛化和批判的涣漫无力，因此不久也便热情陡降，反过头来对传统文化的价值重新予以认同了。维新派的这一转化与革命派的文化态度共同为五四新文化运动提供了历史的背景，并启示了新的历史要求。只不过，这时历史的轴心已不是维新派而是革命派罢了。

　　作为历史的"中心"性对抗，五四新文化运动无疑是与革命派的历史行为相衔接并与其时的主潮性文化态度直接发生对抗的。这一点或许已是人们共知的事实，但与之相关的另一点，即作为新文化运动必然发展的过程性结果和直接呈现为新文化运动重要组成部分或者说阶段性表现的"文学革命"运动，它与历史对抗的现实性冲突点是什么，人们对此却并未细究。笼统地说，它是与以旧文化为内涵和审美追求的旧文学为对立物固无不可；但凡事都会有一个更为具体的触发点，"文学革命"也不例外。从当时的实际情况看，旧的文学内容、形式和趣味弥漫文坛，派别亦属不少，可是在社会上能够专擅胜场，或者说能够革命家与文学家兼备一身而独享此等盛誉者，更多的却只是"南社"中的诸公。南社为清末民初鼓吹革命的文学团体，它的"惟一使命是提倡民族气节"①，

--------

① 《新南社发起宣言》。

其成员确也写出了许多激昂慷慨的文字,但其狭隘的民族主义思想必然认同传统的文学观念,尤其在辛亥革命后,思想的光辉已消散殆尽,以文胜质的复古倾向则更趋严重,有人甚至"抱着'妇人醇酒'消极的态度,做的作品,也多靡靡之音,所以就以'淫滥'两字,见病于当世"①。所以,勿庸讳言的事实是,恰恰是"南社"的创作倾向,成了"文学革命"首先面对的对立物,胡适为"文学革命"首揭义旗的《文学改良刍议》,其中所倡言的"文学革命八事",就大多针对的是南社②。

由胡适、陈独秀等人发动的"文学革命",在中国文学史上是一件石破天惊的大事。现在看起来,其所力倡的"国语的文学,文学的国语"③,也不过是一种侧重于语言符号的工具革命,但却正是由这一主张开其端的深刻变革,意味着对传统文学的全面颠覆。因为,其一,相对于裘廷梁当年的"白话"说,此时已从"社会工具"革命深化到"文学工具"革命的层面,在最为传统文人看重的"美文"的领域进行了全面的转化替代。梁启超当年虽然也主张以"语体"入文,并把它视之为三界"革命"的要求之一,但他毕竟更看重文学作为功能文体的再造,并未把"语体"的问题作为首要问题凸现出来。五四文学革命实则为白话文学革命,它把语言工具在文学中的全面转换作为自己的首要要求,这不能不说是在中国文学由传统向现代转型的问题上表现出了更为自觉也更为本体化的理解。这里深藏着一个动机和效果上的差异,尚未被人们自觉地辨识。比较起来,梁启超的三界"革命"从社会性功能的意义上把文学的作用推向了极端,而五四文学革命则是在文学表现为文化的深刻载体的意义上企图把文学从旧文化中剥离出来,恢复其活力,这该是没有异议的。但在其中必然出现的情况是,三界"革命"虽是由对文学的非功利性即娱乐性特征所独具的实际社会教育功能的认识出发,而优先选中了文学,且不乏对文学本体性审美特征的认识,但它选中文学

---

① 柳亚子:《新南社布告》。
② 参见沈永宝:《"文学革命八事"的背景:南社》,《天津社会科学》1995年第5期;《〈文学改良刍议〉与南社》,《文艺报》1997年3月25日。
③ 胡适:《建设的文学革命论》。

的目的明明白白地还是归之于对社会人群进行教育和改造的强烈欲望。因此,以文学为工具的意识和超越文学本体的社会功能实现的欲望,势必会限制和弱化对文学本体的思考。五四文学革命就不同了,就文学革命初倡者们的认识而言,他们是把文学的现代转型与反"载道"主张作为一体进行思考的,这就为其作更多的本体性关注提供了可能。文学革命固然是五四文化批判运动的一个组成部分或者说是其深化发展的结果,然而当其倡导者把旧文学看作旧文化的孕生物而企图赋予文学新的生机时,一时间确实没有把文学的社会教育功能作为明确关注的对象,而是想着怎样才能恢复文学的活力,使之成为"活的文学"。胡适在回答什么是文学时说:"语言文字都是人类达意表情的工具;达意达的好,表情表的妙,便是文学。"① 他以为:"创造新文学的进行次序,约有三步:(一)工具,(二)方法,(三)创造。前两步是准备,第三步才是实行创造新文学。"② 陈独秀虽然比胡适更为自觉地将"文学革命"置放于文化启蒙的历史性意义中予以确认,他所揭示的"三大主义"也比胡适的"八事"在革命的内涵上自然要深化得多,但即使是他,也还是集中在"师古"与"载道"两个方面对旧文学痛下针砭的。而且,当时尤为文界关注和一时间讨论最多的,也还是白话问题。看起来,语言文字的转换对于文学来说不过是一个基础性的简单问题,但在这里却无疑具备了更为自觉的本体论意义,而且正是在这一最基本性的问题上找到了文学由传统向现代转型发展的最为关键的启动点。

其二,文学革命并不仅仅止于语言文字的变革。语言文字之于文学,目的是用来表情达意,那么对"情"与"意"的理解如何,也就必然地成为文学革命的题中应有之义。因此,继"白话文学"的主张提出之后,这一问题很快就被大家关注起来。周作人就指出:"我想文学这事务,本合文字与思想两者而成。表现思想的文字不良,固然足以阻碍文学的发达。若思想本质不良,徒有文字,也有什么用处呢?"③ 他以为:"文学革命上,文字改革是第一步,思想改革是第二步,却比第一

---

① 《什么是文学——答钱玄同》。
② 胡适:《建设的文学革命论》。
③ 《思想革命》。

步更为重要。"① 在文学革命的第二步中，周作人是一位有代表性的人物，他所提出的两个口号及其所作的阐释，应该说是在文学的思想价值建构方面最具新意，解说也最为完整的。第一个口号是"人的文学"。他说："我们现在应该提倡的新文学，简单地说一句，是'人的文学'，应该排斥的，便是反对的非人的文学。"这就先在新旧文学内涵的不同处划出了一条明晰的分界线。关于"人"，他的解释是："我们所说的人不是世间所谓'天地之性最贵'，或'圆颅方趾'的人。乃是说，'从动物进化的人类'。其中有两个要点，（一）'从动物'进化的，（二）从动物'进化'的"（着重号为原文所有）；"换一句话说，便是人的灵肉二重的生活。"基于此，他"希望从文学上起首，提倡一点人道主义思想"，而这种人道主义，"并非世间所谓'悲天悯人'或'博施济众'的慈善主义，乃是一种个人主义的人间本位主义"。② 周作人这种"灵肉一致"的人道主义文学观，不仅在当时实际上成了对新文学内容取向的价值导引和对新文学合理性的有力辩护，而且作为一种价值立场，曾在本世纪被作家们不断地重新诉说与坚持。与之相关提出的第二个口号是"平民文学"。周作人认为，新文学与旧文学并不能从阅读对象的社会阶层属性上予以区别，而只能从精神上加以界分。他从人类一律平等的意义上提出"平民文学"的主张，其所谓"平民"，实则是对"人"的平等生存权利和道德精神的理想性确认，具体到文学上的要求，即与贵族文学的不同之处，就是"内容充实，就是普遍与真挚两件事"③。应该说，这是对其"个人主义的人间本位主义"主张在"人生"与精神的群体性联系上，所作的补充和必要的延伸性说明。两者结合，恰可见出周作人的全面理解。

这种理论表述的显然是一种启蒙主义的文学话题。最初，胡适提倡白话文学时还较多地侧重于文学本体的思考，并未将文化批判的任务自觉地落实到文学的内涵变革上来。而其专注于语言文字转换的文学意义的强调，从文学本体上来说又毕竟太过一般，因此，虽然白话与文言的

---

① 《思想革命》。
② 《人的文学》。
③ 《平民文学》。

对抗在较长时间内都依然是与守旧派斗争的焦点之一,但文学革命的深化发展却不能不依赖于对其文化内涵的更为深刻的变革。所以,很快地,文学革命即在形式与内容的双重革命中找到了与文化启蒙运动的任务更为契合并将这一运动引向深入的认知角度。其实,陈独秀继胡适之后高张文学革命大旗时,就已明确将这一革命纳入了文化启蒙运动的轨道:"吾苟偷庸懦之国民,畏革命如蛇蝎,故政治界虽经三次革命,而黑暗未尝稍减。其原因之一小部分,则为三次革命,皆虎头蛇尾,未能充分以鲜血洗净旧污。其大部分,则为盘踞吾人精神界根深蒂固之伦理,道德,文学,艺术诸端,莫不黑幕层张,垢污深积,并此虎头蛇尾之革命而未有焉。此单独政治革命所以与吾之社会,不生若何变化,不收若何效果也。"① 至于到了周作人的解释,则是更从观念建构的方面明晰了新文学启蒙主题的基本内涵和关注人生的特有角度。相较而言,初萌于世纪之交的梁启超式的启蒙运动,虽然表现出了对于自由主义文化的强烈渴望与向往,但他们那时只是着眼于群体的改造,对传统文化的批判也只能是部分地笼统地对抗,因此,必然地把"新民"的希望只是更多地寄托在"工具"作用的发挥上,从而把文学的作用推向了极端。而五四新文化运动则是以前所未有的历史深刻性与传统文化形成了全面而尖锐的对抗,它是把文化的问题推向了极端。正因如此,文学革命才会首先以一种文学本体解放的方式,在文化批判运动中自然推出;也正因如此,文学才有幸获取了以个性主义为核心的关于人的解放的深刻内涵,并凭借着文化理解使文学接近了表现人生的独特内容与方式。而这,也就是何以在文学革命初期就能出现深刻、新颖的鲁迅小说的原因。

但我们也须看到,也正因如此,强烈的文化启蒙欲望的笼罩,又必然会使文学的独立性受到拘束,难以在更自由的天地里发展,所以直到1921年,才相继出现了"文学研究会"和"创造社"两个表现为不同艺术价值指向的文学社团。"文学研究会"实际上是文学革命"为人生"艺术取向的凝聚和深化发展的结果,"创造社"则是以其浪漫精神企图在超越中获得更大艺术自由的一群。前者背负历史的重担相对平稳地前

---

① 《文学革命论》。

行，后者则在高扬的精神下潜伏着深在的矛盾，更易于发生陡然的变异。但两者的对抗与分流发展，却在事实上显露出了文学在承担历史任务与自身协调发展中已经能够做出的努力。这是其一。其二，因为文化启蒙作为一种历史活动，它所要求于文学的，自然也是一种工具性作用的实现。因此文学革命尽管从反载道始，但最终还是走不出文学载道的命运，只是所载之"道"不同罢了。这也就不难理解，为什么新文学由启蒙向救亡的转移会如此地便捷。至于作家们在新的认同中经历了多么复杂而深刻的心灵历程，固然是带有普遍意义的真实，但这一切又毕竟都发生在必然的动势之中。其三，其时所标榜的"平民文学"，并不同于"通俗文学"。文学革命对通俗文学的批判表露出一种反民间的文化倾向，这与文学革命所承担的启蒙任务以及由这一任务所规定的主客体对话关系的设置有关，并不足怪。这种倾向出现的结果，客观上形成一种张力，对各自文化与文学个性的坚守与发展，自有其不容忽视的意义；但从另一个角度来讲，却又不能不表现为一种偏见，影响了新文学对民间文化的关注，有的人甚至会滋生出"名士"气和"绅士"气。当然，从文学多元发展的角度对此可以而且应该作出认同性评价，可在内在因果上却确实存在着关系，而且就自觉担承启蒙和救亡使命的文学来说，确实也使它们多费了些气力。

由于历史中心点由启蒙向救亡的转移，从20年代中期起，代表着主流的新文学开始由文化批判转向社会批判和政治批判。自此，不同政治力量的对峙与抗衡，导致了文学向政治的转化和尖锐对抗局面的形成。30年代是中国新文学多元发展且颇有实绩的时期。其间，左翼文学无疑是文坛的主潮，它撼动并影响着整个文坛，以无比凌厉之势制导着文坛的潮涌。相比之下，表现为对立政治倾向的"民族主义文学"则难成阵势，根本不能与之抗衡。倒是一些以自由主义为标榜、以文学的非功利主义思考为指归的流派、作家，与上述两种力量尤其是与占据主导地位的左翼文学的冲突，构成了文坛上显示出活力的流动性景观。它们在各自的价值范畴里坚守、发展着自己的立场和主张，而由其对抗形成的张力，为文学的多元发展提供了可能。这也是个艺术个性容易形成的时代，不仅是一些流派，就是许多作家个人，都表现出了在这一方面的醒目的进展。及至到日寇入侵、民族危亡之际，民族的救亡运动使各派作家在"爱国"的神圣旗帜下重新集结，一时间以质胜文、旨在宣传的便捷的文艺形式成了基本的选择，文学自身的多元探索不得不暂作搁置。到了40年代初，两种政治力量的冲突又趋尖锐，两方在文艺观念上先后都进行了带有法典意味的规约性阐释，而文学界经过数年的救亡潮动和生活的积累，使文学创作重又开始了各自不同的探索。40年代文学是过去的文学史著最见偏颇且疏漏最多的一段。从实际情况来看，就文化角度而言，它已从文化对抗走向了文化综合的新视野，而且深探到了生命哲学的层面。从地域来讲，因地域的政治界分对文学的影响，从30年代中期即已出现的解放区、国统区、沦陷区的文学板块特征到40年代更趋鲜明。自中华人民共和国建立，中国大陆即共和国文学实质上即为延安文学的扩大和发展，一直到"文革"的结束。

（原载《二十世纪中国文学史》，山东文艺出版社出版，1997）

# 中国近代四部著名小说的生成和价值内涵

## 一

《官场现形记》、《二十年目睹之怪现状》、《老残游记》、《孽海花》，世所公认，是中国近代小说中的四部名著。

在文学史和人们的习惯说法中，这四部小说常常是被称之为"四大谴责小说"。这种称谓，缘之于鲁迅在《中国小说史略》里的权威性论述。

鲁迅主要讲明了两点：一是这些小说所以出现的原因；二是何以"别谓"之"谴责小说"。

从出现的原因来说，鲁迅的分析言简意赅，是很有道理的。有清一代特别是自鸦片战争以降，其窳弱、腐败不仅暴露无遗，而且愈演愈甚，已到了不可收拾的地步。与以往朝代的末世不同，清代的衰败式微是在国际性干预和比较的动态框架内迅速暴露并为人们所认识的。这就产生了一种特殊的历史效应。对于清廷统治者及其庞大的官僚机构来说，外国列强的武力侵略、威慑和无尽无休的索款割地，不仅没有激起他们救亡图治之心，却反而使之变本加厉、花样翻新地加速了腐败进程。被迫打开国门后，他们的角色选择也发生了变化，新的秩序调整，使他们一身二任，在中国人民面前是主子，在外国列强面前则是奴才，特殊的角色心理，必然又使他们在奴隶面前更要像个主子，在主子面前更要像个奴才，骄内媚外便成了他们拿手的好戏。可是结果呢，却只能是自我暴露得也快，使越来越多的人看清他们的嘴脸。"群乃知政府不足与图治，顿有掊击之意矣"。对于有识之士来说，其效应则积极而复杂，而且由此而丰富和发展了历史的近代内涵，并促进了中国历史向近代的进一步转化。其一即为在鲜明的国际对比逆差中痛感国家的贫弱与耻辱,"于'富强'尤致意焉"、"实业救国"、"科学救国"成了人们的理想之途。而另一方面,就是在进一步认识和强化了"国政"这一变革对象的同时,渐次发现和明确了中国近现代历史革命的另一对象,即"细民暗昧"问题,以开发民智为宗旨的启蒙主义思潮便勃发起来。

  一种文学倾向的形成,总与作家感受对象的生存现实的特征有关。晚清时期,既然国势日颓、政治腐败到如此地步,那它怎么能不被文学置于被批判的位置呢?这一时期,有责任心的作家与腐败的"国政",与暗昧的"细民",构成空前紧张的关系,并在这种紧张中激发出新的文学生力。尤为值得注意的是,这种现实,使作家们产生了一种与之对应的独特而又必然的心灵状态,即悲剧性的崇高与痛苦、愤激的发泄欲望和对于真与美的内在渴望。吴沃尧解释李伯元的创作,说他因"忧夫妇孺之梦梦不知时事也,撰为《庚子国变弹词》,恶夫仕途之鬼蜮百出也,撰为《官场现形记》,慨夫社会之同流合污不知进化也,撰为《中国现在记》"①,是"以痛苦流涕之笔,写嬉笑怒骂之文"②。其实,这又何尝不是吴沃尧自己的夫子自道!他曾出版《吴趼人哭》五十七则,其中一则说:"吴研人何为而哭也?天下事有极可怒者,有极可哀者,更有怒之无可容其怒,哀之又不仅止于哀者,则惟哭之而已。泚笔记之,当不觉涕泗之横流也。呜呼!天下可哭之事,宁独此耶?此特百十千万之一耳!掩面大噭。"刘鹗更是以哭泣来解释文学的发生和《老残游记》的创作,他在《自叙》中说:"吾人生今之时,有身世之感情,有家国之感情,有社会之感情,有种教之感情。其感情愈深者,其哭泣愈痛:此鸿都百炼生所以有《老残游记》之作也。"又说:"棋局将残,吾人将老,欲不哭泣也得乎?吾知海内千芳,人间万艳,必有与吾同哭同悲者焉!"曾朴亦有同慨,在《孽海花》第一回中有开场词说:"江山吟罢精灵泣,中原自由魂断!……又天眼愁胡,人心思汉。自由花神,付东风拘管。"在这回的下场诗中也说:"三十年旧事,写来都是血痕;四百兆同胞,愿尔早登觉岸!"反映对象的规定性和它们与创作主体之间对应形成的独特关系,规范了一代文学的基本精神风貌,使之表现出了强烈的批判力量。正如忧患余生称赞《官场现形记》时所说的:"不

---

①② 吴沃尧:《李伯元传》,《月月小说》第1年第3号。

畏强御，不避斧钺，笔伐口诛，大声疾呼，卒伸大义于天下，使若辈凛乎不敢犯清议。虽谓《春秋》之力至今存可也，而孰谓草茅之士不可以救天下哉！"①

　　创作主体的变化也是文学发展变化的重要前提。此时的作家已不同于往昔，他们的价值尺度、角色选择、文化眼光都发生了深刻的变化。他们从旧时来，虽然都有过科举求仕的经历，但其人生价值的创造和实现过程，却无一不是起始于对这条道路的背叛或错移，尽管当时并非完全出于自觉。他们已不再泥守于传统的文人价值观念，而是对于传统文人所一向鄙视的科技和实业有了新的确认和现实选择。即使如李宝嘉、吴沃尧两位，在这批作家中尚属观念比较保守者，在社会角色选择上，也率先成了带有浓重商业色彩的报人。刘鹗应属于敢于出格的知识界的独行者，他笃信科技和兴办实业的力量并身体力行，以致在维新派业已将洋务运动行时的一页掀过去的时候，他仍然我行我素，甚至与维新派拉开距离，视他们为误国的空谈。他在《致黄葆年》中说："圣功大纲，不外教养两途，公以教天下为己任，弟以养天下为己任。各竭心力，互相扶掖为之。"② 在这里，他把儒家的思想与开办洋务，实业救国的主张结合在一起，自信有了立于不败之地的思想和人格的根基。他认为"今日国之大病，在民失其养。各国以盘剥为宗，朝廷以朘削为事，民不堪矣"③，那么救亡兴国之策，则非"修路、开矿、兴工、劝农四项"莫属了④。从真正的人生选择来说，刘鹗自己所要选择的，首先还是实业家，写作则是第二位的事。至于曾朴，也同样有着对于兴办实业的兴趣和实践。

　　角色选择的变化意味着一种新眼光的产生。以上四人有一个共同点，即他们都与上海有着至为密切的关系。在中国历史的近现代化过程中，上海更有资格被称之为新历史活动和文化活动的中心。事实上也正是如此，在它成为外国列强蚕食中国的缺口时，它也同时成了中国对外开放的窗口。它连接着中国与西方，既是新经济、新文化的试验场，又

---

① 转引自郭延礼《中国近代文学发展史》卷2，山东教育出版社1991年版。
②③ 刘德隆等编：《刘鹗及老残游记资料》，四川人民出版社1985年版。
④ 刘鹗《风潮论·七》，见《刘鹗及老残游记资料》，四川人民出版社1985年版。

是向内地扩散、渗透的辐射源。也正是由于这个原因，上海成了新小说创作和繁盛的中心，同时使新小说作家获得了更多些的世界性眼光。他们四人便是很好的例证，虽然认识和理解并不尽相同。开放性的世界眼光，不仅使他们眼界大张，不再拘囿于一隅，也不仅使他们改变了传统文人的价值追求，同时，在对东西两种文化的认识上，也进入了一个新的境界。有此三项，才使他们观察认识事物的视野、角度和深度有了改变。

此外，社会历史为创作提供的条件也很重要。从当时看，这批作家的作品批判的锋芒如此尖锐，甚至直指慈禧等最高统治者，敢于"犯上"而未因此罹祸，这在过去大一统清王朝的思想钳制和文字狱恐怖下是很难被理解的。这种情况的出现，是与上海"租界"的存在直接相关的。"租界"作为"化外之地"，清政府无法直接控制。因此，这种作为中国人耻辱标志的"国中之国"，却成为中国反封建专制统治的重要基地。蔡元培曾说："盖自戊戌政变后，黄遵宪逗留上海，北京政府欲逮之，而租界议会以保护国事犯自任，不果逮。自是人人视上海为北京政府权力所不能及之地。演说会之所以成立，《革命军》、《驳康有为政见书》之所以能出版，皆由于此。"① 陈天华也表述过这个意思，在租界，"稍能言论自由，著书出版，攻击满洲政府，也算不幸中之一幸"②。新小说杂志和作品多在上海创刊和出版，个中原因即在于此。同时，新小说理论的宣传、白话的提倡等，也都是新小说繁荣发展的重要原因所在，而且恰恰是因为他们，才使新小说有了更新的价值内涵和语言形式。

鲁迅把这四部小说及其同类作品称之为"谴责小说"，从其作为基质存在的批判倾向来看，是有一定道理的。但是，如果把它作为整体性的概括，就未必尽当。就这四部小说而言，《官场现形记》和《二十年目睹之怪现状》没有疑问，布满全篇的几乎都是批判，可是《老残游记》和《孽海花》就不同了。《老残游记》虽然有明显的批判性内容，但它又分明是一部游记体小说，其对济南泉城景色和白妞说书的描绘长

---

① 《蔡元培全集》第 1 卷，中华书局 1988 年版。
② 陈天华《狮子吼》第 7 回，见《陈天华集》，民智书局 1928 年版。

达两回,连作者自己在第三回末的"原评"中都说:"第二卷前半,可当《大明湖记》读,此卷前半,可当《济南名泉记》读。"何况其中还有大量地方风俗、人物交往的描绘和记叙,对文化问题的探讨与思考。实不能以"谴责小说"一语概之。《孽海花》的主要特点也是反映历史,而不止于只是谴责。作品初版时称之为"历史小说",其广告文为:"以名妓赛金花为主人,纬以近三十年新旧社会之历史,如旧学时代、中日战争时代、政变时代……小说界未有之杰作也。"① 作者也说过:"想借用主人公做全书的线索,尽量容纳三十年来的历史。"② 从作品看,确实呈现着历史小说的基本框架,而且其中不乏正面的叙述与歌颂,亦实不能以"谴责小说"一语概之。现实主义的小说作品,不可能不包含批判性的内容,但有,并不一定就是谴责小说。

何况,如果我们玩味一下鲁迅的话,会发现这种概括里面有明显的贬意。鲁迅不单是因为其"揭发伏藏,显其弊恶,而与时政,严加纠弹"而名之以"谴责小说"的,也还因为它们"虽命意在于匡世,似与讽刺小说同伦",而实际上"辞气浮露,笔无藏锋","其度量技术之相去远矣",才"别谓"之"谴责小说"的。作为很重要的一个方面,后者显然是从艺术表现上说的。可是,这种感觉却不能从四部小说中都能得到。实事求是地说,《官场现形记》和《二十年目睹之怪现状》是有些辞气浮露、过甚其辞的毛病,但《老残游记》、《孽海花》则明显不同,两部作品在艺术上各有其独到之处,至今读来仍觉新颖。

一位外国学者谈到过她认识改变的一个过程:"我们最大的研究成果是发现晚清小说家的作品中具有各种独特的思想和风格。……(鲁迅的话)并非意味着作家的意图仅仅是嘲笑、揭露和鞭挞社会弊端。这种印象只能从阅读个别事件中得到。而从整体上看,晚清小说表达了形形色色的思想,……"③ 国内学者也已有人在研究中发现了这一问题。④ 由此看,我们所提出的问题已不能视为个人的阅读偏差了。

---

① 引自魏绍昌《孽海花资料》第2辑《修改后要说的几句话》注释〔三〕。
② 曾朴:《修改后要说的几句话》,见《孽海花资料》第2辑。
③ 米列娜:《从传统到现代——19至20世纪转折时期的中国小说·导言》,《从传统到现代——19至20世纪转折时期的中国小说》,北京大学出版社1991年版。
④ 王祖献:《孽海花论稿》,黄山书社1990年版。

本来，这些小说出现时，相对于旧小说，人们习惯于称它们为"新小说"。这个称谓，来之于"小说界革命"的提倡。它已成了一个历史性的概念，用它来指称那一时代的小说创作，虽然笼统，但倒更准确、全面一些。

## 二

曾朴曾用这样一句话来概括《孽海花》所表现的那一时代的特点："中国由旧到新的一个大转关。"① 用这话来作为我们进入四部小说所构筑的艺术世界的入门钥匙，则是再恰当也不过了。

任何一个时代，由旧到新的转关都是以对"旧"的否定性认识为基础，并以此作为"转关"的启动环节的。不过，过去的时代，"新"与"旧"尽管也都必然是价值认识的对立和冲突，但它们大多发生在同一大的价值范畴之内，比如说都尊重皇权，都崇奉传统的道德标准等，都是在共同认可的政治体制和文化价值认识中发生的。因此，那时的社会和文学，对某些事物的否定和批判，都限定在不妨碍共同的价值尺度和政治体制之内。比如说反官僚的压迫、贪鄙、龌龊等，就造出了一些"赃官"、"贪官"、"昏官"、"酷吏"、"佞臣"等带有强调性质区分色彩的概念，以示官与官的不同，这就把斗争的对象与政治体制区分开来了，并在这种区分中确认斗争的正义性。于是，在社会认识和文学表现里，就相应地、不约而同地形成了"忠奸对立"和"官逼民反"的对抗模式，而且长久流传，以至于成了人们认识社会问题时沿袭相传的准绳和思路，甚至于成了社会心理中不变的文化情结。但是，这时期却不同了。中国历史的近代化过程，是以逐渐否定封建主义的基本政治体制和陈腐文化观念为其深化发展的标志的，人们的认识不可能不发生有别于旧有模式的变化。随着新的时期"新"与"旧"内涵的变化，即人们和国家的利益与旧有体制和陈腐文化观念已成为对立时，在人们的认识和文学反映中，"忠奸对立"的模式便不可能不被消解了。而且，时至这四部小说所反映的时期，围绕政治体制所进行的种种斗争，已构成了社

① 曾朴：《修改后要说的几句话》，见《孽海花资料》第2辑。

会冲突的核心内容和人们关注的焦点,在此种情势中,文学对官场的集中揭露和批判,并且以消解"忠奸对立"模式为认识和表现的基本前提,那就是很自然的事情了。

作为20世纪小说源头和第一个高潮,以这四部小说为代表的众多作品,在内容上将批判的矛头首先集中指向官场,从上述分析看,就不足为怪了。在四部小说及其它同类作品中,第一个否定"忠奸对立"模式,并将笔力集中揭露和批判"清官"的,是《老残游记》。刘鹗自己也为此颇为自得。他在小说第十六回的"自评"中说:"赃官可恨,人人知之;清官尤可恨,人多不知。盖赃官自知有病,不敢公然为非;清官则自以为我不要钱,何所不可,刚愎自用,小则杀人,大则误国。吾人亲目所睹,不知凡几矣";"历来小说皆揭赃官之恶,有揭清官之恶者,自《老残游记》始。"《老残游记》中集中揭露性地描写了两个"清官"的形象。一个是玉贤,他为了博取好的名声,不惜草菅人命,随意刑杀无辜的百姓,读来令人发指。另一个是刚弼,主观武断,严刑逼供,亦视人命如儿戏。这两个形象颇具新意,其客观价值远远超过了艺术本身。在《官场现形记》和《二十年目睹之怪现状》中,没有专写哪一个是奸官哪一个是清官,其基本取向是天下乌鸦一般黑,着力凸现的是整个官场的黑暗和腐败。作为一种认识,已经否定了"清官"的存在,这和《老残游记》的命意实质上没有什么区别。在四部小说中,在价值确认和比较评估中,与传统的认识相比,有一个很值得注意的现象。传统认识中与官对立的被视之为贼,贼自然与官相比要算是天上地下。可是在四部小说里,官比贼更坏。李宝嘉的一位朋友看清了这一点,他说:"天下可恶者莫若盗贼,然盗贼处暂而官处常;天下可恨者莫若仇雠,然仇雠在明而官在暗。吾不知设官分职之始,亦常计及乎此耶?抑官之性有异于人之性,故有致于此耶?国衰而官强,国贫而官富。孝悌忠信之旧,败于官之身;礼义廉耻之遗,坏于官之手。而官之所以为人诟病,为人轻亵者,盖非一朝一夕之故,其所由来者渐矣。"[①]这话是说到了小说的深刻处的。《孽海花》把矛头直指最高统治者慈禧,认为上自慈禧、王公大臣,下至一般官僚,几乎都是披着华丽外衣的五

---

① 茂苑惜秋生:《官场现形记·序》。

类，这是对整个统治集团的否定。那三部小说虽未明确指斥最高统治者，但既然整个官场全坏透了，其实后面的潜台词也是不言而喻的。

　　对官场的揭露，四部小说在两个"全"字上颇费心力。一个是力求表现天下之大，但大小官吏无一不坏。为此，四部小说无一不是采用了视点大幅度移动的办法，企图实现全幅扫瞄的目的。《官场现形记》用的方法是故事接故事，《二十年目睹之怪现状》用的方法是将视点人格化，令其东西南北地流动观察和听闻，《老残游记》则干脆采用了游记体，《孽海花》也不同，是将视点和情节中心人物结合起来，随故事情节的地址转换，从而完成了大幅度的展现。这里有两处需要说明：一处是《二十年目睹之怪现状》中已有了九死一生、吴继之和蔡侣笙等正面形象，但其用意却是结构的需要，便于用他们的嘴讲述更多的故事，作为讲故事者，是不能不有个正面角度的。而更重要的，是这些正面人物最终无一不是不能见容于官场的失败者，通过他们更能见出官场的黑暗腐败，他们失败的本身，便是官场情景的一个佐证。另一处是《孽海花》中对被肯定的官场人物的描绘，如冯景亭等。这里的情况则又另当别论。这部小说和那几部不同，它要写出历史的"转关"和运演，而在历史的行程中，冯景亭等新派人物是作为与旧官场相对立的进步力量来表现的，作者的意图已增加了新的内容，人物设置自然要有新的调整，但这与表现旧官场的黑暗是不相抵牾的。四部小说追求的另一个"全"，是大小官吏的恶行恶德之全。这方面小说中有极丰富的展示。还需要一提的，是对于在中外不等值对话的新历史环境中，官场内所孳生并恶性流行的奴性心理和行径，有些章节写得惟妙惟肖。

　　四部小说描写官场黑暗时，有一个很奇妙的现象，并且代表了这个小说潮中的一个整体特征，就是"实"和"虚"的极端性强化和结合。小说中所写到的人物，尤其是《老残游记》和《孽海花》，大多有现实中的人物作依托，作原型，连名字都是谐音变化而来。希望读者能从"虚"中看出"实"来。这种近乎实录式的创作倾向，一方面是受了当时新小说理论中"写实"主张的影响，而在理解中又有些幼稚；另一方面则是为了显示言之有据，增加"虚"即夸张性描写的可信性。小说中，"虚"即艺术的虚构甚至夸张，也是被推到极端的，作者这样做的目的，无非是为加强读者对官场黑暗的感受和认识，为创作目的服务罢了。不过惜乎言之过甚、尽管有若明若暗、故意引导人们相信他们言之有据的"实录"作证，也终不免弄巧成拙，有事与愿违的实际效果了。

从思想境界和情感倾向来看，四部小说和旧小说也有明显的不同。旧小说的作者在不可避免地遭遇到个人与环境的冲突时，不可能从被否定对象的根本处（整个政治体制和文化观念）突围出来，结果往往是又内敛为对身世的感怀和对人生的悲叹。这些新小说的作者们已在自觉或不自觉之中，逐步将与旧官场、旧文化的冲突提高到国家利益的高度，爱国主义的理想和情愫成了艺术创作的内在力量。在其中，个人本位主义的色彩反而被冲淡了。在四部小说中，《官场现形记》和《二十年目睹之怪现状》的理想色彩是最暗淡的，阅读时就像被裹进了无边的黑暗中。作者们似乎也不大明确如何才好，甚至流露出悲观主义的情绪，如《二十年目睹之怪现状》的结尾。但综观全篇，这决不是作品的基调，鞭挞污浊的愤激之情还是更强劲有力的。《老残游记》和《孽海花》中作者对于救治国家的自信更多一些。虽然未必就像他们自己所相信的那样，现实的发展会按他们的意思走。谈到理想追求和情感倾向，这里也有一个奇妙的现象，大概也是第一次新小说潮的基本特征之一吧，就是创作主体主观因素的增强，亦即作家在创作中主体性因素的强化，却是与个人本位主义的淡化同时发生的。就如采取了第一人称叙事的《二十年目睹之怪现状》，和实质上就是作者以作品人物身份直接介入并在中心位置制约故事发展的《老残游记》，作者的主观因素是大大强化了，然而，他们的着眼点却都是国家大势而非个人的得失。但我们说个人本位主义的淡化，不同于不重视个人的作用，这是应该有所区别的。事实上老残和《孽海花》中诸革命新派人物的作用和精神，都是给了充分表现和肯定的。

除官场之外，小说还对士林弊端和社会陋习进行了批判性的描绘，其中亦不乏新意和可堪嘉许之处。有以上对于揭露官场问题的重点剖析，读者自会从中受到启发。

在文化的转关问题上，四部小说也颇有可说道之处。最自觉地强化和突出表现这一问题的是曾朴，他把这一问题和政治问题放到同等重要的位置上来认识和表现。他说他"觉悟到中国文化需要一次除旧更新的大改革，更看透了故步自封不足以救国，而研究西洋文化实为匡时治国的要图"①，因此，在《孽海花》中，文化问题和政治问题交融在一起，构成了历史纠葛的复杂内容。但《孽海花》最后成书较晚，已到了新文化运动之后，所以该书中所表现出来的文化问题及见解，当不能视之为本世纪初的真正面目。在另三部小说中，《老残游记》对文化问题的直接插述更充分些，有关于文化问题的直接论辩，但不仅在文化观念的伦理层面上尚嫌守旧，而且缺少艺术的感染力。在直接表现文化问题并以之构成情节内容方面，《官场现形记》和《二十年目睹之怪现状》显然无法与前两者相比。但在四部小说中，反映文化问题有两种方式，除上面这种情节设置的方式外，为四部小说都兼备的是渗透在人物言行中的观念的明显的或微妙的变化。可是从总的方面看，在世纪初的小说潮中，占据小说情节中心地位的，还是政治变革问题。但其政治观念的改变本身就蕴含着文化观念的转变，所以它们所实现的，实际上是文化观念和政治观念的双重超越，只是更集中地表现为政治批判就是了。

由于作家视野的开阔，和对于新小说理解的加深，四部小说在艺术上也有了多方面的开拓和尝试。比如叙述角度的改变（第一人称等）、情节结构的创辟（珠花式、集锦式等）、语言的俗白流畅等，都是研究者甚至读者人所共知的事实。《老残游记》在写景状物方面更是几乎无与伦比，写白妞说书、济南名泉、黄河解冻等处，已是脍炙人口，为人们广为称道了。

如果粗略地作些比较，《老残游记》和《孽海花》比起另两部来，艺术上更好些；若把这两部也比较一下的话，《孽海花》艺术表现上更完整一些，而《老残游记》虽不那么完整，但文化内蕴更丰厚些，艺术上也更精到些。

陶佑曾在《论小说之势力及其影响》一文中说小说占据了20世纪的中心点、未免有些失当，但若说小说占据了20世纪诸种文体的中心点、社会文学阅读的中心点，那则是当之无愧的。

那么，作为第一次新小说潮的代表者，《官场现形记》、《二十年目睹之怪现状》、《老残游记》、《孽海花》，它们的价值和意义，不是正可

---

① 曾虚白：《曾孟朴先生年谱未定稿》，见魏绍昌编《孽海花资料》，改题为《曾孟朴年谱》，上海古籍出版社1982年版。

以在这个评价的总支点上，找到合理的解释吗？作为承上启下的一个过渡，作为 20 世纪小说创作的源头和奠基作，它们已带着它们所有的成就和不足，被放置在中国文学史特别是 20 世纪中国文学史的重要位置之上。

（原载《文史哲》1995 年第 6 期）

# 由一个范本看鲁迅后现代杂文的发展
## ——我读田仲济先生的杂文

### 一

田仲济先生是我国现代文学界久负盛名的前辈学者，也是现当代文坛的重要杂文作家。从20年代末算起，田仲济先生的杂文创作生涯已历六十余个春秋，单就其时间长度来看，就已超过一个普通人生命过程的花甲之期。六十余年，风云变幻，人世沧桑，田仲济先生对杂文始终不改其宝爱之心，长期坚持笔耕不辍，这在中国现当代文学史上又能有几人？

茅盾生前说过的一段话是大致不错的："中国现代文学史有一个既不同于世界文学史，也不同于中国历代文学史的特点，这就是杂文的作用。"但我还想补充一点，也正是这一最能表现中国现代文学史特点的独特文体，由于它对主客体条件的高难要求，又很难随着现当代历史的推移持续发展，更难企望像其他文体那样在史的延伸中高峰迭起。

田仲济先生的杂文创作历时六十余年，是从现代杂文发展的高峰期一直持续到现在的。解读它的过程，恍如在感受着现代杂文的历史命运，以及它流淌着的血脉的跃动。正是在这个意义上，我把田仲济先生的杂文视为一种"范本"，而且也就是在其范本价值上略窥崖略，思索它以及由它所蕴含的杂文历史发展的内在隐秘的，当然这可能已经超越了文本的意义。

### 二

诚如诸多论者所言，田仲济先生的杂文可归入"鲁迅风"杂文一类。田仲济先生也从不讳言他与鲁迅杂文之间的师承关系。只要细心阅读田仲济先生的杂文，就不难发现他对鲁迅杂文的追慕和学习。但当我们面对一个新的研究对象并力图寻求它对历史的新的构成特点时，就不能只是满足于对它与历史衔接点的阐释了，虽然这也十分重要。我们的现代文学研究，对鲁迅身后即30年代中期至40年代的杂文，长期以来大多取了印证式阐释的态度，结果徒增了许多慨叹。我们并不想否认作为事实依据的历史性存在，事实上鲁迅身后的杂文迄今都没有脱出他的强大笼罩和影响；我们也并不想否认这种影响研究的重要价值和意义，而只是想说明，作为一个新的历史环节，对它所具备的新的历史特征（哪怕并不都是积极或进步的）及其形成原因进行超越影响的研究，对于说明历史和指导现实，该是多么重要。

  1991年由山东文艺出版社出版的《田仲济杂文集》，除已经散佚无法搜求者外，包括了田仲济先生从开始创作一直到该书出版时为止的所有杂文作品。按田先生自己的说法，这本杂文集就时代说可分为三个部分：一是1937年以前（不包括1937年）的，二是从1937年到1949年的，三是建国以后的。大概不会是无缘由的巧合，第一部分的结束时间恰与鲁迅逝世的年份相同，也就是说这一部分是完成在鲁迅仍生存战斗的时期。以后的则写作于鲁迅逝世以后。如果细心想一想，这一时间分界很能说明一些问题，或者说对我们会有一些启发。在此分界之前，田先生的杂文创作比起中后期来虽然显得稚嫩、单薄，但就其故意把主客体之间关系的紧张推向极致，就其斗争的义无反顾和斗争锋芒的极端化尖锐来说，倒是更贴近鲁迅杂文的战斗风格的。这些杂文裹挟着一代热血青年浓重而单纯的青春气息，以初生牛犊不怕虎的精神，不惜把矛盾推向极端，在极端尖锐的对立中雄辩是非，义正辞严。但是，时值我国现代杂文的成熟期和高峰期，在鲁迅杂文占尽风流的鲁迅时代，像田仲济先生这些无论人生阅历还是知识涵养都还不足的青年作家，在鲁迅杂文的耀目光照和由其无形中形成的巨大规定性里，他们是很难形成并显现其独特的创作个性的。那时，在鲁迅首当其冲向旧世界冲锋的队伍中，他们只是追随鲁迅之后的一股强劲的风，是以鲁迅为核心的一种强烈氛围。而与此不同，田仲济先生的杂文真正营造成功自己独有的杂文形态并形成较为稳定的风格，真正以其"个性"在杂文史上定位，倒是在这一分界期之后，在他创作最为宏富的 30 年代后期到 40 年代。这不仅是田仲济先生，其实也是"鲁迅风"作家群所经历的共同道路。

至于田仲济先生以及我们所引申到的"鲁迅风"作家群，他们在 30 年代后期到 40 年代的杂文创作与以鲁迅为标志的高峰期相比是进是退，我们姑且不论，但单就他们自身来说，则无疑出现了一种发展或者说是变化。这是根据内外部条件，他们进行自我调整的结果。

最切实际的还是作者的自述。我们不妨听听田仲济先生对这一调整或曰转折的自述："那时正处在风雨飘摇的时代中，我们几个人在济南办《青年文化》，这些文章（按：指分界前的杂文）就主要是发表在《青年文化》上。《青年文化》最初未引起什么人注意，可以后逐渐谣言丛生了，那时法国在提倡人民阵线，就有传说我们是人民阵线，更有的传说我们使用什么什么津贴。而后就不止是谣言了，国民党的特务不时寻上门来闹事，声言再出下去就要砸牌子，就要抓人。我们几个人商量了一下，在那无理可讲的世界，还是以走为上策，于是 1936 年夏，我到了上海，那时李竹如在上海办《文化报》，他对我说，鲁迅支持一个从北新书局出来的店员费慎祥开了一个联华书局，鲁迅的《花边文学》和以后的几种书就都交他出版了。竹如并劝我说，鲁迅信得过的人我们是可以信赖的。联华书局是个在弄堂里开的小书店，但是，我们从内地迁去的杂志，大的书店是看不上眼的，所以我们就和联华签订了总经销合同。以后，大约是 1936 年秋，岱峰又改与华中杂志公司签订了总经销合同，但同年的冬季，《青年文化》就同其他十四种杂志被查禁了。于是我那些不度德不量力，大胆妄为地提倡什么，反对什么，也不顾对方是什么权威、学者、教授的短文也就暂时停止写了。"[①] 他在另一处又说："我的杂文曾惹起了不少的麻烦，有的说写的是他，有的说揭了他的隐私，更有的说诬陷了他，还有的说损害了他的名誉了。有的骂街，有的各处告状，但就是不真的向法院告状。鲁迅过去也惹过不少是非，但他是鲁迅，他是文人中的强者，晚年是世界的名人，他可以到法院告倒当时作为总长的章士钊，他可以批倒当时作为学者教授的梁实秋。我就完全不同了，是弱者中的弱者，但也不能五体投地，有的找上

---

① 《田仲济杂文集·序言》。

门来了,我的回答是我没有涉及你,你认为是你,那是你的事,我也没法解释,因为解释你也不信,你怀疑最好到法院去告状,法院会公平地裁判。"①

  这可以说是田仲济先生很真诚、很实在的表白。从上述文字可以看出,田先生在杂文创作上的自我调整,实则是审时量力的结果。这大约是鲁迅身后杂文创作出现的一种新的趋势,我想冒昧地把它名之为"逃避紧张"。从这个概念,或者勿宁说杂文创作的这种新现实,可以引发我们截然相反的两种思路,并提供出两种不同论证的必要性与可能性:一种是否定性的思路,把它认定为杂文的退缩。这种观点在那些主动选择历史责任而又着意于创新的学者那里会更有市场。要论证这种观点是不难的,只要拿鲁迅对待现实的态度以及鲁迅杂文所达到的高度来略一比较便见分晓。另一种观点是肯定性的意见,即认为这一代作家积极地尽上了自己的努力,在鲁迅之后依然以杂文为武器构成了文学战线的重要一翼。持这种观点的学者似乎是在有意回避"逃避"这一现实性存在,因而也不愿去做"进"与"退"的比较,只要用乐观主义的历史态度来讲述历史的发展也就行了。但他们也并非对此完全视而不见,这由多年来流行的文学史教材和专著中不同的轻重处理即可见出,否则,为什么讲到这一时期时,对杂文只是顺便一带便过去了呢?

  我不想具体剖辩这两种观点的是与非,因为在我看来,它们都有其合理和偏颇的一面,仅由传统理解的是非标准对它们进行辩难是不好说清问题的。我还是回到我所找到的"话语"上来。我所说的"逃避紧张",既不是具象意义上的逃避现实,也不是实践意义上的逃避责任,而是对主客体关系及其效应的一种新的理解,是调控和把握主客体关系的一种新的原则。在文学的各种文体中,主客体关系最为紧张的当属杂文了,而且它以追求这种现实性的紧张效应为直接目的。在这方面,鲁迅可谓把它推向了极致,构筑了后世难以企及的高峰。可是,作为一代文章宗师、精神界领袖、"文人中的强者",又有几人能比呢?在他那里,这种处理恰到好处;可在不尽相同的历史时空里,由于主客观条件的变易和不同,能够人人都这样做和做到这样吗?由鲁迅杂文所造成的

---

① 《田仲济杂文集·后序》。

主客体之间高度紧张的关系和氛围，是鲁迅时代的特定产物，我们很难想象，在此后所有的时代、所有的杂文创作都只能会这样。不仅杂文，其他文学体裁也是一样。每一位文学巨人的出现，都意味着他在他所进行创作的主要文体方面把由此形成的特定主客体关系，准确地说是指充分体现他创作个性的、被他所特殊理解并表现出来的关系，发挥到了极致。后人要对他有所继承和发展，也必定有一个逃离和再造的问题。继承和逃避，在词义上是一对相反的概念，可是在文学以及包括其他学科知识在内的人类文明的发展中，却是一对密不可分的兄弟。我们说田仲济先生等一代杂文作家"逃避紧张"，也是从这个意义上来讲的。说他们"逃避紧张"，并不意味着逃避现实、逃避责任，也并不意味着对杂文与现实之间所特有的紧张关系的丢弃，这里面既有对现实条件的退守式的冷静认识，又有对调整态势、以利再战的主动进取。杂文是战斗的，但也不是忽视主客体条件的至阳至刚，鲁迅不是也提倡韧性精神和壕堑战吗？难道我们不能对杂文及其功效作更宽泛一点的理解？

也是在这一时期，著名杂文作家唐弢发过这样一种议论，他说："杂文也有独特的形式，这是毋待言辩的，以言风格，却本来没有固定。一开始，它就以多彩和多变，确尽了战斗的任务。虽然读者叙功，提到杂文，终不免想起鲁迅先生，因为他是这一文体的创造和发扬者，深厚博大，拟同准范。倘说天下杂文，必依鲁迅风为归，则是近于排它的主张，以我的孤陋寡闻，似乎还没有听说过。魏金枝先生所'解'的'惑'，其实是并不存在的。设使后进止于所指，这就决不是先驱者的意思。"[①] 这个话似乎是在辩白一种"误解"，其实细品起来，又何尝不是一种深富新意的主张的发挥。那时的唐弢也深有苦衷："多少年来，我都应用着这一文体，还被看作是鲁迅风格的追踪者，使许多人不舒服，也使许多人看不起。然而，真所谓'如鱼饮水，冷暖自知'吧，虽然心仪斗士，时涉遗著，但凡所作，和鲁迅先生的杂文相比，真如溪壑之于大海，部娄之于泰山，除了佩服，只有惭愧，模拟云云，超乎能力，早在我的想象之外了。"[②] 在这自谦的剖白之中，所着力强调的显然是自己作品的独异之处。在这样的情势之中，唐弢曾特别强调杂文创作的独特

---

①② 《短长书·序》。

风格和发展，指出："一个作者的最大的敌人，正是他自己铸成的模型，他必须时时努力，从已定的模型里跳出来。为了解脱这灵总的羁绊，我至今还在挣扎。"① 自己铸成的模型须时时注意突破，而先于自己而形成的前一时代的模型，岂不是更需要超越？从这个意义上说，前所谓"逃避紧张"，又不可只作人际关系或曰社会关系方面的理解，实则还更多地含纳着对文体功能和文体关系的一种松动性理解，蕴蓄着进一步丰富和发展杂文这一文体的深在而积极的诸多意味。

1932年因为所谓"伟大作品如何不产生"的问题，而引起了林希隽在《现代》上发表了一篇反对杂文的"杂文"，认为"伟大作品"所以产生不了的原因，是由于流行着许多"不三不四"的杂文所致。接着，就引发了一场关于杂文的文艺价值问题的论战，而且持续了几年的时间。当时的所谓"第三种人"由文艺的审美方面指责杂文的社会政治功能，而鲁迅、胡风、徐懋庸、曹聚仁等则从杂文对于社会的战斗作用方面予以义正词严的批驳，并据此阐释这一文体的独特的文艺价值。今天看来，就历史的角度来看，我们仍不能否定鲁迅等人论战的正义性及其基本观点的正确性。可是，有一点则是现在的我们应该看到的，那就是那时对杂文的社会政治作用即战斗性的敏感维护和充分发挥，而其艺术性则是被纳入战斗性而给以理解的。细审一下文学史就会发现，事实也正是如此。当年瞿秋白虽然高度评价了鲁迅杂文的巨大价值，并指出"杂感这种文体，将要因为鲁迅而变成文艺性的论文（阜利通——feuil-leton）的代名词"，虽然他也注意到了杂文所具有的"文艺性"特征，但他却同时指出："自然，这不能代表创作，然而它的特别是直接的更迅速的反映社会上的日常事变。"② 他仍将杂文排除在"创作"之外，这是很能说明一些问题的。不可否认，鲁迅的杂文在战斗性与艺术性的结合上确实达到了臻于至境的高度；但也不能据此就否认当时在整个创作界或具体说在杂文创作界在认识和实践上确曾出现过的偏差，正如唐弢后来所指出的："议论一篇作品的时候，我们往往谈内容、谈形式、谈内容与形式的关系，内容决定形式，形式反过来又影响它的内容，什

---

① 《短长书·序》。
② 《鲁迅杂感选集·序言》。

么都谈。惟独很少谈到由这个'决定'和'影响'反复熔铸成的第三层次——即艺术层次。一篇杂文应当是一个艺术生命。"[①] 作为一种整体性倾向，在认识和实践上对杂文作为"一个艺术生命"真正给予了重视和理解的，是 30 年代末到 40 年代，即鲁迅后的现代杂文发展时期。在这一时期，冯雪峰在论及鲁迅杂文时与瞿秋白有了明显的不同，他更突出地强调了杂文作为"独特形式的诗"的审美特征，在杂文的认识史上显现出了新的历史层次。也正是在这时，杂文作家们才真正理解和重视了鲁迅所指出的杂文在其发挥教育作用的时候，所必须具备的"移人性"和"给人愉快和休息"这一要求的深刻含义，认识到必须充分重视艺术的感染力。这无疑是对杂文社会功能既有认识的松动和对其功能领域的拓宽。在具备这一认知前提的条件下，对杂文艺术创造的无限丰富性也就有了新的认识和允可。时当今日，我们更应给予理解。唐弢说过："杂文的特点是杂，有各种各样的写法，我个人认为硬性规定如何如何是没有好处的"，"作者处在同一社会历史环境之中，呼吸着同一种文化生活气息，兴之所至，各就所长，以个人笔调写个人感受。这才终于形成真正具有个人特点的精神世界，诗的，小说的，散文随笔的——艺术的精神世界。"[②]这种警辟的见解虽非当时所发，但毕竟是那一代人认识积累的结果，而且这种认识在当时他对突破条文模式的意见中就已见端倪。这些见解，至少可以帮助我们从新的认识角度去认识当年杂文发展的新的历史情状。这种新的情状的出现，显见得松动而且缓和了杂文作为一种文体与其他文体以及与社会读者的紧张关系，开拓了供其发展的更为广阔的天地。惟愿我们对杂文发展的这一历史态势既不作简单的否定，也不作笼统的肯定，突破旧有观念和方法的束缚，对这一现实性存在的历史环节，多作些从对象本体而不是从某些固有认识出发的科学的研究。

## 三

毋庸讳言，鲁迅身后的杂文，哪怕是曾经一度再生光辉的 30 年代

---

[①][②] 《茅盾杂文集·序》。

后期和40年代，也都失去了鲁迅时代那种对峙构成的权威性和震撼社会的强烈轰动效应，失去了领骚文坛的熠熠光彩。可是，在鲁迅独领风骚的高峰期后，出现了杂文创作者的群体性发展，他们有如升腾起来的一个并不十分明亮的星阵，在夺目的彗星殒落后闪烁于中天。与鲁迅时代不同，这些作家们已不再是现代文化革命和思想革命的先驱，不再是"文人中的强者"，而是一些在先驱者的启蒙下觉悟并主动承续其事业的"小人物"。他们也深知这种角色的改换与杂文所承担的社会责任之间，与鲁迅相比，他们面临的困难有多大，从而找到了自己独特的视角和对杂文的新认识。田仲济先生的说法是很有代表性的。他说："就我个人来说，我的视野和水平，是无法与鲁迅以及一些修养有素的作者们相比的，我不敢说我从一鳞一毛合起来反映了整个的时代。但我究竟也生活在这个时代中，虽然我仅是生活在一个角落里，所见所闻不仅有局限，而对事物剖析的能力又是微弱的。可是，这个角落同样地代表了这个时代的风貌，侧面多了就凑成全面，角落多了就凑成全局，是谁也无法反对的吧？这是一个大时代，尽管我是一个小人物，但大时代的灾难，主要的反应在为数众多的小人物身上，那么，从我心目中见到的，感到的世间的辛酸、苦辣，也许同样的真实，甚至更切实些，那么，这些杂文也就有它独特的意义了。"他还说他的杂文："虽然，这仅仅是我个人生活经历中的叹息、忧伤、苦痛或欢乐，实际上也是千万人的叹息、忧伤、苦痛或欢乐。这是大时代一个小人物走过来的足印，实际上也是千千万万人们走过来的足印。"① 对这些出自于肺腑的话，恐怕不能仅仅理解为自谦之辞。

田先生在这里表述的也是一代杂文作家的共识。孔另境在由王任叔、另境、文载道、风子、周木斋、周黎庵、柯灵七人杂文合集而成的《横眉集》的《序言》中说："文艺杂感是文艺工作者最警觉性的表现。鲁迅先生已经有很伟大的业迹，留给我们作楷模。……我们这一群，既无先生的博洽多闻，又乏先生的洞见卓识，所以作为和先生同一发展而存在的时候，实在显得非常浅肤和幼稚。虽然如此，在我们的每一篇文字中，仍包含着一个文艺工作者对社会和政治的警觉性。"又说："我们

---

① 《田仲济杂文集·序言》。

自然没有先生的涵养,所以'俯首'而为'孺子牛'也许还不成,但横一下眉总是可能的,而且这集子里的文字也不免确有这姿态。"巴人和文载道在六人合集的《边鼓集》的《弁言》中也说:"活在各个的角落里,面对着父母、妻儿、书牍,或灯光下孤独的影子;俯仰于高楼大厦之间,或踯躅于斗室蓬壁之中,我们是六个人,我们有各自不同的生活的方式,有各自思索的天地",但"我们六个人,在这之间,在这之前,而且也将在这之后,不放弃我们打边鼓的责任。声音是微弱的,然而却是宏大的吼声的聚合的一份。我们不夸大我们的工作,但也不藐视我们的工作"。由此足见,这一代杂文作家所共有的心态和对于责任的明智认识和选择。

人物虽小但却是战士,对人世间的一切无不表现出敏感的爱与憎。田仲济先生说:"有人说,文章的最高境界是对人世间的美与丑、善与恶等价齐观;如我佛如来的悲天悯人,万事万物,不分畛域。可惜我修养不足,未能如此,还不免带人间烟火气,还难免存着爱与憎。"① 田先生以及他的同代杂文作家们正是在这一对杂文的基本理解上自觉地秉承着鲁迅精神,关心着国家、民族以及千千万万普通民众的命运。虽然已无鲁迅式的磅礴之气,虽然观察问题的视角更加平民化,"也写了一些并不重要的,凡在战事中都难免的现象,例如物价在每年高涨便是其中之一"②,"每篇中写的虽不过是社会的一毛一鳞,一耳一鼻",但"合起来未尝不可窥到某些较全的形貌","叫人人都看到一个污秽的心脏是在怎样跳动",正如田先生所发问的:这样做,"也不能说是没有一点意义吧"?③

平民意识的增强和观察问题视角的平民化,是这一代杂文作家在主体方面的一个新特征。这与以鲁迅为代表的先驱人物相比,不能不说是一个重要的变化。我国的现代杂文,发轫于现代文化启蒙时期,从一开始就决定了它在主客体关系方面的特定内涵和角色选择。大概没有哪一个国家的历史,在其近代化的过渡中,他们的弄潮人物会像我们文化启蒙的先驱者那样,面对着如此艰难而特异的悲壮的历史课题。当我们的

---

①② 《夜间相·后记》。
③ 《情虚集·序》。

先驱者们以无比坚毅的意志力量和全部生命投入选择了这一历史角色之时，就无可回避地面对了与现实中的传统历史力量和被启蒙者即众多国民的双重对峙。虽然他们的最终历史目的是将民众从长期非人的状态中解放出来，但因民众在现实中依然作为旧文化的社会性载体，而与他们不能不构成现实性的尖锐对峙，并从而形成了在那一段特定的历史时期内，先驱者在对待民众方面现实性态度与最终历史目的之间的某种对立。在五四新文化运动中，先驱者们无论在历史行动的层面还是在文化哲学的层面，笼统的统一实际上掩盖着许多深刻的矛盾，这个问题不便在这里展开论述。我们想要指出的是，这种特定的历史情境和历史规定，使先驱者们不得不在自己的历史性运作里，与民众拉开一定的距离，并在文化心态上保持对立的态度。这在杂文中表现得尤为突出。鲁迅在他的早期小说中虽然也着意凸现众多国民的文化生态，但毕竟因为小说与杂文不同，它要完整地展现形象的基本生存状态，而在整体关注中自然而然地倾注了自己深刻的同情。杂文就不同了，它在它所制造的紧张中，只要面对的是旧物，是阻碍社会前进的障碍，那就一概踢倒，不留一丝情面，不管这种旧物的持有者是谁。嗣后，待到解决民众的基本生存问题构成了中国现代史的主要课题，而文化启蒙的内在矛盾愈来愈显露之后，先驱者们虽然经历了异常痛苦的心灵历程，并重新认识和调整了与民众的关系，但他们仍然作为精神文化强者的存在，而不可能不在实际的社会宣传与内在心态上与作为"小人物"的这一代杂文作家有所不同。"横眉冷对千夫指，俯首甘为孺子牛"，这是一代精神强者的人生箴言，它可以成为'小人物"学习的楷模和追慕的人生至境，但实在难以想象会由他们口中发出。"小人物"从平民化的角度去感受和认知问题，视角的转换增加了杂文题材的多面性和凡俗化，这就使鲁迅原来所讲的"一鳞一毛"增加或改换掉了一些内涵。这一代杂文作家很难创造出震撼思想界的新思想，他们写的杂文大多是印证和发挥被他们奉为圭臬的先驱们的创造，但却以群体性的千万触觉，丰富了杂文的血与肉，给杂文增添了平民气息。

"小人物"也能主动地承担苦难，但他们的主动性是表现在以平民（战士一样是平民）的身份所进行的参与和感受；而先驱者则是以精神文化界的先行者和创造者身份参与和感受的。鲁迅那种反抗绝望的深刻悲剧性感受，和他与其他先驱者对他们所经历的那一时代所特有的文化断裂、启蒙与救亡之间的悖论性选择，所必然产生的心灵痛苦，以及由此而升华出来的文化哲学意义上的意识，显然在这一代人身上淡漠多了。由深层的苦难意识向对社会现实苦难感受的层次挪移，这也是我们解读这些杂文时一种比较明显的阅读感受。虽然缺乏了心灵震撼力，但也消解了接受过程中的某些障碍。这一切都应该说是时代使然。鲁迅在他的前期虽然信奉着进化论，认为将来必胜于现在，但他又同时觉得面对着虚无，所进行的不过是反抗绝望的战斗，只好到人生的"过客"精神里去寻求意义。那是他的时代，那是他作为先觉者在那时代中必然的感受。这时不同了，困扰前代人的那些深刻的历史矛盾这时似乎已经不成问题，社会终究要进步的信念构成了这一代人的基本历史态度。"光明信念"，也就成了他们心态的基本特征之一。在田仲济先生的杂文里，频频使用"时代变了"、"到底今天比昨天好了"等类似的语词，以及贯穿在他杂文中的乐观主义的历史态度，就是佐证。

与上面论及的问题相关，这一时期的杂文坚持着杂文的战斗精神，但斗争目标则有些泛化了。所谓斗争目标的泛化，包括两个方面：一是揭露内容的多样化和抨击目标的散点化。在田仲济先生写于30年代后期到40年代的大量杂文作品中，揭露的内容遍及社会的角角落落，政治、经济、思想、艺文、习俗，林林总总，不一而足，抨击的目标则大可以到卖国贼汪精卫，小可以到社会中方方面面的丑言恶行、陈规陋习，有感即发。这在他们同代作家中是很有代表性的。二是抨击对象的非具体化，也就是说，在这些作品中，除了像汪精卫等千夫所指、人人齿冷的卖国贼之外，很少具体抨击哪一个人，与具体对象之间的短兵相接很少见了，更多的是对一些构成社会普遍性的现象进行抨击。由于目标的泛化，并为避免直接的现实性紧张对峙，借古说今，钩沉明清两季故事，考索评点历史人物，成了杂文作家们一时的风尚。这时期，作品的战斗性或曰尖锐性，主要表现在对问题剖析的深刻性、准确性上，因而，虽然尖锐，但也少了剑拔弩张的紧张。而且，在辨析问题时，也不再像鲁迅时代那样，为保证以一击制敌人以死命的攻击效果，常要保持单向度的进攻态势；而是在保证主导性攻击向度得以体现的前提下，常常注重双向度的辅助作用，即从另一个角度进行说理，甚至是逆向性的辩难确认。例如，在《说真话》一文中强调的是说真话，抨击社会的虚伪，但在《谎话颂》一文里又称世界不能离开谎话。看似矛盾，其实内中道理自明。

到了这时，杂文在实际上又开始向小品文靠近了，并呈现出明显的散文化特点。田仲济先生的许多杂文，小品文的品格开始凸现，很类似或者径可称之为文化小品或知识小品。它们虽然也在尽量地强化与现实的联系，以达以正视听或挖根刨源的目的，但其中大量的知识考索，丰富而机智的理趣，从容而幽默的话语构造，又常会使读者淡漠了这一目的。杂文本与小品同源，让杂文再获得更多方面的理解和表现，我以为并无甚可厚非之处。其实，在田仲济先生的杂文创作中，这一类作品倒是更舒卷自如、从容大度些。在这一代杂文作家中，作为文化小品的"书话"，成了一种独特的创造。而杂文的散文化，增添了散文的情感和意趣，则也是此时的一种共同的倾向。田先生的某些杂文，实际上可视为典范的散文。唐弢杂文的"感抒性"特征，则更为文界所瞩目。这一些，都是新的潮流使然。如果从对杂文拓宽了的理解来看，原也没有什么可奇怪的。

## 四

作为一位老杂文作家和现代文学史家，田仲济先生说："杂文是鲁迅创造的并且由他发展到了极高的层次。他的小说创作我不敢说今天没有人及得上，但他的杂文我不敢说今天已有人及得上，甚或超过他。"[①]他讲出了一个无人能够否认的事实。其实许多年来，人们就在感叹杂文难得发展的历史命运，而是否还是"杂文时代"则更成了学界和创作界深感关心又争论不休的问题。

对这个问题我不打算在这里展开论证，想说的只是像田仲济先生这样的杂文，与鲁迅相比自然是难以比肩，但它们作为另一时期的成果，也不便只作简单的类比。之所以出现这一类作品，也有它的历史原因所在。至少我认为，在这一时期，历史的行进在两个问题上都出现了新的

---

① 《田仲济杂文集·后序》。

局面：一是由于民族矛盾的尖锐和突出起来，国内统一战线形成，其他社会矛盾之间的紧张缓解；二是自新文化运动以来在文化上长期对峙的紧张关系缓解，在中西、古今文化的价值认定方面已渐趋科学，许多人已开始做综合它们的努力。这一新的背景情况，是不应该被我们忽视的，它应该成为我们研究这一代杂文的重要依据，此其一；另外我想要说的是，前此所谓"杂文时代"、杂文的昌盛与衰落诸问题，人们谈论起来，常常还只是拘囿于对杂文功能的一种单一的理解，仅仅是从"战斗性"这一侧面量其消长的。如果前文所论道理不谬，那么，在论及杂文的成就或量其消长时，标准似乎就不应该只有一个，而应该是更为全面的互补的复杂价值判断。尽管就其针砭时弊的特殊功能来说，它对我们的社会发展是何等的重要；但那则是一种特殊强调的问题了。

至于如何发展杂文的问题，这牵涉到如何理解杂文以及主客体两个方面的许多复杂问题，已不在本文的论析范围之内。而且其个中道理并不难明白，似乎亦无须多说。

（原载《东岳论丛》1994年第2期）

# 并非经验的总结
## ——新时期中国现代文学研究说略

与世界文学史界的习惯用法不同,在中国文学史界,现代文学通常是指从1917年新文学运动发轫到1949年中华人民共和国建立这期间所创造的文学,不包括当代文学在内。由社会政治历史的分期来决定文学的分期,这是中国文学史研究的一个传统,迄未打破。近年来有人提出了"20世纪中国文学"这一新的史学范畴,企图打破旧的文学分期,将近、现、当代贯通起来,还原新文学(相对于传统文学或古典文学而言)历史发展的完整过程,获得了普遍的认可。但是,在人们的习惯提法和高等学校的课程设置中,"现代文学"仍然是一个指称如旧而又沿用不衰的史学概念。所不同的是,在人们再次提到或研究现代文学时,眼光已经放开,不再把传统的分期看得那么死,更不再因传统分期的沿用而无视近、现、当代文学之间客观存在的密切历史联系。

在准确的意义上,"新时期"是属于社会政治历史方面的一个概念,但由于社会政治的深刻变革,不仅在经济的改革开放上受惠无穷,而且也惠及包括文学研究在内的学术研究的方方面面,因此说,它也是属于经济的、学术的和文学研究的。在这个"文革"后的历史新时期,文学研究界革故鼎新,获得了长足的发展。就对中国文学的研究来说,这样说或许谁都不会有什么异议:在新时期的中国文学研究中,变革最深刻、成绩也最突出的当是中国现代文学研究。这个结论的非武断性,来之于人所共知的事实。至少,有以下几点是不可不引为注意的。

第一,对对象意义的巨大发现吸引了大批中青年优秀学者的积极参与。众所周知,中国文化在与世界文化的对话中所出现的最深刻的变化,尤其是已构成人们内在心理机制的价值观念的现代化调整,无疑都发生在中国史学传统分期的"现代"时期。近代只是一个艰难而反复的过渡,当代也只是对现代的曲折延续和发展,新时期的文化变革更当代化一些,但它也是又回过头来寻找到了现代文化变革之根而往前发展的,或者可以说是在新的层次上的重演。由此可见,要了解中国传统文化的现代转型,或者要进而了解东方文化的现代命运和新的生存形态与个性特征,研究中国现代时期的文化发展有何等的重要。尤为值得指出的是,在20世纪的中国,特别是现代时期,文化问题引人注目的异乎寻常的凸显,是文化人作为历史参与者新获取的新的历史认识的结果。他们自觉地把变革文化视为对历史的最深层次的参与,因而使文化参与构成了20世纪中国历史的一个极为重要的特征。因此,通过文化而透视历史,或通过历史而阐释文化,从而就形成了当今学界两种不同的视角。文学从来就是文化变革最敏锐的反映形式和冲突场,如果说文化观念和哲学观念的冲击可能会站在更前沿,那么文学则能在最深刻的文化心理层次上表现出更内在的尖锐性和复杂性,在自觉的和非自觉的意识里,包容着更为丰富的信息量。中国现代文学产生于对历史责任的主动承担,但不久就由于对这一责任的现实功利的和非现实功利的认识分歧,而出现了历史的和审美的两种不同的努力。这就使中国现代文学增加了更为丰富复杂的内涵,同时也扩大了它的意义域,并近乎无限地提供了认识和理解它的巨大张力。正是这一点所形成的诱人魅力,在历史所提供的条件足以启发出研究者的心智和认识潜能时,众多研究者以空前的热情对它奉献出了全部虔诚。当然表现尤为突出的是许多优秀的中青年学者。在这诸多学者出色的研究中,无论研究者由于对突破精神桎梏的强烈渴望和对"意义"发现的无限向往所促成的主体世界多么活跃,但研究的根本思路却都逃不脱对象世界的基本规定性。透过现代文学研究林林总总、各标一格的现象层面,我们发现实际呈现的还是两种基本的思路:一种是文学——文化——历史的透视,一种则是历史——文化——文学的叩问,由此衍生出繁富的学界风格,并从不同的角度烘托出了中国现代文学研究的繁荣局面。

第二,研究者主体的革命性调整。此之谓"革命性",不是指几十年来用惯了的那种社会政治的意义,而是语义还原,取其最广义的基本理解。用在此处,则是指研究者自身在认知结构、观念方法等主体因素方面所表现出来的巨大变革和深刻变化。这种调整首先是从消解横亘于主客体之间的认识障碍开始的。以社会政治诠释文学艺术,是中国传统文学批评的表征之一。虽然中国传统文化的整体审美特性使文学艺术的创造和批评更得艺术的神韵,在感悟生命与宇宙特殊关联的审美奥秘方面堪称独步,但终因表现为这一文化价值追求的另一极,即笼罩在道德迷雾中的社会政治或曰特定历史时空中主导性社会意识形态的影响,而使具有上述表征的批评常常表现为主导的力量和方式。这一批评传统在中国现代文学研究中更得到了登峰造极甚至畸形的发展。长期处于封闭状态中的现代文学研究,与古代文学研究相比,受极左思潮影响最著,及至到"文革"时期,几乎走入了死路。社会历史在规范研究者的认知视野和价值尺度时,同时也就是在完成对其主体形象的塑造。在以前若干年间,现代(当然更包括当代)文学研究者成了学界最不受社会信任的角色。这一悲剧所造成的后果,其严重性主要倒不在于对研究者自身的社会评价,而是在于由此造成的研究者与对象世界的厚重隔膜。因此,消解这一隔膜便成了新时期有为的现代文学研究者首先所作的努力。在现代文学研究格局已得到根本性的调整之后,我们再来谈论这个问题或者已觉得不再那么沉重,可在当时即新时期初期,又确为石破天惊之举。"回到对象本身去",这是由现代文学研究在文学研究领域率先提出的革命性口号,回到对象本身,看似对客体规定性的确认,实际上更是对主体的寻找和自赎。由此,中国现代文学研究界开始实现对研究者自身的第一次调整。其结果是,一些非政治化批评的文化的、心理的、审美的研究思路也便由此开启,从总体上说,由政治的色彩转换成了文化色彩。

在这一次的调整中,带先锋性特征的研究者们对历史价值的认识表现为对五四新文化运动精神的趋同和推崇,并使负载着历史使命的文化分析成为学界最激动人心的探索。但在这期间又遇到了新的问题,由于这一文化研究的思路是沿着反封建历史使命的特殊规定展开的,换言之,也就是在研究者对其历史使命的特定理解(不论这理解对历史发展的现实需要来说是否全面)中展开的,所以他们对价值尺度和文化理想模式的选择必然表现为向西方文化的明显倾斜。这种倾斜对于冲击旧文化的滞重存在或许是必要的,但用它来作为研究现代文学全部价值的基本标准，却又不能不产生削足适履之感，并由此而导向从另一角度对对象的背离。这种令人扼腕的现象在迄今为止的许多研究新著中都可以感觉到。于是，有人则开始了新的突破性尝试，即努力走出价值认识的倾斜，以更高层次的人类精神和文化个性对比研究的科学态度重新审视中西文化，在历史、文化和审美的不同层面上对现代文学及其流变给以更审慎的评价。这一突破，可以视为研究者主体的第二次调整，或者说是在新的层次上认识的升华。也正是这一突破，使我们的现代文学研究开始审慎而大胆地走出了五四文化模式。对这一突破的内在价值是不可轻估的，因为只有在这一新的认识层面上，才能使我们的现代文学研究既能向人类共同的文化精神趋近，又能准确地把握其个性特征及其价值，才能真正地接近这两个方面并使其统一起来。目前，这一突破虽还没有演成整体之势，但是对其蕴藏的世纪性的认识和启发却是不可不知的。

第三，在对对象世界的完整还原和重新整合中创辟现代文学研究的新天地。中国现代文学研究作为一种与对象的对话方式，在几经调整的过程中，对对象世界的新发现和新认识是以近乎同步的方式发展的。我们没有理由否定新时期以来现代文学研究的新局面主要来之于研究者主体的革命性调整，但也不能不充分估计到由此而必然发生的对对象世界的新发现在其中所起到的重要的对应作用。应看到，这是一个主客体交互作用的历史过程。似乎没有哪一个阶段的文学（我指的是文学的自觉意识业已获得而其主要体式基本成熟之后），在其作为当代性对象呈现上，会在那么短的时间内就表现出严重的缺憾。本来，无论什么时期的文学都不会在统计学的意义上全部流传下去，社会接受领域的筛选甚至比批评界和文学史界的筛选还要严酷。但是，作为其重要构成部分的有代表性的作家作品，却不会那么快就被遗忘。我们不否认在每个历史阶段之后，在占据主导地位的新的社会意识形态的规范下都会形成新的选择标准，我们也不否认在宏观历史范畴内这种片面性选择的合理性，可是像现代文学这样大量的缺失则不能不令人痛感遗憾。新时期中国现代文学研究的历史发展，是以这样的现实过程展开的：先是在已知对象范围内在评价上拨乱反正，并继而开拓新的学术见解，接下来便是对主客体两个世界的同时调整和开发了。当历史的发展触及到这一必然的逻辑环节之后，与"文化热"和"方法热"相对应，对现代文学资料的收集与整理工作也成了引人注目的一"热"。由于偏见和误解而造成的对象世界的偏狭，由此而得到基本的矫正。

当一个基本上完整的对象世界呈现在人们面前的时候，它所展现的同时也是一种全新的文学史观。而这，正是它开启性的意义所在。试想，即使并非专门研究现代文学的人，当他在已知范围之外忽然又接触到这些新的东西时，头脑中对现代文学旧有秩序的认识也会受到冲击。它对现代文学研究领域的冲击更是可想而知的。它所冲击最大的，从实质上说还不是某一局部的旧有结论，而是中国现代文学史的整体结构，那么多现代文学的"新"成员以其本真面目所表现出来的巨大说服力，颠覆着人们头脑中一个个既成的结论，而要求在现代文学中占据应该属于它们的一席之地。可是原来的次序是排定了的，怎么办？重新进行调整就势在必然。于是，对现代文学历史结构的研究就成了开拓现代文学研究的带有关键性的课题。对那些重被"挖掘"出来的对象进行个案研究，重新估定它们的价值，尽管也要经历一番艰难的工作，并且在承受冲击中更新自己的眼光，但毕竟还是比较容易些。当然，这种在正常学术研究中始终需要，而在新时期现代文学历史结构研究的逻辑展开中又带有前期性质的研究，其本身的成果和在"史"的过程中所显现出来的价值是应该被充分肯定的。然而，历史不是摆积木，仅靠个案的、实证的研究是不能构成"史"的。它们必须进入"关系"，不在"关系"中不仅显现不出"史"的复杂演化过程及其内在机制，而且对它们本身也很难作出深层的准确阐释。可是要科学地结构起这些成分而又能讲清它们的衍生变化，那确实不是朝夕可至、一蹴而就的事情。否则，新时期现代文学研究发展到今天，为什么突破最小的仍然还是"史"的整体框架结构？

虽然解决这个难题还需要一个过程，甚至它会成为现代文学研究的一个恒久的课题，但从目前的研究进展看，在认识上已有重大拓展。首先是在文学与历史的深层联系中找到了解开令人眩目的现代文学发展之谜的钥匙，那就是20世纪中国历史近现代化过程中历史总体结构的悖论特征及其变换着的现实的合理选择与补偿。在新时期的中前期，人们已强烈地感觉到了启蒙与救亡之间难以协调的对立关系，但那时得出的结论是出之于倾斜的文化价值立场和背离中国历史现实性选择的带有空想色彩的历史发展的理想模式，指责救亡压倒了启蒙。其实，救亡和启蒙同为中国历史发展的需要，如果没有救亡，中国历史又会如何呢？所以到了新时期的中后期，也并非都是政治的原因，人们开始走出这一认识的困境，把悖论的现实性与现实选择的历史合理性作为一个在特殊条件规定下的"个性过程"纳入了对中国历史发展的逻辑思辨。人们并不否认在这一过程中由于人为的失误给历史造成的遗憾，但即使在思辨中扬弃掉这一切，剩下来也还是一个悖论与选择的过程。这样一种社会整体历史过程的特殊结构状态，怎能不制约和影响到文学的发展？据此来理解现代文学的结构方式、结构效应、运动形态，那就比较容易理解其来之于历史的原因了。在中国现代文学历史结构的具体研究方面，近几年来，一方面逐步打破了过去那种简单化的正反对立的两元结构模式，使其客观存在的多维性形态得以复现，而另一方面尤值得注意，就是在对其结构的总体特征及其特殊的结构效应的深层研究，已初露端倪。

与历史结构的研究密切相关，对现代文学进行价值范畴辨析的研究，其认识也日渐明朗并取得了初步的实绩。长期以来，对现代文学价值的判断都是采用单一的"历史"标准，势必在许多问题上造成武断，既有悖于"文学"史的要求，又不符合对象存在的客观状况。在新时期中期出现了偏重于审美的研究，依据的是文学的独立审美品格以及文学史与其他史相区别的特殊要求，目的是与传统的历史研究相对抗，并由此辟出新路。可是，文学与历史是无法解脱其难解之缘的，用这种简单对抗的方式对文学进行单元的研究还可以，用在史的全面描述上则又会陷入新的窘迫。在现代文学的历史发展中，远不是这样一种简单的对抗关系，事实上是多种价值范畴的同时并存，而其关系又是极为复杂的。有些看起来好像是文化批评，但究其实质却是历史的行动；有些似乎也在谈论历史，但实际上争的是文化的或审美的相对独立的资格。所以，近年来对现代文学作价值范畴的实事求是的辨析研究，实际上是一种更新的进展。它与历史结构的研究相得益彰，实际上是一个问题的两面，或者说是难得分解、互相推进的。可以这样说，这种推进，在昭示着史的突破和观念的系统化、科学化的希望。

（原载《青年思想家》1993年第6期，《新华文摘》1994年第2期摘转）

# 重新读解孔子的智慧

## ——兼及20世纪的文化批判问题

本文所以选择孔子的智慧作为重新读解的对象,第一是因为孔子及其思想在20世纪的特殊遭际,第二更是因为其在传统文化史中至高无上的地位和作用,第三则是因为它所内涵的丰富的未来意义。有此三点,就使这一命题的提出具有了无可替代的历史感和当代性,并且获取了超越对象本体的意义。

在中国传统文化史上,一个明显的事实是,孔子因其思想的创建而被日渐偶像化,成为世代尊崇的"至圣先师"。但孔子的偶像化过程,其特点在于,在其符号化的过程中并未产生名与实的自然剥离,而是名实俱增,互动发展。随着历史的发展,孔子所创立的儒学思想不仅成了历代帝王的治国之术,而且与生存在不同社会层面上的人们的社会性心理需求均有所契合,由此而凝聚成了中华民族独特的文化心理结构。这一重孝慈、尚仁义、力行中庸的民族文化心理的形成,就构成了中国历史运行发展的内在文化支架,并由此决定了中国历史发展的独特景观,即被统治者与统治者双方的冲突,更多地只是发生在生存利益或权力政治的对抗上,而文化心理的冲突则极为少见。如有,也只是发生在知识者或权力者内部,不会酿成改天换地的巨变。重大的颠覆性历史行为,始终都未改动内在的文化支架,对抗双方的活动均未超越这一共同的文化心理的价值规约。中国历史要进入近代化、现代化进程,最首要也是最艰难的,就是必须颠覆这一内在的文化支架,摧毁历史长期相沿、循环发展的稳态运行模式,由此才能启动新的历史机运。而这,也就是20世纪所独有的历史内涵:文化批判。它构成了20世纪启蒙话语的主要内质,并成为一代代启蒙人物悲剧性抗争的神圣之旗。而要批判传统文化，其矛头所向必然地首先指向孔子。因为，没有谁比他更有资格做这个代表，他不仅是传统文化中至高无上的象征，而且他的名下之实确也紧紧地关联着，或者更准确地说是难以分解地反映着整个中华民族的心理文化及其价值取向。要论证以上的道理并没有什么困难，如果传统文化就此批倒，孔子也就此一蹶不振，真的被新文化运动只手打倒，那么历史也就不费疑猜，简单得多了。可是，事实并未如其所料，传统文化既未成为远去的"历史"，孔子也不断地还是被人们再三"捧起"。虽然新文化运动其时或其后的当局政要们所常搞的"祭孔"活动不当与此相提并论，但代代学人对孔子思想所做出的文化科学角度的肯定性论析，也是终未因历史主潮的冲击而声息全无的。尤其引人深思的是，时至世纪之交的今天，人们不能不正视一种新的现实的出现，即在现今的社会话语中，过去那种时常处于历史精英话语中心位置的"批孔"论，已悄然让位于已成为世界性新人文思潮话语的"崇孔"说。面对这种历史的旋转，固然难免使人生出"三十年河东，三十年河西"之慨，但更为重要的，却还是应以"跨世纪"的超越性的科学眼光，重新审视历史的对象，并进而总结百年的得失。

  这里首先涉及的问题是，孔子是在怎样的文化背景上创辟儒家学说的。孔子自云"述而不作，信而好古"①，但诚如冯友兰先生所说，"孔子虽如此说，他自己实在是'以述为作'"。他和他所开创的儒家学派"讲'古之人'，是接着'古之人'讲底。不是照着'古之人'讲底"②。所以，不必泥于字面的意思，误以为孔子的思想不过是守旧式的总结和坚持。孔子的夫子自道，不过是在表明所倡有据，为自己指向伦理性实践的学说提供一个"已然性"的实践基础而已。其实，孔子虽然追慕三代，尤其以周代为楷模，即所谓"周监乎二代，郁郁乎文哉！吾从周"③，但至于三代到底是怎么一个样子，包括最近的周代在内，孔子虽笃信好学，不耻下问，怕也是知之未能尽详。文献资料的不足，毕竟限制着他的视野。这有孔子的感慨为证："夏礼吾能言之，杞不足征也；

---

① 《论语·述而》。
② 冯友兰：《新原道》。
③ 《论语·八佾》。

殷礼吾能言之，宋不足征也。文献不足故也。足，则吾能征之矣。"①很难想象，对于一种知之未详的对象，孔子作为一位开创一大学派的大师会一味泥古，裹足不前。即使是对于知之较多的周代和对周代文化作出重要贡献的周公，孔子也未必就愿意或者就能够依样画葫芦地进行文化复制。充其量，也只不过是他理想化了的境界和人格化的代表罢了。我们并不想否认孔子在对社会政治经济变革上所表现出来的保守态度，但作为一种文化变革的范式，即打着崇古的旗号进行新的文化建构，从文化的角度或者从对历史变革的更宽泛的理解来看，对其内蕴的深刻的革新意义，却不能不予以正确的认识。这种范式的文化变革，在中外都不罕见。要科学地认识这一问题，我们必须从对将文化变革与政治历史混同一体以及对历史丰富内容的简单化理解中解脱出来。就从对历史的态度和作用来说，看到社会转型期所出现的文化失范即所谓"礼坏乐崩"现象，企图从人文精神方面补历史之弊，调整人们的社会性生存，即如现在人们寻找失落的人文精神一样，这怎能被视之为拉历史的倒车？

事实上为孔子所推崇的三代，包括为之倾心的周代在内，实际的情况并非像他所美化的那样。我们不妨从三代文化的发生说起。旧传大禹治水，"天赐洪范九畴，彝伦攸叙"②，不过是在文化发生意义上的一种假托。大禹治水只是一种传说，而所谓"洪范九畴"也并非天赐。我们不必管箕子的说法如何杜撰，也不必管《洪范》是否为后人伪托，有一点是应该为我们所肯定的，那就是其中所讲的"洪范九畴"，确实反映了三代之初乃至贯穿三代的文化认识。这种观念及其所构成的朦胧而初级的系统，重点在于理顺人与"天"的关系，而且看出了二者之间实际存在的互动关系。与西方文化不同，中国文化不是把人与自然对立起来，而是从一开始，就把有生命的人纳入于生息不已的宇宙系统之中，追求和谐发展的系统性效果。但这种"天人合一"的观念也有其偏失之处，易为神鬼观念留下立足甚至盛行的空间。且看《国语》中的一段记载："昭王问于观射父曰：周书所谓重黎实使天地不通者，何也？若无

---

① 《论语·八佾》。
② 《尚书·洪范》。

然，民将能登天乎？对曰：非此之谓也。古者民神不杂，民之精爽不携贰者，而又能齐肃衷正，其知能上下比义，其圣能光远宣朗，其明能光照之，其聪能听彻之，如是则神明降之，在男曰觋，在女曰巫。是使制神之处、位、次主，而为之牲、器、时服。……于是乎有天、地、神、民、类物之官，谓之五官，各司其序，不相乱也。民是以能有忠信，神是以能有明德，民神异业，敬而不渎。故神降之嘉生；民以物享，祸灾不至，求用不匮。及少皞之衰也，九黎乱德，民神杂糅，不可方物。夫人作享，家为巫史，无有要质。民匮于祭祀而不知其福。烝享无度，民神同位。民渎齐盟，无有严威。神狎民则，不蠲其为。嘉生不降，无物以享。祸灾荐臻，莫尽其气。颛顼受之，乃命南正重司天以属神，命火正黎司地以属民。使复旧常，无相侵渎。是谓绝天地通。"[1] 我们所以不惮其烦地长篇引征，目的是为了保持观射父对历史治乱更替过程的另一种叙述的完整性。须知，他是在讲历史，而不是讲神话！一段人间社会的历史变动，竟成了人神关系的变异过程，那时神鬼观念的影响之大由此可见。到了周代，情况好了一些。"殷人尊神，率民以事神。……周人尊礼尚施，事鬼敬神而远之"[2]，所言比较接近于事实。到春秋时这种情况则更见昭著，然而，"接近"并非全部。"春秋时代的智者对于天虽然取着不信的态度，但天的统治如周王仍拥有天子的虚位一样，依然在惯性中维持着的。……就如声称'天道远，人道迩'的子产也时而要高谈其鬼神（参看昭七年《左传》）。"[3] 其实何止子产，就连墨子也"太息痛恨于人之不信鬼神，以致天下大乱，故竭力于'明鬼'"[4]。孔子的弟子们在向老师提问时，不是也常要问及神鬼之事吗？"子不语怪、力、乱、神"[5]，"夫子之言性与天道，不可得而闻也"[6]，真正能做到"六合之外"，"存而不论"[7]，对三代文化观念进行了革命性改造的当推

---

[1] 《国语·楚语下》。
[2] 《礼记·表记》。
[3] 郭沫若：《先秦天道观之发展》。
[4] 冯友兰：《中国哲学史》上册。
[5] 《论语·述而》。
[6] 《论语·公冶长》。
[7] 《庄子·齐物论》。

孔子。能在"天人合一"的混沌文化背景中，独对"人道"做出耀古烁今的创辟，从而真正建构了古老中华文化的核心秩序，并铸造了传统人文精神之魂，就此一点，孔子的创造精神及其作为历史文化人物的形象特征，就该是不言自明的了。

　　三代文化自然是有其不可忽视的价值，并且由此开始提供了中国传统文化系统特征的基本规范，可是，作为这种文化的创造者和承载者的人，作为一种"类"的复杂存在，他们为取得无违于"天意"的更佳生存效果，总不能长期停留在对于天人合一关系的这种朦胧而初级的认识上。事实上自商周以来，特别是春秋一季，如何理顺人际关系，倡明"人道"，已愈来愈显得紧要。至孔子之时，时人所谓"天下之无道也久矣"，就是针对人际关系的混乱而发的感慨。于是，自春秋时起诸家蜂起，把"天道"推为前提而重点探讨"人道"精微，就成了不同学派共同的价值期待。由于具体的出发点和思维路向的不同，诸说并立，而且日渐形成了"三墨八儒，朱紫交竞；九流七略，异说相腾"的热闹景观①。出巨人的时代，不会只有巨人的声音；而只有在众说纷呈之际，也才可能有巨人出现。孔子作为儒家学说的创始人，他所建构的学说作为关于"人道"的本体论研究，既有其独到而深刻的创造，又表现出巨大的包容性。就以天道鬼神而言，他可以存而不论，或径以"人道"做出解释，但不轻言否定，而对于三代文化关于"天道"的合理内涵，即天人之间富有生力的互动关系，和"天"、"命"之不可违，还是积极肯定并作新的发挥的。"子曰：加我数年，五十以学《易》，可以无大过矣。"② 由孔子对《易》的态度，可知其大概。郭沫若说"他把三代思想的人格神之观念改造一下，使泛神的宇宙观复活了"，"可以于孔子得到一个泛神论者"③。这种论断虽不免因己之所好致生牵强附会之嫌，但若说孔子摄取了三代文化中天命观的精髓还是符合实际的。孔子曾多次谈到天、命，在不同语境中也有不尽相同的含义，诸如："天何言哉？

---

① 《北史·周武帝纪》。
② 《论语·述而》。
③ 郭沫若：《中国文化之传统精神》。

四时行焉,百物生焉,天何言哉?"① "获罪于天,无所祷也。"② "唯天为大,唯尧则之。"③ "道之将行也与? 命也。道之将废也与? 命也。"④ "不知命,无以为君子。"⑤ "五十而知天命。"⑥ ……但揆情度理,其荦荦大端还是在于对个人人力之外宇宙和人生之中主宰性动态力量的体认,它既是自然的,又是人格化的、神秘而超自然的;既是可以悟解、认识的,可以"则之"的,又是最终不可逾越的。排除虚妄迷信的鬼神观念,将三代天命观进行了更新改造,这样,孔子就为自己的人学建构找到了一个逻辑前提,也为之奠定了一个天人合一的东方式哲学基础。当然,它并不是孔子人学中的重要构成因素,它只是作为一个前提、一个基础,规约着孔子人学中的丰富内涵。将孔子学说以"人学"名之,实在是至为切要,但孔子的人学又与西方近世流行的排他的个性主义或生命哲学不同,它所重视的是人际关系及其所必然要求的个体人格修养的研究,重在讲求社会性的做人之道和关系协调。孔子人学在其建构过程中,作为其重要构成因素的仁、礼、德、中庸等,均可在周代以来的思想材料中找到起点,而且又以其好学敏求,从周代人中也定然获取了许多启发。这种以睿智机敏的扬弃和继承,完成文化观念的重大转型和开拓、重建的大手笔文章,确非他人所能比。至于其学说的深刻性、丰富性,以及巨大的历史笼罩力,则更非他人所能比。所以,在其生前他的主张虽未见行于世,但在之后其影响却渐深渐远,愈来愈被人们尊崇和信仰。数百年后,素以直书见称的司马迁曾议论说:"天下君王至于贤人众矣,当时则荣,没则已焉。孔子布衣,传十余世,学者宗之。自天子王侯,中国言六艺者折衷于孔子,可谓至圣矣!"⑦ 这当不是溢美之词。可是,怕是司马迁也没有料到,由孔子所创立的儒家学说,竟不但成了一个民族得以凝聚的文化之根,而且影响远播,乃至超出了文化

---

① 《论语·阳货》。
② 《论语·八佾》。
③ 《论语·泰伯》。
④ 《论语·宪问》。
⑤ 《论语·尧曰》。
⑥ 《论语·为政》。
⑦ 《史记·孔子世家》。

原生区域的族界、国界，形成了东方儒学文化圈。他更不会想到，在他的视野之外，还有个完全陌生的西方世界，而两千余年后生活在那里的智者们，也会在新人文主义的潮流中呼吁到东方去寻找孔子的智慧。

当代论者在谈到孔子的地位和作用时，常概言之为继往开来的大师，殊不知文化史中无论哪一阶段的代表人物，又有谁不具备这种作用呢？就孔子在中国文化史上的地位和作用而言，不论是作为传统文化发展轴心部位的儒家后学，抑或是虽在丰富和发展传统文化中起过重要作用，但终究还是处于文化非轴心区的诸流派的代表人物，都不能与之比肩。在文化发展模式上，与以否定性超越为其特征的西方文化相比，中国传统文化的发展有与其不同的鲜明特点。以儒家文化为核心的中国传统文化的发展，孔子之后每一阶段代表人物的价值期待，都不是否定性的超越，而是对原初经典文本的意义阐释。因此，孔子为传统文化所提供的不仅仅是一种源头的阶段性价值，而更是一种所谓"垂宪万世"的原则性文本。儒家后学们不断探幽发微，穷思精研，所做的一切努力，都没有违背它基本的精神规范。从孟子到董仲舒到朱熹，他们虽然都不遗余力地做了各自不同的发挥，为儒学的发展加进了新的内容，但他们谁也没有对原初的经典文本发出过驳难，相反地，倒是都以为自己真正理解了其中的真谛。在中国古代学术史上，不论是坚守"我注六经"者，还是流于"六经注我"者，"六经"为立极之本，则是不容怀疑的。所以，从这个意义上说，孔子在中国文化史上，实在是一位为后世立极的人物，他的学说的出现，以至于影响到了中国传统文化发展的独特模式。至于对此如何评价，那是另外的事，但对于这种独特发展模式以及孔子思想的这种独特地位，却是不得不予重视的，而且对其中深在的原因，也不能只作政治的、社会的简单化理解。在本世纪的启蒙主义话语中，始终贯穿着一个几近根深蒂固的结论性认识，那就是孔子为历代统治者提供了御人之术，历代统治者也就随时拿他做"敲门砖"，并用其思想来做"治人"的工具。而因统治者对他只是利用，所以也就可以根据需要不断加以改造，往其脸上涂几道新的油彩，使之成为时髦的"圣之时者"。我们不能说这种说法全无道理，但却有许多问题不得其解：难道一部儒学发展史乃至中国传统文化发展史就这样简单？难道历代统治者真有那么大的力量，能够完全控制中华民族文化的发展？难道孔子思想约束的只是被"治"者,而对"治人"者却情有独钟,任其随心所欲?……这样的反诘可以提出很多。我们的意思只是要说明,若不解除这层遮蔽,是难以理解对象的意义内涵并作出科学评价的。而从传统文化的历史发展中全面把握孔子思想的特殊地位和作用,又是多么地重要。孔子思想之所以能够被历代尊奉,发生如此重要的作用,其最根本的原因,还是来自于其本身的意义和价值。

研究孔子的思想并正确估评其智慧,郭沫若说"专靠《论语》,我们不会知道孔子"①,所以,除最直接的材料,即最可足征信者《论语》之外,其他有关典籍中的一些材料亦应在参考范围之内。虽然我们所能见到的材料是简单而零散的,而且主要是关于孔子及其弟子言论的记述,但在这些言论中,我们却分明可以感受到孔子思想的深广涵纳和巨大的启发意义。把这些零散的言论按内容整合起来,我们可以发现一个由多方面互相启动连接的结构系统。在该系统中,处于核心位置的则是"仁"。什么是"仁"? 历代学人见仁见智地作过各种强调,但孔子已经讲得很清楚,"仁者人也",所谓"仁",说白了也就是从根本上讲做人的道理。孔子自己对"仁"也曾作过多种解释,都是针对不同的对象和条件有感而发的,但作为其基本原则即要义者,则是对人际之间亲和关系的强调,即所谓"仁者人也,亲亲为大"②。孔子讲做人的道理,是讲如何处理好个体与群体的关系,是放在关系中讲的。"仁者,人道交偶之极则"③,这种理解还是对的。因此,"爱人"④、"泛爱众"⑤,应该是"仁"的最基本的含义。在孔子其时,重民的思想早已萌生,但"民"与"君"是两个对立的范畴,是属于社会政治方面的概念。而孔子则将这两个对立的概念先都还原到最基本的统一范畴中来,使其都作为"人"的存在来认识问题,以"人"来作为讨论问题的起点,这是很了不起的贡献。在孔子的理解里,"人"是作为一种不同于他物的"类"的概念出现的。虽然在其思想建构中出现时所被取用的只是社会性的属

---

① 郭沫若:《中国文化之传统精神》。
② 《礼记·中庸》。
③ 康有为:《论语注》。
④ 《论语·颜渊》。
⑤ 《论语·学而》。

性，但依然是一种泛指，并不专用之于哪一个阶级或阶层。"文革"中有人专"考"其与"民"的区别，特别要导引出"'民'是奴隶阶级，'人'是奴隶主阶级"的结论①，实是大谬不然的。在孔子那里，"人"与"民"是有区别，但却不是阶级的区别，二者不是对立的同级概念，而是包容与被包容的种与属的概念关系。在《论语》中很少有"人"与"民"对言的情况，即使有，如"节用而爱人，使民以时"等②，也是前者为泛指，后者为确指。把"人"看作社会构成的基元，看作处理人际关系的起点，这一起点的确立，不仅使其学说必然蕴含了对个体生命存在的平等意识，而且也获得了对于人类的永远的意义。孔子说："天之所生，地之所养，无人为大。"③ 在当时的社会环境和文化背景中，这确是振聋发聩的一声，其意义决不会只为一个时代所占有。"四海之内皆兄弟也"的亲和平等的意识④，和推己及人，"己所不欲勿施于人"⑤，"己欲立而立人，己欲达而达人"的人际关怀⑥，构成了孔子"仁"学的基本内容和思想底蕴。虽然孔子承认并尊重人际关系中等级存在的现实性，并把这种尊重视为"仁"的一种实践方式，但在强调这些等级的时候，仍然灌注进了互相尊重、体恤的意识，这也便成了儒学中"王道"、"仁政"的根基。正是因为这一思想基质的存在，作为以儒学为核心的传统文化对"大同世界"的理想期待，才能得到合理的解释。"大道之行也，天下为公，选贤与能，讲信修睦。故人不独亲其亲，不独子其子，使老有所终，壮有所用，幼有所长，矜寡孤独废疾者皆有所养。"⑦ 从这个理想所包含的内容看，由孔子创立的儒家虽然强调尊重并维护现实的等级关系，但这并非其最终的理想所在，其最高原则应该是亲睦讲信、天下为公。这个理想之境的阐发，应该说是直接源于孔子的"仁"学。尤为值得称道的是，在孔子的亲和思想中，不仅没有族界，而且也没有国界，凡天下有人之处均应如此，这和后世狭隘的民族

---

① 赵纪彬：《论语新探》。
② 《论语·学而》。
③ 《礼记·祭义》。
④⑤ 《论语·颜渊》。
⑥ 《论语·雍也》。
⑦ 《礼记·礼运》。

主义、狭隘的国家主义没有共同之处。

与空泛的"博爱"说教不同，孔子的"仁"学具有很强的现世精神和实践价值。孔子认为，"仁"并不是一个高不可及的境界。"仁远乎哉？我欲仁，斯仁至矣"①，"为仁由己"②，只要自己努力去做，人人都可达到"仁"的境界。孔子虽曾游说各国诸侯，但由其学说所要施予的对象，再参之以其"有教无类"的教育主张和首开民间办学之风的行为来看，说他是"中国第一个使学术民众化的"人是不为过的③。所以，我们说人人都可"为仁"，这个"人人"，孔子的所指是社会中所有的人。孔子一向推重"君子"而鄙薄"小人"，有所谓"君子而不仁者有矣夫，未有小人而仁者也"之说④，这似乎与"人人"的推断有些矛盾，其实非也。君子与小人是"性相近也，习相远也"⑤，君子能仁而小人不能仁的原因，是"君子求诸己，小人求诸人"⑥，君子能从自身做起而小人却凡事都从别人身上找借口，不是说小人天生就不具备达到"仁"的条件。孔子把每个"人"都当作实现"仁"的社会单元，把达到"仁"的最根本的因素都归结到每个人的个性主体，这比三代大大前进了一步。"那时候，国家是神权之表现，行政者是神之代表者。一切的伦理思想也是他律的"⑦，到孔子这里，由他律变为自律了。在确定实践性的自律性个体的基础上，孔子为人们指示了两条可操作性很强的至于"仁"的逻辑路向：其一，"君子务本，本立而道生。孝弟也者，其为仁之本与！"⑧ 在诸多社会关系中孔子选择了血亲这一在人类生存发展史中最基本、最恒久的关系作为行为的出发点，以"孝悌"为"仁"之根本，是至为明智而不可更易的。在人的各种关系中，只有血亲关系是兼具自然性与社会性两重意义的，作为社会关系它们有历时性

---

① 《论语·述而》。
② 《论语·颜渊》。
③ 冯友兰：《中国哲学史》上册。
④ 《论语·宪问》。
⑤ 《论语·阳货》。
⑥ 《论语·卫灵公》。
⑦ 郭沫若：《中国文化之传统精神》。
⑧ 《论语·学而》。

的不同内涵,而作为自然关系则是恒常的。正是利用这种关系的双重性,孔子先把复杂易变的社会关系收缩、简化、归结到最基本的恒常的自然关系上来,然后再以此为根基辐射到层层扩大的社会关系中去,使之也获得一种易于接受的恒久的意义。这中间所经过的由社会到自然、再由自然到社会的两次微妙的转化,使孔子的学说获得了超越历史时空的悠远的价值。试想,什么人,什么时代,不具备这种最基本的关系呢?并且,由于这种转化,本来深奥的道理也就不再费解,否则我们根本不能理解,在中国,为什么那一代代没有文化的劳动者,特别是农民,会如此虔诚地信奉孔老夫子的道德说教。我们说的第一种路向就是从"孝悌"这一根本点上开始的。"孝乎惟孝,友于兄弟,施于有政。"① 道理很简单,老我老才能及于人之老,在家孝悌,在外才能忠、敬上级,把这种品德推广到国家政事上去。其二,是"克己复礼"②,由"仁"入"圣"。在孔子的"仁"学思想里,"仁"的境界不是一个静止的层面,由"克己复礼"的自我修养,到"爱人"到"安民"到"博施济众"③,表现为一种由"仁"入"圣'的深化过程。"圣"的境界虽非人人都能达到,但人人都不应该停止努力。以上两种路向其实是二而为一的,能加强修养才能做到"孝弟",而由"仁"入"圣"的进化过程也表现为由"孝弟"到"博施济众"的扩大过程,精神层面的深化和社会实践层面的延展是不可分离、相辅相成的。

  孔子倡导"仁"的思想,针对的是人的社会性联系,因此,"仁"与"礼"的结合也就是必然的了。礼,主要是人的各种行为规范,是使纵横交错的复杂人际关系得以秩序化、道德化的基本原则和具体遵循。孔子崇尚周礼,表示"吾从周",但孔子所从者只是周礼的基本原则和思路,并非原封不动地机械套用。孔子对周礼的重大发展,是更加明确和强化了其内在精神品格——"仁"。"人而不仁,如礼何?"④ 经孔子的改造和提倡,"仁"和"礼"实际上成了一而二、二而一的东西了。

---

① 《论语·为政》。
② 《论语·颜渊》。
③ 《论语·雍也》。
④ 《论语·八佾》。

在人际交往和社会管理中，由于社会的组织机构是一个复杂的制约系统，所以无论其中的什么人，要做到行仁而不逾矩、守礼而不违仁，那就需要随时注意对"度"的把握。孔子思想的完整性和有机性就在于，它在推出"仁"和"礼"两个范畴并使它们结合起来时，同时提出了它们的方法论基础——"中庸"。在儒学乃至整个中国传统文化中，"中庸"是一种深富意味的极有价值的创造。它把社会和整个宇宙都理解为既互相制约又和谐发展的动态结构，人们只有居中制衡，积极而恰当地进行调控，才能取得预期的效果。孔子强调"允执其中"[1]、"叩其两端"[2]，内含的就是这个道理。孔子本人在思考和处理一些问题时，就坚持了这一思想方法。比如对"学"与"思"的关系，提出了"学而不思则罔，思而不学则殆"[3]；又如对"质"与"文"的关系，提出了"质胜文则野，文胜质则史"，这些观点都是深刻而辩证的。孔子痛感于人们对这一道理的失察而导致了"道"的不行，说："道之不行也，我知之矣：知者过之，愚者不及也。道之不明也，我知之矣：贤者过之，不肖者不及也。"[4]"过"与"不及"均会贻害于"道"的倡明和推行。"中庸"重视的是结构调控所产生的效应，所以提倡"和"而反对"同"，特别强调"君子和而不同"[5]，把它视为君子与小人的区别。在孔子的思想体系中，由于中庸的特殊作用而被孔子异常看重，不仅把它用作方法，而且把它本身也视为至高的美德，而纳入"德"的本体论之内，盛赞"中庸之为德也，其至矣乎"[6]，还把体现这种精神的"忠恕"，视为"吾道一以贯之"的基本内容[7]。颜回所以深得其心，也是因为"回之为人也，择乎中庸，得一善，则拳拳服膺而弗失之矣"[8]。长期以来，流行的看法是把"中庸"视之为调和矛盾、不思进取的消极

---

[1]《论语·尧曰》。
[2]《论语·子罕》。
[3]《论语·为政》。
[4]《礼记·中庸》。
[5]《论语·子路》。
[6]《论语·雍也》。
[7]《论语·里仁》。
[8]《礼记·中庸》。

思想，这是很大的误解。对于抹煞矛盾两方的差异和对立的"乡愿"，儒家一向是深恶痛绝的。"中庸"在承认矛盾和解决矛盾方面极为积极和灵活，其中关于"权"的认识不能为识者所不识。在孔子及其后学看来，"权"是对于"度"的实事求是的灵活把握，面对矛盾既要做到"毋意，毋必，毋固，毋我"①，不要主观主义，又要结合具体的情况灵活地加以权衡和调节。比如，"男女授受不亲，礼也；嫂溺，援之以手者，权也"②。他们认为，"执中无权，犹执一也"③，如果不懂"权"，实际上就等于只控制了对立双方中的一个方面。所以，孔子把它看得很高，说"可与共学，未可与适道；可与适道，未可与立；可与立，未可与权"④。他自己也力行这一原则，如对管仲的看法，管仲不属于儒家学派，可谓道不同，但孔子一方面批评他的器量狭小、不知礼，一方面却又高度评价他对于天下、民众的大功劳，以"仁"相许，足见其思想的丰富生动而不呆板，只不过这一点未为其后学们所充分认识罢了。

  认真地检视、揣度孔子的思想，发现它是一个由多重系统组成的非常有机的整体结构。从总体上而言，它是一个大的系统，前面已经作了论析。而从其局部来说，也都自成系统，互相关联，追求一种系统性的结构效果。如人格的修养，强调"志于道，据于德，依于仁，游于艺"⑤；如人的品德，强调"恭、宽、信、敏、惠"⑥；又如作为其教育内容的"六艺"等，在一篇短文中是难以一一尽言的。另外一个值得注意的特点是，孔子的学说是注重实践、主张积极入世的，似乎应该是形而下的东西多；可是真正进入他的思想之后，却又发现，其价值指向又是非个人功利的，其丰富的智慧通通指向了形而上。"君子谋道不谋食"、"君子忧道不忧贫"⑦、"朝闻道，夕死可矣"⑧、"君子不器"⑨、

---

① 《论语·子罕》。
② 《孟子·离娄》。
③ 《孟子·尽心》。
④ 《论语·子罕》。
⑤ 《论语·述而》。
⑥ 《论语·阳货》。
⑦⑨ 《论语·为政》。
⑧ 《论语·里仁》。

"人能弘道，非道弘人"①……这些意思，都是很值得玩味的。

　　文章写到这里，似乎用得上一句套话了：孔子思想毕竟是历史的产物，所以一定有历史的局限。这话原是没有错的，不过需要的是更具体、科学的分析。此外，还需要补充上一个意思，那就是，任何历史都又没有远去，它们还呈现为一种新的现实，尤其是心理的现实。它们活着，也有活着的根据。因此，对于历史，特别是历史文化对象的研究，需进行更审慎而实事求是的分析。不可否认，孔子思想的创构距今已有两千余年，而且历经漫长的阐释过程，既不断有所发展，又必然有误读误导，加进了不少有悖于孔学初衷的内容，其在历史发展中既起过积极作用，又起过消极作用。我们在这里所要强调指出的，则是侧重于作为宝贵的文化遗产，孔子思想中包蕴着极为丰富的智慧，它不仅属于过去，也属于现在和将来；不仅属于中华民族，也属于全人类。孔子在其思想中所表现出来的对于人类生存的悠远的人文关怀，在今天世界性的人文主义的文化建构中，又显现出了无与伦比的意义。在十分古老的文化中却包含着十分深刻、丰富的未来意义，这大概是本世纪的文化批判中人们所始料未及的。

　　时至20世纪之末，在文化问题上似乎又进入了一个重新读解传统文化的新阶段，而伴之而来的，则是对本世纪文化批判的反思。就如孔子，当我们重新发现他丰富智慧的现代价值时，思考的另一面必然就是对以孔子为重点批判对象的本世纪文化批判的否定性反思，这就触及到了对其如何进行历史评价的问题。目前，人们好像还没有走出一种悖论：要肯定启蒙主义的文化批判，就得要否定以孔子思想为代表的传统文化；而要肯定孔子思想的历史价值和现代价值，就得否定以新文化运动为代表的文化批判。其实，这两种思路的对立在本世初就已出现并延续了近一个世纪，只是近来更加凸显，话语中心也发生了转移罢了。我以为，现在是应该对本世纪的文化批判认真地进行全面总结的时候了，但不能轻言否定。如前所述，中国历史要进入近现代化过程，不颠覆横亘于其间的文化障碍是无法实现的。启蒙主义的文化批判是一种历史活动，作为一段历史的重要构成内容和发展环节，自有其无可替代的作

---

① 《论语·卫灵公》。

用，这要历史地来看。而且，作为一种推动历史的策略，对传统文化尤其是孔子采取了极端化的攻击态度，也是不得不然的。但是，当我们现在对本世纪的历史作完整的研究时，亦不当把当时这种极端态度视作论断是非的标准，笼统地用之于现在的文化研究。也不应因此而一概地否定在这一历史过程中所出现的对立性意见的历史合理性，事实上，它们往往是在从文化的角度对历史的发展进行着补偿。此前，我曾在《历史价值范畴里的符号选择——鲁迅批孔新识》一文中提出过对不同价值范畴进行辨析研究的观点，主张区别历史的、文化的、审美的等不同行为范畴的价值内涵和意义，从而对不同范畴中的行为作既相关又不同的价值判断。我想，用这种理解来看问题，可能会对解决上述问题有所补益。从上述二难处境的现实性学术情势来看，那种非此即彼的论断方式里面仍潜伏着一个危机，即思维方法的形而上学。本世纪的进步所带来的负面效应之一，就是思维方法的片面性，若不在思维方法上同时实现超越，那么，不仅对文化批判的总结会出现简单化的肯定或否定，而且对传统文化的重新读解，也只能是再回到古人的认识上去，成为无益有害的文化复古，那就与我们的目的背道而驰了。

（原载《文史哲》1995年第2期）

# 一个通往文学新世纪不可逾越的话题

大约为80年代的作家所始料未及，我们的文学在经历了一个时期轰轰烈烈的繁荣之后，竟不期然地走到了如此令人堪忧的境地。如果我们不再沿用多年来承袭不变的判断方式，用成绩即主流的套语自抚自慰（这种源之于机械论的历史进化论的观念，既可以正确反映历史，给人以信心；又可以毫不费力地脱离历史现实，使人丧失观察历史的敏锐力，从而导致盲目的廉价的乐观主义），面对近几年的文坛现状，就不能不像一些有识之士那样，由忧愤而发出由衷的浩叹。只要我们还没有泯灭文学的良知，就随时随处可以感受到，我们的文学在金钱和情欲的蚀坏下，已经发展到令人不能容忍的地步。尽管我们并不否认某些正直的文学家所做出的种种贡献，但铺天盖地而来的出版物所呈现出来的，却大多是趣味平庸之作，有的简直就是精神的垃圾，它们已经损伤到了人类的健康和尊严。堂而皇之地展示个人丑恶的私欲，无滋无味没完没了地咀嚼于人于己都无意义的身边琐事，倘若这些也可以成为一代的文学时尚，那岂不是前有负于古人，后有愧于来者！

现在，历史已步入两个世纪之交。遥想本世纪初，20世纪的文学先驱们曾对本世纪的文学发展寄予了何等殷切的厚望，我们总不能给开创并发展了新文学的本世纪划上这样一个黯淡的句号；展望21世纪，对于文学来讲也当是一个更为辉煌的世纪，我们也总不能为人人企盼的文学新世纪提供这样一个不争气的起点。值得庆幸的是，时下已有不少人不同程度地意识到这一既显见又深在的危机，企图从文化和文学的角度做出同一指向的努力，意欲挽狂澜于既倒，使人们生存发展不可须臾稍离的人文精神再放光华。只是惜乎学者们讨论人文精神时常常陷入缺乏现实感的玄谈，而有些作家在做精神坚持的不无悲怆的努力时，则又似乎不可避免地走向了认识的偏执和极端。无论如何，我们不能否认和抹煞这种种努力的现实警示作用，但又不能不遗憾地指出，它们在现实的可效法性方面又是多么地缺乏理论上的说服力和实践上个体存在之外的范本价值。编辑出版界固然也在做着种种努力，或由作家们结盟倡议，或由编辑们苦心策划，近年来抛出的话题和亮出的旗号可谓多矣，可是多数带有浓重的商业策划色彩，虽不断花样翻新，但如积木重排，真正的新意和富有实质性的拓展并没有多少。我们同样也不想轻易地否定这些努力，在集结作家和局部表现对象的开拓上，它们确也或多或少地发挥了一些作用，但是，实践检验的结果与倡导者宣言的大相径庭，却又不能不引起人们的深思。

面对文坛的此情此景，在如何补偏救弊和开拓发展的问题上，人们或许会见仁见智，有不同的见解和主张，但在我则以为，当务之急和关键之举却应该是在最根本的问题上进行反思，找回并发扬光大文学的现实主义精神，重培文学的生命之根。

现实主义是一个早已被人们熟悉、甚至难免被认为陈旧过时的一个字眼，因为一说到它，就必然会联想到朴素现实主义、批判现实主义、革命现实主义等分属于过去不同时代的文学模式。长期以来，理论和创作实践上都过分地强调了某种文学精神与阶段性文学模式的一致性，二者之间粘附关系的高度强化，必然导致下述两种状况的出现：一是扬弃某种文学模式时污水婴儿一起泼，从而伤害了文学的血脉之根；一是因片面地理解文学精神而固守某种属于已逝时代的文学范式，从而遏抑了文学的生力和发展。岂不知文学精神和文学范式之间既有内在的互为制约的关系，又有彼此不可取代的区别，不能将其混为一谈。当然，某种文学精神，就如现实主义文学精神，也会因不同历史阶段具体历史形态的不同而呈现出不同的精神内涵和风貌，比方有所谓批判现实主义精神、革命现实主义精神等，但这些，都是文学的现实主义精神的具体呈现，并不足以说明，随着历史的发展，某一阶段所特有的现实主义精神内涵和风貌的改变，文学的现实主义精神也即荡然无存。过去，我们讳言这种似乎抽象的历史继承，讵知这样做的结果却是否定了精神发展深层本质的一致性。中外文学发展的历史都表明，某一种具体形态的现实主义文学范式，既可以让文学的现实主义精神得到新的发挥和拓展，同时又会成为它展示和发展的桎梏。19世纪崛起于欧洲并一度雄踞文坛的批判现实主义，曾把文学的批判力量推向极致，并使一代大师均以能够胜过历史家的记述而引为自豪。其间，文学对现实的"历史"性洞察和对"真实"与"本质"的崇尚，可谓前无古人，文学的现实主义精神在这方面得到了高度的发挥。可是，当批判现实主义作家，尤其如巴尔扎克这等杰出的代表，深深迷恋于这种"历史"的"书记"的角色自认，并执著于对于恶的不无夸张的细节描绘和态度鲜明的鞭挞时，现实人生中历史内涵的更为丰富的复杂性却被相对地简化了。这种状况到托尔斯泰才有了明显的改变。过去，我们对批判现实主义的一贯指责，是它在鞭笞社会黑暗时不能为读者开辟出一条正确的通达理想之路，这不仅未免苛求于古人，而且对文学表现内容的多样性来说，也未免作过于划一的苛求了。其实，从文学的本体性要求来看，巴尔扎克式批判现实主义的真正缺憾，应如以上所言。

每一个时代都会有不同于其他时代的特定历史内容和精神特征，它们必定对各种文学精神有所选择，并会于作家自觉不自觉之间与之形成一种约定、一种规范。于是，一种文学精神一定会具体地呈现为不同的阶段性形态和范式。不仅如此，在文学精神和创作方法之间也存在着同样的道理。一种文学精神的具体实现，常常是集中地表现为相关的文学创作方法，如现实主义、浪漫主义、现代主义等。这些方法都表现为一定的原则，它们都会因其对象世界的选择、把握世界的方式和语言营造的不同，因对生活的感受和艺术理解的不同，而形成一种特定的取向、特定的框架。这已是常识性的不争之论。我们要说的是，长期以来，在我们过分地强调文学精神与具体的阶段性形态的不可分性时，对文学精神与创作方法之间的关系，也作了同样的强调，而且以此作为上一个问题的具体展开。这样做的结果，正面的作用是强化了某种文学精神的主要实践性导向和规范，而负面的作用则是忽略和抑制了文学精神在创作方法方面的超边界性，并从而影响到文学更富生气的创造。一个成功的作家或艺术家，他之所以能独步文坛甚至独领风骚，是因为，他既能在对某一创作原则的理解和表现方面有其独到之处，又能在创造性的运用这一原则时敢于超越边界，作出新的开拓。对那些成功的作家、艺术家，是很难用一个某某方法的标签就能作出正确阐释的。

进行以上两层意思的辨析或曰两种角度的对象剥离，意在明确本文所着力强调的文学的现实主义精神，不同于现实主义的创作方法，也不同于历史上某一种具体的文学形态，而是一种文学与人类生存之间永久性的关系和承诺。信守这种关系和承诺，文学就有了生命之根。在不同的时代，它因不同雨露的滋润而蔚成各呈异彩的文学景观；而唯其有了这一恒久的生命之根，无论哪一时代的优秀之作都会成为长青之树，经久不凋。文学艺术的创造，无论什么时候，它都既是一种文学艺术家个体生命的存在方式，也是人类生命存在的共同需要；它既是个人的诉说，也是与外部世界的对话。就是这样一个恒久的关系，决定了文学的现实主义精神恒久的基本要求。只要人类还存在，只要天不老地不荒，它就不应被轻蔑，不应该被拒绝。不同时代文学的发展，变的只是因社会群体生存内容和方式的改变而必然反映在文学艺术创作上的具体理解、具体内容和具体方法。文学要想还成其为文学，要想在人们的社会性生存中还能成为有价值、有生命力的存在，它就应该信守承诺，并通过无尽头的创造将它实现在具体的创作实践中。当然，文学艺术的活力来自于创造，我们所强调的文学现实主义精神也必须在不断更新实践中才能得到真正的表现，僵死的教条主义和呆板的临摹仿制，不仅是艺术创新的天敌，同时也是扼杀文学现实主义精神的囹圄。但是，我们不能因此而否定文学艺术创新活动必须遵循的基本原则，无原则的创新是无生命力的，这也该是人所共知的道理。否则，所谓的创新只能是徒劳，至多只能在一时收到哗众取宠之效。如果再受动于金钱与情欲的支配，那所"创"出来的就非但没有价值，还要贻害无穷，因为它们只能要么是沉滓的泛起，要么是新造的垃圾。

对于文学的现实主义精神，以往的论者往往是结合具体的创作方法和阶段性文学形态谈论得较多，而时下需要着重强调的，则应是其最基本的原则。自然，就其基本原则来讲，也可以从不同的角度做出不同的归纳，在我则以为，最为切要者莫过于以下三端：第一，对于完善人类生存的特殊责任感。这一条是为作为人类生存内容或生存方式之一的文学，在人类生存的社会性意义存在中定位。文学，无论从创造的角度还是从接受的角度来看，它都既是个人的又是社会的。作为一种人的生命存在的特殊需要和智力与情感的特殊表现方式，文学既是独特的更富有个性创造特色的生命现象，也是在社会中存在并发生作用的。文学的创造,应该是有"我",也有"他",不能将文学从人类的社会性存在中剥离出来。诚然,文学的作用明显有别于其他政治的、经济的、军事的、科学的等诸种社会性行为,但即使说到娱乐和审美陶冶方面,它也同样表现在人们的社会性群体关联之中,而不纯然是自娱的工具。正因为文学艺术所起到的是一种特殊的作用,才使其在完善人类生存方面更具有了无可替代的地位。这种文学艺术的"天"赋之权,表现为对人类生存问题的深切关注、对危害人类生存的丑行恶德的批判、向善的引导和提供健康的审美娱悦。它既不能被剥夺,也不应自我放弃,否则,即为失职。第二,对于人类的宽厚的爱心。这一条是为文学与人类生存之间的特殊关联与沟通方式定位的。文学与人们之间的对话,固然也要靠语言,固然有着极为丰富的传达内涵(这一点是任何理性的表述和知识的传达都无法比拟的),但是,"艺术活动建立在人们能够受别人感情的感染这一基础上"①,这就使之与同样需要语言的思想传达不同,成了一种特殊的关联与沟通方式。因此,文学家作为艺术活动中的情感输出者,作为与人类之间特殊沟通的情感信息源,他们本身必须具有崇高的情操和健康的感情,对于艰难生存的人类,必须有宽厚的爱心。从这一点来说,文学既是有"私"也是无私的。所谓有"私",是指文学家的感受和感情的个性化内涵与方式,不是无边的私欲。所谓无私,是指对于人类的力戒偏见与浅薄的真诚和挚爱。总之,只有作家懂得了"爱人",他及其作品才能被人爱。第三,对于人类生存现实的独特关注与表现。这一条是为文学表现的对象和表现的基本原则定位的。从反映与被反映的终极意义上来说,无论怎样,文学作品都是生活的反映,但这一条的立论,却并不满足于这样一种宽泛的理解。它所强调的是,在表现对象和表现原则上对人类生存现状的充分关注和重视。当一个作家将眼睛从人们社会性即群体性生存的基本现实移开,而仅满足于主观臆造或对生活碎片的无意义铺陈,抑或仅陶醉于个人私欲的无节制的展示时,这条原则就已经不复存在了。坚持这条原则的文学,尽管可以进行充分的想象和虚构,不必拘于一格,但是人类生存现实的客观真实性,其中既包括其深在的意义内蕴又包括其现象层面的细节生成,都是不应

---

① 托尔斯泰:《艺术论》。

该被违背的。我们说"独特的关注与表现",不仅是为了区别文学和其他如政治、思想、文化等对现实的关注与表现形式的不同,更重要的还是意在强调文学在关注和表现现实方面,不同于把它仅作远背景解释的文学理解的特殊要求与规范。

从以上理解可以见出,我们所称之为现实主义的文学精神,显然并不仅是对现实主义文学的独家规范和要求。只要是有生命力的文学,不管是什么主义,都不会在最根本处背离它。当然,勿庸讳言,这种文学的现实主义精神,尤其是将第三条与前两项结合起来作强化理解,它最集中、最突出地却还是表现在现实主义的文学创作之中。因此,在张扬一种人类精神、表现思想情感的冲决力量时,诚然是浪漫主义文学要胜过一筹,然而在真实而集中地再现人类生存的矛盾、痛苦和向往的深刻性和丰富性方面,现实主义文学却是更要独得风骚的。由此便不难理解,为什么在数千年的中外历史中,现实主义文学在发挥这一作用方面会一直得到人们的钟爱。特别是当人类生存的现实性问题成为一种郁结而要求文学给以真实而真诚的表现时,它更会以一种特定的精神形态和审美形式,形成为一段历史的骄傲。

但是,如同表现为人类生存其他内容的历史发展的曲折一样,文学的历史发展也要付出一定的代价。人类生存的发展,不同的历史时期有不同的特定内容,与此相关,作为精神活动和审美创造的文学,不同时期的人们对它的理解和要求也不会停滞不变。但在变中,有得也会有失,有时甚至会走一段弯路,不得不回过头来重新认识,重新调整。这在中外文学史上都有许多实证。按照本文逻辑的运演,当我们把思路拉回到文章开头所描述的文坛现状,认真思考现实主义文学精神的严重迷失时,我们就有必要对导致这种状况产生的历史的和现实的原因,作出冷静的分析。从历史发展的阶段性来看,时下的文坛与上一世纪末、本世纪初的新文学倡导构成呼应的首尾。对于古代文学来说,近百年来新文学的发展过程,便是一个相对完整的历史阶段。如果我们对20世纪即近百年来文学的现实主义精神和现实主义文学的发展作一简要的总结,那么对于认识问题将不无好处。

众所周知,贯穿于20世纪中国文学并被认定为与历史的需要最为契合的主潮性文学形态就是现实主义文学。文学的现实主义精神和现实主义的文学形式,被视为二者不可分割的一体化存在同时得到尊崇,以至于其影响力与统摄力在长时期内几乎可以笼罩文坛,使其他形式的文学诸如浪漫主义、现代主义等都难以得到持续的充分的发展。如果单纯地仅作文学形式发展的比较,就不难发现,在旋转流动的文坛情势中,文学形式的变异和否定性发展更多地表现在现代主义甚至是浪漫主义上。要追究其中的是非功过,这原本不是一桩文学自身的公案。倘若有谁企图摆脱这段诱人而又恼人的历史,单从文学发展的内部去寻求答案,那只能表现为一厢情愿的天真。我们只有用力去捉住在背后拨转这一切的历史的巨手,问题才会豁然而解。与以往相比,从上个世纪中叶开始,中国人的历史危机感和救亡图治的使命意识达到了前所未有的程度。过去,四周皆诸小"蛮夷"环伺,虽时有侵扰,但无损于老大帝国的中心优越感。即使江山半壁沦丧,或一时臣服于异族统治,至少文化上的至高地位也没有被真正动摇过。然而这时不同了,西方列强依仗"船坚炮利"强行打开中国封闭的国门之后,其倚势亡我之心连同其政治、经济、文化全面优势的展现,深刻震动了整个中华民族。国门的打开,也拓宽了国人的历史视野。传统的那种只将政治(主要是政权变易及军事行为)看作历史主要内容而相对忽略经济、科技和文化的观念受到强烈冲击,科技和实业、政治制度(在政治中突出了制度的内容,这也是前所未有的)、文化被相继凸现出来,都成了历史性观照的内容。梁启超所总结的国人认识的三阶段,即"从器物上感觉不足"到"从制度上感觉不足"又到"从文化上感觉不足"①,它既是人们认识的深化过程,又何尝不是中国历史近代化过程中三项内容的相继凸现?尤其是文化,曾被认为是历史能否进展的深层症结所在,使之从传统的化民治国的手段一改而为阶段性历史的目的。历史的这种特征,势在必然地导致人们在主动承受历史责任时对"现世"或"现实"的精神高张,和对历史价值认识范畴的无限延展,使泛历史意识成了不仅近代而且几乎含纳整个20世纪的精神特征。它始终支配着历史活动的中心话语,并力图覆盖所有的文化和审美领域。在这种历史的背景和规约中,一方面必然选择现实主义,把它作为承载现世性历史要求的最佳文学形式;同时

---

① 梁启超:《五十年中国进化概论》。

也必然赋予它"工具性"特征，要求它成为历史巨手操作中的或一工具。这样，文学的现实主义精神被作了现世和浅近的理解，并与阶段性现实主义的文学形式毫无空隙地粘贴在一起。这就势必造成对文学现实精神某些深在要求的忽略或拒斥，从而对那些应该被文学充分重视的、超越阶段性历史话语赋予文学的认识和形式规范的深层人类生存内容，缺乏必要的开掘和表现。文学的形式和精神理解一起，很容易随着阶段性历史话语的极端化强调而走向教条和僵化。反之，当历史超越了某一阶段而进入新的时期，文学变更的要求也被历史推拥而出时，又会常常在突破既成文学形式和理解时，同样表现为对文学现实主义精神的冷落或忽视。

中国历史近现代化过程中几项基本内容的结构特征，也深刻地制约和影响着对现实主义文学的理解和发展。上文所及梁启超谈到的三种认识的进展，实际上涉及到了中国近现代过程无法逾越的三项历史内容。这三项内容虽然在历史的深层要求和近现代化的全面实现上是统一的，但在历史运作的实际过程里却呈现为悖论状态，并由此而影响到人们的思维和行为[①]。其中，最为明显的莫过于启蒙与救亡之间的悖论性存在了。尤其是当历史由近代而入现代之后，二者的悖论性对立与必然转换更成了历史的现实性难题和知识者内心痛苦的纠葛。中国近代史颇为可贵的一点是几经探索为现代革命提供了两个必备的起点，即文化启蒙和民族救亡，然而两者一经设置便成了一种两难性存在。要文化启蒙就必须反传统文化，而要救亡又必须高扬民族精神，何况在现代时期救亡的内容又不止于民族解放，还增添了或者说更深刻地表现为阶级之间关于政权、制度的暴力斗争。这两者，在变革对象和文化价值取向上都是很不相同的。关于启蒙与救亡之间的悖论性关系，已多为学人所感知，而对作为中国近现代第三项历史内容的经济即实业的发展与启蒙和救亡之间的悖论性关系，则没有给予相应的关注。殊不知，从真正改变人们的生存条件和全面实现现代化来说，经济的发展是最为重要的基础，如果仅有文化革命和政治革命而无经济革命的话，那一切都会归之于虚空。可是，在近现代提供的历史情景中，它又无法实现。历史发展的现实性

---

① 参见拙作《20世纪中国文学研究中的两个问题》，《文学世界》1995年第2期。

展开，很难顾及逻辑论证的全面性，它只能在条件的不断实现中曲折前行。而对人们的思维和行为施加影响的，也不是事后才能得出的逻辑结论，只能是历史的现实进程。我们要说的是，正是前述各项历史内容的现实性悖论设置，使人们对于现实主义文学的理解因依附于某一单项的历史需要，而在表现和批判对象上表现为不同的单向指涉，并使之成为对抗性的分流发展，如启蒙现实主义、政治现实主义等。经济变革的内容，因只是到了80年代才成为历史的主潮，在前此的历史时期内还不可能对文学的主潮构成大的影响。再说，经济的变革也不可能以其经济学的内容直接进入文学，它必须被作为人生内容观照，并在被作家以超越经济利益的体认充分酿制之后，才能反映在文学之中。不然，反而会使一些人迷失文学的现实主义精神，就如时下的文坛那样。与启蒙现实主义、政治现实主义相抗衡并企图超越它们的，是可以称之为生存现实主义的文学理解和实践。只不过它出现稍晚，是在前两者的对立与转换中所作的另一种努力。

在20世纪中国文学的发展中，政治现实主义是一种存活时间最长、发展最为充分并最后被推向极端的文学形态。早在本世纪初，大举向中心文体位置进军、被鲁迅称之为"谴责小说"的众多小说作品，实际上即构成了本世纪现实主义文学发展的第一阶段。晚清社会政治的极度黑暗和腐败，使"群乃知政府不足与图治，顿有掊击之意矣。其在小说，则揭发伏藏，显其弊恶，而于时政，严加纠弹，或更扩充，并及风俗"[①]。与当时社会的基本历史趋向一致，这些作品表现出了强烈的批判现实的倾向。而其攻击批判的主要对象，则是其时的政治制度，所以我们有理由把它归入政治现实主义的基本范畴。这种特色，在梁启超等社会革命家所写的诸多"政治小说"中尤为明显。与后来的政治现实主义相比，这时的"政治"所指涉的对象主要还是制度而非阶级的政治，而且仅仅限于笼统的批判和否定而已。到了20年代初期，因启蒙现实主义崛起并领风头之先，政治现实主义相对沉寂。待到"革命文学"倡导之后，政治现实主义重新主宰文坛，并以阶级政治为全新的内涵构成了它的第二个阶段。从30年代初期开始趋于成熟，到40年代初在理论

---

① 鲁迅：《中国小说史略》。

上形成系统的规约，一直到60年代初期，在长达30余年的时间内它一直紧跟历史的主流意识形态而成为文学的主流。从60年代初期开始，已经日渐枯僵的文学又被极左思潮一步步推向极端，并终于使其彻底地全面背离了文学的现实主义精神。这就是政治现实主义的第三个阶段，也是它的末期。政治现实主义曾把文学的工具性特征发挥到极致，但又必然地把它导入了末途。启蒙现实主义突出的是文化启蒙的主题，其批判的锋芒所向在于已胶着在国民心理深层的传统文化意识，解决的是愚昧国民的文化觉悟，即"国民性"问题。虽然中国近代的文化启蒙实际上发萌于世纪初梁启超的时代，他及其同代人关于自由主义思潮的提倡和对于开启"民智"的重视，对文学创作也产生了一定影响，但没有在根本性质上表现为一代文学的表征。真正的启蒙现实主义，勃起于这之后的文化批判运动，构成了20年代中前期的特殊文学景观。启蒙主义文学由于单方面对文化作用的强调，不久便使其在沉重的现实面前困惑莫解，而不得不或放弃或坚持，都得向有更丰富内涵的社会现实靠拢。由于文化启蒙主义者也把启蒙视为手段，诚如鲁迅所说，他从来都是把写小说看作用来改良社会的工具①，所以在关于历史目的的深层意识中与"救亡"并无根本上的不同，视点的转移似乎是顺理成章之事；但因为通达目的的途径不同，批判对象和文化价值取向的近乎背道而反，而致使作家们在转变过程中不得不经历长时间痛苦的心灵蜕变。有的作家如老舍等，在他们将文化批判与社会批判结合起来时，并没有转向政治现实主义，所以还终于使文化启蒙的余脉未断，然而其内涵已远较以前扩大，与后文将要说到的生存现实主义已经比较接近或相似了。启蒙主义文学的真正大规模复苏并成为富有冲击力的文学主潮，那是到了新时期初期即80年代的中前期。企图把被遗落的历史任务重新在五四启蒙主义的底座上作出补偿性努力，曾使深富历史感的这一代作家深感神圣与自豪，个性和人道主义的张扬也成了文学的当然旗帜。但是为时不久，由于西方现代社会现实和现代文化的强烈诱引，由于我国的社会现实在历史活动重点转移后富有实绩的大幅度改观，启蒙主义文学便被新潮文学、先锋文学冲击得几近风流尽失了。所谓生存现实主义，是我姑

---

① 鲁讯：《我怎么做起小说来》。

妄名之的一种称谓,实则是指既不臣服于政治对文学的工具性要求,又不完全心仪文化启蒙现实主义的那种以表现人类某种生存状态为指归的文学创作。30年代沈从文一类作家的作品,似乎即可归于这一类。沈从文作品中表现了一种人性被理想主义地实现后的生存状态,并据这种理想主义人性生存的要求,对腐朽的传统文化和恶浊的现代都市文明实施双重拒斥。40年代的钱钟书、张爱玲等人综合吸纳了现代主义的许多哲学与文学的营养,但要说他们的创作还表现出了某种现实主义文学内涵和面目的话,也便是一种生存现实主义。张爱玲表现的是被文化和欲望支配和制约下的那种畸变了的生存状态,而钱钟书表达的则是人生如出入"围城"的悖论性主题。建国后这种文学几近绝迹,到了80年代后期才又一度辉煌,而且成为彪炳于文坛的主流性文学形态。人们习惯于把它称之为"新写实主义",其实,其所谓"新",也就新在它从政治的、文化启蒙的两种现代传统现实主义的功利性束缚中突围出来、对内蕴极为丰厚的人类生存状况作了文学的观照和表现罢了,因此称之为生存现实主义亦无不妥。然而不幸的是,当其风头正健之时,它却失去操持,竟竟相追求起什么"无意义"和什么"情感的零度介入"来。岂不知当其将生活表现为一堆无意义的琐碎堆积时,它作为文学的意义也就丧失殆尽了。

　　不可否认,现实主义文学曾经作为社会斗争的重要一翼,在中国历史的近现代化过程中发挥了重大作用;也不可否认,在长期艰巨而残酷的斗争生活的真切体验中,一代代作家创作出迄今仍感人至深的成功作品,即使在审美创造上也堪称独步。而这正是现实主义文学与历史的更为密切的亲缘关系被充分认可和高度发挥的结果。但是,从上面的简要回顾和剖析来看,对其理解的片面性和窄狭的约束也是显而易见的。当它被作为工具高高举起,并用单项历史选择把它紧紧约束起来的时候,它背离文学现实主义精神的必然性也就随即显现出来。政治现实主义要求把社会的、阶级的群体原则作为文学的旗帜,为现实主义文学所推重的人们的个性就会面临被消融的命运;启蒙现实主义倒是强调人的个性主义存在的历史合理性,但又被制约在文化的认识之中,难以对人的生存现实作更全面、本真地表现;生存现实主义也因其对现实功利性目的的拒绝,而过分地疏远了历史的现实要求。而问题的严重性在于,对于新时期的文坛来说,由历史长期形成的对于现实主义文学片面的狭隘的理解和规范,尤其是在其间形成的形而上学的思维方法和简单机械的判断方式,都将一古脑儿地成为历史设置的起点。在简单的逆反心理支配下,文学的超越必然伴生着种种误解甚至会从一个片面走向另一个片面。

目前,支配着作家创作的一些貌似"新潮"的观点,实际上就裹挟着诸多误解。这些误解,主要表现在以下几个方面:第一,关于文学和历史的关系。文学作为一种对生活的审美观照,不能等同于历史,也不能被简单地用作社会斗争的工具,但当我们的文学在对与历史关系的简单化理解实行突围时,却不能将自己放逐于历史的责任和历史的现实规约之外。所谓历史无非是人类生存发展的过程性展现,它不仅属于历史学家,同时也属于文学家,只不过彼此观察的角度、内容和认识及表现的方式不同罢了。很明显,文学中的历史与历史学中的历史不是一回事,即使如巴尔扎克,也是这样解释他的创作的:"法国社会将要作历史家,我只能当它的书记。编制恶习和德行的清单、搜集情欲的主要事实、刻画性格、选择社会上主要事件、结合几个性质相同的性格的特点揉成典型人物,这样我也许可以写出许多历史家忘记了写的那部历史,就是说风俗史。"① 与此相关的问题是富有现实主义文学精神的作品,要赢得历史内涵,要对社会尽责,就不能拒绝"意义"。其实,作家们无须担心,不要以为只要有了理性的参与,只要有了表现历史的责任,就会削弱或取消文学的独立品格,而成为历史学的附庸。托尔斯泰在讲到他创作《战争与和平》时说:"我开始写一部关于过去历史的书。在描写的时候,我发现,这段历史的真相不仅是没有人知道,而且人们所知道的和所记载的完全与史实相反。"② 这段话不是很有启发吗?虽然这些话已经属于另一个时代,但其中包含的精神却是永不过时的。第二,关于文学与理想。长期虚伪的英雄主义、理想主义的文学制作导致了当今文坛对于英雄主义、理想主义的逆反心态。当然,形成无理想力量的文学状态的原因,表现为多方面因素的复杂作用,但无论如何,文

---

① 巴尔扎克:《"人间喜剧"前言》,《外国文学参考资料》(上)。
② 托尔斯泰:《〈战争与和平〉跋》(草稿片断),《文艺理论译丛》1957年第1期。

学都不能成为毁灭人类生存希望的一种东西。尽管现代人感受着诸多迷惘和痛苦，文学也应该给以真切的表现，然而这却不能成为摒弃理想的合理依据。虚假理想的幻灭，正是社会的进步，生存发展的真正希望由此而生。决不能把仅停滞于幻灭感、虚无感的表现，视之为文学先锋性的感应。第三，文学与人物个性。在这个问题上出现过三种偏向：一种是相对于过去以社会性抹平个性的倾向，将人物个性作超越社会规范的对立性强调；一种是相对于过去对人物塑造典型性的片面理解，而否定典型性在文学创造中仍然存在的必要性；还有一种是对人物个性内涵的理解和表现中，过分地热衷并无节制地展示非理性的、生物性的内容。至于这三种倾向的偏颇或谬误，当我们将它作了以上归纳提出时，便不言自明了。第四，文学和情感。文学创作不能没有情感投入，文学作品不能没有感情传达，这是任何时候都不会过时的理论。所谓"感情的零度介入"，只要创作的是文学，这种说法就只能是天方夜谭。作家可以尽力不以自己的好恶去影响表现的客观性，但不要说作家，就是作为一个普通的人参与生活，也决做不到使感情始终处于"零度状态"。对此无须多说。更严重的问题是作家在创作中所表现出来的情感不真诚和精神的贵族化问题。情感的不真诚表现在既不尊重别人也不自重的调侃和故作"现代"的矫情表达上。精神的贵族化表现在缺乏平等和平民意识、缺乏宽厚而质朴的人类间的同情和友爱，和创作中居高临下的主体性投入上。在这里，我不能不又想起那位曾为人类创造出巨大文学财富而死后连墓碑也不要的老托尔斯泰。在毕其一生的创作生涯中，他在以批判的笔触描绘美丑杂陈的生活时，总是把自己作为反省对象投入他要思索和表现的世界。身为贵族的他，在面对人生苦难和表达深挚之爱时，反而没有了什么贵族气。难道身为现代的文学家，却可以反其道而行？第五，关于新与旧。文学需要创新，这是自古已然的道理，谁也没有异议。但值得注意的是，由于思维方法的形而上学，新时期以来，将"新"与"旧"截然对立起来，并且不经认真消化地盲目逐"新"，这种现象在不少作家身上还是表现得相当明显的。

20世纪中国现实主义文学的发展，除自觉不自觉地承继了传统文学精神外，更突出的还是受了西方文学的影响。在新时期以前，由于历史任务对文学的明确规约，使之对现代主义文学的借鉴难以成为主流性行为，并难以以原型移植的引进方式长期存活。到了新时期的中期以后，由于文化和文学得到相对自由的发展，现代主义的引进不仅成为可能，而且还势头夺人，影响和牵动着整个文坛。在此种情势下，我们的文学在实现着新的开拓的同时，也在未加细审深思的引进中产生着误解，而且正好借叛离传统现实主义文学的逆反性心理，得以存在甚至是发展。我们并不否定西方现代主义文学对于文学的诸多新的拓展，成功的现代主义作品也并没有斩断现实主义文学精神之根。例如《尤利西斯》，是典型的现代主义作品，但却有一些"很有才智的读者赞扬乔伊斯这个作品的现实主义。不是说，他们把写作方法作为现实主义的来赞扬（有些语言是矫揉造作的），但他们觉得有一种现实主义的内容"①。但是，第一，现代主义乃至后来的后现代主义，是在西方特定的社会历史基础和文化基础上孳生发展起来的，能否与我们的现实状况和文化基础协调一致？第二，不可否认，西方现代主义是反叛传统文学的产物，尽管它并未完全丢弃文学的现实主义精神，但毕竟表现出削弱现实的客观性的倾向。"否认历史，否认发展"，和表现"变态心理"等②，这能否作为文学的方向？即便是表现为西方文学发展中的阶段性合理性，是否不同区域的文学不管情况如何都必须追上并经历相同的过程？第三，文学发展的"世界化"应如何实现，能否一切均以西方文学为圭臬？等等。对这些问题，无论在理论上还是在创作实践上都还没有科学地解决，随之而生的负面作用也就在所难免了。

  文章结束前，似乎还要重新强调，我们倡导发扬光大文学的现实主义精神，并不意味着对某种旧有现实主义形式的重新肯定，也不意味着对文学形式多元性存在和发展的否定和排斥，而恰恰相反，倡导的目的正是为了实现有效的超越和文学更有生力的发展繁荣。其中深意，定能为识者所察。

（原载《时代文学》1995 年第 6 期，《新华文摘》1996 年第 3 期摘转）

---

① 贝·布莱希特：《论现实主义和现代主义》，《现代主义文学研究》（下）。
② 盖·卢卡契：《现代主义的意识形态》，《现代主义文学研究》（上）。

# 对当前文坛四个问题的省思

平心而论,新时期文学在史的发展上已自成格局,表现出了强烈的探索精神,至少,在矫正非文学的政治功利主义倾向和机械主义的反映论方面,其勇气和成绩,都是有目共睹的。但是我们亦不必讳言,代之而起的个人本位的功利主义和非自主性的模拟性"创造",也同时以一种价值认识的导引和急功近利、争"锋"斗"新"的浮躁心态,长时期内充斥文坛,迄无根本性改变。近来,长篇小说作品竞相出版,似乎在昭示着一个新的文学期待的呈现。小而言之,新时期到今天已历二十个春秋;大而言之,在人类史和民族史上都非同寻常的20世纪也已快到它的尽头,这一切,都在有意无意中扩大了人们思考问题的历史时空,从而使文学界在其价值期待中明显地增加了"史"的表现欲求,并促其在关于文学的思考中增加了反思的色彩。但是,这只是崭露了一种趋势,预示了一种希望,并没有从实质性的发展上构成为一种新的文学现实。因为,即便那些长篇小说,也仍然大多还都只能是上述文学现象的延续,值得称许的有,并不多。

有鉴于此,我以为,我们的文坛到了有必要进行更为自觉的反思性总结的时候了,只有这样,我们的文学才有希望达于新的进境,才有希望在负责而非狭隘功利的、自主而非盲目模拟的、积极而非追风趋时的价值调整中,展现我们的丰富而巨大的创造力。

本文拟就以下几个问题,坦陈自己的粗陋之见,以冀和朋友们共同讨论。

## 1. 关于文学的基点问题

新时期文学的"探索性"特征是显在的,它从一开始就开始了寻找。从找到了讲话的权利,找到了对于社会的良知,又到找到了文学的人道立场和历史的任务,再到找到了所谓纯文学的价值确认和西方的各种"主义",我们不能否认这一过程的内在历史必然性,也不能否认这一过程所表现出来的"偏至"对于前此一段历史的补偿作用;但是,历史的必然性并不意味着对于历史性成熟的直接通达,事实倒是,一种缺憾得到补偿时,另一种缺憾亦随即发生了。新时期文学随找随丢的"探索",实际的效果恐怕也是如此。当人们执迷于形形色色的"现代主义"和"后现代主义"而不无焦灼之时,却没有注意到,他们的立足点已经远离了文学之成为文学的基本点,或者说,当他们在斑驳陆离的光与色中急于采撷时,文学所赖以安身立命的东西已在其视界内相对地变得模糊了。

如果要我说,当前文学创作中最大的缺失是什么,我则愿意直率地相告:最缺的就是作为文学基本点的"爱心"和"真情"!

诚然,文学要使其生命之树常青,必须进行永不休止的探索和发展。不能想像,哪一个时代或区域的爱的观照和情感的内涵与形式,能够成为文学不变的遵循。在不同的区域不同的时代,文学总是在追踪和敏锐地表现着它们的变化中创造新的生力。但是,无论其对人生的感受与关注的角度有多么不同,也无论其情感的内涵与生成方式有多么大的变化,有一点则是不变的,那就是由生命的真诚所孕育而成的"爱心"与"真情"。从表面看来,许多西方现代的作品,已经不再像本世纪以前的作品那样,对经典性人生内容和情感作经典化的表现,然而这并不能说,它们已经改变了文学的那一条最基本的原则。西方那种有别于我们的,由其经济、政治、文化综合而成的生存内容、生存方式和生存感受的现代发展,导致文学向"现代主义"甚至"后现代主义"的演化,那是必然的。其实,那种对生命存在的悖论性精神感受,那种面对精神与情感荒原的孤独与绝望,在其内里,决定其荒谬性感受的,却正是作为其潜质存在的对生命与情感作常态理解的希望和绝望。至于以消解"意义"和文化界限为能事的"后现代主义",也不过是一种精神的放弃和和解,是一种文化上的世俗化的自抚自慰而已,它也并没有从根本上放弃文学的那一条原则。

我们的问题则出在对这条原则的漠视甚至是放弃上。其原因:一是在中西文学非等值理解的交流(说是"交流",实际上却更多地只是引进)中所形成的误解。看起来,文学在同一世界时空内的交流和沟通,正是进入世界一体化发展的重要前提,可是其中却隐藏着一个不同区域历史性时空的差异,而这种差异,又势必会导致错位的对话并滋生种种误解。西方人的种种现代的、后现代的感受,是来之于他们的现实生存,是真诚而实在的;而我们的感受,则来之于对西方文化感受的模拟(当然,我们的现实生存中也会有种种类似的感受,但那只是"类似",而不是相同),不加区别地引进和模拟"感受",只能给人以矫饰之感。二是市场经济即商品大潮的冲击。我们并不否认文学作品一旦进入市场之后的商品品格,但这并不意味着作家创作动机的商品化改变。而让人痛心的却正是这后一方面的改变。试想,作家创作尺度的商业化调整,那会对文学带来什么样的变化?

要说实际的表现,则大约有如下的三种:第一种,拒绝崇高,走向庸常。文学应为人类精神之火,应为人间生存关注和情感观照的有效方式之一,这是没有异议的。然而,当我们的文学从干扰其实现正常价值功能的政治工具的角色定位中解放出来,当它从伪英雄主义的"神台"上走到了世俗性的人间时,有部分作家则把表现人类爱心和崇高的责任,也从文学中一脚踢出了。在较长的一个时间内,化原则或悲剧为一笑的"调侃文学"居然成了最为得宠走红的文学样式,继而则是庸常琐碎的"小男人"、"小女人"式的小品随笔的大量上市。第二种,是私欲和矫情。文学创作的个人性和文学表现的个人性,都与个人的私欲无缘,其间的区别还是显而易见的。甚至可以说,作为一种精神的产品,作为一种个体生命寄托非个人性精神期待的特殊的实现方式,没有什么比文学和艺术更真更美的了。第三种,商业化的操作和炒卖。在这方面,又有两种情况:一种是把文学作为赢利的手段,要么傍大款,要么靠地摊,使之变为"广告文学"或"地摊文学"(我并不绝对地反对广告文学和地摊文学,此处只是就其作为一种谋利手段的倾向而言);再一种是为博名,即用商业炒卖的办法扩大影响,这种倾向也几乎成了一种风气。

## 2. 关于历史与人性问题

早在二十年前,"人性"还是一个为大家讳莫如深的问题,那时候,历史似乎是在拒绝着这个话题。因为,那时凡是从这一角度提出这一话题的,多是为"人性"的共同性内涵辩解,这显然与主导性的历史行为以及权威性意识形态相悖。新时期以来，社会和思想的大解放，使这一问题的讨论在社会的、思想的、文学的不同层面都获得了可能性，历史也开始把这一话题纳入了自己新的理解之内。这一历史语境的转换，为文学的解放在最根本处提供了条件。新时期文学解放的真正起点，实则是始于这一新的历史理解成为可能的时候，即70年代末期。

我们确认这一历史性事实的基本依据，就是对于"人性"之于文学的至关重要性，即它作为文学基本意义内涵的勿庸置疑的认定，及其在创作实践层面上的非特例性呈现。也就是说，到这时，文学从主导性的价值认定中确立了"人性"的立场，并由此改写了文学对现实人生和历史性生存对抗的传统认识，才足以使我们有充分的理由宣告：文学的新时期开始了！

然而，历史的行进，从来都不会在哪一个前后段落的衔接处即告诉人们一个完整或者完美的答案。历史是在实践的方式中曲折前行的，每一新阶段的开始，它所能给予我们的，都只能是一种启发，而这种启发，如前所述，它只是对前此制导性偏颇的矫正性强调，决不能视之为"止于斯"的真理。特别是在前后两个时期构成为尖锐对抗的特定历史境遇中，一种新的价值立场的呈现，其真正的价值实际上只是更多地表现在对既定立场和秩序的颠覆之中，至于新的建构，它往往只能提供出某种或某一角度的启示或纠偏式的导向，若对此作绝对化理解，则势必走向问题的另一端。所以，说来很有趣，当历史指示给人们一条走近真理的道路时，它所指给人们的，同时也是一条如何远离真理的道路。如果我们用这个道理来审视一下新时期文学尤其是新近几年文学的发展，不，应该说由其实际状况来深思一下这个道理，那就不能不承认，我们的文学在对"人性"问题的理解和倡导上，在确立"人性"立场的同时，对"人性"也作了超历史的泛化理解，致使自然的即生物性的人性欲求，不仅以几无节制的欲望形态更以极富侵略性的生物性行为方式，在文学作品中被作为表现"人"的主体性内容而被津津乐道。虽然，我们对此亦不能以偏概全，对所有的作品都加以否定，但是，作为一种倾向性的存在，则不能不与闻问。更何况，有的作家已走得很远，甚至不惮以生物性的欲望与眼光专门去亵渎人世间最神圣的形象和感情——母亲与母爱。要知道，要论文化批判，无论其批判的深度、广度，还是其立场的坚定与决绝，与五四新文化运动相比，新时期怕是还不能与之相提并论；但即使是在那时，也没有谁敢如此胆大妄为！相反地，倒是在对传统文化尤其对其伦理内涵进行毫不容情的攻击时，那班敢于标新立异的战士们，在对待母亲和母爱的问题上，反而备加珍爱，既把它视为在传统重压下一脉相传而弥足珍贵的人类真情，更把它当作慰藉伤痛之心的精神家园。我们真搞不懂：这样的作品所对抗的到底是什么？它们要把人们引到哪里去？西方现代出现的各种思潮，固然强烈地感受和表现着传统精神价值的崩溃和人之生存的异化，可是它们内蕴着深在的痛苦和绝望，而不是像这些作品那样，要把文学与人生的价值定位指向动物性的世界。对此，我们能任其所以而无动于衷吗？

当然，这里面诚然有一个艺术趣味高下的问题，但更为主要的还是认识上的深在的误解。我们的一些作家（自然也包括一些理论家和批评家），当他们沉浸在或陶醉于对抗的激情并以为文学可以率"性"而为的时候，却相应地忽略了这样一个道理：文学对自然人性的高扬只在特定历史条件下才具有意义。比如，欧洲文艺复兴时期，为了对抗中世纪神学对自然人性合理要求的严酷压制，像《十日谈》一类作品所获得的意义，就在于对"人"之作为"人"的自然欲求合理性的大胆表现。又如，我国五四新文化运动和"文学革命"中，像《沉沦》一类作品对人之为"非人"的生命存在状态的勇敢控拆，和对于生命欲求合理性的大声疾呼，其意义也是在对使人变为"非人"的文化精神的对抗中表现出来的。再如，新时期的《红高粱》、《伏羲伏羲》等作品对自然人性的张扬，也表现为特定的文化对抗意义。这些作品，都是在历史把文化对抗的内容和意义推到社会历史问题的前沿时应运而生并赢得其特定的审美价值的。在其审美价值的背后，实则有一个被人们热切关注的社会性文化价值认识做着它的根基。它们对自然人性欲求的张扬，在任何时候都不单是一个文学的命题，其文学的意义质言之亦是来之于对压制人性的社会性力量的对抗。而且，就是在其特定历史语境中，它们对自然人性的特殊强调，目的也不过是为凸现其作为人性内涵构成中不应被忽略被抑制的一个方面的合理性，并非是说它是人性的全部。

不能由此认为，表现人性中的自然欲求在社会历史发展中是此可彼不可，只是在特定历史时期才能被认可的事情。我的意思只在于说明，某种特殊性的强调与历史特定条件的内在联系，而且，不能由此误解为只有生命的自然欲求才是文学所钟情的人生内容。误解常常是从常识性的问题上发生的。人性不能超历史地存在，这应该是个常识，可是问题也就发生在这儿。因此，我们有必要重新提起并关注两个既属于历史又属于文学的基本性概念，即"人"和"美"。首先来说"人"。"文学是人学"，是人们常挂在嘴上的一句话，这句话既是一个对抗性的口号，又是一个阐释性的判断。文学既然是人学，那么它以"人性"为基点当是毫无疑问的。可是，既是"人性"，就当以"人"为规范性前提，这也应属勿庸置疑之论。人之为"人"之后，我们并不否认其生物性生命要求的一面依然存在，但其之所以为"人"，是因为"人"所独有的社会性属性的出现，而这种"文明"的人性内涵同样表现为生命的欲求也就是生命的社会性价值的实现，它对生命的自然欲求无疑是一种抑制，然而从"人性"的全面而合理的实现来看又未必不是一种完善。不要以为，凡是压制生命自然欲求的东西都应在否定之列，我们所给予反对的只能是那些不合理的造成人之"非人"性生存的社会秩序和文化精神方面的桎梏。假若我们不从对"人性"的这一基本理解出发而只是从生物性的角度去把握"人性"的话，那么文学也就不成其为"人学"，而只能成为"生物学"或"生理学"了。现当代的中国文学界人士都知道一个弗洛伊德以及服膺其学说的厨川白村，就是大讲性苦闷的他们，所强调的也不过是在生存诸种规约中人性内在的矛盾与冲突，并没有说过文学的生命力在于性欲望、性行为的生物性展现。还有一个以其"性心理学"对中国现代文化和现代文学发生过影响的霭理斯，周作人这位曾为人性中的自然性内容大声疾呼过的人物，就多次著文介绍过他的学说，但在其介绍中也还是强调了"纵欲的禁欲"，"欢乐与节制二者并存"，力主找到合理的取舍的。说文学是"人学"，是就其"人"的丰富内涵来讲的，其实真要使"人学"成为"文学"，还应有一个重要的关节，那就是从"人"的自然状态到"美"的转换问题，也就是我们所要说的第二个概念的问题了。作为一条重要的原则，或者说作为文学的基本特征——"美"的创造，大约是不会有人怀疑的。包括性心理乃至性行为在内，人类的生存活动所及，或善或恶，或美或丑，在成为文学的表现内容时，没有禁区但有原则，即必须在审美的观照中能够转换为"美"

的创造。此所谓"美",不能机械地理解为客观对象中与"丑"对比存在的美的事物,而是指艺术创造中的美的观照与转换,即使所谓"审丑",也是指一种特定的审美构成关系,不能一般地作形而下理解。另外还有一层深在的原因,那就是在历史价值认识范畴内对"恶"的作用及历史要求的误解。人们常说,"恶"是历史发展的动力,这话不能说错,但是任何一个命题的提出都是有其特定前提和所指的。这一命题的正确性,即表现在两个明确的规定性之中:一、作为前提来讲,与"恶"相对立的既定的历史秩序和价值观念,在新的历史眼光中已转化为真正的恶,它们在实际上已演变为遏制或扼杀新生历史力量的逆动因素和惰力;二、所谓"恶",并不是对某一具体对象的恒常有效的历史判断或道德判断,它只是在特定历史时空内对相对于旧有秩序和观念构成破坏力的新生历史力量的指称,并不具有凡"恶"即为进步的一般性认识意义。因此,不能认为,凡是"恶"的东西就一定有价值,就值得肯定。人类的生存发展史,是个内涵非常丰富而且行进机制又十分复杂的过程,对此,历史学家尚且不应作简单化的理解,对于以不同的方式把握世界、对健全人类生存负有独特使命的文学家来说,就更不该步入极端了。如果说对于恶与历史关系的误解已经以理论性预设的方式成了一种深度性的存在,那么,自市场经济的商品大潮推涌而出以后,那些迅速膨胀起来的形形色色的私欲与恶行,则成了这种"理论"的现实印证,并很自然地被视之为文学表现的"历史"性依据了。其实,殊不知大潮一起,泥沙俱下,这些东西的出现虽不失其"必然性",但却并未因此而获得"正义"性。我们不能不由此而叹惋,我们自以为获得了解放的文学,在以强烈的欲望疏离所谓误入的"历史"时,实则于不自觉中仍对误读误解的"历史"观表现着深深的依恋。

### 3. 关于边缘与中心问题

所谓"边缘"是与"中心"相对的一个概念。相对于过去那种对"中心"这个概念使用比较频繁的文学状况而言,近几年来,"边缘"则取而代之,成了文学界比较新潮且带有价值立场确认色彩的口号了。这种文学观念的移位,除了表现于理论与批评的话语建构外,更多地还是呈现为文学创作的一种动势。而某些"新潮"性批评与这种创作的结盟性依傍,则又是形成对话语中心强占性效果的重要方式,这种情况也是颇为引人注目的文坛景观。

稍加审视，会发现所谓"边缘性"追求实际上是在两个层面上展开的。一个是在创作方法和文体创造方面所进行的"边缘性"探索，即相对于过去那种主旨性的在内涵和方法与文体的界分上都趋于明晰界定的板快性理解来说，所做的超越性努力。这种努力，不仅意味着突破传统规限的新的文学理解和文体生成能力的呈现，同时也在调节文学发展的整体格局中起到松动既有结构且激活并发展既有方法与文体的作用，其意义自不待言。然而亦有所当注意的问题，就是在对方法与文体的理解上，大胆的创新和作为文学内质的深层规约，二者之间应有一个"度"的掌握，不应任其随心所欲，因为创造的自由毕竟不等于创作上的随便书写。

另一个则是文学在表现内容和角色选择上的"边缘化"趋势。这个方面的实际状况牵涉的问题更多一些，且其主导性认识的设置从一开始就是与一个深藏的误解结合在一起的，所以应作一些辨析。

照理，就文学反映人生而言，是无须要着意提出什么"边缘化"问题来的。它的提出，是因为先期存在着一个正、反题设置的认识框架，反题是针对正题而提出的。在传统性的理论倡导和文学实践里，对生活的历史性中心内容的强调和对文学作品内在意义及社会作用的重视是互为表里的关系，认为只有在二者的统一里，才能取得"历史"中心内容与"本质"性思想意义互相认同、结合的实效。其间，无论是对"本质性内容"的轻视，还是对"内容的本质性"的忽略，都将直接影响到文学作品的价值实现。在极左政治君临一切的年月里，这一认识更被以向政治性的全面演化而推到极端，"历史"、"中心"、"意义"的同步政治性认同，使文学和文学家在政治面前几乎同时丧失了所有的自主性和创造力。正是在这种历史性前提下，新时期解放了的文学和文学家们，才以"反题"的方式进行了不仅针对现实而且也深及传统的艰难抗争，目的是使文学从非文学的价值错位中返回于文学本体的自主性天地。从在其功能担承上走出"工具"性的附庸地位，到在其对社会人生的"历史"性把握中更换角色和眼光，从而孳生出走出"历史"、疏离"中心"的强烈愿望；再到在与生活的对话中消解"意义"即"本质性"的内涵，直至发展到"边缘化"口号的提出，文学企图从角色的错位中走出和重构与人生对话关系的欲望及其欲望的合理性，都是显而易见的。这种重新阐释、重构对话关系的历史走势，是文学在其所理解的表现内容与角色定位的必然关系上，对前此的历史所采取的反抗性姿态，是历史"蓄能"的定向性释放。

然而，如前所言，当历史为人们的行为指示出某一"意义向度"，并为之提供出实现的可能时，人们往往不会注意到，这一"意义向度"为他们所开辟的历史舞台，实则并不是一个无限大的时空。因为，无论在理论上还是在历史的实际运动中，任何一个"向度"存在的意义，都只能在特定的结构形态及其效应中显现出来，并不能成为一个绝对的存在。如果一旦这一向度的延伸，已经失去了足以使其显现意义的力量结构，或者它已经成了一种超限度的存在，那么它就会又走向它的反面。这个问题亦如是。在我们的文学以异常勇敢的精神挣脱"工具论"的桎梏，大胆地开辟属于自己的意义领域和表现世界时，它所做的一切，无疑是正当而且必要的。我们谁也不会忘怀当时那种令人激动、令人鼓舞的历史情景，不会忘记那以正义和激情缔造出的文学的盛大节日。也许，相对于充沛的激情而言，那时理性的力量未免显得单薄，但是，作为一种基本的共识，文学并没有拒斥"意义"，也没有打算从历史性的生活中放逐自己。它所力争的，只是文学的独立品格和与生活对话的自主性原则。它自信由此可以找还本来对于文学来说应该是一片更为广阔、更为深厚的生活沃土。那时，最有号召力的鼓动，或者说最具变革力的文学行为，莫过于对"工具论"和题材"中心论"的驳难和反拨了。但就在那时，另一个文学目标也同时令人们神往，那就是"历史感"的文学性实现。这说明，在这一阶段的文学变革中，文学界的人们对于"历史"，或换言之对于"历史性"的责任，依然难舍其深情的怀恋，虽然对于"历史"和"历史性"责任尚无清晰而准确的认识。其后，尤其是从80年代末到90年代这几年，缘之于人们对"历史"内涵愈来愈趋于窄狭的政治性认知而生的某种特殊心态，和随之而来的文学对于与此相关的"历史性"责任的拒绝与逃避，文学界的情况则起了日渐明显的变化。文学已不再向历史承诺什么，它已在许多作者特别是一些"新生代"作家那里，纯然变成了"边缘化"的私人化写作。在这看似急陡的变化里，实际上隐藏着一条逻辑运演的线索，即人们似乎自觉不自觉地寻绎出了这样一种联系：政治的内容大都集中地体现在社会生活的中心区域，而这一区域中各种波澜的激荡与流转则构成了人们心目中的"历史"。而且，这种贯通性认识还同时表现为认识的简化，于是，很自然地形成了"政治"与"中心"与"历史"或"历史"与"中心"与"政治"相通甚至相等的结论。作为一种认识性预设，在此基础上对文学由工具性走向自主性的逻辑推演也便必然地呈现为下列认识：文学要获得真正的独立，就必须在摆脱政治的工具性束缚时，对历史的责任承诺也予以拒绝，而欲达此目的的途径，就只能是疏离"中心"、消解"意义"了。有的人虽然并未对此加以细审，甚至也承认历史与政治毕竟不尽相同，但却幼稚而且笼统地把"历史"与"政治"均视为文学的异己之物一律给予排斥，究其实质，与上述笼统而简单化的因果推导，在认知的价值判断方面并无二致。发展到这一步，我们的文学所坚持的"意义向度"虽然仍未失去初期的合理性，但它却已经被其新的偏执所淹没。

在这里，我觉得需要郑重地指出两点，以免致生误会。一点是不能以为新时期文学对自主性的抗争和对文学自主世界的创辟，在80年代中前期已臻于至境，问题已得到根本性解决。其实不然，那时的作品更多地还只是表现为一种反抗，一种对于工具性规约和政治化历史理解的冲击和解构。至于对文学与历史之独特而深在的联系，及文学在这一深在关联中的自我把握和创造等无法逾越的重要问题，并没有真正解决，或者说只是刚一涉及便在浮躁的心态中滑过去了。另一点是对以"新生代"作家为代表但不仅限于"新生代"作家们的所谓"边缘化"创作，不能取一味否定的态度。作为一种写作姿态和文学理解，它未必不是一种生存的样式，就其"个人化"努力对于长期以来过于沉重的文学担承和文学生成来说，也未必不是一种求得解脱和开辟发展的尝试。而且就其实际状况而言，即便是"新生代"作家，每个人的情况也各不相同，不能一概而论。我们只是以为，值得当今文坛尤其是"新生代"作家们警觉和应给予严重注意者，是其在文学价值指向上包容着深刻误解的排他性的极端化强调和表现。

首先需要辨明的是这样一个问题：在人类生存的历史发展中，文学是否可以作边缘性角色自认。我想，无论文学曾经遭遇过多少非文学化的历史性苦恼，但在对这一问题作出回答时却不能有丝毫的犹豫和动摇。答案应该是明确的，文学尽可以拒绝任何非文学性的责任承当，但任何时候都不能以"边缘性角色"自认，不能抱愧于历史。使文学界长期苦恼和愤懑于心的，是对其角色错位的责任强加，不应笼统地泛化为所有的责任性要求。人们与历史的责任性关联，实际上并非只有一种，而是表现为不同的内容和不同的方式。比如说，经济的、政治的、文化的不同历史行为，对历史所尽的责任和所起的作用就不能同日而语，然而对于历史的综合性发展来说，它们又都是不可或缺的。文学就更不同了，它对历史所起的作用和责任承当，不要说和政治、经济不同，就是相对于文化来说，也是颇见区别的。文化，作为一种价值系统的存在，总是以其内部的调整和变异、发展，不断地阐释和支撑着政治、经济等方面的变异和发展，尤其要构成为上层建筑的阐释性内容和价值依据，因其对历史的重要支撑和规范作用，它有时甚至会以异峰突起之势，以其文化范畴内的变革构成为一段历史活动的中心。欧洲的"文艺复兴运动"和中国的"五四新文化运动"，即属于此例。文学则无此殊荣，单以其审美创造的呈现，任何时候都不会成为牵动国家、民族命运的历史中心环节。只有在它担承了文化的有时即政治的历史责任，契合着政治、经济变革的历史要求，汇成为滔滔之波时，才会以其醒目的文化属性，进入历史的中心位置。文学固然可以在社会心态、情绪和审美的旨趣上表征着历史的兴废，但若超越或者无视由其与政治、经济甚至文化的差异而客观存在的与历史中心环节的区别，将其作用视为一律，则实在是莫大的误解。从传统文论中的"载道"说，到近现代的"工具论"，所犯的就都是这一错误。就眼下看，人们对文学的政治化倾向警觉性较高，而对文学向经济手段、文化手段的异化则相对说来不够重视，殊不知其中的道理并没有多少不同。然而，虽如前论，文学不能对历史担承与政治、经济、文化同样的职责，但它对于历史所起的作用又是无可替代的，并不能由此得出"边缘性"存在的结论。

为了从根本上解决这个问题，我们有必要重构对于"历史"的理解。在传统模式的"历史"理解中，历史只是政权变革和相应的经济、文化调整的过程，无数丰富、深刻而又必要的历史内容则被忽视和简化掉了。尤其在中国，传统的经济、文化的稳定性结构决定了这些方面变化的同质性和缓慢性,更易被视而不见或只作背景处理,顶多也只是作为政权更迭过程中的一种填充式的丰富框架的材料。至于人们深度生存中的许多复杂而不乏历史意蕴的内容,就更是无缘进入"历史"了。如果我们脱离开历史教科书和历史读本(大概科学意义上的历史教科书和历史读本也不应该是这种写法),而着眼于人类生存的现实性发展时,就会发现它们之间的差别是何等之大。照我们理解,所谓"历史",应是人类的或者某一地域某一民族的生存发展史,它的过程性展开,应是丰富的生存性内容参与和多种社会历史需求综合调适的结果。诚然,人们可以从不同的角度去认识和把握历史,但大家所共同面对的,却不能不是这样一种"历史"的存在。倘若此说能够成立,那么文学对于历史的责任便是不容置疑的了。第一,对于历史的众多参与者即"人"来说,虽然无论是个体生命的存在还是无数生命的历史延续,都很难逃出个体与群体、欲求与道德、文明与自然的悖论,但就其理想性期待而言,文学都不能不是个体生命完善和社会文明发展的必要选择。而且,它的重要性还表现在,它对个体生命在人性、人格方面健全发展的特异作用,对人类文明在人文方面的必要涵养和调节,本身即表现为历史发展的一个重要内容,没有它的作为"人"的独特生命能力的必然表现与发展,我们一向所理解的"历史",真不知道会成为什么样子!有人可能会以为,我在这里所谈的还是传统文论的老调,与现代人的实际生存和新的文学话语有隔。可是事实上,且不说从生命与历史的重新阐释中理解文学的历史地位是否就与传统文论相类,就说文学的现代性追求吧,此论亦未必不能成立。所谓文学的现代性追求,为大家所朝夕倾慕者无非是现代主义和后现代主义的文学理想,然而又有多少人懂得了这先后相继而生的"主义"之中包容着西方哲人和文学家多少在上述层面上的把捉和努力!正是两种历史内容(物质与精神、生命与自然等)在现代历史中的悖论性对峙,所引发出的悲剧性感受和企图超越悲剧性生存与感受的努力,其间,至少那些认真而卓有建树的人们,又何曾真的要把哲学和文学推到生存即历史的边缘。由他们的思辨和感悟与现实生存即历史之间形成的张力,实则对生存即历史起着不应被忽视的调节与制衡作用。试看当代西方人文思潮的再起,美国提出文科在教育中的中心地位,有些国家提出科学教育的人文化,难道我们不能从中体味出一些什么吗？第二，对于其他方式的认识及价值判断，尤其是对于对现实社会起着支配作用的政治的、思想的、道德的各种力量来说，文学可以从对生活的真实性存在尤其是潜层的存在中以其独到的发现和表现，展示出某种叩问性的意义。如果说第一点中所说的，主要针对的是生存即历史的构成因素的多样性，那么这一点所据以提出问题的，则是生存即历史的多层次存在。在生存即历史的发展中，同一生存内容，在其表层和潜层之间，"意义"并不一定表现为同一的价值指向，更为常见的情况倒是，两者之间在其"意义"上的诘难与叩问。这种生活的"意义"结构，对于生存即历史的补偿性的调整与发展来说至关重要，尽管人们可能对之未能自觉或熟视无睹，但它们之间的沉浮、挪移与扬弃，却是生存即历史前行的一种深在的内容或者说动势。文学的"意义"，就在于对生活潜层意义及其叩问性历史动势的发现与真实展示。即使对于传统模式认识中的"历史"内容而言，按此道理，文学也没有躲避开的理由。至于作家们用什么样的方式进行创造，那是另外的问题，但无论如何，对这一点是不能怀疑的，否则文学在角色选择上便失去了"意义"。

再一个需要辨明的问题是，文学是否只适宜于表现人生的"边缘内容"。用一"只"字，似乎难避绝对化之嫌，但从时下一些人对重要的或者说"历史"性生活内容的逆反心理，和创作中的实际"边缘化"追求来看，至少在他们那里，确实存在着这样一种认识指向。过去，把人生内容作了轻重之分，强调所谓"重大题材"对于文学的意义，的确严重地束缚了文学创作的多样性选择，甚至把文学逐出了表现人生的广阔天地。其失误在于斩断了不同人生内容之间的意义关联，并把所谓"重大"的题材作了政治化的理解，从而使文学在走出人生的广阔天地时，同时在其功能上也走上了非文学化的道路。而时下对人生内容的边缘化文学选择，作为一种倾向，实则在思维方法上也几乎是犯了同样的错误，其认识的前提仍然是对上述界分的认同，同样也斩断了其间的意义关联。据此，由拒绝"意义"，而逃离人生或社会生活的"中心"，以堂皇的旗号主动遁入了"个人"或"私人化"的生命欲求的小天地。我以为，在这个问题上需要明确两点：第一，从非文学的角度规范文学创作的题材内容领域固然不对，但即使从文学的角度若无视生活中客观存在的轻重之别，也是不可取的。假若我们能够从偏执的认识和情绪中冷静下来，认真地想一想，就不难明白，在人生的内容或曰社会生活中，就其与制导历史运行的中心漩流的结构关系及其所承担的历史性意义而言，确实有远近和轻重之分，你尽可以拒绝从非文学的角度去把握这些所谓"重大题材"，但你却没有理由让文学从人类生存的历史涡流中逃逸。不能想像，那些不敢面对人类生存的苦难和生存发展中重大矛盾的作家，他们会赢得人们的多少敬重，他们的作品又会有多少撼动人心的力量。我们可以高倡文学的审美的独立品格，但却不能认为，审美的创造可以和上述生存内容无缘！不可否认，文学的多样发展中完全可以允许那些闲适的轻歌曼吟存在，可是如果哪一个时代的文学只是这一种东西的充斥，怕亦未必就是好事。一边是人们的艰难生存，一边则是对此视而不见的自吟自唱，那会成为什么状况，是无须深思就会明白的。何况，所谓"新生代"某些人的"边缘化"写作，连这种轻音乐型的闲适文学的品格也不具备。闲适文学并不否认文学所应关注的生活意义域的存在，它们只是以此作为文学整体格局的一种调适，满足人们多样的审美需要罢了。而所谓"边缘化"写作，却是用非历史性的"私人性"生活置换了生活中的历史性内容。第二，"边缘化"的生活内容不是不能写，但不能切断它们与中心生存内容的内在血脉联系，不能将它们处理为纯私人化且无意义的生命行为。文学无论表现什么生活内容，无疑都要通过种种"个人化"的心理和行为来加以表现，但这种从创作主体到表现人物的"个人化"要求，与无视历史性关联和意义的"私人化"绝不能混为一谈。就像"新生代"中某些作家所写的，多是一些隐私性的性经历，和对于色与财的毫无掩饰的欲求，它们和文学的"个人化"要求实在是相去甚远。实事求是地讲，这类作品别看是以"个人性"和"私人性"作标榜，其实在其"个人性"方面根本谈不上什么深度和丰满，因为在其对"个人性"和"私人性"作混同使用时，实际上是用以偏狭认识处理过的"私人化"取代了文学所要求的"个人性"。由此就难怪对它们的批评会来自两个截然不同的方面了：一种批评是就其"私人化"趋势而发，而另一种则是批评其"个人化"不够了。

**4．关于自主与模仿问题**

在新时期文学的发展中，有一个基本的事实是谁都不予否认的，那就是对西方文学的追慕和学习。甚至可以这样说，自上个世纪末以来，整个20世纪中国新文学的现代化转型发展,都是围绕着这一价值坐标展开的。西方的思潮滚滚东来,时时以其"现代性"和"世界性"的价值昭示,吸引着中国新文学界的目光。只要为主流意识形态和中心性历史行为所允可,它们立即就会介入文学的核心话语,并成为一种制导性力量。这种动势,在新时期文学中表现得尤为显著。随着社会的改革开放和思想界解放运动的日渐深入的发展,其对外选择的自由性和相对单纯的文学性动机,比以往任何一个时期都得到得更多,也表现得更为突出。比如,五四新文学革命时期,尽管那时人们似乎获得了为后世人们无限钦羡的选择自由,但因他们主动担承了历史的重责而必然形成重重自律,实际上却在客观上规约着对域外文化和文学的选择。而且,文学革命的非文学性动机,也是他们自认的事实。嗣后,固然也有人在诗歌或小说领域中掀动过"现代主义"浪头,所企求者也明显地表现为文学的动机,但却又因其与具有巨大向心力和集约力的历史中心行为的疏离,而始终进入不了文学的主流话语。新时期,尤其是80年代中期以来,情况就颇为不同。与现实性历史动机日渐疏离的"纯文学"追求,和漫无节制的自由引进与效仿,这是以往任何时候都不能比拟的。对此,我们不能不看到它的明显而且深化的作用,正是这种局面的出现,才从整体规模上真正展开了与西方文学的"文学性"对话,并在我们的文学格局中,以文学主流话语的姿态作出了进入世界性文学格局的努力。

然而,其间所存在的问题与其实际的成效同样都是显豁的存在,而且不是危言耸听,就其发展的过程来看,问题愈来愈突出,已成为严重影响我们文学发展的内在症结。因为,长期以来对中外文学的比较都是在价值比较领域内开展的,我们比较的起点和落脚点,都是一个先在的结论,即西方的文学在"现代性"和"世界性"上都优于我们,它们代表着先进的潮流,是我们学习的范本。显然,这是一个倾斜的价值坐标,由此造成的,也必然是一种倾斜的心态。试想,如果长期把价值尺度安置在这样一个倾斜的坐标上,而且成为一种普遍存在的心态,那么我们的文学学来学去,变来变去,最后的结果又会如何?

在这个问题上,我认为有两点认识需要澄清:第一,不同地域文学的优劣比较问题。不同地域的文学,究其实,是在不同历史和文化土壤上生长绽放出来的艺术之花，严格说来，它们之间首先是文化和艺术上的个性区别，而不是所谓的优劣之分。当然，就其文化内涵及其依存的社会境况而言，从历史进化的角度来看，确实也存在着不同历史时态的不同。本世纪以来所长期取用的，也正是这种角度和方式，其所谓"今"、"古"之别，体现的是历史范畴的价值判断和眼光。其实从文学艺术的角度来看，文学的今古之别并不意味着艺术成就尤其是艺术魅力的高下。你很难说，欧美的现代主义文学会比文艺复兴时期甚至古希腊时期的文学在艺术魅力方面强到哪里去；也很难说我们现在的长篇小说，在艺术成就和艺术魅力上就一定超过了《红楼梦》。再说，文学艺术的发展与政治经济发展的不平衡，这也是一个常见的现象。文学毕竟不同于政治、经济，也不同于科技和文化，不能用这些方面的发展来说明其文学艺术的优劣与否。还有，从根本上说，无论从创作上还是从接受上看，都是一种他者无法取代的特殊生成和关联，由此决定的文学个性，彼此之间是无法替代的。不同个性的文学之间，可以借鉴，可以以人之长补己之短，但不能脱离开这块土壤，嫁接到别人的树干上去。所以，在文学的发展问题上，很难说谁代表着世界的水平和方向，在特定的时间里，有的地域可能会出现举世瞩目的文学高峰，但却不能由此说，大家都必须向它趋同。第二是文学的"现代性"与"世界性"问题。虽然如上所言，但一如现代的西方人谁也不会再满足于古希腊或文艺复兴时期的文学作品，中国现代的作家和读者也都不会再满足《红楼梦》，文学的"现代性"呈现和走向世界的效果，是东西方人共同的向往。但西方具有现代化社会生产与生活和在思想文化方面对世界不无强制性辐射的优势，其文学似乎就成了文学方面"现代性"与"世界性"的楷模。于是，在我们这里便产生误解，以为学习他们文学中的"现代性"，便可通达"世界性"。讵知文学的"现代性"并不同于社会发展的"现代化"。"现代化"在工业、科技等方面有一个共同性的尺度，但文学所表现的文学品格的"现代性"却不会有一个一致的标准。不论哪个地域的文学，只要能够敏锐而准确地反映出所在地域人们的现代生存、现代感受和现代意识，它就具有了它的"现代性"。否则，如上文所言，脱离开自己的现实生存，一味模拟西方文学所表现的感受，那则无异于东施效颦，效果是不难想见的。因此，文学的走向世界，自然就不能靠趋同性追摹去实现，不在自己现实生存的土壤上培育发展自己的个性，其结果只能是事与愿违。

　　文学创作的自主性，不仅表现在不受非文学因素的干扰上，而且也表现在对异域或他人文学创造的学习和借鉴中。我们的问题出就出在丧失自主性的模仿中。加之急功近利的心态，使文学很难有相对稳定的自主性创造。只要西方有什么"主义"传来，一些人马上趋之若鹜，竞相造势，哪怕是一知半解，也自以为得了精神，以至于新、新、新、后、后、后，忙不迭地一波涌过一波。细审近几年的所谓新潮文学，变化迅捷，可有类型而无流派，所作的多为类型性努力，至于个人艺术风格的营构、志同道合者的流派形成，则还相距较远。而这，却是一个时代的文学通往成熟的表征，是不能不予看重的。

　　几个问题说过，还有一个意思想要表达：这一切都与我们时代的特征相连，并非都为文学自身的原因。一切都在急遽发展的过程中。等待着文学的，也必将和我们的时代一样，无疑会是一个新的进境！

（原载《山东文学》1997年第1期）

# 面对鲁迅的姿态

在鲁迅辞世60周年之际，我们又一次面对了他。

新时期以来，由政治的鲁迅到思想的鲁迅，又到文化的鲁迅，这一递进深化的过程，分明可以使人感觉出，研究者们正一次次调整着自己的姿态，并一步步向鲁迅的真实世界逼近。

鲁迅生前，可谓深谙"圣之时也"的历史故事，也竭力反对不无盲目的"偶像崇拜"。他既然熟知在"圣之时也"的荣耀背后实则潜藏着名人的历史性悲剧，大约也不愿身后有谁在他的脸上作这样或那样的涂抹。然而，正如人们所常说的，规律是不以个人的意志为转移的，即使明智、倔强如鲁迅者，亦最终还是未能从这一命运中走出。

历史与文化的纠葛发展，确有一条规律，那就是无论什么时候，任何非文化立场对某种历史文化的选择和阐释，都只能是一种现实功利主义的行为，其片面性的引导和发挥，都必定是从不同侧面和程度不同地对对象的疏离和重塑。而且，每当某一种历史文化被作强化性选择的时候，都又一定表现为对某种现实性非文化立场的强调，究其实质，所造成的结果，则是对该项历史文化或某个历史文化人物来说，名为走近实则离得更远，使现世以及后世的人们又增添了一重认识历史的新的屏障。他们那种单项选择的简单化操作的过程，使对象只能最后变为或神化或鬼化的象征性的指称符号。

如果我只是用这种道理来解说以前鲁迅研究中的一种偏颇，即仅从现实性政治立场上对其作标签式的归属划分和实用主义地挖掘什么"微言大义"，我的同行们则不会有什么异议,因为，这早在十几年前所进行的反拨式研究中已达成了共识。可是,如果我现在要是更多地想用它来说明另外一种情况,也就是我的一些同行或者说朋友们仍在执著坚持着的启蒙主义的文化批判立场,那恐怕就要引起大家的诧异了。然而,我想要说的，却正是这一点。

当然，不能否认，在鲁迅研究的历史发展中，正是这种启蒙立场或曰文化的批判立场的坚持，始终制衡或对抗着上述那种偏狭的政治理解。到了新时期，也正是靠着这种立场和态度，从根本格局上调整了鲁迅研究的基本指向。而且还应该说，这种立场的选择确与鲁迅在历史立场上保持着精神的一致性。但是，时至今日，从鲁迅开始到现在，历史已经发生过两次大的回旋，新时期以前是一次。新时期以来又是一次。如果我们冷静地反思一下，就不能不指出，在这一行程里，启蒙主义的文化批判立场，从其立场和目的的实质上看，实则表现为一种并不难辨认的非文化性特征，它始终是作为一种历史行为，作为一种历史力量，在不同历史立场的对抗中表现其价值的。它的非文化性特征，固然不会像狭隘的政治偏见那样偏离鲁迅精神的历史性指向，但就其对鲁迅所作研究的科学性而言，是否也会因其历史性指向和选择的明晰与执著，影响到对鲁迅精神、文化丰富内涵的全面而准确的认识和把握呢？我想这个问题的答案还是不难得出的，虽然会挟带着自伤的痛苦。再引申开来说，结合这近一个世纪的历史行程来看，即便是继续坚持启蒙的文化批判立场，如果没有对鲁迅的新认识、新把握，没有这一新的起点与历史过程中深层启示的结合，不进行反思性总结，预设的目的能够达到吗？

所幸近几年来，一种文化性或曰学术性的立场出现了。学界常有语云"隔代写史"，其所以要如此，是因为只有"隔代"即摆脱了与对象同一历史范畴内的种种立场性的纠葛，才有可能与之进行冷静而不挟偏见的对视与对话。随着时代内容和历史语境的深刻转换，和"世纪末回眸"的反思性学术思潮的涌动，鲁迅已开始被作为一个学术性对象真正呈现于"史识"的范畴之内。正是在这里，他极为复杂而深刻的精神构成，以及什么样特定内涵的文化关联使之必然走入了对于文化亦即对于历史的悲剧性感受，才真正被逐步认识和破译出来。比如，比起陈独秀、胡适等对于传统精英文化与庙堂文化相结合的虽然宏观但也未免空泛的攻击来，鲁迅对历史更为深刻的触摸却在于，他独特地发现了作为历史惰性因素存在的文化，其难于破解之点则是上述文化与民间文化特别是心理文化的超验性的深在契合。只有了解了这一基点性的关节所在，懂得了鲁迅与历史独特的对话内容和进行对抗的独特感受，方能体会其深在的用心和内心的悲苦，一个活脱脱的鲁迅才有可能向我们走近来。

这种新态势的出现，意味着鲁迅研究中不同价值指向的分化，更意味着一种动势、一种改写。无疑地，它将把鲁迅研究从长期延续的政治和启蒙的两种历史立场的对抗中解脱出来，推向一个新的认识层面。但是，却并不意味着整个鲁迅研究在历史范畴中对鲁迅所坚持的立场的放弃，因为为鲁迅所施加攻击的对象仍令人无可奈何地存在着，这一历史的任务并未终结。那么，怎么对待和协调这个分化就成了一个新的课题。我想，第一，要承认它的必然性和进步性，允许以两种或几种不同的姿态面对鲁迅。第二，要珍视它们之间的互补性和互动性。学术研究需要历史的动力激活，历史的抗争更需要以科学的认识做基础。即以后者来说吧，我始终认为，20世纪中国历史结构的悖论状态及其独特效应，必定反映在历史的方方面面，由此造成的独异的复杂性和深刻性又必定会在鲁迅这种人物身上集中地表现出来。如果我们仅作一种历史范畴内的立场坚持，那么对其内在的许多逆向构成的因素及其独特精神生存状态就会有相对的忽略。事实上，新时期以来作为历史抗争的一个新局面的出现，实际上就是以学术的说服力启动的。

我想，鲁迅如果地下有知，他一定首先是希望人们能够了解他，尔后再谈有关他的话题，无论是从什么样的角度说起。

谨以此文，作为鲁迅先生逝世60周年祭。

（原载1996年10月22日《济南日报》）

# 走近茅盾

茅盾，无论怎么说，他都是中国现代文学中最富有实绩，也最有影响力的重要作家之一。一生中，他集社会革命家、文学批评家、学者和作家于一身，在不同的方面展示了能力，并在各种角色的"茅盾式"的对接与综合中，成就为一位罕有其匹的大家，一位兼擅各种文体尤以小说名世的声高望重的作家。

但唯其如此，他又必然成为随政治沉浮、评价角度的转换，在所得评价上涨幅和落幅都比较大的一个人。因其政治立场的明确选择及其创作鲜明的政治倾向性，对他所作的评价自然首先要在不同的政治性观照中表现出巨大的差异；而因其对文学与政治性历史关系的理解及其对文学创作的原则性的律定，对其创作的评价也一定会在不同的文学理解中出现不同的意见。多少年来，尽管海外多是持着不同的见解，但在我们的现代文学研究中，对他的评价却是一贯地基本上稳定在一种定评之上。而且，对其评价的"由衷性"远在对创造社某些人物之上。所以，在新的学术语境中，当人们开始对某些"革命文艺家"的为文和为人发出反思性诘问时，无论在理智还是情感上，对茅盾还是持着维护和敬重的态度。然而，近几年来的情况有了些变化，"重写文学史"的思潮已在所难免地波及到茅盾，甚至因其对革命现实主义文学更有资格的代表性，和对其文学理解和文学成就的广泛认同性，使之成了不同学术立场和见解冲突、对抗的焦点性话题。肯定者有之，否定者有之，双方态度之激烈，怕是茅盾在其生前亦未逢见。真不知是幸耶非耶。我倒以为这未必不是一件好事，对茅盾来讲，说明他在现代文学史上举足轻重的位置，说明他是一个不能靠轻言肯定和轻言否定即可逾越过去的存在；对于新文学史观的发展来讲，至少也昭示着一种新的进境的呈现。只是惜乎双方皆因为强化对抗而过分偏向了各执的一端，未免不利于向科学认知的共同趋近。

一个作品，一个作家，一个文学景观的出现，从其存在的客观性来讲，似乎是一种已经无法改变了的存在，但从认识史的角度来说，它们作为一种对象，又为认识的不断更新发展提供了无限的可能性。而且，无论在什么样的历史语境中，一旦作为观照的对象呈现于批评者、研究者的价值评估的视野之中时，对其所作的评价便一无例外地具有了超越本体的意义。由此看来，一方面，对茅盾评价的不一致和在不同认识阶段中的波动发展，均与其本身提供的可能性有关；而另一方面，又更是必然地反映着评价者主体在不同语境中的历史规定性和认识取向、认识能力的不同和变异。这一切都是合理的、正常的。

而为我们所特别看重的，则是在时下新的历史语境和学术进境中，如何比较科学地读解茅盾，并以此为契机，逐步接近于重构、重写文学史的理想之境。而且，其意义远不止于此，任何重构文学史的学术行为，同时又必定制导和影响着社会阅读的走向和理解，事关一代精神文明的内涵和高度。就时下由"重评"茅盾所引起的"茅盾热"来看，持不同意见的双方，因"意气"而影响到科学精神的表现还是显而易见的。从否定的一方看，他们所找到的只是一种"立场"，或者说是"尺度"，他们所做的也只是针对传统性意见的反拨，至于对茅盾作品本身，实事求是地讲，也还并没有读解得十分深细，持论未免偏颇。脱离开现代文学具体的多维性历史构成，仅从理想的"审美"角度断言高下，确实是轻率了些。而从肯定的一方看，其所谓"重读"，实则是对传统性意见的"重申"，也并没有更多的新意。他们的"读解"，不过是一种"立场"的坚持，一种对"定评"的守望。因此，两者很难构成为研讨式的对话关系。你说你的，我说我的，实际上彼此间拉开了一定的距离。严格地说，这两种观念的对峙或冲撞，只是科学性"重读"的前奏，它们在诱发新的阅读热情和启动新的思路方面既有积极的作用也滋生新的误导。只有在超越或走出了由阅读主体双方形成的紧张，真正面对了阅读对象，并认真地消解由作家本人和社会阅读过程所形成的双重阅读障碍时，臻于科学的解读或许可以实现了。而这，也正是我们在"重读茅盾"中所殷切期望的。

茅盾是一位对创作过程及其作品作自我解说比较多的作家。作家们对自己的创作进行某种解释，这种现象并不鲜见。但茅盾所作自我解释的特点，则是：一、数量比较多；二、内涵比较宽；三、变化比较大。每有所出，特别是中长篇或结集，或"前言"或"自序"，或"跋语"或"后记"，乃至"附记"、"后记之后记"，茅盾总要对其即出或重出的作品作出一番交代；除此之外，另撰长文或在文章中顺便又作或详或略解释的，亦不在少数。即以《蚀》为例。1928年专有长文《从牯岭到东京》作过解说，《读〈倪焕之〉》亦有涉及；1930年《幻灭》、《动摇》、《追求》合集为《蚀》出版时，写了《蚀·题词》，1933年的《几句旧话》又重申了这一话题；待到1952年开明书店出版《茅盾选集》时，在《茅盾选集·自序》中仍然说到了这个问题，而在1957年人民文学出版社重排《蚀》时，则还是又写了《写在〈蚀〉的新版的后面》；直到晚年已不久于人世时，在其回忆录中，照样不忘对《幻灭》、《动摇》、《追求》创作的追忆。再以《子夜》为例。1933年初版时，同时印有《跋》，此后，从1939年的《〈子夜〉是怎样写成的》、1952年的《茅盾自选集·自序》、1977年的《再来补充几句》，直到1979年《新文学史料》第三辑披露的《谈〈子夜〉》，所谈均为《子夜》创作的初衷、过程及其得失等。至少在现代中国文学史上，像茅盾这样多次而且详尽地阐释自己创作的人并不多。而说到其内涵之宽，一方面固然是指从心理基础、素材准备、创作构思、艺术表现、得失检讨，到生活道路与创作道路的发展，无所不有，且明白透彻；但主要的一方面却是指其中所容纳的，不仅是一个作家的夫子自道，这些自述并非为一般小说、散文、戏剧艺术家所能道和乐道的，而是一个曾经沧海的社会革命家，当然尤为明显地是一个承诺着社会革命职责的文学批评家，才能讲出的话语。他那么不厌其烦地解释着创作的基础和动机，尤其是政治、思想倾向方面的问题，就更为敏感，解释得更多、更明晰一些。这只要看一看他对《蚀》中方向性认识的说明和检讨，看看对《子夜》在社会政治分析方面认识深度和广度的再三的几乎是超文本的指陈和剖白，看看对《腐蚀》后半截情节续写的解释，便可以明白了。其中既有真诚、坦率且不乏自得的陈说，怕是也有唯恐被误认的辩护。此种复杂的心态，在中国现当代作家中具有相当的代表性。

至于说变化比较大，即是指前后解释不一致，甚至于很不一致。比如《蚀》,在《从牯岭到东京》中,作者本已作了很透彻的说明:此时的创作,是由生活的触发而执笔的,目的是要表现出一种思想和情绪状态的真实。就像他解释《幻灭》和《动摇》时所说的:"我只注意一点:不把个人的主观混进去,而且要使《幻灭》和《动摇》中的人物对于革命的感应是合于当时的客观情形。"其实,那时候他就知道,这样做会招致误解和非难,但他有意识地坚持了这一文学原则。他说:"我也知道,如果我嘴上说得勇敢些,像一个慷慨激昂之士,大概我的赞美者还要多些罢;但是我素来不善于痛哭流涕剑拔弩张的那一套志士气概,并且想到自己只能躲在房里做文章,已经是可鄙的懦怯,何必再不自惭的偏要嘴硬呢?我就觉得躲在房里写在纸面的勇敢话是可笑的。想以此欺世盗名,博人家说一声'毕竟还是革命的'。我并不反对别人去这么做,但我自己却是一百二十分的不愿意。所以我只能说句老实话:我有点幻灭,我悲观,我消沉,我都很老实的表现在三篇小说里。"他并且对三篇作品作了区别性的自白:"我诚实的自白:《幻灭》和《动摇》中间并没有我自己的思想,那是客观的描写;《追求》中间却有我最近的——便是作这篇小说的那一段时间——思想和情绪。《追求》的基调是极端的悲观;书中人物所追求的目的,或大或小,都一样的不能如愿";但是,"说这是我的思想落伍了罢,我就不懂为什么像苍蝇那样向玻璃片盲撞便算是不落伍?说我只是消极,不给人家一条出路么,我也承认的;我就不能自信做了留声机吆喝着:'这是出路,往这边来!'是有什么价值并且良心上自安。我不能使我的小说中有一条出路,就因为我既不愿意昧着良心说自己以为不然的话,而又不是大天才能够发见一条自信得过的出路来指引给大家。人家说这是我的思想动摇。我也不愿意声辩。我想来我倒并没动摇过,我实在是自始就不赞成一年来许多人所呼号呐喊的'出路'。这出路之差不多成为'绝路',现在不是已经证明得很明白?"然而,到了1952年写作《茅盾选集·自序》时,却话锋陡转,做起了自我批判:"一九二五——一九二七年,这期间,我和当时革命运动的领导核心有相当多的接触,同时我的工作岗位也使我经常能和基层组织与群众发生关系,因此,按理说,我应当有可能了解全面,有可能作比较深刻的分析,然而,表现在《幻灭》和《动摇》里面的对于当时革命形势的观察和分析是有错误的,对于革命前途的估计是悲观的；表现在《追求》里面的大革命失败后的小资产阶级知识分子的思想动态，也是既不全面而且又错误地过分强调了悲观、怀疑、颓废的倾向，且不给以有力的批判。"这种态度的变化实际上给我们提供了三个方面的信息：第一，茅盾的思想观念和文学观念有发展。第二，其自我批判既有真实的一面有又其违心的委屈的一面。这篇自序写于建国初，那时思想界的批判运动业已开始，而茅盾早先的认识显然与之并不合拍，而他的角色定位又不允许他像沈从文等人那样缄口不言，而是只能以其自我批判保持一致。加之，早在其先前的言论一出，即遭到了创造社的攻击，傅克兴著文进行了批判，所以茅盾于这段自我批判之后，又不无深意地说："这一道理，最初我还不承认，待到憬然猛省而深悔昨日之非，那已是《追求》发表一年多以后了。"这种自我保护是以内在的委屈作代价的。直到晚年，已是星转斗移之后，他才又在《茅盾回忆录》中重申了自己早先的立场，并不无愤恨地说："看来，克兴君当时显然是一匹中盲动主义之毒甚深的'苍蝇'。"第三，显然，对茅盾自己的解说不能简单化地依时间顺序看作为一个完全真实的演变轨迹，要做深入的具体分析。

类似的情形还表现在对《子夜》所作解释的变化上。与对《蚀》的自白不同，创作《子夜》时，茅盾的动机在自我调整基础上确有了变化，所以一开始就是从"大规模"表现中国社会现象的"野心"说起的。但当时确立这一基点时并没有更深细明晰的阐释，读起来反倒觉得作品中的内涵可能极为丰富，待到后来，才越说越细，越说越具体。不过，等到对其作为认识和表现基础的阶级分析讲到极为深细和理性化时，给人的感觉却是另一种情形了。更有甚者，为了迎合政治形势的需要，对作品主要人物的阶级属性还作了前后不同的解释。在1939年的《〈子夜〉是怎样写成的》一文中，作者说写的是"（一）投机市场的情况；（二）民族资本家的情况；（三）工人阶级的情况。"可是到了《茅盾选集·自序》中，却说写的是"买办金融资本家，反动的工业资本家，革命运动者及工人群众"了。把"民族资本家"改称为"反动的工业资本家"显然是不妥的，作品的实际表现中也不是这样认识的。直到1977年《再来补充几句》一文，才又把称谓改了回来。有的时候，作者为了强调说明自己作品的政治倾向性，所作的解释简直叫人莫名其妙。比如小说《霜叶红似二月花》，对这个富有诗意且容易引起人们美好联想的题目，作者在1958年新版时的《后记》中作了这样的解释："为什么我又改'于'为'似'而后用作我的书名呢？……本来打算写从'五四'到一九二七年这一时期的政治、社会和思想的大变动，想在总的方面指出这时期革命虽遭挫折，反革命虽暂时占了上风，但革命必然取得最后胜利；书中一些主要人物，如出身于地主阶级和小资产阶级的青年知识分子，最初（在一九二七年国民党叛变以前）都是很'左'的，宛然像是真的革命党人，可是考验结果，他们或者消极了，或者投向反动阵营了。如果拿霜叶作比，这些假左派，虽然比真的红花还要红些，究竟是冒充的，'似'而已，非真也。再如果拿一九二七年以后反革命势力暂时占上风的情况看来，他们（反革命）得势的时期不会太长，正如霜叶，不久还是要凋落。"可是在实际的阅读过程中，我们并不能获得为作者所指示的这种阅读感觉，至少在其已完成的部分（包括续稿）中，还没有感觉出哪一个人物是这种"霜叶"，难怪作者也自觉其用得"牵强"了。其实，牵强的不是用题不当，而是所作的解释未免有点过于附会。

　　由上述情况不难看出，茅盾对其创作所作的自我解释，虽然不无违心之处，但在其晚年之前，总的说是沿着一条政治化的路子发展的，表现出一种明显的非文学化倾向。他深望读者的理解，能在其作品和社会政治话语之间看出历史性把握的一致性，甚至于期望得到非文学的政治、经济、思想方面的价值确认。可是，尽管茅盾的创作自《蚀》之后确实在追求着这些价值在文学中的实现，但进入具体的文学创作后，作为一个有深厚文学修养的作家，而且应该说是大手笔，还是不可能自甘于非文学性操作的。他可以用非文学的要求规约自己，并对其创作产生根本性影响，然而却不能让创作完全从文学规范中走出，至多，只能是不得不终止自己的创作。这到后文还要谈到。因此，被人忽略的一个事实是，茅盾所作的解释，已经与其创作发生了或多或少的偏离，实际上是一种超文本行为。问题的重要性在于，作家的这种超文本的自白，又是如何不容怀疑地制导或助长着社会阅读尤其是文学批评的超文本倾向的发生和发展。以茅盾的学养、资历、身份、地位，他所讲的话，其"自白"的权威性尤非他人所能比，其影响力自然可想而知。试想，如果没有茅盾本人对其作品的一系列解说，比如对《蚀》的自我批评，对《子夜》的严整社会分析，对《霜叶红似二月花》题目内涵的政治性解释，谁又会能想得如此深细且又言之凿凿，没准，批评界的言说会是另外一种样子。当然，社会阅读尤其文学批评超文本倾向的发生，不能把责任都推给茅盾。事实上就连茅盾的自白在内，也都是社会主流意识制控的结果。本来，任何一个时期的阅读行为，都必定受着特定历史语境的制约和支配，从这个意义上讲，任何时候的社会阅读也都必定是一种超文本行为。而茅盾和他的读者、批评者们所遭遇到的独特命运是，既碰上了千载难逢的历史大变动时期，有幸得以置身于人生的大悲欢之中，参与并表现历史的律动，又不能不服膺于政治性行为对文学严正而强烈的工具要求，并难以自己地顺应于政治观念日益左倾的趋势。因此，这就势必决定了无论是茅盾的自白还是社会阅读，其超文本行为极为醒目的非自主性和非文学性的政治化特征。结果是，多少年来，围绕对茅盾评价所发生的歧异甚至对抗，都常常受制于这种超文本行为的规约，并使之亦具有了超文本的性质。维护定评的一方自然是坚持着既定的超文本认识，而反对的一方又何尝不是把一个超文本的茅盾视为对象呢？政治的或自以为非政治的两种文学观的对抗，表现在茅盾评价中，茅盾在双重鹄的预设中都只能更多地是一种超文本的符号。这样一来，本来同样表现为历史的、人生的、文学的多方面复杂内涵的茅盾，必然被作了简单化的处理。

过去，我们对茅盾的认识、理解确实过于简单化了。人们似乎忽略了茅盾对历史、人生、心理以至于文学，很突出的一个感受便是"矛盾"。请想，20世纪是一个充满矛盾的变动过程，其间有多少作家都感受着矛盾与痛苦，可是，选择了"矛盾"作笔名的却只有这个茅盾。1927年在《小说月报》最初发表《幻灭》时，为避通缉，首次用了这个笔名，是叶圣陶怕惹麻烦，又给它加了个草头。对这个笔名的采用，作者作了这样的说明："为什么我取'矛盾'二字为笔名？好像是随手拈来，然而也不尽然。'五四'以后，我接触的人和事一天一天多而且复杂，同时也逐渐理解到那时渐成为流行语的'矛盾'一词的实际；一九二七年上半年我在武汉又经历了较前更深更广的生活，不但看到了更多的革命与反革命的矛盾，也看到了革命阵营内部的矛盾，尤其清楚地认识到小资产阶级知识分子在这大变动时代的矛盾，而且，自然也不会不看到我自己生活上、思想中也有很大的矛盾。但是，那时候，我又看到有不少人们思想上实在有矛盾，甚至言行也有矛盾，却又总自以为自己没有矛盾，常常侃侃而谈，教训别人，——我对这样的人就不大能够理解，也有点觉得这也是'掩耳盗铃'之一种表现。大概是带点讽刺别人也嘲笑自己的文人积习罢，于是我取了'矛盾'二字作为笔名。但后来还是带了草头出现，那是我所料不到的。"① 这段话固然特指《蚀》的创作时期，且对不承认矛盾者的讥诮也是专对当时的左派人士而发；但既然是写于建国后，就说明这是他一贯的迄未放弃的认识。我认为，茅盾的这种感受和认识，恰恰为我们提供了一个读解他的切入点或者说是契机，以此为出发点，或许可以真正地走近茅盾。

1927年的命运遭际，对于茅盾的一生来说，与其说是不幸，倒毋宁说是一种幸运。因为作为革命家的茅盾虽然在宁汉分裂、大革命失败后的白色恐怖中不得不逸出社会斗争的漩涡，但他却因此而走上了更适合于发挥其才能的文学家的道路。依着茅盾原来的意愿，并没有做专门文学家的意思。即如他所说："在过去的六七年中，人家看我自然是一个研究文学的人，而且是自然主义的信徒；但我真诚地自白：我对于文学并不是那样地忠心不贰。那时候，我的职业使我接近文学，而我的内心的趣味和别的许多朋友——祝福这些朋友的灵魂——则引我接近社会运动。我在两方面都没专心；我在那时并没想起要做小说，更其不曾想到要做文艺批评家。"② 然而，即使茅盾也没有想到，他的这一非自主性选择，却于有意无意中以创作实践的力量启动了文学由"文学革命"向"革命文学"的转折，昭示着一个文学新时代的到来。

茅盾着手于《幻灭》、《动摇》、《追求》即《蚀》的创作时，其进入状态和对于文学的理解是颇为耐人寻味的。他之进入创作，并非出于哪一种明确而且崇高的目的。"蛰居家中，卖文为生"③，似乎是一句戏语，但未尝不是晚年茅盾历经人生后的坦言。他说，第一次写了《幻

---

① 《写在〈蚀〉的新版的后面》。
② 《从牯岭到东京》。
③ 《创作生涯的开始》。

灭》,"那时因为一则'有闲',二则并无别事可做,而适宜于造写小说的原料又积蓄得颇多。我应该说是'无意中'积蓄得颇多。因为那些原料之获得,并不是为了存心要写小说。事实上,当一九二六年秋我把以前因职业的需要而置备的一些书籍寄存在一位朋友家里的时候,我对他说:'也许以后我用不到了,但也许再没有我来用它们;此时谁也不知道。'那时我没有写小说的意思,就是以前有过,那时也丢得干干净净了。"① 他不止一次地谈到其进行创作和做作家的"无意"性,同时亦不讳言其中辍革命活动后的苦闷、悲观,和对革命方向的迷惘。由此可以见出,在其进入创作活动时,既没有要明确地表现某种革命历史方向的企图,因为当时确无明确的"方向"可言,又无做职业作家的十分坚定的意愿,因为他在人生道路的抉择上正纠缠于空前的惶惑与苦恼之中。那么,他又是怎样进入创作的呢?他的解释是:"我是真实地去生活,经验了动乱中国的最复杂的人生的一幕,终于感得了幻灭的悲哀,人生的矛盾,在消沉的心情下,孤寂的生活中,而尚受生活执著的支配,想要以我的生命力的余烬从别方面在这迷乱灰色的人生内发一星微光,于是我就开始创作了。我不是为的要做小说,然后去经验人生。"②以往人们在评价茅盾的创作时,往往更多地是用这话来证实《蚀》的生活素材的丰厚,而我们现在所要指出的,则是它明白启示给我们的为文学所必需的生命感受的真实性和在苦难中挣扎的生命力量。这种生命感受的无边真实性,表现为生命对于有悖于预设目的的生存际遇的"超规则"感受,内涵着关于生命与社会的极为丰富的信息量。茅盾对《幻灭》等三篇小说的创作,在思想主旨和文学规则上,并没有很明晰具体但也因而较为狭仄的规约。他说:"《幻灭》等三篇只是时代的描写,是自己想能够如何忠实便如何忠实的时代描写;说它们是革命小说,那我就觉得很惭愧,因为我不能积极的指引一些什么——姑且说是出路罢!"接着,他还作了具体说明:"先讲《幻灭》。有人说这是描写恋爱与革命之冲突,又有人说这是描写小资产阶级对于革命的动摇。我现在真诚地说:两者都不是我的本意。我是很老实的,我还有在中学校时做国文的

---

① 《谈我的研究》。
② 《从牯岭到东京》。

习气总是粘住了题目做文章的；题目是'幻灭'，描写的主要点也就是幻灭"；"我并不想嘲笑小资产阶级，也不想以静女士作为小资产阶级的代表；我只写一九二七年夏秋之交一般人对于革命的幻灭"，"这是普遍的，凡是真心热望着革命的人们都曾在那时候有过这样一度的幻灭；不但是小资产阶级，而且也有贫苦的工农。"与此相同，"《动摇》所描写的就是动摇，革命斗争剧烈时从事革命工作者的动摇。这篇小说里没有主人公；把胡国光当作主人公而以为这篇小说是对机会主义的攻击，在我听来是极诧异的"。至于《追求》，面对着某些批评，他仍然说："然而同时我仍旧要固执地说，我自己很爱这一篇，并非爱它做得好，乃是它表现了我的生活中的一个苦闷的时期"；"我那时发生精神上的苦闷，我的思想在片刻之间会有好几次往复的冲突，我的情绪忽而高亢灼热，忽而跌下去，冰一样冷。……这使得我的作品有一层极厚的悲观色彩，并且使我的作品有缠绵幽怨和激昂奋发的调子同时并在。《追求》就是这么一件狂乱的混合物。我的波浪式的起伏的情绪在笔调中显现出来，从第一页以至最末页。"① 很显然，《幻灭》等三篇小说所看重的是生活感受和情绪纠葛的真实表现，为了这种"真实"，作者对当时流行的某些不切实际的说教是深不以为然的。表现在作品中，创作主体的理性自控力不是表现为对感性真实的严格规范与裁剪，而是形成了由其对感性真实的真诚的面对和表现，构成了对不切实际的流行性观念的反诘性叩问。众所周知，茅盾一向因其突出的结构意识和结构能力而被推重，但因此却忽略了在其创作起点上所表现出来的另一种倾向，即对超理性结构和理性思维的生命感受和情绪真实的执著表现。而这方面，确实又构成了一种独特的氛围和魅力，构成了一道独异的文学风景。

只要稍加审视，就不难发现，在总名为《蚀》的三篇小说当中，尽管所反映的生活内容带有浓厚的情绪色彩，滞重而迷乱，似乎难以分析，但是其中所包容着的生命欲求、个性主义和社会革命这三个既相关又相异的人生价值目标，在新时代的儿女们为之奋斗的生存实际中，还是显而易见的行动支配力量。这些新时代的儿女们，还带着五四新文化运动的精神热力，又不无鼓舞地迎来了社会革命的大潮，他们满以为历

---

① 《从牯岭到东京》。

史是一脉的流动,却不知在这里已发生了逆转。大革命的失败,方向的迷失,使他们痛苦迷惘,不知所措。所能为他们明显感受到的,也是我们以往评论中要每每论及的,便是这些。可是,未必能为他们认识到但恰恰又是从深处构成其悲剧性感受的,却是历史选择在深层中的置换。对生命自然欲求的公然肯定,和对个性解放的正义呼唤,是五四新文化运动即文化启蒙时代的历史选择。作为启动历史前行的一个必要环节,作为人和社会健全发展的一个重要条件,这一历史选择的现实合理性及其巨大历史功绩,都是无可否认的。但是,面对整个民族,尤其是隔离于文化圈外的广大劳动者的苦难生存状况,这一历史选择的无奈与无力也便显现出来了,于是,不能不代之以新的选择。新的选择即社会革命,则表现为一种非文化的社会性暴力行为,它固然也要以这样或那样的政治性文化即"主义"来统摄行动(对"主义"的辨析、遴定是个过程,对所信奉的"主义"的认识理解也是个过程),但其基本特征和方式却只能是如此。社会革命对生命价值的道德化推崇和对历史力量及生存利益的群体性强调,势必与启蒙时期的文化倡导发生矛盾。要做一个社会革命者,不仅要改变行为方式,实现角色的转换,而且在文化观念上也要实现转变,哪怕带来的是更深在的痛苦。茅盾当时就告诫人们特别是左派们说:了解历史的复杂关联,"可以了解从个人主义、英雄主义、唯心主义,转变到集团主义、唯物主义,原来不是一翻身之易"。[①]工农和一般社会群众,尚且会在革命的低潮和混乱的局面中感受到"幻灭",而需其进行和完成深层文化转变却又未自觉于这种转变,或虽意识到这种需要却不可能轻易完成的知识者,他们的迷惘和痛苦,就更是可想而知了。打开这三篇小说,最强烈的感受,就是扑面而来的那种颓废而又蓬勃的血肉丰盈的生命之流。在作者笔下,最得传神之笔而且也最得作者之心的,当属慧女士、孙舞阳、章秋柳一类的"时代女性"。她们比一般人有着更为自觉的生命意识和更为强烈的个性解放要求,有着鲜明的叛逆精神而又敢于行动,是一簇在时代的悲剧中恣意开放但又不无畸形的青春之花。她们都美丽大方,充满生命的活力,就像描写孙舞阳时说的:"她的豪放不羁,机警而又妖媚,她的永远乐观,旺盛的

---

① 《从牯岭到东京》。

生命力"，在人群中总是能成为引人注目的目标。这些漂亮妖媚而又胆大妄为的人儿，特别看重生命的享受和个性的自由，她们以反道德、反秩序的行为寻求生命与自我的位置。在她们看来，婚姻的形式是次要的，"不受指挥的倔强的男人，要行使夫权拘束她的男人，还是没有的好"！她们"一定要十二分谨慎地使用这美满的青春"，"要周详计划如何使用这美满的青春"。然而，她们又深知，纯个人的物质的享乐，肉感的狂欢，无异于一条堕落的路，冒险奋斗和投身革命的趣味也为她们所神往。作者这样写章秋柳："她有极强的个性，有时且近于利己主义，个人本位主义；大概就是这，使得她自己不很愿意刻苦地为别人的幸福而牺牲，虽然明知此即光明大道，但是她又有天生的热烈的革命情绪，反抗和破坏的色素，很浓厚地充满在她的血液里，所以她又终于不甘寂寞无聊地了此一生。"面对这一深刻的矛盾，虽然她们终于认识到"环境的力量太大了，脆弱的个人是无论如何抵抗不了的，我们须得联合起来奋斗，用群的力量来约束自己，推进自己"；但联合起来只靠"同学会"之类的形式是无济于事的，而真正能体现其"联合"的革命却又不能不使她们失望。内在外在的各种矛盾均未得到真正的解决，她们痛苦中的选择，还只能是超越"正则"，拒绝"平凡"。即如章秋柳所说："我觉得短时期的热烈的生活实在比长时间的平凡的生活有意义的多！我有个最强的信念就是要把我们的生活在人们的灰色生活上划一道痕迹。无论做什么事都好。我的口号是：不要平凡！"其实，在另一种类型的"时代女性"即静女士、方太太等人身上，同性质的矛盾亦为其痛苦、悲观的内在根苗。而且，正因其对于"正则"生活方式的难以割绝的向往，和现实对其向往的无限破坏，对其内在的精神打击则更大。这一被曼青称为"时代病"的精神表征，其普遍性不仅表现在"时代女性"身上，同时在男性身上也无法幸免。"幻灭的悲哀，向善的焦灼，和颓废的冲动"，是茅盾在《幻灭》等三篇小说中所刻意表现的基本精神内涵和时代氛围。

我们不能不感受于茅盾在其笔下所展现出来的巨大感性真实，虽然亦难免为其审美效果上的感官性触动而稍有惋惜。正是这一真实地表现了特定时期特定内涵的作品，把现代文学尤其是现代小说创作带进了一个新时代的门槛。在当时，茅盾尽管在革命的方向上感到迷惘，但对文学的发展和文坛状况是有很冷静明白的认识的。从"文学革命"之后，他一直审视着文学的发展，并不断地进行评论和总结。前此，中国新文学为"文学革命"阶段，其基本价值取向是文化启蒙。其中最具代表性的自然当推鲁迅。就小说的创作来说，虽有鲁迅与郁达夫"双峰并峙"之说，但郁达夫的小说自标一格，在文化批判的深刻上却不及鲁迅。鲁迅的小说，带有浓重的文化启蒙色彩，独领了一代风骚。不过，鲁迅的小说同时也显现出了其时代的限制，他所着重表现的多是"老中国的儿女"在精神上的重负。茅盾在创作《蚀》的时候，曾研究并评论过鲁迅的小说，他说："我们跟着单四嫂子悲哀，我们爱那个懒散苟活的孔乙己，我们忘不了那负着生活的重担麻木着的闰土，我们的心为祥林嫂而沉重，我们以紧张的心情追随着爱姑的冒险，我们鄙夷然而又怜悯又爱那阿Q……我们只觉得这是中国的，这正是中国现在百分之九十九的人们的思想和生活"；"这些'老中国的儿女'的灵魂上，负着几千年的传统的重担子，他们的面目是可憎的，他们的生活是可以诅咒的，然而你不能不承认他们的存在，并且不能不懍懍地反省自己的灵魂究竟已否完全脱卸了几千年传统的重担。"① 从对鲁迅小说切中肯綮的赞誉中，我们既可看出鲁迅小说的特色及其现实价值所在，同时也能够感觉到历史取向上的局限性。兼具社会革命家和文学批评家两种角色的茅盾，当然深知历史的运动已由文化启蒙向政治革命转换，而"文学革命"也正相应地向"革命文学"转换。所以，在他动手创作时，自觉地把表现的重点置换成了"时代女性"或不妨说是"新时代的儿女"了。此时，鲁迅已终止了他的小说创作，历史任务的转换在其创作上同时也表现为文体的转换，当其杂文创作成为其基本文体抉择时，他的小说时代便告结束了。茅盾正是在这历史节骨眼上，开辟了小说创作的"革命文学"新时期，或者说代表着"革命文学"在小说创作方面的最初也是最高的成就。同期的乡土文学小说，因其功力未逮，尚不及鲁迅小说的水准，且其基本内涵亦未超出启蒙时期的规范。同时期，丁玲也发表了内容趋新的小说，但就其内涵的丰厚性和对一个时代精神氛围的表现上，也不如《蚀》中的三篇小说。另一方面，还应引起注意的是，在当时对"革命

---

① 《鲁迅论》。

文学"的倡导中，《蚀》实际上以其实践的力量起着一种示范的作用，对抗着创造社、太阳社中某些人的左倾主张，从由它所引发的争论，即可见出其意义之重要了。

如果说，《蚀》以其文学的真实和魅力标示了一个文学新时代的开始，那么《子夜》便是在革命文学的发展中以范本的价值，显示了作为中国现代文学的主流类型即左翼文学的趋于成熟和规范化要求的基本实现。可以说，从创作《子夜》开始，茅盾的角色确定意识已经明晰，此时，对几种角色的矛盾性依恋，已综合性地内化为一个作家的独特素质。此时的茅盾，自然已经步入其创作的第二期也是丰盛期了。

这一步的跨出，茅盾实际上是以自我否定的方式实现的。从对革命出路和迷乱社会现实可分析性的不予承诺和无力承诺，到《子夜》创作中社会分析特征的突出呈现，这中间实际上有一个极深刻的变化。这是社会形势发展和作家个人生活道路的变化合力完成的结果。1931年初，他说过："一个已经发表过若干作品的作家的困难问题也就是怎样使自己不至于粘滞在自己所铸成的既定的模型中；他的苦心不得不是继续地探求着更合于时代节奏的新的表现方法。"① 过去引用这段话，关注点多是在于"艺术"的出新方面，殊不知其中涵纳着更为茅盾所关注的思想方面的焦灼。他的"苦心"在于寻找"更合于时代节奏"的新的认识视角、新的把握方式，以至最后熔铸而成的"新的表现方法"。从日本孤寂的生活中返回上海，此时已是另一番景象，革命形势的高涨，使之深受鼓舞。就在那时候，他"有了大规模地描写中国社会现象的企图"，而且"就时常想实现我这'野心'"②。他的"苦心"，实则就是在于实现这一"野心"。在此过程中，他获得了两点新的认识：第一，是研究人与人的关系。他说，写《幻灭》那些小说时，"是'无意中'积蓄得颇多"，"然而后来那些'无意中'积聚起来的原料用得差不多了，而成为我的一种职业的小说还不得不写"，"我于是带了'要写小说'的目的去研究'人'。"然而，人的各种面目是在不同的"关系"中表现出来的，所以"'人'和'人'的关系，因而便成为研究'人'的时候的第

---

① 《宿莽·弁言》。
② 《子夜·跋》。

一义了"。进而他还强调说:"于是单有了'人'还不够,必得有'人'和'人'的关系;而且是'人'和'人'的关系成了一篇小说的主题,由此生发出'人'。"① 无疑,茅盾所强调的"关系"固然有利于"由此生发出'人'",有益于对"人"表现的位置确定性,但这种强调的主要点还是指向"意义",指向"主题"的。第二,是社会科学知识对于创作的重要作用。"一个做小说的人不但须有广博的生活经验,亦必须有一个训练过的头脑能够分析那复杂的社会现象,尤其是我们这转变中的社会,非得认真研究过社会科学的人每每不能把它分析得正确。而社会对于我们作家的迫切要求,也就是那社会现象的正确而有为的反映!"② 应该说,从这时起,茅盾全面而深刻地调整了自己的文学理解,在文学与社会现象的关系上,开始自觉地寻求文学反映与社会科学认识并无二致的认识指向;也是从这时起,着眼于"关系"的本质性构成,大规模地"深刻而有为"地反映中国社会的"史诗"意识,才开始明晰并日渐强化起来。

《子夜》,从所表现历史的深度和广度来看,应该说是中国现代文学中特别是革命文学方面,比较早出现的最具"史诗"建构趋向的第一部长篇小说。文学有不同的类型,有"诗"型的,有"史诗"型的,二者自然有别。有的作品,尽管审美品位很高,尽管也深刻地表现了人性的冲突,但因其缺乏"史"的内容就只能称之为"诗",而不能称之为"史诗"。所谓"史诗",其中必须有"史"的基本支架;而所谓"史"的支架,即是指必须能够从中看出一个特定历史时期人们生存的基本冲突,及其特有的历史内涵和行为方式。也就是说,它所表现的内容必须粘附在历史的基本冲突上,是由这一基本冲突搅扰而起且随之发展的。如果我们从一部作品中看不出这一"史"的基本内容,或者只是边缘性反映的表现,那就只能另当别论了。当然,文学批评和文学史的研究,并不是单为寻找"史诗"而存在的。不同类型的文学作品,可以侧重于从不同的方面发挥其互不能替代的审美功效,不能从某个单一的角度出发轻率地否定哪一种作品的文学价值。比如文学史上的许多非"史诗"

---

① 《谈我的研究》。
② 《我的回顾》。

品格的作品，轻者如山涧小溪的婉转流淌，重者如人性撞击的黄钟大吕，它们占据了文学史所载作品的多数，而且成为传世的精品，其审美的陶冶性情和人性的价值自不待言。就拿《蚀》来说，我们不能指定其没有"史"的内容，尤其是其中的《动摇》一篇，"史"的内容特征还是显见的，但是，就其总的趋向来讲，它们更像是三篇有一定连贯性的感伤的诗。评价它们的时候，就不该拿"史"的标准，尤其不能拿对"史"的非现实性的"正确性"来估衡其得失。反之，对于"史诗"一类的作品来说，也不能脱离开"史"，仅以所谓"纯文学"的标准来要求它。对《蚀》和《子夜》的褒贬就应从错位的批评中走出。一个时代的文学，特别是在这一文学发展到一定阶段，加之该时期历史由于时间长度的展开而提供了"史"的认识的可能性时，对"史诗"的渴望和价值期待还是必定日渐强烈的，没有"史诗"的出现，该时期的文学显然就缺了份量。因此，此时茅盾建构"史诗"的"野心"乃至其"苦心"，都是可以理解的。而且我们更想说明的是，为人们臧否更多且否定多于肯定的茅盾此时把握历史和收集素材的方式。先来看朱自清的一段话："这几年，我们的长篇小说渐渐多起来，但真能表现时代的，只有茅盾的《蚀》和《子夜》。前一本是作者经验了人生而写的，这一本是为了写而去经验人生的。《子夜》是细心研究的结果，并非写意的创作。"①这段话经常为论者所引征，无论是为着对这一方式的肯定或否定。我倒以为，从朱先生这话里，更应受到启发的是他对两种作品和两种创作方式的区别性比较。从两种类型的不同来看，一是"写意"的，一是"细心研究"即非写意的；而从两种不同的进行方式来看，则一是"经验了人生而写的"，一是"为了写而去经验人生的"。如果我们不偏执于哪一种类型，细想一想，"写意"的作品诚然可以"经验了人生"才去写，有什么感触写什么感触；但要写出社会变动深广度的"史"的内涵，要进行的是"史诗"的创作，那么仅靠无意为之的人生经验怎么能够？事实上，许多中外大作家，当他们从事"史诗"类作品创作的时候，几乎无一不是经过了"细心研究"，而且有意为之地又去收集大量资料和扩充自己的生活经验的。所以说，茅盾这一创作方式，包括他对社会性质

---

① 《子夜》，见《文学季刊》第1卷第2期。

论战的关注,从"史诗"创作的规律看,应是无可非议的。至于作者对"史"的内涵的理解是否正确,素材收集得是否丰富可靠,在具体创作过程中是否严格遵循了文学创作的规律,那应该是另一码事了。

　　平心而论,茅盾创作《子夜》的态度还是严肃认真的。他曾说:"我所能自信的,只有两点:一、未尝敢'粗制滥造';二、未尝要为创作而创作,——换言之,未尝敢忘记了文学的社会的意义。"① 对于创作题材,他也说过:"我从来不把一眼看见的题材'带热地'使用,我要多看些,多咀嚼一会儿,要等到消化了,这才算拿出来应用。这是我牢不可破的执拗。"② 从创作《子夜》的实际过程看,也不是完全观念先行。请看他最初的叙述:"一九三零年夏秋之交,我因为神经衰弱,胃病,目疾,同时并作,足有半年多不能读书作文,于是每天访亲问友,在一些忙人中间鬼混,消磨时光。"③ 据他说,只是在那时候,他才有了"大规模地"描写中国社会现象的企图。他"在上海的社会关系,本来是很复杂的。朋友中间有实际工作的革命党,也有自由主义者,同乡故旧中间有企业家,有公务员,有商人,有银行家",那时他"既有闲,便和他们常常来往"④。有这样一种当代都市政治经济生活的素材基础和形成结撰"史诗"的思路,还是不足为怪的。而且进入写作时,发现生活经验不足,又很清醒地调整了自己的计划,因对农村情况不熟,"又不愿向壁虚构,结果只好不写",以致作者把这部作品称之为"半肢瘫痪"⑤。不过实在庆幸得很,倘照茅盾构思之初的大"野心"写出来,即使他对农村的革命形势有所了解,也真不知道这部《子夜》会成为什么样子!至于后来单写了《春蚕》并且成了名世之作,那则是以另一种方式对其大"野心"的补偿性实现了。也许是正因为"偏重于都市生活的描写"⑥,使《子夜》却有幸成了中国现代文学史尤其是革命文学中第一部正面反映中国历史近现代化过程基本矛盾并具有现代都市文学风采的长篇巨制。而这恰恰是它的不容忽视之处。从《子夜》所重笔描写

---

①② 《我的回顾》。
③ 《子夜·跋》。
④ 《〈子夜〉是怎样写成的》。
⑤ 《再来补充几句》。
⑥ 《子夜·跋》。

的基本矛盾、结构方式及其发展走向来看，确实深刻地触及到了中国历史近现代化过程的最基本的内容。中国历史向近现代化的转型发展，说到底，最基本的还是个经济的转型与发展问题。如果不能从自然自足的农业经济状态中走出，逐渐发展出社会化生产的近现代化的民族经济，那么历史的转型则是无法从根本处完成的。可是，由于这一历史过程的启动和发展，从一开始就一直处于特定的悖论性历史情境之中，民族资本主义腹背受敌，只能在历史的夹缝中艰难发展。吴荪甫，作为这一种经济力量亦即历史发展的代表，作为在中国现代史著作乃至在实际政治舞台上都难以成为主角的人物，在小说中被作为主要人物以及情节构成的基本维度，甚至是把握和认识社会矛盾的主要环节来加以表现，这本身即已显现了作者的一种"历史"眼光。从小说的实际表现来看，虽然作者以阶级分析的政治眼光对他作了批判性处理，但实际的感受却又使之在具体的描写中出现了超出规约的情况。小说出版后，朱自清就看出了这一特点和实际阅读效果："吴、屠两人写得太英雄气概了，吴尤其如此，因此引起一部分读者对于他们的同情和偏爱，这怕是作者始料所不及的吧。"① 在作者笔下，吴荪甫有才干、有抱负、有手腕，他"就是二十世纪机械工业时代的英雄、骑士和'王子'"。他的失败，并不是出自个人的原因，而是一种历史的必然，他的悲剧，带有深刻的历史内涵。当年侍桁著文说："这个英雄的失败被写得像希腊神话中的英雄的死亡一般地使人惋惜"，甚至批评说"《子夜》是一本巨大的企图的书，而因为那成为全书的牵线主人公被写得过分地理想化，结果成了一本个人悲剧的书了"②。侍桁的批评自然有些失当，他没有看到，这个带有"当代英雄"意味的吴荪甫，他的悲剧决不是什么"个人悲剧"，更没有看到，对吴荪甫的这种把握和描写，恰恰是《子夜》的成功之处。围绕吴荪甫的"事业"，从经济关联的角度，小说组织起了有条不紊的矛盾冲突，尽管这些关系程度不同地从不同层面上都衍化成了政治关联和冲突。而这些，则充分显现了作者对社会历史结构的理性把握和认识指向。在这一新的社会结构中，原来在《蚀》中被重点表现的青年男女

---

① 《子夜》，见《文学季刊》第 1 卷第 2 期。
② 侍桁：《〈子夜〉的艺术思想及人物》，见《现代》第 4 卷第 1 期。

们，都成了边缘性的存在，而显得无足轻重，但是他们也构成了一道道生活中的风景线，并增添了都市生活的特定内涵和色彩。从金融市场，到机械工业生产，到都市市井；从巨头斗法，到劳资矛盾，到色彩斑斓的浮华人生，《子夜》对大都市生活的描绘确实是有声有色的。茅盾说："色彩与声浪应在此书中占重要地位，且与全书之心理过程相应合。"[①]这一点还是基本实现且成为该书特色了的。这对于现代都市文学的发展，亦有一定的影响。

在这时的茅盾看来，社会科学即政治、经济的分析与作家对丰富复杂的社会生活的文学把握应该是一致，也必须是一致的。所以，勿庸讳言，在《子夜》的创作中，他非常注意认知理性对客观对象的控制和驾御，而对生活"隐匿"层面的东西则不得不有所忽视。更多义的、更有丰富感性特征的内容在作品中显得少了一些，对某些人物和他们之间的关系，处理也有简单化之嫌。在《子夜》之后，茅盾对政治方面的热情又有所增强，因此到了《腐蚀》的创作，则是对政治斗争更为集中的表现了。但是茅盾毕竟不是一个庸常的作家，他的人生理解和文学理解，决定了其对创作的基本态度。在《腐蚀》中，他把最缺乏审美意味的特务方式的酷烈的政治斗争，引申为心灵领域中的道德冲突和痛苦，使小说有了一定的心灵深度。比《腐蚀》稍晚写出的《霜叶红似二月花》，则显现了作家另一方面的努力。因为所写的题材与现实距离较远，茅盾以从容的笔触结撰远去的一段历史，并且寻回了已渐次离自己远去的对知识青年男女日常生活的审美观照，读起来别有一番文学意味。可是，他所写的那段历史总是要往后延伸发展，这种基本的框架和政治性的斗争内容，与他这一远距离审美的笔致怎么协调发展，怕是茅盾遇到的一个难题。加之，当时如火如荼的政治斗争，茅盾不可能置之度外，现实的政治责任感与文学责任感的一致，使他不得不中辍这一作品的创作，而进入了对更富有现实性和政治倾向性的斗争生活的描写。但是他对于"史诗"的表现欲望，与较为狭窄的观照方式，终于使他无法卒篇。这主要表现在对《锻炼》的构想和实际实现上。他原想写五部，"企图把抗战开始至'惨胜'前后的八年中的重大政治、经济、民主与反民主、

---

① 《〈子夜〉写作的前前后后》，载《我走过的道路》。

特务活动与反特斗争等等，作个全面的描写"①，结果，只是写出了第一部，亦不得不停下手来。当然，现实的斗争进展很快，已临近建国，许多事情要忙，没有时间写了，这也是实情；但从另一角度看，内在的矛盾使其难以为继，怕也是一个深在的原因。事实上，第一部即《锻炼》一出来，即已失去了往日的水准，这就是个证明。

建国后，茅盾做文艺界的领导工作，小说创作在二十余年内长期中止，其间的写作，则多是以其特殊身分所写下的评论了。直到1974年，已进入晚年的茅盾才又重新执笔，写下了《霜叶红似二月花》的"续稿"。这稿子写出后，作者秘不示人，直到他辞世15年后的今天，才得刊布面世。因其问世之晚，其影响尚未广泛扩展开来，但它那老到而醇美的审美韵致，却分明已经表示出，暮年的茅盾，又在其小说创作的道路上跨入一个新的进境，他又找回了一个可以告慰于自己的小说家的茅盾，虽然最终还是未能竟篇，留给人们的只是15至18章的一些"梗概"、"大纲"和写作片断。

这份"续稿"写于政治上极为严酷的"文革"后期。其时，茅盾被置于受批判席已近十载，被"左"的漩流重创的心灵已相对平静下来，于是在"有闲"中便来弥补平生的遗憾，续写深得其心的《霜叶红似二月花》了。在无急近现实参与意识的淡泊心境中，茅盾作为文学家的另一面的审美创造能力和趣味追求，得到了充分的展现。茅盾是一个理性精神和时代使命感较强、行为稳健而不乏参与意识的人，同时又是一个在审美方面情感柔细而富有雅趣的人。在正面以铁笔勾描吴荪甫等一类人物和以现实参与态度着重表现重大社会斗争时，其前一面比较突显，后一面则似乎难以更协调地发挥，两方面尚不能得心应手地化在一起。而至此时，以平常心遥念逝去的历史，似乎找到的更多是审美的表现欲望。作为支撑并贯穿历史的政治、经济斗争，如蛟龙过江，时而是浮露水面可望其背脊，时而又潜入水底只作为伏线游走；更大量的为作者情之所钟的，却是那些世家子弟和暴发户儿女的日常生活。即使是具有重大意义的政治斗争行为，也被作了日常化的处理而显得纡徐有致，读之有味。其中最见风采且最为作者所乐道者，则又是对人情过往、酒筵应

---

① 《锻炼·小序》。

和等一类生活的描绘。从"续稿"看,在"梗概"、"大纲"之外,为作者情不自禁所先期写成的片断即多为此类。尤其是"钱良材在黄府赌酒"一段,作者简直是兴味盎然,极尽了铺张挥洒、恣意描绘的能事。无论从审美文化意味,还是从具体的文学表现来说,"续稿"都明显地表现了一种古典主义的倾向。被偏重表现的家族交往,对生活行为、起居环境、衣饰器物甚至酒馔饮食的工笔细描,包括文字上的典雅与书卷气,都展露出这一新的倾向性。"续稿"比起《霜叶红似二月花》的前稿来,更酷似《红楼梦》的风貌。30年代中期,茅盾说过:"至于《红楼梦》,在我们过去的小说发展史上自然地位颇高,然而对于现在我们的用处会比《儒林外史》小得多了。如果有什么准备写小说的年轻人要从我们旧小说堆里找点可以帮助他'艺术修养'的资料,那我就推荐《儒林外史》,再次,我倒也愿意推荐《海上花》,——但这决不是暗示年轻人去写舞场之类。"[①] 此可谓此一时彼一时也。当年茅盾对西洋文化和文学的介绍,也是真诚且不遗余力的,在其作品中亦明显可感其所受之影响。暮年茅盾的变化,连他自己怕也是始料未及的。当然,"续稿"在对历史走向的把握和社会观念的进步上,与前此的作品仍有深在而鲜明的一致性,但它在审美文化方面的变化,不也是颇值得深思的吗?

茅盾的一生,横跨了几代,几乎贯穿了整个世纪。历史造就了他一生如此走过的道路,他也作为革命文学的最杰出代表支撑了一代文学历史的时空。很难想像,中国现代文学史上没有了茅盾那将是什么样子。他的文学道路所蕴涵的丰富而深刻的历史的、文化的、文学的内涵和启示,实在说是一笔难得的财富,值得永远地重读。

(此文原为山东文艺出版社版《茅盾选集》的"前言",后改为现在的题目载入《走出历史的峡谷》,山东文艺出版社出版,1997)

---

[①] 《谈我的研究》。

# 解读老舍

　　老舍是中国现代文学中屈指可数的大家之一，然而像许多知名的现代作家那样，在被社会接受甚至被赞美的过程中，也没有逃脱被误读误解的命运。

　　对老舍来说，在其生前曾有过两次人生的风光：一次是在抗战时期的1944年，因其创作的显著业绩和对"文协"工作的贡献，文艺界举办了"老舍先生创作生活廿周年纪念会"，众多知名人士或以诗或以文对他给予了高度评价。那时，文艺界的统一战线还在维持，抗战前各种"立场"的不同仍不能堂而皇之地表示出来，因此在较大的涵容中对其彼此相关的不同侧面和富有个性的价值存在，都能予以认可，尽管所作的评价高则高矣却未免失之于笼统。再一次是建国初的1951年，因《龙须沟》的成功，北京市人民政府授予他了"人民艺术家"的荣誉称号，以致嗣后在其生前身后（"文革"这一非正常时期除外）这一定位性称谓成了评价他必遵的准绳。"人民艺术家"对于老舍来说确为当之无愧的殊荣，就是现在来看也是定位确当而勿庸置疑的。但应予注意的是，在其时特定语境中使用这一带有统战意味的概念时，事实上在对其作出高度的肯定的同时，也包含着政治评价上的保留和期望。如果比照一下这之后"中国现代文学史"的结撰中，对"鲁、郭、茅、巴、老、曹"的位置摆放，其内蕴的区别便不言自明了。这在老舍，自然得到了一种激励，但他凭着新的责任理解，力图以对新生活的积极表现来作为对这一荣誉的回报，并企图使自己的创作与新的生活律动贴合得更为紧密时，他的创作却令他无可奈何地变成了一种超个性的文学行为。在新价值规约中，批评界和现代文学研究领域在对老舍的评价上，也势不可免地出现了与主导性立场趋同，只能在趋同的范围内索解，而难以对其创作的基本倾向进行客观分析、体认，难以对其作品作完整性文本阐释的新的读解趋势。也许，在建国后的这数十年来，对老舍的分析研究，可称得上是现代文学研究中又一种特异的现象。同样都是被推重的对象，但对老舍的评价方式既不同于鲁迅，也不同于茅盾，还不同于巴金。鲁迅被视之为"现代圣人"，很长时间内对他的研究多是集中在从不同的角度探寻其作品乃至某些话语的微言大义，这是一种方式。茅盾被推为左翼文学的巨匠和"社会分析"派小说的代表，因而对他的作品多是作政治方面的社会分析，并以此为尺度和以《子夜》为样板，对其前后创作和作品中的得失作出轩轾，这又是一种方式。对巴金就又不同了。无论在现代还是当代，巴金虽然一直不懈地追求进步和光明，但却因其与权力中心话语的某种对视所造成的彼此间的疏离感，而对其作品政治性历史意义的认同性评价，便在权力性主导话语中失去了可作依赖的保障。对他，人们虽然在文学史的既定框架中可以极尽推崇，但也可以无所顾忌地对其方方面面进行检视和作出见仁见智的分析。这或许也可以算作一种方式。对老舍进行分析研究的独特性在于，与巴金相比，他的幸运是得了"人民艺术家"的荣誉称号，除"文革"时期以外，这一非政治性的但又带有政治权威性的定论，已经固定了他的高度，人们只能围绕它做文章，而不能背离这一遵循。因此，评价老舍，固然不能用对鲁迅乃至对茅盾的方式，但又毕竟与对巴金的方式不同。可是，按照人们在很长时期内所惯于使用的政治性价值尺度和解读文学的历史性"意义"模式来看，对老舍创作的"意义"选择及其对政治变革行为的不同理解，又分明难以做出全面性的合理解说，于是就导致了两种情况的必然出现：一是对其创作尤其是前期作品中关乎政治和社会革命内容的回避，对《老张的哲学》、《赵子曰》、《二马》乃至《骆驼祥子》中有关这方面的内容避而不论，或仅以轻描淡写的数语带过，至于以此为侧重而且态度更为直露的《猫城记》则更少有涉及，使这部作品直到新时期才得以重新面世，使更多的人了解了它的存在；一是在对其作品的意义阐释上，不无勉强地向当时文学的主流话语贴近。这样做的结果，则不仅在老舍研究中留下了若干疑窦，而且更直接影响了对老舍本体意义的确认及对其独到贡献的正确理解。

评价一个作家，看他对历史对文学做出了什么贡献，不容忽视的一个基本准则，应该是要看他对历史对文学有什么独到的理解和富有个性的价值呈现。诚然，从与历史深在要求的契合方面看，无论作家们对历史责任的理解和担承有多少不同，但都必须与其总体性的基本要求一致。可是，历史的深在要求为作家们提供了与之对话的多种可能性，而为其文学创造所提供的更是一个无限广阔的天地，不能以一种理解、一种方式、一种表现作划一的律定。众所周知，中国现代时期的历史，是由多种"立场"或者说不同角度的努力组成的，即便为我们认定为具有进步意义的历史选择，比如启蒙的或者救亡的，文化的或者政治的，也或者是由其自身的模糊性而很难做出这种界分的，就各以其自身的必然性和合理性呼应着历史的要求，并在互动互补的状态中丰富着历史的内容，调节着历史的发展。这种特有的历史结构状态和调节过程，一方面常常使作家们遭遇困惑，一方面却也给现代文学开辟了多样性发展的天地。面对这样一种特别复杂、多动而又极富生成能力的历史的和文学的时代，我们对其间作家们的选择和创造，就更不宜于作任何简单化的褒贬性评价了。就老舍而言，对其价值的评判，应由对其独特"立场"、独特态度和独特表现对象的全面把握和紧贴其个性呈现的科学阐释而来，他的"意义"，应在其个性化的世界里寻找。过去的失误，不是说就没有注意他文学创造的个性呈现，而是在于对其个性的"共性"内涵上作了又游离于个性的趋同性比附。任何一个作家，他以什么姿态与文学进行对话，既有其历史的原因，亦有其个人的原因，他们无一例外地都是以其生命个体与历史的独特连接决定并完成着自己的对话姿态的。我们应予寻找的，恰恰就应该是这种连接、这种姿态。正是这种互不相同的连接和姿态，才是他们的"意义"生成的独异之处，才是他们对趋同性或共享性"共性"的开拓和丰富。

老舍的一生，始终不能忘怀那苦难的过去。他的出身与经历，对他的影响之大，在其嗣后对历史、对文学的态度中，都可以明显地感受到。他经常提起它，而且据此解释他的为人和为文。譬如他曾这样解释他的"理想"："我自幼贫穷，作事又很早，我的理想永远不和目前的事实相距很远，假如使我设想一个地上乐园，大概也和那个初民的满地流蜜，河里都是鲜鱼的梦差不多。贫人的空想大概离不开肉馅馒头，我就是如此。明乎此，才能明白我为什么有说有笑，好讽刺而并没有绝高的见解。"① 他把《赵子曰》中的"理想"解释为"中年人的理想",虽然他那时候还不到三十岁。个中原因是:"因为穷,所以作事早;作事早,碰的钉子就特别的多;不久,就成了中年人的样子。"② 又如,在解释自己的"幽默"时说:"在我的作品里,我可是永远不会浪漫。我有一点点天赋的幽默之感,又搭上我是贫寒出身,所以我会由世态与人情中看出那可怜又可笑的地方来;笑是理智的胜利,我不会皱着眉把眼盯在自己的一点感触上,或对着月牙儿不住的落泪。"③ 在揭示《老张的哲学》创作中情感与理智互相节制的状态时,他又进一步解释说:"我一方面用感情咂摸世事的滋味,一方面我又管束着感情,不完全以自己的爱憎判断。这种矛盾是出于我个人的性格与环境。我自幼便是个穷人,在性格上又深受我母亲的影响——她是个楞挨饿也不肯求人的,同时对别人又是很义气的女人。穷,使我好恶世;刚强,使我容易以个人的感情与主张去判断别人;义气,使我对别人有点同情心。有了这点分析,就很容易明白为什么我要笑骂,而又不赶尽杀绝。我失了讽刺,而得到幽默。"④ 再如,在文化经历和文化精神影响方面,他曾坦言刘大叔即后来的宗月大师在物质上和精神上所给予他的好处⑤,亦不讳言对于"很想知道一点佛教的学理"的向往⑥,而且希望以佛学之力"推动中国灵的文学,灵的生活"⑦。对于基督教的"大同主义",他早年也给予热情的关注,在其担任京郊的一些教职时,经常参加北京缸瓦市基督教福堂举办的社会服务工作,并曾受洗加入基督教。后来到天津南开学校任教时,发表的第一篇译文便是《基督教的大同主义》。他希望天国的理想在人间实现,像对待佛教一样,把基督大同主义看作引导人们向善的精神力量,由此而给以认同;但是,他虽曾受洗,其结果也仍然像不会去做和尚一样,最终也成不了真正的基督徒。因为他立身处世的现实主义原则,和令其无法彻底走出的那种既叫人厌恶又叫人动情的世俗生活氛围,都只能让他走上他事实上走着的那条自律而又非自律的路。可是,

---

①② 《我怎样写〈赵子曰〉》,载 1935 年 10 月 1 日《宇宙风》第 2 期。
③ 《写与读》,载 1945 年 7 月 5 日《文哨》月刊第 1 卷第 2 期。
④ 《我怎样写〈老张的哲学〉》,载 1935 年 9 月 16 日《宇宙风》创刊号。
⑤ 《宗月大师》,载 1940 年 1 月 23 日成都《华西日报》。
⑥⑦ 《灵的文学与佛教》,载 1941 年《海潮音》第 22 卷第 2 号。

综合的影响是深刻的,他本人多处阐发的为人为文的态度和见解,就均可见其端倪。在中国现代文学史上,像老舍这样如此主动、清醒地从出身经历阐释自己的人生和创作倾向的作家并不多见。这种经历和理解,综合成为一种独特的个性呈现,老舍的意义在这里生成,而关于老舍的似乎是矛盾的和不易理解的问题也都可以在这里找到答案。只是所令人可惜者,是我们的批评和研究,并没有抓住这一极为重要的基本点,以致出现了上述的回避和偏离。

在对老舍的评价上,建国后尤其是近些年来,回避最多也是最为敏感的,就是他对政治性革命的态度问题。建国前特别是1944年前,老舍所遭遇到的最尖锐的批评,莫过于在这一方面了。批评者上"纲"最高的是巴人,他在谈到人物塑造的"类型"性即他所谓的"世俗的"倾向时,就是以《骆驼祥子》为例而痛下针砭的;而且紧接着指出:"老舍对于革命的认识,也是'世俗的',将革命者看作是'为钱出卖思想',这正是单看现象,不明实际的'世俗的'看法。这个'世俗的'看法,本质上是反动的。《骆驼祥子》被批评家所称道,但没有从这种思想本质上的反动性予以批判,实在是怪事。"① 尽管像这样上"纲"批判的只是巴人一人,但在革命文学阵营中,私下对老舍在这方面的表现持有异议者怕是并非在少数。就是在祝贺他"创作生活廿周年"时,茅盾在贺文中也还是娓婉地表示了不同意见,一方面真诚地评价了《赵子曰》的成功,一方面同时又指出了"对于《赵子曰》作者对生活所取观察的角度,个人私意也不能尽同"②。就现在来看,我们固然决不会同意巴人那种观点,但实事求是讲,茅盾和老舍"所取观察的角度"确实是有明显区别的,至于如何评价,那是另外一回事。在对待社会政治革命的态度上,我们不必讳言老舍的成见和在其前期作品中不无厌恶的描写和议论。他自己讲过,那时"自己对革命斗争既无认识,又无热情。在文艺与政治斗争当中,我画上了一条线;我是搞文艺的,政治是

---

① 《文学读本》,珠林书店1940年10月版。1950年1月此书改名为《文学初步》,由海燕书店出版。
② 《光辉工作二十年的老舍先生》,载1944年4月17日重庆《新华日报》"新华副刊"。

另一回事"①。那时的他,对政治斗争的确是比较隔膜甚至怀有成见的。也许是因为他过早地负起了生活的重担,使其对生活的理解和所接触的人物,都与正以激动人心之势进行着和发生着深远影响的五四运动拉开了距离。在解释《赵子曰》的创作时,他说:

> 在写"老张"以前,我已作过六年事,接触的多半是与我年岁相同和中年人。我虽没想到去写小说,可是时机一到,这六年中的经验自然是极有用的。这成全了"老张",但委屈了《赵子曰》,因为我在一方面离开学生生活已六七年,而在另一方面这六七年中的学生已和我作学生时候的情形大不相同了,即使我还清楚地记得自己的学校生活也无补于事。"五四"把我与"学生"隔开。我看见了五四运动,而没有在这个运动里面,我已作了事。是的,我差不多老没和教育事业断缘,可是到底对于这个大运动是个旁观者。看戏的无论如何也不能完全明白演戏的,所以《赵子曰》之所以为《赵子曰》,一半是因为我立意要幽默,一半是因为我是个看戏的。我在"招待学员"的公寓里住过,我也极同情于学生们的热烈与活动,可是我不能完全把自己当作个学生,于是我在解放与自由的声浪中,在严重与混乱的场面中,找到了笑料,看出了缝子。在今天想起来,我之立在五四运动外面吃了极大的亏,《赵子曰》便是个明证,它不鼓舞,而在轻搔新人物的痒痒肉!②

在当时的老百姓尤其是市民社会中,构成了一段时代特征的学生运动并没有被理解,也没有被接受。"学生们开会,学生们走街,学生们演说,学生们男女混杂。连被强迫退了学的学生们也偷偷的出来参加。不久就由人们造出个名词来——'闹学生';和闹义和团,闹鬼子,闹大兵的闹是一个字。"③ 在他的笔下,赵子曰这等人都是混学校而且盲目追趋"新潮"的青年,他们也以为:"在新社会里有两大势力:军阀与学生。

---

① 《毛主席给了我新的文艺生命》,载 1951 年 5 月 21 日《人民日报》。
② 《我怎样写〈赵子曰〉》,载 1935 年 10 月 1 日《宇宙风》第 2 期。
③ 《牛天赐传》。

军阀是除了不打外国人，见着谁也值三皮带。学生是除了不打军阀，见着谁也值一手杖。于是这两大势力并进齐驱，叫老百姓见识一些'新武化主义'。不打外国人的军阀要是不欺侮平民，他根本不够当军阀的资格。不打军阀的学生要不打校长教员，也算不了有志气的青年。"为了做"有志气的青年"，就去赶"学潮"。赵子曰的行为在小说中为作者以讽刺幽默的笔墨写出，是因为在作者看来，他的所作所为恰恰是践行了为民众所否定了的一种认识。作为世俗社会中的一员，赵子曰和民众对学生运动的认识都起脚于同一种误解，但他与一般民众的不同处，是他以畸变的心理给予了认同和追趋。老舍似乎是在以与一般民众趋同的理解来认识赵子曰乃至学校风潮的，结果在《赵子曰》中，他所想像和表现出的，则几乎完全是负面的景象。不仅对于学生运动，而且对于其他政治斗争也是如此。在《二马》的篇首，在他当作背景写到伦敦劳资双方的对峙时，就发表了这样的议论："打着红旗的工人，伸着脖子，张着黑粗的大毛手，扯着小闷雷似的嗓子喊'打倒资本阶级'。把天下所有的坏事全加在资本家的身上，连昨儿晚上没睡好觉，也是资本家闹的。紧靠着这面红旗，便是打着国旗的守旧党，脖子伸得更长，（因为戴着二寸高的硬领儿，脖子是没法缩短的。）张着细白的大毛手，拼着命喊'打倒社会党'，'打倒不爱国的奸细'。把天下所有的罪恶都擦在工人的肩膀上，连今天早晨下雨，和早饭的时候煮了一个臭鸡蛋，全是工人捣乱的结果。"在这里，他对对立双方的态度都有所保留，实际上是对这种解决问题的冲突方式持有不同的见解，以为双方都怀着偏激的情绪。本来，写这一类的内容并非老舍所长，但由于对这一问题挥之不去的反感，以致发展成了较为集中的思考和表现，这就是 1932 年写成的长篇小说《猫城记》。

事实是显而易见的。老舍对政治斗争确实取了别样的态度，与当时越来越明晰呈现出来的主潮性革命文学话语拉开了不小的距离。但是，他与"学潮"和政治斗争的对视，实质上并不是政治立场的对抗。虽然他的理解不乏"旁观者"的误解，在表现上也有较大的片面性，然而，他却没有以政治性介入的姿态选择政治冲突中非此即彼的哪一种立场。对于老舍来说，如果要说"立场"，那他始终坚持的是一个"国民"的责任和视角。他给予责任承诺的对象不是哪一个政治集团的利益，而是与每一个国民都利益攸关的"国家",或者说与"国家"视为同义的"民族"。他认为:"二十世纪的'人'是与'国家'相对待的:强国的人是'人',弱国的呢?狗!"① 而且还认为:"在亡国的时候才理会到一个'人'与一个'国民'相互的关系是多么重大!"② 只有理解了这一点,人们才会真正懂得,一个似乎是厌恶政治斗争的人,为什么在国家危亡之际即抗战时期,能以那么高的热忱和牺牲精神,毅然投身于抗日救亡的火热斗争之中。他不惜中止已经得心应手的小说创作,而宁肯去创作那些宣传时效显著的通俗文艺。他说:"国家是我们今日的爱人,我们必须为她死,为她流血。"③ 而且坚决地认为:"我们的力量都在一支笔上,这支笔须服从抗战的命令。"④ 他这种在国难当头,能够以一个"国民"的责任献身于国家利益的崇高精神,值得后人永世钦仰!明乎此,即可了解,老舍在上述倾向中所表露出来的态度,充其量只是一个"旁观"的爱国者在对"国事"失望时所表达的愤激之情,与政治立场的反动与否不可同日而语。他自己说过:"在思想上,我没有积极的主张和建议。"⑤ 在解释《猫城记》的写作动机时也说:"对国事的失望,军事与外交种种的失败,使一个有些感情而没有多大见解的人,像我,容易由愤恨而失望。"⑥ 可见,就他而言,所表现出的不过是一种隔膜中的误解而已。而就其对"国家至上"的利益关怀看,倒也不失其精神的闪光。

究其实质,老舍对学生风潮和政治斗争的否定性态度,所表达的只是一种文化的观照。他从创作《老张的哲学》起,即已确立了文化批判的立场和角度,这是由其书名就可以见出的。到了《赵子曰》,他说:"也可以说《赵子曰》是'老张'的尾巴。自然,这两本东西在结构上,人物上,事实上,都有显然的不同;可是在精神上实在是一贯的。没有'老张',绝不会有'老赵'。'老张'给'老赵'开出了路子来。"⑦ 这

---

① 《二马》。
② 《猫城记》。
③ 《新气象新气度新生活》,载 1938 年 4 月 23 日《民意》第 18 期。
④ 《这一年的笔》,载 1938 年 7 月 7 日汉口《大公报》。
⑤⑥ 《我怎样写〈猫城记〉》,载 1935 年 12 月 1 日《宇宙风》第 6 期。
⑦ 《我怎样写〈赵子曰〉》,载 1935 年 10 月 1 日《宇宙风》第 2 期。

话的值得玩味之处，是由其所挑明的两者精神上的一贯性。其实，不仅写学生风潮的《赵子曰》，就是到似乎是进行"国事"批判的《猫城记》，其文化批判的基本精神都是一以贯之的。在老舍的笔下，无论是赵子曰等人的闹学潮行为，还是猫国政客们的"哄"斗，都是作为"国民性"的必然表现而予以表现的。在《赵子曰》中，文化批判的意味弥漫全篇，所有人的言行及其社会性环境，无一不表现为文化的结果。最为作者感到锥心之痛的，是国人对"国家观念"的缺失。他借小说中人物李景纯的口，在解释自己"为什么因保存一个古迹至于流血杀人"时说道：

> 一个民族总有一种历史的骄傲，这种骄傲便是民心团结的原动力；而伟大的古迹便是这种心的提醒者。我们的人民没有国家观念，所以英法联军烧了我们的圆明园，德国人搬走了我们的天文台的仪器，我们毫不在意！这是何等的耻辱！试问这些事搁在外国，他们的人民能不能大睁白眼的看着？试问假如中国人把英国的古迹烧毁了，英国人民是不是要拼命？不必英国，大概世界上除了中国人没有第二个能忍受这种耻辱的！所以，现在我们为这件事，哪怕是流血，也得干！引起中国人的爱国心，提起中国人的自尊心，是今天最要紧的事！没有国家观念的人民和一片绿草似的，看着绿汪汪的一片，可是打不出粮食来。

有如一片绿草，"看着绿汪汪的一片，可是打不出粮食来"，这是何等发人深省的妙喻！在这里，分明存在着这样一个因果性认识，即：没有自尊、没有国家观念的国人，他们的行为只能是落后文化根性的必然结果，而决不会是有益于国家自强的良善之举。尤其为老舍所看重并寄予忧思的，是在当时新与旧、中与洋的冲突和夹挤中，那些没有国家观念的人们，所不可避免发生的文化观念与行为方式的畸形变异。国家已经成了个"鼓破万人槌"的大破鼓，可是人们却依然稀里糊涂，在新与旧的掣制之间失了方寸。作为"圣之时者"的赵子曰，有的只是浑然不觉的旧的根性，和对"新潮"事物的盲目追趋，但就是始终没有属于自己的认识和主张。"他的心挤在新旧社会势力的中间"，"新的办法好，旧的规矩也不错,到底哪个真好,他看不清"。"找老人去问,老人撅着胡子告诉他:'忠孝双全,才是好汉'。找新人去求教,新人物说:'穿上洋服充洋人'"。本来,"在这新旧冲突的时期,光明之路不是闭着眼睛混的人所能寻到的";可是,"不幸,赵子曰又是不大爱睁眼的人"。他不明是非,却又追慕虚荣,"凡是能耍花样的就能支配赵子曰"。在学潮中,"他的激烈的行动都是被别人蛊惑的,他并没有安着心去作恶。捆校长,打教员,是为博别人的一笑,叫别人一伸大拇指"。在政治色彩似乎更浓重些的《猫城记》里,看起来好像是对猫城中教育、学术和政治变动的全面批判,实际上也还是属于文化的观照和批判。在作者所展示给我们的猫城图景中,到处充溢着腐败的文化空气,国人们争食"迷叶",稀里糊涂地靠"敷衍"的态度活着。这里没有青年,"只有年纪的区别",他们"生下来便是半死的。他们不见着一点小便宜,还好;只要看见一个小钱的好处,他们的心便不跳了"。在这里,"青年学者是带些女性的,讲究清洁漂亮时髦。老学者讲究直擒女人的那个,新学者讲究献媚"。而政治呢,"大家以为政治便是人与人之间的敷衍,敷衍得好便万事如意,敷衍得不好便要塌台"。所以,"猫人已无政治经济可言"。老舍还借其中血性未泯的青年小蝎的口说。"你看,朋友,糊涂是我们的要命伤。在猫人里没有一个是充分明白任何事体的。因此他们在平日以摹仿别人表示他们多知多懂,其实是不懂装懂。及至大难在前,他们便把一切新名词撇开,而翻着老底把那最可笑的最糊涂的东西——他们的心灵底层的岩石——拿出来。"又说:"经济,政治,教育,军事等等不良足以亡国,但是大家糊涂足以亡种!"显然,这是立足于文化或者说"国民性"的表现和批判无疑。倘若细细察之,从老舍对学潮和政治斗争的批判性表现里,我们不但能看出其"旁观者"的隔膜,而且,似乎也能从中感觉出其来之于市民社会的局限和偏颇,说得尖锐一点,也就是来之于这种局限的对于历史主潮行为的庸浅之见。但更值得注意的是,他却于此提示出了为当时以正面表现这些行为为指归的文学所容易忽略掉的一面,那就是历史复杂性的另一面。"国民性"中那种腐朽而顽劣的根性,不可能不在社会生活的变动中有所表现,他们可能站在其对立面指手画脚、喊喊喳喳,也可能或者说必然也会以趋新趋同的面目,从负面成为一种复杂的参与,即所谓大河奔流,泥沙俱下。由此说来，这种表现对于历史的认识和警示作用，也是应当一起包容在我们的评价之中的。

基于上述辨析，我们可以知道，把老舍当作一个"政治型"的作家或者把他表现"政治斗争"的内容作为一种政治立场来对待，无论是批评还是回避，都是出于一种误解。为了矫正这一点，现在，有识的学人正以新的研究，力图为老舍作出更切合实际的定位，为老舍研究指示出一个准确的视角来，那就是文化启蒙主义。然而，仅此一个泛化的指定，是否就能说得清老舍呢？事实上怕是亦未必尽然。

不错，就其总体的倾向而言，老舍确实是选择了文化的、启蒙的立场。在对"国民性"或者说"民族性"痼疾的针砭方面，也确实与鲁迅等新文化运动的战士表现出了种种深在的一致，甚至可以说，他的许多认识都直接来自于新文化运动特别是鲁迅的启迪。比如他对赵子曰的描写，活脱脱就是一个"阿Q"的同族兄弟。且看他的"永远第一"论：

> （他）住的房是第三号，和上学期考试结果的揭示把别人的姓名都念完，才找到"赵子曰"三个墨饱神足的大字，有点儿不高兴！然而，（然而，一大转也。）客人们都管第三号叫"金銮殿"，自然第一号之意寓其中矣。至于名列榜末呢，他照着镜子自己勉励："倒着念不是第一吗？"于是那一点不高兴，一片雪花似的那一点，没其立足之地了。

再看他（刚从商店购物出来，"左手金顶手杖，右手大吕宋烟，中间素净而有宝色的马褂，抖哇"）的"简捷改造论"：

> 他不但只是满意这几件东西买得好，他根本在精神上觉出东西文化的高低只在此一点。西洋文化是"阔气""奢华""势力"，中国文化是"食无求饱""在陋巷人不堪其忧"。设若吃不饱，穿不暖，而且在小破胡同一住，那不被住洋楼、坐摩托车的洋人打着落花流水，还等什么！为保持民族的尊严起见，为东方文化不致被消灭净尽起见，这样把门面支撑起来是必要的，是本于爱国的真诚！而且这样作是最经济的一条到光明之路：洋人们发明了汽车，好，

我们拿来坐；洋人们发明了煤气灯，好，我们拿来点。这样，洋人有汽车，煤气灯，我们也有，洋人还吹什么牛！这样，洋人发明什么，我们享受什么，洋人日夜的苦干，我们坐在麻雀桌上等着，洋人在精神上岂不是我们的奴隶！

这种从个人到民族（个人正是民族的表现），自以为聪明实则愚昧的精神胜利法，和阿Q有什么区别呢？再如《骆驼祥子》对世人鉴赏杀人"盛举"的那段描写，看着那些愚昧而麻木的人们如何地鉴赏杀人，我们不禁会想到，它与鲁迅在《药》和《示众》中的描写是何等的近似；而听着作者的议论，他对国人们彼此相"吃"的特定文化根性和文化生存特征的认识，又不禁会使我们想起鲁迅的《狂人日记》！又如，对《二马》中以马则仁为代表的"民族性"中"出窝儿老"的批判："民族要是老了，人出生下来就是'出窝儿老'。出窝老是生下来便眼花耳聋痰喘咳嗽的！一国里要有这么四万万出窝老，这个老国便越来越老，直到老得爬也爬不动，便一声不出地呜呼哀哉了！"再如对老马等中国人"面子"观念的嘲讽："中国人的'讲面子'能跟'不要脸'手拉手儿走。马先生在北京的时候，舍着脸跟人家借一块钱，也得去上亲戚家喝盅喜酒，面子！张大帅从日本搬来救兵，也得和苟大帅打一回，面子！王总长明知道李主事是个坏蛋，也不把他免职，面子！""中国人的事情全在'面子'底下蹲着呢，面子过得去，好啦，谁管事实呢！"其实，即使到了后来，到了《离婚》、《骆驼祥子》，直到《四世同堂》，尽管在作为文化载体的对象选择和对文化特定内涵的审视上，目光较前期有了收束，但文化批判意识的灌注则是始终未改的。

但是，止于此，有一个显见的事实是无法解释的，那就是同样坚持文化启蒙主义立场的鲁迅，却未能像对待其他文化启蒙主义作家那样，给老舍以更多的认同和接受。据老舍的好友罗常培回忆，《老张的哲学》脱稿后，罗常培把它转呈给鲁迅看，"鲁迅先生的批评是地方色彩颇浓厚，但技巧尚有可以商量的地方"[1]。批评一位新人初作的技巧，这是很正常的事，但值得注意的是，鲁迅所给予肯定的只是"地方色彩"，

---

[1] 《我与老舍》，《中国人与中国文》，开明书店1947年版。

而不是"文化批评"。而到1934年，此时老舍的创作已进入成熟期，可是鲁迅在给台静农的一封信里，反而对其创作倾向有了不以为然的看法，担心林语堂的创作"如此下去，恐将与老舍半农，归于一丘"①。当然，鲁迅自有鲁迅的道理，和来自其他方面或他人的批评不能作等量齐观。在40年代中期以前，来自其他方面的异议或漠视也不在少。1944年为老舍搞纪念活动期间，罗常培说过："老舍这二十二年的创作生活，文坛上对他毁誉参半，毁之者大多是文人相轻，誉之者也间或阿其所好。假如，让我这三十多年的老友说几句话，那么，老舍自有他'不废江河万古流'的地方，既不是靠着卖乡土神话成名的作家所能打倒，也不是反对他到昆明讲演的学者所能诋諆。"② 看来，在那时，老舍的创作不能为一部分作家所接受，而且也不能为一部分学者或者说由他们所代表的那种"学院精英文化"所接受。那么，问题就来了，既然大家关注的都是文化，为什么还会出现上述的现象？对此，用"文人相轻"一语概之，不可能触及问题的根本症结所在。真正的原因，还得到老舍与众不同的文化立场、态度和独特的对象选择中去寻找。而这，恰恰是我们今天解读老舍所应该着力思考的问题。

我以为，只要我们真正做到把老舍作为一定历史语境中的"个性"来研究，就不难发现他在"文化启蒙"和"文化关注"方面，确实明显地存在着与鲁迅、与其他乡土作家或别的什么作家，与某些学者文化的区别，而且这些差异是相当深刻的，可以试从以下三个方面来加以辨识：第一，文化价值立场和视角的不同。本世纪以来，特别是"新文化运动"和"文学革命"时期，文化启蒙主义的价值立场实际上表现为一种西方文化中心主义，基本的价值坐标是向西方倾斜的。虽然他们有着强烈而深在的历史焦虑，并表现为异乎寻常的爱国主义精神和历史使命感，但出于他们对历史文化积弊的痛切感受和非彻底摧毁不足以改变历史的认识，因此在中西文化比较中别无选择地认同了西方文化的价值立场。也许是因为出身经历方面的原因，比如与主潮性启蒙行为的隔膜，又如由亲仇而必然更为痛切感受到的西方列强的欺弱本性，再如在英国

---

① 《致台静农》，1934年6月18日。
② 《我与老舍》，《中国人与中国文》，开明书店1947年版。

期间更是感同身受的民族歧视，老舍从一开手创作就没有把文化价值认定的立足点置放在西方，当然也没有放在对中国传统文化的守成性认同上，老舍毕竟是在"新文化运动"和"新文学运动"的感召和导引下走上文学创作的，从《老张的哲学》开始，就已明确地确立了对传统性腐朽文化的批判立场。实事求是地说，如果在中国近现代史上有一个文化的"五四"（指"新文化运动"）也有一个政治的"五四"（指"五四运动"）的话，老舍虽然对两者都没有亲历，但从其创作的认同性来看，对前者的认同性是更为明显的。自然后者也有影响，不过不是由其形式（学生运动），而是由其反帝内容所引发的爱国精神的共鸣。后来老舍曾经回顾说："反封建使我体会到人的尊严，人不该作礼教的奴隶；反帝国主义使我感到作中国人的尊严，中国人不该再作洋奴。这两种认识就是我后来写作的基本思想与情感。"① 在"新文化运动"和"新文学运动"初期，把这两方面在同一认识层面上有机结合起来是有一定难度的，在理智与情感的撕裂和对"先生"与"敌人"共时性确认的矛盾中，只好以先自觉（以西方文化为师）再自强的逻辑组合方式平衡心态。而在中西文化比较中，则不能不采取了倾斜的立场。到了20年代中期，即老舍开手创作之时，历史的选择有了新的内涵，文化启蒙主义者也由困惑而致分流发展，因此他把两者置于同一层面上作文化思考已成为可能。老舍的独特性在于，他已不再像前此的文化冲突中双方对立场的非此即彼的选择那样，也没有服膺现实中一些人对原有立场的坚持，而是超越对中西文化进行比较的既定价值模式，既不皆以彼为是，也不皆以此为非，站在一种并不为两者中哪一方面已单独实现了的价值确认的立场上，又以"人"和"民族"或者说"国家"的关系为特殊视角，进行综合性的批判考察。因此，在他的作品中，没有哪一个民族或国家的文化是理想的，中国的文化固然如前所述，不能不予批判，而西方的文化也决非理想之境，这也是我们不当不予明察的。就看《二马》中的英国人吧，那种对中国人的歧视就在精神上严重伤害着中国人的自尊。马家父子的房东温都太太，因为家里住着两个中国人，就"不好意思请朋友来喝茶吃饭；让亲戚跟二马一块吃吧？对不起亲友"，"她确是

---

① 《五四给了我什么》，载1957年5月4日《解放军报》。

请过两回客,人家不来"!那些英国人,他们可以"随便给那群勤苦耐劳,在异域找饭吃的华人加上一切的罪名。中国城要是住着二十个中国人,他们的记载上一定是五千;而且这五千黄脸鬼是个个抽大烟,私运军火,害死人把尸首往床底下藏,强奸妇女不问老少,和作一切至少该千刀万剐的事情的。作小说的,写戏剧的,作电影的,描写中国人全根据着这种传说和报告。然后看戏,看电影,念小说的姑娘,老太太,小孩子,和英国皇帝,把这种出乎情理的事牢牢地记在脑子里,于是中国人就变成世界上最阴险,最污浊,最讨厌,最卑鄙的一种两条腿儿的动物"!伊牧师在中国传过二十多年教,对中国无所不知,简直地可以算一本带着腿的"中国百科全书"。"他真爱中国人,半夜睡不着的时候,总是祷告上帝快快的叫中国变成英国的属国;他含着热泪告诉上帝:中国人要不叫英国人管起来,这群黄脸黑头发的东西,怎么也升不了天堂"!所以,老舍不无义愤地说,在《二马》中,"对于英国人,我连半个有人性的也没写出来"①。这种看法和做法的确有失偏激,老舍也是知道的,但他的解释是:"我专注意了他们与国家的关系,而忽略了他们其它的部分。幸而我是用幽默的口气述说他们,不然他们简直是群可怜的半疯子了。幽默宽恕了他们,正如宽恕了马家父子。"②

因为老舍选取了这样一个关系视角和文化价值立场,所以在国人的文化觉悟方面,他更为看重的不是冲决一切网罗的"个性"解放,而是由群体的自觉所体现出来的国家观念和自尊自信的民族意识。谈到《二马》,他说:"写这本东西的动机不是由于某人某事的值得一写,而是在比较中国人与英国人的不同处,所以一切人差不多都代表着什么;我不能完全忽略了他们的个性,可是我更注意他们所代表的民族性。"③他在这里所讲的"个性",诚然包括着艺术创造上的"个性"要求,但与"民族性"相对应,当然也就更包容着对人物文化"个性"的指涉。这种对小说人物"符号"化的理解和设置,在艺术的创造上无疑会使小说的艺术性受损,但却以较为直露的形式,使我们更易于了解老舍的文化理解和文化指向。基于这种认识,在艺术崇拜英雄的时代(虽然此时艺术世界中的英雄,多是以抗争的悲剧性为特色),老舍却在谈到《小坡

---

①②③ 《我怎样写〈二马〉》,载 1935 年 10 月 16 日《宇宙风》第 3 期。

的生日》的创作时,不惮于坦言:"我要写这么一本小说。这不是英雄崇拜,而是民族崇拜。"他说:"我要表扬中国人开发南洋的功绩:树是我们栽的,田是我们垦的,房是我们盖的,路是我们修的,矿是我们开的:都是我们做的。毒蛇猛兽,荒林恶瘴,我们都不怕。我们赤手空拳打出一座南洋来。我要写这个。我们伟大。是的,现在西洋人立在我们头上。可是,事业还仗着我们。我们在西人之下,其他民族之上。假如南洋是个糖烧饼,我们是那个糖馅。我们可上可下。自要努力使劲,我们只有往上,不会退下。"因此,他接着解释说:"所谓民族崇拜,不是说某某先生会穿西装,讲外国话,和懂得怎样给太太提着小伞。我是要说这几百年来,光脚到南洋的那些真正好汉。没钱,没国家保护,什么也没有。硬去干,而且真干出玩艺来。我要写这些真正中国人,真有劲的中国人。"① 我以为老舍在这里给我们的深刻启发是:文化既然是以"一人群单位"为体现的,而且"教育,伦理,宗教,礼仪,与衣食住行,都在其中","所蕴至广","变化万端"②;那么,在广大民众中,就必然深蕴着一种巨大的文化生力。只有它,才是民族自立自强的血脉之根;也只有它,才是中西文化冲突中广纳博取、催促新生的酵母和生力所在。在南洋,他发现了这一点,抗战时期,他又以切身感受深化了这一认识:"除了非作汉奸不过瘾的人,谁也得承认以我们的不大识字的军民,敢与敌人的机械化部队硬碰,而且是碰了四年有余,碰得暴敌手足无措——必定是有一种深厚的文化力量使之如此。假若没有这样的文化,便须归之奇迹,而今天的世界上并没有奇迹!"③因此,他说了一段极发人深省的话:"一个文化的生存,必赖它有自我的批判,时时矫正自己,充实自己;以老牌自夸自傲,固执地拒绝更进一步,是自取灭亡。在抗战中,我们认识了固有文化的力量,可也看见了我们的缺乏——抗战给文化照了'爱克斯光'。在生死的关头,我们绝对不能讳病忌医!何去何取,须好自为之!"④对于我们民族文化的生存发展来说,抗战时期如此,其他时期又何尝不须如此呢?

第二,对批评对象所取的态度不同。毫无疑问,老舍是一个对历史

---

① 《还想着它》,载 1934 年 10 月《大众画报》第 12 期。
②③④ 《〈大地龙蛇〉序》,载 1942 年 2 月 15 日《文艺杂志》第 1 卷第 2 期。

对社会极有责任心的人，但他对责任的理解却有其独特之处。一方面，他对角色定位的理解不是"战士"，而是"平民"。他说自己写《八方风雨》，只是"希望它既能给我自己留下一点生命旅程中的印迹，同时也教别离八载的亲友得到我一些消息……此外，别无什么伟大的企图。在抗战前，我是平凡的人，抗战后，仍然是个平凡的人"。所以，这篇作品只是"一个平凡人的平凡生活报告"①。而且，他还说过自己"生平不善争夺挤抢。不管是名，利，减价的货物，还是车位，船位，还有电影票，我都不会把别人推开而伸出自己的手去"②。也就是说，他是一个生平不善挤抢的"平凡人"。国难当头时，他可以别妻抛雏奔赴国难，甚至不惜以血来践行国民的职责；但在文化批判的责任担当上，却不会取一往无前、义无反顾的决绝态度，不会制造紧张也不愿进入紧张。另一方面，宗教精神的影响和介入，使他在文化批判的态度上，也必然与文化启蒙主义战士有所不同。谈到自己的责任理解和担当，他在纪念"双十"的一篇文章中说："我愿将'双十'解释作两个十字架。为了民主政治，为了国民的共同福利，我们每个人须负起两个十字架——耶稣只负起一个：为破坏、铲除旧的恶习，积弊，与像大烟瘾那样有毒的文化，我们须预备牺牲，负起一架十字架。同时，因为创造新的社会与文化，我们也须准备牺牲，再负起一架十字架。"③ 在"文协"的一次座谈会上，他也说过："我们要做耶稣降生前的约翰，把道路填平，以迎接新生者。"④ 这些虽不能视之为宗教家语，但多次引证宗教的事理与人物作类比性说明，亦足见其所受影响。尤其是在精神内质的贯通性理解上，其深在的融通与渗透，还是显而易见的。老舍对世俗世界的关注使他不会步入宗教，成为一个宗教家，但却是以为在中国的人世间，只有在宗教精神中才能"得到一些崇高的感觉"，因为在他看来，在中国"大家都着重于做人，然而着重于做人的人，却有很多简直成了没有'灵魂'的，叫他吃一点儿亏都不肯，专门想讨便宜，普遍的卑鄙无耻，

---

①② 《八方风雨》，载 1946 年 4 月 4 日至 5 月 16 日北平《新民报》。
③ 《双十》，载 1944 年 10 月 10 日《时事新报》。
④ 转引自《作家的创作生命》，载 1944 年 4 月 17 日重庆《新华日报》。

普遍的龌龊贪污，中国社会的每阶层，无不充满了这种气氛"①。同时，他又认为："伟大人物中必有一颗伟大的心，必有一个伟大的人格。这伟大的心田与人格来自写家对他的社会的伟大的同情与深刻的了解。除了写家实际的牺牲，他不会懂得什么叫同情；他个人所受的苦难越大，他的同情心也越大。"② 正是基于对世间的感喟和对作家"心"与"人格"的这种来自两方面的认识，他于是便把作家的责任理解为以自苦和自我牺牲的方式，以博大的同情之心，去启迪和激发缺失了灵性的人们。

对世人的平等对待和沟通理解，和对人缺欠性生存的同情之心，使老舍在进行文化批判时要笑骂，又不"赶尽杀绝"，采取了"一半恨一半笑的去看世界"的态度，于是便"失了讽刺，而得到幽默"③。恰恰就是在这一点上，不仅使鲁迅有了看法，就是与鲁迅在社会历史观上分道扬镳的胡适也颇不以为然，"以为老舍的幽默是勉强造作的"④。鲁迅等人从对文学批判力度的削弱方面对其"幽默"产生的看法，在其具体的历史情景中，自有其道理；胡适以其绅士派的趣味偏嗜而致生的隔膜，也不难理解。但对来自这不同方面的批评和看法，老舍也表示了有保留性的意见："有的人急于救世救国救文学，痛恨幽默；这是师出有名，除了太专制一些，尚无大毛病。"⑤ 另外也有些人还有更为离谱的指责，老舍则以为他们"天生的不懂幽默"⑥，而不予理论。而在他自己呢，艺术的处理失当的地方，他可以尽其可能地予以调整、改进，至于其幽默的基调，却是颇为自信地坚持着。因为，他认为：

> 据我看，它首要的是一种心态。我们知道，有许多人是神经过敏的，每每用过度的感情看事，而不肯容人。这样人假若是文艺作家，他的作品中必含着强烈的刺激性，或牢骚，或伤感；他老看别人不顺眼，而愿使大家都随着他自己走，或是对自己的遭遇不满，

---

① 《灵的文学与佛教》，载1941年《海潮音》第22卷第2号。
② 《大时代与写家》，载1937年12月1日《宇宙风》第53期。
③ 《我怎样写〈老张的哲学〉》，载1935年9月16日《宇宙风》创刊号。
④ 梁实秋：《忆老舍》，《看云集》，台北，志文出版社1974年3月版。
⑤⑥ 《我怎样写〈老张的哲学〉》，载1935年9月16日《宇宙风》创刊号。

而伤感的自怜。反之,幽默的人便不这样,他既不呼号叫骂,看别人都不是东西,也不顾影自怜,看自己如一活宝贝。他是由事事中看出可笑之点,而技巧的写出来。他自己看出人间的缺欠,也愿使别人看到。不但仅是看到,他还承认人类的缺欠;于是人人有可笑之处,他自己也非例外,再往大处一想,人寿百年,而企图无限,根本矛盾可笑。可是笑里带着同情,而幽默乃通于深奥。①

很显然,他的理解中所含纳的,首先是一个做人和看人的态度。据他的朋友吴组缃回忆:"老舍看人是高度现实主义的。他认为世界上没有尽善尽美的东西,现实生活也不会十全十美";"他好像认为,小生产者社会的落后面是客观存在的,这也包括他自己在内。'我是个老几?'意谓自己也不高明。别人有那个弱点,我有这个缺点,根深蒂固,很难补正。在心态上,他确是抱着同情阅人阅世的。这就是他的幽默感的来由"②。他曾跟吴组缃讨论,且多次争辩,但不改初衷:"讽刺当然好,但要看得比别人高,比别人远,比别人透。我有时也有讽刺,但不多,也不够辛辣,那好像往往也包括我自己。我也是个芸芸众生,和别人一样;别人有的,我也有。我只能同情的看待,莞尔一笑,不痛不痒。"③老舍为人为文,非常看重这种人生态度,在《谈幽默》一文里,他一开头就强调这是一种"心态",结尾处又特别对这一心态的内涵和意义作了阐释:

> 所谓幽默的心态就是一视同仁的好笑的心态。有这种心态的人虽不必是个艺术家,他还是能在行为上言语上思想上表现出这个幽默态度。这种态度是人生里很可宝贵的,因为它表现着心怀宽大。一个会笑,而且能笑自己的人,决不会为件小事而急躁怀恨。往小了说,他决不会因为自己的孩子挨了邻儿一拳,而去打邻儿的爸爸。往大了说,他决不会因为战胜政敌而去请清兵。偏狭,自是,是"四海兄弟"这个理想的大障碍;幽默专治此病。嬉皮笑脸并非

---

① 《谈幽默》,载 1936 年 8 月 16 日《宇宙风》第 23 期。
②③ 吴组缃《〈老舍幽默文集〉序》,载 1982 年《十月》第 5 期。

幽默；和颜悦色，心宽气朗，才是幽默。

对于老舍的"幽默"，我以为有两点须予以明辨：一、在文化批判方面，可能会因它而失了力度，但却未必没有深度。就老舍和在紧张对峙中进行"呐喊"和搏击的文化启蒙主义战士相比较而言，后者的对象选择是传统的宗法礼教文化，带有更多的士大夫的精神特征；而老舍所选择的批判对象，却带有明显的世俗性文化特征。虽然如鲁迅这样独具深刻眼光的批判者，能够卓尔不群地率先把目力聚焦在闰土、祥林嫂、华老栓以至于阿Q这些没有"文化"的文化载体上，从这些村镇的下层劳动者身上，发现了他们的文化意识与士大夫"精英"文化近乎超验和超界限存在的内在呼应关系，以致由此构成的使启蒙几乎无法逾越的悲剧性难题，充分显现了作为一个思想家和文化战士的独到的敏锐和深刻；而且也与别人不同，对民间性世俗文化也有了某种关注。但是，他所要着力打击并颠覆的，主要还是代表传统文化之核的宗法伦理的基本观念，及其在民族心理中的历史积淀。与鲁迅等启蒙先驱者相比，老舍显然缺乏作为思想家和文化战士的那种基本素质和力度，但他却以其特有的人生态度和责任理解对以市民为特殊对象的世俗文化作了心态从容、细致入微，且更具生活原生态特征的深刻剖示。从《老张的哲学》开始，一开笔就点出了"老张的哲学是'钱本位而三位一体'的。他的宗教是三种：回，耶，佛；职业是三种：兵，学，商；语言是三种：官话，奉天话，山东话；他的……三种；他的……三种；甚至洗澡平生也只有三次。"这种以钱为本位而在实际问题上的既有原则又无原则的随机与敷衍，分明更突出地表现为市民社会世俗文化的特点。在《牛天赐传》中，牛天赐的"进步"，就在于他终于明白了"钱是一切，这整个的文化都站在它的上面。全是买卖人，连云社的那群算上，全是买卖人，全是投机，全是互相敷衍，欺弄，诈骗"。由其所点豁的，也正是这种特定世俗文化的真谛。老舍的独特努力，是以其对象固有的复杂性和意义判断的多重性，不仅把一个个描写对象当作这种特定文化的非单一意义载体，而且尤其侧重于表现在，一个个生命及其由这些生命所组成的世俗生活中，文化的生成和延续的过程。他的创造既是对纷纷扰扰、市声驳杂的市井世界的完整展示，又更是对包蕴着特定文化内涵的心灵世界的深刻剖现。如果我们不再把"深度"和"力度"混同使用，而且不再对"深度"作简单化理解，那就不能不承认，老舍对市民社会中那种世俗性文化更富有包容性的表现，还是独具其复杂的深刻性或深刻的复杂性的。二、有"同情"未必没"原则"。老舍"幽默"心态所侧重强调的"同情"，实际上含纳着两个层面的内容：一个是对于每个个体生命乃至人类现实发展的"缺欠"性特点的认识；一个是在此基础上所确立的相应的对话原则和情感态度。在前者中，既包蕴着生命与人类发展的深刻哲理，和老舍对这一哲理体认的深刻自觉，同时也包蕴着他对于一个人或对于一个民族的发展来说都至关重要的自省精神。应该说，这种体认和自省，与主潮性文化启蒙主义对历史对人生的基本认知取向虽不尽相同，但却是从对真理把握的另一侧面，开拓出一个把握历史、人生的新的角度，同样也表现为对历史、人生的另具深刻意义的人文关怀。而且，还应提请注意的是，与主潮性文化启蒙主义相比，两者本来就有着不尽相同的历史性着眼点。主潮性文化启蒙主义更看重于在与群体对立中的个性的张扬，而老舍则是在个人（国民）与群体（国家）的一致性关系中，更着重于思考群体的活力与发展。在老舍所选中的侧重点上，显然他的这种对历史、人生的理解，这种平等的、律己的态度，更适合于他的历史性选择。更何况，为老舍所关注、思考和表现的大多为生活在社会下层的各色市民人等，他们之间的关系构成和文化生存，又尤其如老舍所理解的那样，很难说是绝对的你是我非，也很难说是在文化问题上是你害了我还是我害了你。所以，由此还可以认为，老舍的态度实则又表现为与特定对象世界沟通对话的更为契合的原则和方式。再看后者即老舍对批评对象的"同情"态度。首先，老舍的这种态度即"幽默"，和当时尤其是 30 年代初期文坛流行的那种庸常的"幽默"之风不当同日而语。在老舍的作品里，无论是长短，总在深处浸润着令人苦涩、促人思考的悲剧意味。常常，读者会因其机智而隽永的幽默发笑，但笑着笑着却会流下泪来。其次，老舍对批评对象也持同情的态度，并不意味着他放弃了是非的原则，放弃了批判。这一点亦无须多说，只要读一读他的作品，便可立即明白了。阅读中，人们甚至可以获得这样的感觉：其实，老舍在其作品中并没有不折不扣地贯彻了他的原则，在他进入了创作过程，全身心地投入到人物的命运际遇中时，他并没有对所有人物都采取"一视同仁"的态度。他对一些人物灵魂的鞭挞还是相当不留情面的,特别是对那些以恶德恶行肆虐于人或出卖国家利益、甘心作狗的两条腿的走兽。总之,对于老舍的幽默,不应当以当时社会流行的理解视之,尽管他在作品中未必处处都处理得妥当,有失分寸之处(特别是在前期作品中)也不难觅见,但作为一种对话的姿态选择,其独异的内涵和成就还是不难被理解的。第三,对民间文化、通俗文艺的态度不同。在中国现代文学史上,尤其在以文化批评为基本取向的作家中,似乎还没有谁,比老舍对民间文化和通俗文艺表现出更高的热情,并对"十八般武艺"进行过全面操练的。他可以亲自去拜访民间艺人,一起对通俗文艺进行琢磨、研讨,也能就最为俚俗的通俗文艺形式进行认真的写作。当然,这一切主要是发生在抗战期间,支配其行动的也主要是抗战的热情和崇高责任感。诚如他所说的:"在战争中,大炮有用,刺刀也有用,同样的,在抗战中,写小说戏剧有用,写鼓词小曲也有用。我的笔须是炮,也须是刺刀。我不管什么是大手笔,什么是小手笔;只要是有实际的功用与效果者,我就肯去学习,去试作。我以为,在抗战中,我不仅应当是个作者,也应当是个最关心战争的国民;我是个国民,我就该尽力于抗敌;我不会放枪,好,让我用笔代替枪吧。既愿以笔代枪,那就写什么都好;我不应因写了鼓词与小曲而觉得有失身份。"① 但在这里给我们的启示却是:本来是容易容纳旧思想旧意识旧心理的民间通俗性文艺形式,本来是被前此的主潮性文化启蒙主义视为旧物而连同其内容一起置放在对立面上的东西,在老舍这个也以文化批判为取向的作家那里,怎么就会那么快、那么意兴勃然地把它们和最为激动人心也最切近地关系到民族生存的历史中心性行为联系在一起,而且反而把它们视为推动历史中心性行为的有效工具了呢?其中固然有由历史大势所促生的社会性共识方面的原因,但也不能否认,也有着老舍本人深在的认识基础。

在文学界经历过"大众化"问题的讨论,又开始进行"民族形式"讨论的新语境中,老舍曾以清醒的认识对五四新文学"反通俗"、"反民间"的文化倾向进行过反思。他从事实出发,揭示了一个从五四以来新

---

① 《八方风雨》,载 1946 年 4 月 4 日至 5 月 16 日北平《新民报》。

文学所长期存在的严重问题。他指出:"抗战以来,我们感到文艺的最大缺点是未能深入民间,抗战前很少有人到民间去,抗战后写家们深入到军民中,才知道民间根本不知道新作家的作品。这使大家知道必须研究如何才可使民众知道,于是他们发现这不知道的原因主要是文法,叙述的方法,西洋的结构与中国的平铺直叙不相合,此外还有语言的问题。"① 对于五四新文学来说,这确是个颇具悲剧意味的现实。决定其文化取向的新文化运动,其初衷本来是以文学为工具对民众进行启蒙,并彻底改变民众的历史命运,但为其所始料不及,结果却是新文学根本没有进入或者说无法进入民众的视野。因为,当文化启蒙主义将民众视为旧文化载体,并以其所拥有的民间通俗文艺的陈旧性与娱乐性而予以拒绝之后,它及其所拥有的新文学也便同时失去了与民众、与民间文化和通俗文艺沟通对话的基本可能性。看起来,新文学运动废文言而倡白话,似乎是一种把文学从庙堂解放到民间的努力,但在实际上,由于"白话"的并非民间化和审美、叙事上的非传统化或曰非习惯化,加之在文化价值判断上与民间的逆向性展开,它并没有真正走近民众或者民间。因此,老舍认为,现在提倡通俗,"提倡正针对着缺乏与忽略。文人画家一向忽略了民间艺术,以至艺术与民众无缘。这无论如何,也是个缺乏"②。他认为新的知识者对民众的文化和文艺有两种误解:其一是对其心理习惯及内在文化潜力的误解与忽视。他指出:

> 思想是生命的支持者。思想越简单,便越有力量。民众的思想简单,可是相信一事或一理,就坚定不移;唯其坚定不移,故能支持生命。……他们所信的那一套,虽有许多矛盾,但由他们自己看,却是清清楚楚,头头是道。有人打算把这有力的生命支持者一脚踹开,必碰钉子。
>
> 再说,他们所信的那一套,并不都是要不得的。虽然许多知识分子以为中华民族事事落后,急当改造;可是自抗战以来,烈女杀敌,义士捐躯,倒都出自民间,而知识分子中反有去作大汉奸的。

---

① 《抗战以来文艺发展的情形》,载 1942 年 7 月 16 日《国文月刊》第 14 期。
② 《释"通俗"》,载 1938 年 9 月 1 日《抗战画刊》第 17 期。

义烈之风尚在民间，虽没教育却有文化。谁也不能否认这文化深厚的力量，而把它一脚踢开；谁也不应当把这些美德与恶德一起铲除，毫无选择。该保留的东西并不能因为它陈旧了一些就扔掉。①

另一方面，是对于通俗文艺艺术价值和艺术魅力的误解和偏见：

> 我们最大的错误就是以为通俗文艺只是语言俗俚一些，别无好处。其实呢，通俗文艺必须成为文艺；通俗而不文艺，正如典雅而不文艺，都必失败。一部新小说是想象的，一本鼓词也是想象的。一部《红楼梦》能使大家闺秀害病，一部武松（乡间有些专唱武松者，不提《水浒》中其他的人，而专表武松；武松打虎能唱三天，挑帘杀嫂能唱半个月！）也能使乡民入迷。红楼与武松的魅力都是文艺的魅力；武松虽俗，到底也还是文艺，否则不能使乡民入迷。②

按照老舍的看法，第一，就如他在谈到文艺通俗图画时所说的那样，"提倡通俗文艺通俗图画的意思，并不是要把文艺和图画全部通俗化了，只许通俗，不许干别的"③，文艺的发展应在正确认识的总体框架中成为多样化的存在。第二，就五四以来的新文学来说，既不能在民间文化、通俗文艺面前失却自我，"若是全盘用民间固有的东西，那就投降了他们，文艺本来是领导他们的，决不应当投降他们"④；同时也不能固守偏失，拒绝对民间文化和通俗文艺的了解和借鉴。"只要多注意自然，不太欧化，理智不要妨碍感情，这是比较好的一条路，主要的问题在深入大众中去了解他们的生活，更深的同情他们，这比只知道一点民间文艺的技巧，更为确实可靠"⑤。为了解决东西文化对立理解中的"世界性"与"本位性"的矛盾，老舍还特别指出："世界的眼光和本地风光的本位技巧并无冲突，外来的固应接受，本来所有的亦应学习。我

---

①② 《编写民众读物的困难》，载 1938 年 12 月《教育通讯》第 39 期。
③ 《释"通俗"》，载 1938 年 9 月 1 日《抗战画刊》第 17 期。
④⑤ 《抗战以来文艺发展的情形》，载 1942 年 7 月 16 日《国文月刊》第 14 期。

们需有现实的眼光，不能像'五四'时一样永远模仿西洋的语言和技巧，也须用自己的语言和技巧完成自己的东西，明日之文艺必须走这条路。"①

诚然，老舍所表述的这些观点，就其基本取向而言，在他表述出来的时候，在文学界已不是他一个人的独有之见。但像他这样如此真诚而自觉地剖析和申辩，却不能不说展示出了属于他个人的卓见和风采。而且，我们还必须指出，这一切，实则都是他固有文化潜质的升华与发展。吴组缃曾经说他"熟悉民间事物，对传统文化有渊博的知识"②，这是一点也不错的。市民社会的出身和兴趣的广泛，使老舍对民间事物和文化，对通俗文艺与民间社会的特定关联和效应，自有不同于其他新文化人的了解和情感联系。这一些，作为一种认识，更作为一种潜质，作用于他的文化理解和取向，也作用于他审美意识和审美趣味的指向和内涵。

综合以上三个方面，可以说能够比较清楚地了解和把握老舍在文化理解和文化姿态方面的与众不同之处了。同样都以文化批判、文化启蒙为文学价值创造的基本取向，但他与他们之间又有多么明显的差异。这种差异，固然使老舍的创作缺少了文化批判上的"先锋性"，和由文化价值确认中"合理的片面性"所形成的历史冲击力，但另有其不可替代的丰富内涵和启示。中国现代历史上文化启蒙主义在新文学领域的富有生力的丰富性展开，就是由这不同方面的开拓，以互补的方式表现出来的。特别是在20年代中期以后，历史的基本要求开始转型变化，新文化先驱者们的那种启蒙姿态已显然难以为继，而在这种时候，正是因为出现了老舍的这种理解和姿态，才使文化批判、文化启蒙的历史思路，得以在新文学中调适和延续。

行文至此，我们大约可以对老舍有个比较准确而完整的了解，而这，恰恰正是解读老舍作品的可靠依据。因为，老舍也正是以这种文化理解、文化姿态与历史与文学进行对话，并营造自己的文学世界的。不过，这一切都有一个过程，如果我们不抱任何成见，真实地面对老舍的

---

① 《抗战以来文艺发展的情形》，载1942年7月16日《国文月刊》第14期。
② 吴组缃《〈老舍幽默文集〉序》，载1982年《十月》第5期。

创作发展时，却不能不惊讶地发现，在老舍创作的发展过程里，实际上存在着两个互相关联的动势，它们令人感到意外又叫人回味无穷。一个是对主潮性文化启蒙话语由趋同到有所疏离的态度变化。比较而言，这一点是不难被发现的。如果我们不再囿于传统性的价值认同，不再坚持只有与主潮性文化批判话语作比附性确认才能获取评价高度的既定之见，那么，它就不仅能够被发现，而且还会成为老舍乃至现代文学研究中颇具意味的一个问题。事实是很显然的，当老舍与祖国远隔重洋，置身于英伦三岛起手创作小说时，确实表现出了与国内文化批判的中心性话语遥相呼应的强烈愿望，甚至一起笔就想从传统文化在现实人生中最为核心的表现即人生"哲学"上进行批判性剖示。在此之际，他的这种欲望在三个相关而又不同的侧面上得到了展示。其一是批判的锋芒直指传统文化的"精英"部分，即作为一个民族整体性文化生存的核心，也就是整个民族的人生价值确认和凝聚为文化呈现的生存哲学。那时，老舍笔下的人物，特别是集中表现了作者创作基本题旨意向，并对后继作品人物起着奠基和统领作用的老张，实际上就并不是作为一种特定生存环境中某种社会阶层和文化生成意义上的"个性"生存者，而给予角色认定和表现的；他，以及嗣后的赵子曰、老马等，都只是作为一个标本，或者说只是作为一个符号而存在，其所承荷的则是老舍在英伦三岛上与其所挚爱而又灾难深重的国家对视时，对整个民族文化价值观念的凝思和批判。在其深思中，民族的整体性及其文化的深层性即"精英"性，是其所亟欲作批判性表现的同一对象的两个方面，其内涵和外延的界定，都明显地表现出了对国内文化启蒙主义文学的认同和追趋。其二是因其对丑陋之行的厌恶和对民族落后现状的忧思，更因为文化启蒙主义所特别珍惜的那种决绝的批判精神的导引，老舍其时理性胜于情感，在对批评对象的态度上，虽然在其后他自称基本的选择是幽默，但在实际上却常常是讽刺盖过了幽默。尤其是《老张的哲学》，其中对老张等那帮长于混世、蝇营狗苟的社会渣滓的厌恶之情，更是溢于言表，"幽默"中所包含的其实多是尖刻的挖苦和讽刺，就连肖像描写都是漫画化的："老张的身材按营造尺是五尺二寸，恰合当兵的尺寸。不但身量这么恰当，而且腰板直挺，当他受教员检定的时候，确经检定委员的证明他是'脊椎动物'。红红的一张脸，微点着几粒黑痣；按《麻衣相法》

说，主多才多艺。两道粗眉连成一线，黑丛丛的遮着两只小猪眼睛。一只短而粗的鼻子，鼻孔微微向上掀着，好似柳条上倒挂的鸣蝉。一张薄嘴，下嘴唇往上翻着，以便包着年久失修渐形垂落的大门牙，因此不留神看，最容易错认成一个夹馅的烧饼。……"其三是在其创作初期虽已在语言上不避俗白，在审美韵致上也已有对市井生活韵味的亲合性流露，但在语言上向"雅"的欲望和在审美情致上展示其"美文"创造能力的努力，还是时有表露且不难被感觉到的。这突出地表现在某些写景状物的文字里。比如，在《老张的哲学》中，就有这样的描绘和议论："那是五月的天气，小太阳撅着血盆似的小红嘴，忙着和那东来西去的白云亲嘴。有的唇儿一挨慌忙的飞去；有的任着意偎着小太阳的红脸蛋；有的化着恶龙，张着嘴想把她一口吞了；有的变着小绵羊跑着求她的青眼。""一阵阵的热风吹来的柳林蝉鸣，荷塘蛙曲，都足以增加人们暴躁之感。诗人们的幽思，在梦中引逗着落花残月，织成一片闲愁。富人们乘着火艳榴花，蚕黄小蝶，增了几分雅趣。"当然，最为典型的，还是要数《赵子曰》中那段曾被"美文"家朱自清先生颇为称道的写景。①

但是，老舍不久即发现，这种欲望和文学的实际表现，实则是与自己的经历、素养和内在心理气质并不完全契合，他最初在文学创作中所追慕和建构的作家与文学的对话关系及价值关注，与其实际形成的对生活的理解及其与生活对话的特有方式和内涵，也难免有错位之感。所以，后来在他回过头来检视《老张的哲学》的创作时，就有了这样的道白："在思想上，那时候我觉得自己很高明，所以毫不客气的叫做'哲学'。哲学！现在我认明白了自己：假如我有点长处的话，必定不在思想上。我的感情老走在理智前面，我能是个热心的朋友，而不能给人以高明的建议。感情使我的心跳得快，因而不假思索便把最普通的、肤浅的见解拿过来，作为我判断一切的准则。"② 这些坦诚的自我反省，确非单纯的自谦之辞。事实就恰是如此，其时判断标准的非自主性，确实

---

① 见朱自清《〈老张的哲学〉与〈赵子曰〉》。在该文中，朱先生不惜篇幅大段征引了那段文字，并赞之为"这是不多不少的一首诗"。

② 《我怎样写〈老张的哲学〉》，载 1935 年 9 月 16 日《宇宙风》创刊号。

在其早期作品中,影响到了他对文学与生活之间意义关联点的自我定位,影响到了对象世界的更明晰化的确立,也影响到了对人物个性和生命内涵的更深在而准确的表现。对传统"精英"文化批判和对社会批判性关注的超验性努力,以及由此造成的价值预设与实际表现的具象世界的不能水乳交融,和人物设置与表现的符号化倾向,在这些作品中还是不难被感觉到的。比如《老张的哲学》,虽然由其生活感受的实际规约,作者一落笔抓住的就先是"钱本位而三位一体"的世俗性文化的特征,但整部作品的非市民性氛围和对传统文化进行整体性、深层性谛视的强烈欲望,也还是显而易见的。这在《赵子曰》、《二马》等作品中,也有不同程度的类似表现。至于对社会历史活动的批判性关注,其超验性乃至与前者不同所表现出来的非历史的"历史"批判,则更是明显地影响到了作品的思想艺术成就。如前所述,《赵子曰》中已有表现,到《猫城记》时就尤为突出了。由于对文化批判对象与主潮性文化批判话语的趋同性确认,以及为这种对象的否定性内涵所规约,在作者面对对象的姿态和与之对话的方式选择上,固然一开始也便显露出与众不同的幽默来,但毕竟不能不崭露批判的锋芒,常常要把幽默推向讽刺,以至于在笔调上不够协调,并影响到了对内在悲剧意蕴的更深刻开掘和表现。至于上面言及的另一倾向,即在俗白语言中亦显示其"美文"创造能力的写景,也终因与其语言基质的不协调而损伤到了作品文气的融通与畅达。

老舍创作对文化的独特关注,即对文化与生活之间意义关联点的个性确认,是与其对对象世界的真正发现和稳定而明晰的确认同时实现的。在早期,老舍在对对象世界的选择上跳跃性比较大,尽管也受着实际生活阅历的制约,但从基本取向上来看,起着支配作用的还是趋同性的文化批判欲望和历史性思考的思路指向。对对象世界的真正价值性的自我发现和确认,则是始于《离婚》。他在总结了《大明湖》和《猫城记》的"双双失败"后,决定了"还得求救于北平"。他说:"北平是我的老家,一想起这两个字就立刻有几百尺'故都景象'在心中开映。"[①]他还说过:"我生在北平,那里的人、事、风景、味道,和卖酸梅汤、

---

[①]《我怎样写〈离婚〉》,载1935年12月16日《宇宙风》第7期。

杏儿茶的吆喝的声音，我全熟悉。一闭眼我的北平就完整的像一张彩色鲜明的图画浮立在我的心中。我敢放胆地描画它。它是条清溪，我每一探手，就摸上条活泼泼的鱼儿来。"① 听着这些动情的叙述，我们可以感觉到，老舍在这儿所记起和发现的，是一个有声有色、有生气、有味道的北平市民社会的"故都景象"，这才是真正属于他的对象世界。这时，他创作的制动性趋势发生了变化，已不再偏重于由文化和历史思考的价值取向去选取生活和规约人物，而是转向了看重生活本身所给予的鲜活而生动的启示。而且，有这样一段话是应该为我们所重视的，他说："啊！我看见了北平，马上就有了个'人'。我不认识他，可是在我二十岁至二十五岁之间我几乎天天看见他。他永远使我羡慕他的气度与服装，而且时时发现他的小小变化：这一天他提着条很讲究的手杖，那一天他骑上自行车——稳稳地遛着马路边儿，永远碰不了行人，也好似永远走不到目的地，太稳，稳得几乎像凡事在他身上都是一种生活趣味的展示。我不放手他了。这个便是'张大哥'。"② 这无异于告诉我们，老舍所惊喜于自己的，是他一旦明确了属于自己的对象世界时，同时也就发现了"人"，一种不同于表征性符号的具有真正可知可感的生命样态的人。从《老张的哲学》中的"老张"，到《离婚》中的"张大哥"，显然标志着老舍创作的实质性进展，即自主性眼光和创作个性的明晰性确立，以及艺术创造的臻于成熟。

而至此时，老舍已于自觉不自觉之间渐次疏离了主潮性文化启蒙主义的批判话语和一统性的价值尺度，而趋向和自得于对独特对象世界中诸多生命及其关联的特有内涵和方式的理解和表现。当然，所谓"疏离"不等于背离，在启蒙主义文化批判深在精神的规约和基本历史指向上，只能说老舍找到了自主理解的契合，而不是根本性的背弃。因为实在说来，那种未免失之于笼统的文化批判既不能与所表现的对象实现契合性的对话，又不能在文学的意义上完成富有生力的创造。这时的老舍所实现的实际上是一个深刻而全面的调整：第一，对文化生存状态的多重性和复杂性有了更为自觉而清醒的认识，意识到在其经验世界中生活

---

① 《三年写作自述》，载 1941 年 1 月 1 日《抗战文艺》第 7 卷第 1 期。
② 《我怎样写〈离婚〉》，载 1935 年 12 月 16 日《宇宙风》第 7 期。

着的那些故都的市民们，实则是一个独具特色的文化生存群体。他们作为群体性生存的文化内涵与其生命过程有着比精英文化层更难以分解的超验性和非自主性特征，有着更难以作明晰判断的生活意蕴和作人文关照的悲剧意味。正是在这种意义上，老舍把它确认为自己艺术表现的对象世界的。第二，他已把捉准了文学与历史的独特衔接点，即对生命和心灵深处各具特色的社会历史内涵作深入开掘并作出符合个体生存原生状态的更富丰富生命意味的鲜活的表现。文学中的历史感和文学对历史的责任承当，应从一个个鲜活的生命存在和发展中被感觉和体认出来，而不是把一个对历史认识的价值框架生硬地置放在人物设置和表现之中就能奏效的。他曾明确地说过："创作！不要浮浅，不要投机，不计利害。活的文学，以生命为根，真实作干，开着爱美之花。"只有"看生命，领略生命，解释生命，你的作品才有生命"。[①] 而且他以为只有"明白了肉体与灵魂的关系"，才能懂得什么是"文艺的真正深度"[②]。从老舍成熟期的小说创作来看，尽管似乎他并不具备思想家的基本品格，但无疑却是一位在文学表现中富有生命深度的作家。他笔下所创造的故都北平的大杂院、小胡同，街头闹市抑或看似僻静的各种场景，在在皆是充满着渴望和失望、急迫和从容、自得和窘迫、宽容与尖刻、讲情意和小心眼、喜乐和忧愁，而这些又难解难分地混作一团、构成为一个生息不已的生命场。而张大哥、老李、骆驼祥子、虎妞、祁老太爷、钱默吟等各色人等，又无不是有血有肉、各具性情并被作出深度表现的生命存在。第三，与此同时，老舍也势在必然地调整了作为创作主体与对象世界进行沟通对话的态势，由较为简捷明了的文化批判转向了更具深厚人道主义内涵的同情和愤懑、理解和批评，使作品批判的力度和震撼人心的力量都包容在生命悲剧对人们心灵的更浑厚沉重的撞击之中。也正是在这种理解和表现中，作者水到渠成地找到了文化批判与社会批判有机沟通的结合点。试看，从《离婚》到《骆驼祥子》到《四世同堂》，与前此的作品中那种文化批判与社会政治批判的难以和谐相容比较，在这些作品中就显得互容互包，十分有机地渗透、结合在一起了。

---

① 《论创作》，载 1931 年 10 月《齐大月刊》第 1 卷第 1 期。
② 《写与读》，载 1945 年 7 月 5 日《文哨》月刊第 1 卷第 2 期。

在以上调整基础上，作为调整的结果，是老舍真正找到了自己的位置和意义理解，并以此走进了现代经典作家的行列。

  为老舍所确认并营造的，是为故都北平市民社会所固有的那种庸常、敷衍的心理的及民俗的独特文化氛围。最能代表这种文化的，当为"张大哥"。这位张大哥，虽然见识窄浅，但却有着生长在故都的骄傲，"据张大哥看，除了北平人都是乡下佬"。他重实际而又讲"趣味"，认为"'趣味'是比'必要'更文明的"。他靠"常识"和"经验"活着，"他的经验是与日用百科全书有同样性质的。哪一界的事情，他都知道。哪一部的小官，他都作过。哪一党的职员，他都认识；可是永不关心党里的宗旨与主义。无论社会有什么变动，他老有事作；而且一进到一个机关里，马上成为最得人的张大哥"。他热心帮助人，但事情又常有正负两面。因为他那种"敷衍目下"的办法虽是善意的，可又"似乎只能继续保持社会的黑暗，而使人乐意生活在黑暗里"。张大哥是作为一个典型的市民性文化生存个体剖示给大家看的，具有为特殊对象世界生命文化定位的意义。然而在老舍的作品里，更为作者所关注并给予侧重表现的，却是这种生命文化构成的生存环境和氛围，对个体生命的有形和无形的、近乎无处不在又难以改变的制约和影响。这种具有明显心态和民俗特征的市民文化，有如一个作用恒远的陈年酵母，不断地酿制着生活的五味和温馨，也不断地酿制着生命的悲剧。而老舍所着意表现的，就正是在个体生命发展中这种文化的生成过程。比如《离婚》中的老李，本来出身于"乡下人"，但他受过一定的教育，出于对生存现状的不满，就开始想追求一点"诗意"。他向张大哥辩白："我并不想尝尝恋爱的滋味，我要追求的是点——诗意。家庭，社会，国家，世界，都是脚踏实地的，都没有诗意。大多数的妇女——已婚的未婚的都算在内——是平凡的，或者比男人们更平凡一些；我要——哪怕是看看呢，一个还未被实际给教坏了的女子，热情像一首诗，愉快像一些乐音，贞洁像个天使。我大概是有点疯狂，这点疯狂是，假如我能认识自己，不敢浪漫而愿有个梦想，看社会黑暗而希望马上太平，知道人生的宿命而想象一个永生的乐园，不许自己迷信而愿有些神秘，我的疯狂是这些个不好形容的东西组合成的。"老李不仅这样想，确实也想这样做，而且就真的发现了他所期待的"诗意"，即遇上了房东太太的儿媳——一个贤淑可人的女子。但是，置身于市民生活圈子的他，终没有逃得出老张式的预设的轨道，结果依然是沉没在了无诗意的灰色生活之中。环境在左右着他和她。他们自己也不能真正地左右自己，从现实"诗意"的虚幻性到"诗意"追求的幻灭，内蕴着生命的悲剧过程。在这方面表现得尤为深刻和突出的当推对祥子命运的撼人心魄的描绘。年轻的祥子，像是一棵茁壮的树被刮到了城里，他足壮而诚实，"没有一般洋车夫的可以原谅而不致效法的恶习"，"仿佛在地狱里也能作个好鬼似的"。可是命运的三起三落使他拉自己车的希望彻底破灭，而更为可悲的是在这一过程中人生观念的彻底改变："他已经渐渐入了车夫的'辙'：一般车夫所认为对的，他现在也看着对"，"与众不同是行不开的"。待到心灵中最后一点火花熄灭，他则进而变成了"个人主义的末路鬼"。祥子的一生，展示的是一个人的生命活力和善良人性如何走向沦丧的过程，而这一过程，恰恰正是市民文化在个体生命中的生成过程，尤其是向恶的方面衍化生成的可怕后果。

　　在认识调整和自我价值定位中，随着对对象世界和主客体对话关系的独特确认，老舍对幽默的把握和运用也就更自觉、自信和自如了。经历《大明湖》和《猫城记》的"双双失败"后，在写作《离婚》时，他先决定了"这次要'返归幽默'"①。事实上自《离婚》起，他对幽默的理解和运用，确实是十分地深刻和和谐的。同时，作为同一个过程，他对以"俗"、"白"为特征的文学语言的创造和运用，也进入了炉火纯青、浑然一体的阶段。他曾以写景为例，专门谈过这样的认识："《红楼梦》的言语是多么地漂亮，可是一提到风景便立刻改腔换调而有诗为证了；我试试看：一个洋车夫用自己的言语能否形容一个晚晴或雪景呢？假如他不能的话，让我代他来试试。什么'潺'咧，'凄凉'咧，'幽径'咧，'萧条'咧……我都不用，而用顶俗浅的字另想主意。设若我能这样形容得出呢，那就是本事，反之则宁可不去描写。"所以，他决计"把白话的真正香味烧出来"②! 这已是人所共知的事实，无须多言。

　　老舍创作的发展，另一个耐人寻味的动势，是看似愈来愈走近生活

---

① 《我怎样写〈离婚〉》，载 1935 年 12 月 16 日《宇宙风》第 7 期。
② 《我怎样写〈二马〉》，载 1935 年 10 月 16 日《宇宙风》第 3 期。

而实则是与眼前的生活具象拉开了距离,坚持着距离性写作。在他的一生中,进行着两种文学操作:一是有切近功利目的的,如抗战时期为服务于民族救亡的神圣目的所进行的大量的戏剧和曲艺等通俗文艺的创作,再如建国后为服务于社会主义革命和建设所进行的大量话剧创作,都属于此类;另一类则是无这种切近功利目的的创作,其体裁多为小说。在他看来,两种创作是不同的,前者可以作近距离写作,而后者则必须拉开一定的距离,进行充分地咀嚼消化才能保证艺术的质量,因为小说创作对题材的把握重在内在文化气韵上的融通与体悟,非如此则难言成功。他曾经坦诚地说过抗战前期他所面临的选择:"有三条路摆在我的面前:第一条是不管抗战,我还写我的那一套。……可是我不肯走这条路。文艺不能,绝对不能装聋卖傻!设若我教文艺装聋卖傻,文艺也会教我堕入魔道。……第二条是不管我懂不懂,只管写下去:写战事,写机关枪拼命哒哒;写建设,则马达突突。只有骨骼,而无神髓。这办法,热情有余,而毫无实力;……只剩下了第三条路,就是暂守沉默,我放弃了小说。自然,这只是暂时的。等我对于某个地方,某些人物,某些事情,熟习了以后,我必再拿起笔来。还有,依我的十多年写小说的一点经验来说,我以为写小说最保险的方法是知道了全海,再写一岛。当抗战的初期,谁也把握不到抗战的全局,及至战了二三年后,到处是战争的空气,呼吸既惯,生活与战争息息相通,再来动笔,……这也许被讥为期待主义吧?可是哪一部像样的作品不是期待多时呢?"① 可是,"把小说放下,可不就是停止了笔的活动。我开始写通俗读物"②,同时也开始写戏剧。老舍写过不少话剧,多为配合形势而写,其中比较优秀的当推《龙须沟》和《茶馆》,尤其是《茶馆》更可为传世之作。它们写得好,也是缘之于作者与其中的生活内容有了距离性的全面把握,深得了其中的神髓。在小说创作上,老舍是严守这一规则的,即使中短篇的写作,亦是如此。他认为:"有长时间的培养,把一件复杂的事翻过来掉过去的调动,人也熟了,事也熟了,而后抽出一节来写个短篇,就必定成功,因为一下笔就是地方,准确产出调匀之

---

①② 《三年写作自述》,载 1941 年 1 月 1 日《抗战文艺》第 7 卷第 1 期。

美。"① 如果说,在老舍早期小说创作中,还多少存在着或者距离较近(如《老张的哲学》,人们还可以指认出生活中具体人物的身影)或者还不太熟悉(如《赵子曰》、《猫城记》等)这些方面的不足,那么,从《离婚》开始,则大多无可挑剔了。除《骆驼祥子》、《四世同堂》外,还必须提到的是老舍在其晚年,积毕生的阅历和悟解所撰写的精品之作《正红旗下》。无奈遭际不幸,天不假年,整部构思未能完稿,给文学史留下了令人扼腕的遗憾!

终结此文时,心情竟难以平息。如老舍这样具有极为丰富的个性内涵和创作实绩的作家,我们对他的认识和研究实际上还是远远不够的。如果能够跳脱出历史形成的这种或那种思维定势,重新调整对话关系,进行认真地解读,那就会发现,他对于我们具有多么难得的价值和启发意义。而这样做,不仅对于深化老舍研究,而且对于文学史的重新认识和建构,都将是十分必要的。

(此文原为山东文艺出版社版《老舍选集》的"前言",后改为现在的题目载入《走出历史的峡谷》,山东文艺出版社出版,1997)

---

① 《我怎样写短篇小说》,载1936年1月1日《宇宙风》第8期。

# 《巴金选集》前言

巴金，原名李尧棠，字芾甘，1904年生于四川成都。他的一生几乎贯穿了整个世纪，现在仍以其耄耋之年、病弱之身，执著地关注着我国的文学事业和民族的命运。他是文学界难得的一位世纪老人，更是一位享誉国内外、备受社会尊重的现代文学大师。

风雨百年文学路，凭着作为作家的真心和良知，巴金手中的笔，一直随着我们民族命运的遭际而一起律动。与其他齐名的文学大师相比，他也许没有茅盾对社会人生进行政治经济剖析的那种能力，没有老舍对市民社会和世俗文化的那种丰赡的表现和深刻的展示，也没有郁达夫那种名士的才情，但是，他却以其独到的激情、人格精神的风采和文学个性的铸造而另领风骚。

在中国现代文学史上，巴金是创制"三部曲"的名家。从《革命三部曲》（即《灭亡》、《新生》，第三部《黎明》未写成）、《爱情三部曲》（即《雾》、《雨》、《电》）、《激流三部曲》（即《家》、《春》、《秋》）、《抗战三部曲》（即《火》之三部，其中第三部又名《田惠世》），一直到《人生三部曲》（即《憩园》、《第四病室》、《寒夜》），都是"三部曲"的形式。而从巴金思想观念的变化和对文学创作的调适发展来看，一如他的"三部曲"形式，也经历了三个大的阶段的转折和发展。仅就这方面而言，他在现当代作家中也是很有代表性且独具一格的。

从实际情况看，巴金对各种"三部曲"的创作，时间的衔接上各有交错，很难像对其他作家那样，确定出分段的时间界限。然而从其发展的深刻变化来说，他思想和创作发展变化的阶段性又比别人更为显豁。

青年的巴金曾深受新文化运动和五四运动的影响，强烈渴望思想解放与社会变革的理想性实现。他如饥似渴地主动去迎接和吸纳各种在他看来更具革命光焰的思潮，颇受了一些无政府主义的影响，一度自称为

"安那其主义者"。这时,他并无意做一个文人,而是因为看中了可以借小说来发出"灵魂的呼号",才选择了文学。他确实以其青春之火和情绪的激流,燃亮了新文学的又一光点,冲决出了文学表现的又一道河床。虽然他在其间写成的《革命三部曲》和《爱情三部曲》,无论在思想认识上还是艺术表现上都因其思虑的焦灼和情绪的奔流,都还难避其幼稚和粗疏,但其中却流淌着作者从心中流出的青春的热血。比较而言,《爱情三部曲》由于对作家心灵的较为充分的展示,而更得巴金的珍爱。不过,真正与现实和作家的生活贴得较近,且又显示了趋于稳定和成熟的创作个性,还能作为这一阶段代表的,还是《激流三部曲》。其中,又当以《家》最为出色。在这连贯的三部作品尤其是《家》中,作家以"积愤"之情,"宣告一个不合理的制度的死刑,来向一个垂死的制度作出我的'我控告'"①。在巴金的笔下,充分展现了一个"四世同堂"的封建专制大家庭如何不失其虔诚地制造罪恶,又如何不能自已地孳育着各种腐败与堕落,和它无法自抑的历史命运。瓦解与崩溃、叛离与新生,总是表现为同一历史过程的两个方面,作者对觉慧、觉民、淑英等一代叛逆性青年的刻画,使这一过程的展示极富动感,且给人以希望。《激流三部曲》颇为典型地体现了中国现代社会变革的思想文化特征,并最具代表性地标示了现代文学一个基本主题,即"离家"的历史选择和行为趋势。同时,还成功地塑造了觉新这一在新旧夹挤中生存的复杂人物,使对这一历史过程的展现具有了丰富的内涵和启示。

中年的巴金是在写作《人生三部曲》的时代。此时,他已从青春型的情绪激流中相对地冷静下来,对社会人生的观察思考也从人们特别是那些置身于激流中的人们的思想、行为的潮涌中潜入到历史的深层,开始着重于对"人性"和"人"进行探寻和表现。这种趋势,从前此的《神·鬼·人》就已见端绪。就如《人》中的"我",就曾反复宣称:"我们都是人,记着,我是一个人。"所以巴金认为《人》是这书的结论。与此同时,作者选择的对象世界亦有所转移,开始关注"小人小事",意欲从社会人生的下层剖示人性的历史性生存,并崭露出浓重的人道主义态度。《人生三部曲》尤为作家所钟爱,我们亦有理由认为,其中包

---

① 《关于〈家〉(十版改订本代序)——给我的一个表哥》。

含的三部作品，尤其是《寒夜》，应当被确认为作家的思考和创作都已经真正成熟了的标志。在这些作品中，作家已经走出了原来已成为社会共识的思想、历史冲突的既有基本框架，也不再特意执著于思想、情绪之流的热情表现，而是从社会下层"人性"与"人"的生存悲剧，把握并估衡着历史的律动。就如《寒夜》，他在汪文宣和曾树生的悲剧命运里，并没感受到抗战胜利这一巨大的社会变动，会给人们的命运带来多少新的希望。所以他说："'胜利'给我们带来希望，又把希望逐渐给我们拿走。我没有在小说的最后照'批评家'的吩咐加一句'哎哟哟，黎明'，并不是害怕说了就会被人'捉来吊死'，唯一的原因是那些被不合理的制度摧毁，被生拖死的人断气时已经没有力量呼叫'黎明'了。"①

晚年的巴金是到了写作《随想录》的时代，即为人们习惯称之的"新时期"。经过多年的阅历，又刚从十年的噩梦中走出来，此时的巴金，虽然年事已高，但他伴随着民族的坎坷命运一起走到今天，却是精神的锐力不减，又写出了大量的极具精神锋芒和人性深度、历史深度的文章。无论是怀念故人旧事，也无论是议论的随机而发，溢于言表的却都是他那颗忧国忧民之心。他以高度的自省精神和深挚的忧患意识，与民族一起进行忏悔和反思。"'讲真话，掏出自己的心。'这就是我的座右铭。"② 他力斥伪妄，破除神话，表现了极为可贵的勇气和精神立场。且看他的一篇短文，题目是《没有神》，不妨全文录下，由读者自己读解、品味：

> 我明明记得我曾经由人变兽，有人告诉我这不过是十年一梦。还会再做梦吗？为什么不会呢？我的心还在发病，它还在出血。但是我不要再做梦了。我不会忘记自己是一个人，也下定决心不再变为兽，无论谁拿着鞭子在我背上鞭打，我也不再进入梦乡。当然我也不再相信梦话！
>
> 没有神，也就没有兽。大家都是人！

---

① 《寒夜·后记》。
② 《〈巴金全集〉第十八卷代跋》。

最后,还有一点须附带说明:这部选集,在小说方面本拟将《家》选入,以代表他前期的成就,但因这部小说已刊行很多,极易找到,所以就尊重巴老和李小林同志的意见,将它拿掉,换上了原计划中漏选的《第四病室》。这样也好,《人生三部曲》这在巴老创作成熟期的三部作品,就可以完整地出现在这部选集里了。

(原载《巴金选集》,山东文艺出版社出版,1997)

# 新时期文学的数度突围与选择

在当代文学的 50 年中，就既有价值观念的深刻性调整和几近芜杂的蓬勃生力而言，还是当推新时期文学最为引人瞩目。

或者可以作这样的表述：在这 50 年中，如果以 70 年代末到 80 年代初为界，这之前之后的两个阶段，实质上走的是不同的路向。前者是"现代"时段中以延安文学为核心的解放区文学的直接赓续与发展。随着共和国的建立，解放区文学以不争的资格入主北京，并迅即以借助于政治的巨大统摄力改造了原国统区的作家及其与之不无区别的文学观念，只在数年内就完成了文学与文化上的大一统。此后，便是在不断强化的政治统摄中走着愈来愈严整的规范化道路，而且在极左思潮的推涌下一步步逼近极端，走入绝路。而新时期文学则不同，它是在开放性、更新性的历史语境中，以高频率的动作左冲右突，在短短 20 年中历经数度突围与游走，终至于 90 年代所呈现的在政治、文化、艺术各方面全面失范的状态。颠覆这样那样的既定规范，大约可以被认为是新时期文学谋取自身解放的一种基本方式。

如果我们不再泥守于所谓"伤痕文学"、"反思文学"、"改革文学"、"知青文学"、"寻根文学"等等从题材内容或思想文化表征上对新时期文学的时空切割，而是把握一下这段文学基本性价值选择的内在脉动，就可以发现，无论它们表现得如何众声喧哗，如何的杂乱无序，但其历史的脉络还是有迹可寻的。就我的感觉，在这 20 年中，似乎曾发生过四次潮涌即四次突围，尽管彼此互有交错，并不能简单地一刀断开。

第一次当在 70 年代末到 80 年代中前期。当时席卷整个文坛的人道主义思潮，激活了整个文坛的活力和批评界的激情。这时，大家以并不陌生的文学认知和文化激情，仿佛穿越了数十年的无奈，终于又和"五四"新文化与新文学重新恢复了充满希望的衔接。这次突围，冲击的是长期以来形成的严重政治化了的文化与文学格局,创作界与批评界对理直气壮承认包括自然人性在内的"人性"合理性的齐声呐喊,对"人"的权利的合力张扬,确实是声势磅礴,于半个多世纪以来所未有。大家为重新找到解决文学与历史问题的症结点而备受鼓舞,多年的迷惘与积郁得以澄明与宣泄,似乎到这时,文学已从奴仆又回复到了主人的位置,代表着文学也代表着历史向社会公众作正义的言说。就创作而言,一方面是对时至今日,却仍与世界性文明和中国现代性提倡表现为巨大逆差的人性生存之黑暗现实的揭露与鞭挞,不仅让人们看到在那"被爱情遗忘的角落"所发生的令人瞠目的人性悲剧,而且不无夸张地凸现出类似以一根绳子吊死五个女人的并非个例的愚昧与无奈。这次带有鲜明启蒙主义色彩的文学大潮,无疑构成了本世纪以来启蒙运动的又一亮点。而与"五四"启蒙文学不同,它不再只是专注于对传统性文化的责任追究,而是将它与极左政治的历史发展进行着互为因果的一体化批判,使之从对现实的关注到对历史的反思性回溯运演成了必然性趋势。另一方面,则是将富有"个性"色彩的英雄设置于被寄于希望的改革现实之中,一厢情愿地演出了《乔厂长上任记》、《花园街五号》等一出出张扬个性的当代英雄的壮剧。与这时的文学创作相呼应,文学批评界在所使用的词语中,诸如"人性"与"人性的冲突","历史感"与"历史的深度"等,自然也成了文学价值的标志性语词。

"人性"与"历史"的攀升、粘结,其结果必然是对"历史"的重新感受与读解。一反过去那种对历史的政治化的宏大解说,这时的文学以其干预现实和历史的勇气,开始以另一种笔墨向人们描绘着历史的真实面貌,把人性的剧烈冲突、家族的深刻纠葛、偶发性事件的琐细,一股脑儿地填充进了为人们已知的历史事件的宏大框架之中,意欲颠覆既定的历史价值判断,并让人性之旗理所当然地飘扬在历史建构的巨大时空之中。作家们自信,这不仅是文学的真实,而且也是历史的真实。而读者们阅读起来,虽不乏陌生与新奇之感,但终因沉睡经验的唤醒而服膺了它们饱含激情的真实性虚构。为这次突围作结的,应该是《古船》和似乎与它异类的《红高粱》等中长篇小说。当然,嗣后出现的《白鹿原》、《缱绻与决绝》等,也可以看作是对其一脉相承的发展。事实上,80年代末到90年代出现的所谓"新历史主义"小说,也是在这里就已经为之奠基或提供了启示的。

这次突围最基本的特征，是由其努力所实现着的"意义"置换。别看那时的创作与此前相比已发生十分明显的变化。但就文学观念来说，被作家们珍视的实际上依然是传统现实主义文学的基本原则。尤其在80年代初期，则更是如此。当时大家几乎是不约而同地认为，此前政治对文学的异化，主要是改变了文学所应给予独特关注的"意义"及其与此相关的历史责任承当。因此，将政治说教置换为人性的全面启蒙，一时之间成了文学创作最强烈的欲望。那时，为人们所着意于超越的，只是政治性"现实主义"那种非文学性的意义内容及其程式化表现形式，而对于"五四"启蒙现实主义文学还是心向往之的，所以，这时期可视之为发生于当代的一次文艺复兴运动。

但这种人性的历史视角和传统的把握方式的局限性也于不久即被作家们感受到，与之相关的"意义"的确指和叙述者的"全知"姿态与文学之现代性之间的巨大差异，在他们的感知中也已成为文学发展的严重束缚。于是，新时期文学在80年代中后期又进行了第二次突围，即对西方现代主义文学的全面引进和仿作。现代主义在文坛中心绽放出各种新异之花，在主流位置上消解了启蒙主义文学大潮，并形成一道炫目的风景，这是本世纪以来前所未有的现象。在现代时期，由于作为历史中心行为的启蒙只能转型过渡到社会政治革命这一新的历史中心环节，而对此无所作为的现代主义就只能在边缘区作短暂的停留，成为不时出现于天边的一抹彩云。而这时却不同了，对文学自身的趋新性追求，使现代主义入主文坛中心变成了现实。虽然这一阶段的各种试验并没有多少年的风光，但它们对于"意义"确指性的改写和对叙述主体"全知"性能力的怀疑，确实有效地保证了这一次文学突围的实现。

新时期文学的第三次突围即新写实主义的出现，肇始于80年代末而于90年代初期成一时之盛。现代主义的试验虽然成就了一部分作家创作特色的形成并明显地浸润了整个文坛的创作，但是，中外历史条件的差异、文化心理的隔膜，以及作家们无可改变的对写实主义的亲和态度，都决定了西方式现代主义的难以恒久的命运。但当作家们再次重新关注更普遍意义上的人们的生存现实时，却没有重复传统现实主义的既有观念，而是把对"意义"和创作主体主观介入的双重消解，看作文学写实主义更新的必要前提。所以新写实主义特别强调了两点，一是没有意义生成的众人生存的原生状态，一是作家情感的"零度介入"。在这类作品中，人物们都是平庸生活中芸芸众生中的一员，生活也只是无数虽无意义却无法躲避的恼人琐事的堆积。这些人并没有主体张扬后的荒谬与孤寂，有的只是无法不平庸的无奈。这种作品打破了自批判现实主义以来所形成的一切现实主义成规，不仅更新了人们对文学阅读的传统性期待，而且对批评者的主体调整也提出了挑战。事实上，从对新写实主义文学的态度到对与之血脉相连的1996年新观实主义的批评，都非常明显地暴露出批评者在其前卫性的批评姿态与滞后性的文学观念之间的深刻矛盾。

新时期文学的第四次突围，那就是1996年的现实主义的潮涌和近几年活跃于文坛的"新生代"和"70年代作家群"了。文学和人生一样，都难以忍受长时间的沉闷与无奈，于是作家们在新写实主义难以再有拓进时，由不同的人从不同的路向上开始了新的超越性努力。以河北"三驾马车"和刘醒龙、李佩甫等人为代表的一批作家在1996年制造了一个现实主义的冲击波，他们重又找回了作家的历史职责和人文情怀，为人们描绘了一幅幅足以让人动容的艰难现实人生的图画。但终又因其难以克服的自我重复，而令人叹惋地销声匿迹于"新生代"的众声喧哗之中。与新写实主义不同，"新生代"尤其是"70年代作家群"，他们不仅拒绝"意义"，而且拒绝"众数"，将写众生的无奈变作了为其标榜的"个人化"写作。他们不再将创作主体隐藏起来，而是把主体与人物合一，使作品内容也变作了作者个人隐私的描述。在既无历史责任的支撑又深受商品大潮影响的情况下，他们的所谓"个人化"写作，又势必成为连他们自己也不讳言的"欲望化写作"。"新生代"写作在对既定文学观念的冲击和营造新的文学天地方面所起的作用，是有目共睹的。但它将路子限定得那么窄，却又不能不让人为之忧虑。

新时期文学的每一次突围，都必然表现为一次新的游走与选择，这是历史的进步。但每次新的游走，也必定有得有失，新观念与误解并生，甚至于表现为每向真理性认识走近一步，却又同时远离了它几分。这种现象是愈到后来则愈显赫的。对此，不能不保持清醒的认识。

（原载《文史哲》1999年第5期）

# 梁启超与中国文学的现代转型

梁启超无疑是本世纪中国最有影响的文化人之一，在上一个世纪之交，他不仅以其意气勃发、文辞滂沛的文字鼓动起一代有识之士的改革思变之心，而且更以其对"诗界革命"、"文界革命"、"小说界革命"的倡导，启动了中国文学的现代转型。然而，在长达半个多世纪的时间里，人们对他的评价却并非与事实相符。

在几为定论的历史与文学研究中，谈论中国文学的现代转型，必自五四"文学革命"起，且必定置设于与前此的一切主张的对抗格局中运思。在这一格局对认识的框定中，梁启超很自然地就成了"改良派"中的一个重要人物，总属于"新"字号历史时期前的"旧派"，而非新历史进境中重要的"这一个"。因此，对他之于文学现代转型的作用与意义，在评价上总是划归于另一价值范畴中作低调解说。近些年来，人们眼界大张，观念亦有较大调整，学界的认识有了明显的变化。对既有的认识作解构性反思，对既成格局作突围性努力，已成为多数人共同的愿望。"二十世纪中国文学"这一新概念的提出，和对"二十世纪中国文学史"这一新史学建构的实践，适足说明了人们已有意于以"二十世纪"文学历史时空的开拓性确认，来走出原来的局面。但扩则扩矣，无奈因成见既深，一时又难以改变固有的选取与评价的尺度。如《近四百年中国文学思潮史》①，虽属一部视野开阔的创辟之作，但在其列名为"20世纪中国文学思潮"的一编中，却是由"'五四''革命文学'思潮"讲起的。至于梁启超的种种主张，虽然更富实质性的倡导多发生于本世纪之初，但却统统被纳入了十九世纪。而对于新建构面世的《二十世纪中国文学史》，尤其是该书把梁启超的三界"革命"视为中国文学

---

① 此书为陈伯海主编，东方出版社 1997 年 10 月出版。

现代转型的开端，有些学者更是难以接受，立即著文予以质疑，坚持认为"中国真正的新文学是从五四时期开始的"，"即以中国近世文学而论，在文艺思潮上起了巨大变化的，也不在1900年前后，而是在五四新文化运动"①。有人还"进一步看问题"，指出对"二十世纪中国文学史"之说赞成与否，"两者之间根本性的分歧意见，其实在于是否承认：'五四'新文学运动以其旗帜鲜明的倡导'文学革命'（本质上为中国文学的现代化）而在整个中国文学发展史上具有划时代的伟大意义？"②

其实，在新的反思性建构中，即以拙编《二十世纪中国文学史》③而论，并没有表现出要否定"五四文学革命"伟大意义的企图，只不过是取了自以为更为客观的态度，将中国文学的现代转型理解为一个复杂的过程，按照历史发展的实际链条，把梁启超之三界"革命"与陈独秀之"文学革命"给以各安其位的梳理、整合而已。对此暂不与论。笔者倒是想向质疑者且发一问：为什么一些"五四文学革命"的亲历者对待梁启超三界"革命"的态度反而与近世论者不同呢？不妨且举几例。如，钱玄同可谓在"文学革命"时态度最激烈者之一，可他在"文学改良"（注意：胡适旗帜初张，讲的也是"改良"，足见"文学革命"初倡时与历史思路的承接）、"文学革命"刚提出之时，旋即致信陈独秀云："梁任公实为创造新文学之一人。虽其政论诸作，因时变迁，不能得国人全体之赞同，即其文章，亦未能尽脱帖括蹊径，然输入日本新体文学，以新名词及俗语入文，视戏剧小说与论记之文平等，此皆其识力过人处。鄙意论现代文学之革新，必数梁君。"④ 又如，郭沫若虽属情绪激烈而善变的人，但在回顾"文学革命"时却并未忘记梁启超，而且是称赞他说"他的许多很奔放的文字，……虽然未能摆脱旧时的格调，然已不尽是旧时的文言，在他所受的时代的限制和社会的条件之下，他是

---

① 吴中杰：《世纪交替与文学史断限》，《文汇报》1998年11月6日。
② 朱文华：《也谈文学史断限》，《文汇报》1998年11月20日。
③ 其时，率先出版且产生一定影响者即为由我主编的《二十世纪中国文学史》（上、下）一部。该书由山东文艺出版社于1997年6月出版。
④ 钱玄同：《钱玄同致陈独秀》（1917年2月25日），见《陈独秀书信集》，水如编，第98页。新华出版社1987年版。

充分地发挥尽了他的个性，他的自由的"①。再如，郑振铎为"文学研究会"创始人之一，他也说梁氏之"新文体"，"鼓荡了一支像生力军似的散文作家，将所谓恹恹无生气的桐城文坛打得个粉碎。""像那样不守家法，非桐城亦非六朝，信笔取之而又舒卷自如，雄辩惊人的崭新的文笔，在当时文坛上，耳目实为之一新。"而且还指出："打倒了所谓奄奄无生气的桐城古文，六朝体的古文，使一般的少年都能肆笔自如，畅所欲言，而不再受已僵死的散文套式与格调的拘束；可以说是前几年的文体改革（按：指五四文学革命）的先导"②。很显然，这些亲历者都在"现代文学之革新"的意义上热情肯定了梁启超的第一人与先导的作用，赞扬了他对其"个性"与"自由"的充分发挥。那么，为什么到了近几十年来，作为并非亲历者的后辈学者们，倒是另执一言，特别着意于强调本属同一转型过程的前后两段之间的异质性与对抗性呢？质而言之，根本原因就在于过分依附于这几十年来对历史新作的政治分期，因此拘牵于以"旧民主主义"与"新民主主义"为界分的新谓"近代"与"现代"的历史判断，以致形成的迄难有改的思维惯性。故而闻异而动，生怕错乱了被仍然奉为圭臬的"历史秩序"。

这种担心非为治"现代文学"者所仅有，治"近代文学"的人也已给予密切关注了。据报道，1995年6月18日"第五届上海近代文学研究者联谊会在复旦大学召开，"发言者倾向于认为，"二十世纪（中国）文学"是一个不甚明晰的概念，表面上看，这是现代文学研究视界前移的结果，实际上这一说法，"忽视了'五四'新文化运动对于中国文学发展的重要转向作用。'五四'前后的（中国）文学分别具有不同的性质，因此，'二十世纪（中国）文学'的提出，显然会对（中国）文学进程的研究和阐述造成逻辑上的困难"③。近代文学研究界出现这种反应的原因，与前者实出一辙，并无二致。

海外的研究自然有所不同，由费正清、刘广京主编的《剑桥中国晚

---

① 郭沫若：《文学革命之回顾》，1930年神州版《文艺讲座》第一册。
② 郑振铎：《梁任公先生》，见《中国文学论集》第119页。
③ 刘诚：《第五届上海近代文学研究者联谊会在我校召开》，《复旦学报》（哲社版），1995年第4期。

清史》，在评述到维新变法的失败时，表示了这样的识见："但是维新运动决不能算作是完全的失败。从一开始，它的下面便是一阵思想的巨浪。当1895年以后政治的活动展开时，它所唤起的感情和注意力反过来又加深和扩大了这阵巨浪。结果，尽管维新运动没有能达到它的政治目标，但它所引起的思想变化却对中国的社会和文化有着长期的和全国的规模的影响。""首先，这一思想变化开创了中国文化的新阶段，即新的思想意识时代。……维新的时代出现了由于西方思想大规模涌进中国士大夫世界而造成的思想激荡。这便引起了原有的世界观和制度化了的价值观两者的崩溃，从而揭开了二十世纪文化危机的序幕。从一开始，文化危机便伴随着狂热的探索，使得许多中国知识分子深刻地观察过去，并且超越他们的文化局限去重新寻找思想的新方向。"① 这种见解无疑是十分精到的。对维新运动作用的考察，能够超越其失败与局限，看到由其所引发的历史运动的深化和历史阶段的转换，这不能不说是一种慧眼独具的发现。但有一点又不能不令我们感到遗憾，那就是当其对维新运动作如是观时，却没有发现恰恰是戊戌变法的失败，才使得"新的思想意识时代"的实现真正成为可能，即梁启超在其时所发挥的独到作用。这不能不说是一种忽略。证之于由费正清独立主编的《剑桥中华民国史》上卷，则更足以见出此说不谬："在中国思想史上，1898年和1919年通常被认为是与儒家文化价值观决裂的两个分水岭。1898年的改良运动，是一部分接近皇帝的高级知识分子在制度变革上的一次尝试。它开始是作为1895年被日本在军事上打败的一种反应，但却以摈弃传统的中国中心世界观和大规模吸收西方'新学'的努力而结束。这一运动在晚清的现代化趋势和1911年帝国体制的崩溃中，产生了结果，随后引起了更彻底的思想重新评价浪潮。1898年改革的锐利锋刃已直接指向继承下来的政治制度，而以1919年五四运动为其标志的彻底的'新文化'思想运动，也被看成是对传统道德和社会秩序的一种冲击。"② 可见，把1898年的改良运动及其在文化上的观念变动笼统视为一物，而与五四"新文化"思想运动分列、连缀，为其基本的认识。

---

① 《剑桥中国晚清史》下卷，第381-382页，中国社会科学出版社，1985年版。
② 《剑桥中华民国史》上卷，第358页，中国社会科学出版社1994年版。

由以上情况可知，海内外学者在评价该段历史时各有其见，也各有不同的原因，但有一点却是共同的，那就是对以梁启超为代表的文化启蒙和文学革新运动的独特意义有所忽略，没有看到历史在这里所发生的深刻变化。因此，笔者认为，要正确评价梁启超及其在中国文学现代转型中的作用，首要的一点，即是吹拂掉遮盖历史绉折的烟尘，明察以维新变政的失败为契机所引发的梁启超式的反思及其迥异于前的历史性行为。

见之于历史的事实是，维新变政失败后，梁启超亡命东瀛，但却得了机会在一个在他看来全新的社会文化语境中进行如饥似渴的学习和深刻的反思。他自陈："既旅日数月，肆业日本之文，读日本之书，畴昔所未见之籍，纷触于目，畴昔所未穷之理，腾跃于脑，如幽室见日，枯腹得酒。"[①] 而且说："又自居东以来，广搜日本书而读之，若行山阴道上，应接不暇，脑质为之改易，思想言论，与前者若出两人。"[②] 在日本的最初几年间，梁启超在学习与反思中观念大有改变，在政治与文化上都与原曾为其主帅的康有为发生了分歧，并走出了康有为的笼罩。他在致康有为的信中说："今日民族主义最发达之时代，非有此精神，决不能立国，弟子誓焦舌秃笔以倡之，决不能弃去者也。而所以唤起民族精神者，势不得不攻满洲。……清廷之无可望久矣，今日日望归政，望复辟，夫何可得？既得矣，满朝皆仇敌，百事腐败已久，虽召吾党归用之，而亦决不能行其志也。"[③] 其态度于此可见大概。对于"新法"，以及前此的种种变革努力，梁启超皆作了痛心疾首的深刻反思，并从两个方面力陈其弊：第一，没有抓住根本。他认为："文明者，有形质焉，有精神焉，求形质之文明易，求精神文明难。精神既具，则形质自生；精神不存，则形质无附。然则真文明者，只有精神而已。"[④] 而已历之诸种努力，"至叩其术，最初则外交也，练兵也，购械也；稍进焉则商

---

① 《论学日本文之益》，《饮冰室合集》第一册，文集卷四，第80页。中华书局1994年版。
② 《夏威夷游记》，《饮冰室合集》第七册，专集卷二十二。中华书局1994年版。
③ 转引自郭延礼《中国近代文学发展史》（二）第958页，山东教育出版社1991年版。
④ 《国民十大元气论》，《饮冰室合集》第一册，文集卷三，第61页，中华书局1994年版。

务也,开矿也,铁路也;进而至于最近,则练兵也,警察也,教育也。此荦荦诸大端者,是非当今文明国所最要不可缺之事耶。虽然,枝枝节节而行焉,步步趋趋而摹仿焉,其遂可以进于文明乎?其遂可以置国家于不败之地乎?吾知其必不能也。"① 什么原因呢?他打比方说:"披绮罗于媒母,只增其丑;施金鞍于驽駘,祗重其负;刻山龙于朽木,祗敺其腐;筑高楼于松壤,祗速其倾,未有如济者也。"就如教育,"夫一国之有公共教育也,所以养成将来之国民也。而今之言教育者何如?各省纷纷设学堂矣,而学堂之总办提调,大率皆最工于钻营奔竟能仰承长吏鼻息之候补人员也;学堂之教员,大率皆八股名家弋窃甲第武断乡曲之钜绅也;其学生之往就学也,亦不过曰此时世妆耳,此终南径耳,……"② 在梁启超看来,中国问题的症结所在,乃积久而成的文化痼疾及与此密切相关的国民素质的低劣,不触及此,"则虽今日变一法,明日易一人,东涂西抹,学步效颦,吾未见其能也。"所以他断言:"夫吾国言新法数十年而效不睹者何也?则于新民之道未有留意焉者也。"③

第二,缺乏破坏力。梁启超列举教育、商务等方面的事例,力证不触动根本症结问题的变革行为的无效,然后说:"推诸凡百,莫不皆然。吾故有以知今日所谓新法者必无效也。何也?不破坏之建设,未有能建设者也。夫今之朝野上下,所以汲汲然崇拜新法者,岂不以非如是则国将亡乎哉,而新法之无救于危亡也若此,有国家之责任者当何择矣?"④他指示的"进步之道"则为"必取数千年横暴混浊之政体,破坏而齑粉之,使数千万如虎如狼如蝗如蟊如蛾如蛆之官吏,失其社鼠城狐之凭藉,然后能涤荡肠胃以上于进步之途也;必取数千年腐败柔媚之学说,廓清而辞辟之,使数百万如蠹鱼如鹦鹉如水母如畜犬之学子,毋得摇笔弄舌舞文嚼字为民贼之后援,然后能一新耳目以行进步之实也。"⑤把数千年横暴混浊的专制政体与数千年腐败柔媚之学说作一体反对,这明白不过地表明,梁启超在反思中思想认识的提升,确已大大超越了维新运动时的旧有观念。

正是在这里,历史发生了深刻的变化与转折,原有的维新运动已易

---

① 《自由书》,《饮冰室合集》第六册,专集卷二,中华书局1994年版。
②③④⑤ 《自由书》,《饮冰室合集》第六册,专集卷二,中华书局1994年版。

帜换将，即已由原来以变革政治制度为中心的变法运动一变而为以"新民"为标志的文化启蒙运动，主将也已由康有为而转换为梁启超了。此时，君主立宪式的政治变革已被历史的巨浪推涌到了历史之河的边缘，而代表新的政治革命力量的孙中山所领导的革命尚处于萌动之时，恰恰在两者之间，可谓应运而生，由梁启超大力鼓动和代表的本世纪第一次文化启蒙运动入主历史中心，并有幸成了本世纪启蒙运动的开端。倡导变法时期，开启民智的主张虽然已经提出，但它只是被作为变法思想体系中的一个次要方面来对待的，所以那时康梁等人虽也看到了文学独特的施教作用，但却不可能提出文学革命的口号。而到此时，文化启蒙已成为主要的责任承当，情况自然就有了很大的不同。考之以本世纪文学发展的具体情况，似乎可以规纳出一个基本规律：几度"文学革命"的提出或发生，均发生于文化启蒙运动构成为历史主要潮流之时。梁启超倡导"新民"运动时如此，陈独秀、胡适等发动新文化运动时如此，新时期八十年代中前期"人道主义"涌动时又是如此。其实这也不难索解，因为只有在这种启蒙思潮中，促成文学革命的思想基础和构成文学革命的基本观念内涵，才有可能被有效地提供，并使之成为活跃在历史中心处的一个引人注目的历史性行为。但现在的问题是，后两者自不必说，而作为前者的以梁启超为主将的启蒙运动，是否也具备了与后两者在基本性质上的一致性，也就是说，它是否在中国文学现代转型的意义上也有资格被纳入这一过程。笔者的答案无疑是肯定的。对此问题作如何结论，应该有一个测试的尺度。为取得这一尺度的共识性，不妨就以五四新文化运动为标的进行一个基本的归纳。笔者以为主要表现为以下几个方面：第一，以进化论为内涵的历史观念，与相伴而生的青春朝气；第二，在对历史症结问题的探寻上，历史的思考已由政治转移到文化方面，并在价值观念与价值判定模式上表现出明显的颠覆性重构；第三，对西方式"人权"与"民主"的大力提倡，及对"国民性"改造问题的高度重视；第四，激烈的历史态度及对批判力度的强调；第五，对"文学革命"的必然性提倡。倘若以上概括还算差可人意，那么笔者则要指出，梁启超时期的启蒙运动与五四新文化运动相比，虽然具有不同于后者的阶段性内涵和创辟时期不可避免的初级性特征，但就上述基本规定性而言，它不仅仅具备而且是应该说为后世之启蒙立下创辟与奠基之功的。对历史稍加翻检，便可发现，五四新文化运动和文学革命时期的许多基本命题，在此时均有触及或明确提出，而且不难找到它们之间前后的对应及衔接之处。

至此，有人可能会从相反的方向提出两个相关的问题：一是在梁启超此前的维新运动中这些问题多已触及，启蒙运动和文学现代转型的起点为何非自梁氏此时的鼓动算起？二是以梁氏为代表的启蒙运动、文学革命与五四新文化运动、文学革命之间是否真的存在现代转型意义上的一致性，如果是，那么后者还有什么发生的必要？而这，则正是本文在下面要作具体说明的问题。

的确，在梁启超发动启蒙运动和文学革命之前，包括他自己在内，人们对许多问题已有触及。再说，某一重要历史行为的出现，再怎么突兀，也需要有必要的历史铺垫。但有一点是必须明察的，那就是此前对这些问题的触及，都只是在政治性变革的总目的笼罩中出现的，还不可能超越这一历史层面而形成服从于文化启蒙目的的统一与基本整合，因此，它们是散在的，有局限的，甚至在一人身上，也难以取得统一。譬如"进化论"，在变法失败前就已传布于世，但它当时所起的作用，则只是对"变法"必然性的阐释。以严复而论，他虽然力倡"进化论"和"民权"观念，但他同时又作为一位桐城熟手而坚持以古奥渊雅的古文写作，所以招到了梁启超的批评："吾辈所犹有憾者，其文章太务渊雅，刻意摹仿先秦文体，非多读古书之人，一播殆难索解。""著译之业，将以播文明思想于国民也，非为藏山不朽之名誉也。文人结习，吾不能为贤者讳矣。"① 又如林纾，他虽为译介西方文学的开山之人，亦对西方文学表示赞赏，当时及后世受其惠者颇多，但他在文化价值观念上却滞于人后，到后来甚至与新文化运动及文学革命发生抵牾。再如文学革新，虽然黄公度、夏穗卿、谭复生等人已在诗歌的革新上率先迈出了一步，似乎谈论文学转型应从他们起，然而在倡导"诗界革命"时的梁启超看来，至此真正在借鉴西方方面做得好、有资格成为"诗界革命"的代表者，"今尚未有其人也。"他认为："时彦中能为诗人之诗，而锐意欲造新国者，莫如黄公度，其集中有《今别离》四首，又吴太夫人寿诗

---

① 《新民丛报》第一册。

等，皆纯以欧洲意境行之。然新语句尚少，盖由新语句与古风格常相背驰。公度重风格者，故勉为之也。夏穗卿、谭复生，皆善选新语句，其语句则经子生涩语、佛典语、欧洲语杂用，颇错落可喜，然已不备诗家之资格"。① 当然，这是就其创作实践而言，而且也未免以其理想的尺度要求过苛。事实上，即使在梁氏之"诗界革命"提出后，一时也很难找到那种理想之诗。但梁启超既如此讲，说明他在认识上已有新的要求。而当初黄公度关于"我手写我口"的主张，显然还与之距离不小。

　　较之以往的自己和朋辈而言，梁启超的得天独厚之处在于，作为一个先觉者，他已能够率先立于新的历史进境之中，实现了对各种观念意识的综合性整合，尽管这种整合常常亦难以避免其粗疏及自相矛盾之处。也就是说，只有到这时，原本散在的而目的又另有所属的各种关涉到历史、文化及文学的主张，才以新的目标环绕统合起来，使历史真正进入如《剑桥中国晚清史》所说的"新的思想意识时代"，"开创了中国文化的新阶段"。不妨依据前文所概括的几个方面，逐条予以具论。第一，五四时期为人们时时标榜的"进化论"，实则正是此时予以奠基的。梁启超言必称"进化"，把"进化论"即"天演学"的"物竞天择、优胜劣败"视为立论的原则依据即"公例"，把"竞争"看作"进化之母"，并认为"此议殆既成铁案矣"②。梁启超的贡献，并不在于单言进化，而是将进化之理引向民族痼疾之根本处，并由此而倡言文学革命。他说，若不自甘澌灭，"则诚不可不急起直追，务使一化今日之地位，而求可以与他人之适于天演者并立。夫我既受数千年之积痼，一切事物，无大无小，无上无下，而无不与时势相反。于此而欲易其不适者以底于适，非从根柢处掀而翻之，廓清而辞辟之，乌乎可哉！乌乎可哉！"③ 为了矫正人们的既有之见，又特别予以强调："夫淘汰也，变革也，岂惟政治上为然耳。凡群治中一切万事物莫不有焉。"实际的情况应该是"宗教有宗教之革命，道德有道德之革命，学术有学术之革命，文学有文学之革命，风俗有风俗之革命"。④ 基于对历史进化的坚信和力

---

① 《夏威夷游记》，《饮冰室合集》第七册，专集卷二十二。中华书局1994年版。
② 《新民说》，《饮冰室合集》第六册，专集卷四，中华书局1994年版。
③④ 《释革》，《饮冰室合集》第一册，文集卷九，中华书局1994年版。

促其进化的满腔热情,梁启超竭力鼓吹"少年中国说",并作了这样的比较:"欲言国之老少,请先言人之老少。老年人常思既往,少年人常思将来。惟思既往也,故生留恋心;惟思将来也,故生希望也。惟留恋也故保守,惟希望也故进取。惟保守也故永旧,惟进取也故日新。惟思既往也,事事皆其所已经者,故惟知照例;惟思将来也,事事皆其所未经者,故常敢破格。老年人常多忧虑,少年人常好行乐。惟多忧也故灰心,惟行乐也故盛气。惟灰心也故怯懦,惟盛气也故豪壮。惟怯懦也故苟且,惟豪壮也故冒险。惟苟且也故能灭世界,惟冒险也故能造世界。老年人常厌事,少年人常喜事。惟厌事也,故常觉一切事无可为者;惟好事也,故常觉一切事无不可为者。……"①梁启超这种取譬比较的方式,其实也内蕴着一个新旧文化之间的比照,这种方式与内蕴,直接影响到了五四新文化人物的思路与表述。由陈独秀向旧文化发难的《敬告青年》一文,就足以见出其承袭的痕迹。而梁启超所谓的"造成今日之老大帝国者,则中国老朽之冤业也;制出将来之少年中国者,则中国少年之责任也。彼老朽者何足道,彼与此世界作别之日不远矣,而我少年乃新来而与世界为缘"②,也直接影响到了鲁迅等一代代人的观念倾向。为其所热情营造的蓬勃青春之气,也绵延而为笼罩于整个世纪的历史氛围。

第二,梁启超此时已将思考的重心由政治转向了思想文化,明确提出"新民为今日中国第一急务"③,并对传统文化的积累结果表示了明确的批判态度。他指出:"今日不欲强吾国则已,欲强吾国,则不可不博考各国民族所以自主之道,汇其长者而取之,以补我之所未及。今论者于政治、学术、技艺,皆莫不知取人长以补我短矣,而不知民德、民智、民力实为政治、学术、技艺之大原,不取于此而取于彼,弃其本而摹其末,是何异见他树之翁郁,而欲移其枝以接我槁干;见他井之汩涌,而欲汲其流以实我智源也。"④他还指出,由于世界风的簸荡冲激,已能使我国一变其千年来之旧状,但是,"所变者外界也,非内界也。内界不变,虽曰烘动之鞭策于外,其进无由。天下事无无果之因,亦无

---

①② 《少年中国说》,《饮冰室合集》第一册,文集卷五,中华书局1994年版。
③④ 《新民说》,《饮冰室合集》第六册,专集卷四,中华书局1994年版。

无因之果，我辈积数千年之恶因，以受恶果于今日，有志世道者，其勿遽责后此之果，而先改良今日之因而已"①。陈独秀揭橥文化批判之旗，其中一篇重要的文章是《吾人最后之觉悟》②，其对变革民族病因即传统深层文化的首要革命选择及对近世以来人们由末及本认识过程的推究，其取向与思路与梁启超极为相似，所受影响应是勿庸置疑的。只是在对传统文化的批判性对象理解上，二人表现有明显的差异。梁启超对历史"恶因"的理解，是一种上下结合、长期积累的结果。梁启超并不批孔，因为"中国惟战国时代，九流杂兴，道术最广。自有史以来，贵族之名誉，未有盛于彼时者也"③。也就是说，当时的孔教是在百家争鸣的环境中产生，且与其他学说并立而长，应该是被肯定的。问题出在"秦汉而还，孔教统一"，"必强一国人之思想使出于一途，其害于进化也莫大。自汉武表彰六艺，罢黜百家，凡非在六艺之科者勿进。尔后束缚驰骤，日狭一日，虎皮羊质，霸者假之以为护符；社鼠城狐，贱儒缘之以谋口谋，变本加厉，而全国之思想界销沉极矣"。④在这点上，陈独秀则不同，他及他的同道，首选的批判对象则为文化源头上的经典学说及其偶像。鲁迅虽也着力批孔，但他也更看重孔学流播变异的过程，在这方面又与梁氏有更多接近之处。此其一。其二，梁启超更为看重"恶因"生成的民间性、风俗性即社会生成的普遍性。他十分痛心于"国民之腐败"，曾说："今之论国事者，每一启齿，未有不太息、痛恨、唾骂官吏之无状矣。夫吾与官吏，则岂有恕辞焉！……虽然，吾以为官吏之可责者固甚深，而我国民之可责者亦复不浅。何也？彼官吏者，亦不过自民间来，而非别一种族，与我国民渺不相属者也。故官吏由民间而生，犹果实从树干而出，树之甘者其果恒甘，树之苦者其果恒苦。……"⑤ 当然，梁启超虽作如是观，但并未将形成这种状况的基本责任归之于民。他认为，作为社会之理想的传统观念，以及长期的专制政体，均为其基本原因。只不过长期以来因果互生，造成今日革新之更大难题而已。在此问题上虽然陈独秀等并未作如此侧重的强调，但由其对

---

① ③ ④ 《新民说》，《饮冰室合集》第六册，专集卷四，中华书局1994年版。
② 该文刊于《青年杂志》一卷六号，1916年2月15日。
⑤ 《中国积弱溯源论》，《饮冰室合集》第一册，文集卷五，中华书局1994年版。

国民伦理觉悟的重视，可见也并无实质性分歧。另外，如梁启超对言文长期分离所带来的消极结果即"言文分而人智局也"的指陈，并不乏洞见，实际上也启迪了五四时期对言文问题的思考。而对传统文化中的家族制与专制，梁启超同样予以针砭："夫古昔之中国者，虽有国之名，而未成国之形也。或为家族之国，或为酋长之国，或为诸侯封建之国，或为一王专制之国，虽种类不一，其于国家之体质也，有其一部而缺其一部"。"我中国畴昔，岂尝有国家哉，不过有朝廷耳！……朝也者，一家之私产也"①。五四时期对家族制与专制的批判亦源乎此。梁启超在文化价值观念上已作了根本性调整，而且已基本形成了向西方文化倾斜的价值认知模式，他明确声称："宇内文明之流域，发源亚洲，而中国其最著也。以今日论之，中国与欧洲之文明，相去不啻霄壤。"② 而且多次强调，中国的希望就在于向西方学习，自觉引进西方文明。应该说，五四时期的价值认知模式，正是在此时开辟成其基本架构的。

第三，对"国民性"的关注与批判，是本世纪启蒙运动中的中心话题，而这一话题，却是始自梁启超时期。梁启超深感国民素质之低劣，认为中国数千年来有朝廷而无国家，"有部民而无国民"，他们常常视野窄狭，视其国为天下。"耳目所接触，脑筋所濡染，圣哲所训示，祖宗所遗传，皆使之有可以为一个人之资格，有可以为一家人之资格，有可以为一乡一族人之资格，有可以为天下人之资格，而独无可以为一国国民之资格。"③ 梁启超将国民劣根性的表现归纳为六个方面：第一是"奴性"。他说："数千年民贼之以奴隶视吾民，夫既言之矣。虽然，彼之以奴隶视吾民，犹可言也；吾民之以奴隶自居，不可言也。……嗟呼，吾不解吾国民之秉奴隶性者何其多也。其拥高官籍厚禄盘踞要津者，皆秉奴性独优之人也。……若是乎，举国之大，竟无一人不被人视为奴隶者，亦无一人不自居奴隶者。……是以一国之人转相效仿，如蚁附膻，如蝇逐臭，如疫症之播染，如肺病之传种。"④ 第二是"愚昧"。

---

① 《少年中国说》，《饮冰室合集》第一册，文集卷五，中华书局1994年版。
② 《论中国与欧洲国体异同》，《饮冰室合集》第一册，文集卷四，第61页。
③ 《新民说》，《饮冰室合集》第六册，专集卷四，中华书局1994年版。
④ 《中国积弱溯源论》，《饮冰室合集》第一册，文集卷五，中华书局1994年版。

第三是"为我"。即所谓"不知群之物为何物,群之义为何义也。故人人心目中但有一身之我,不有一群之我。……谚有之曰:'各人自扫门前雪,不管他人瓦上霜。'吾国民人人脑中,皆横亘此二语,奉为名论,视为秘传,于四万万人遂成为四万万国焉。"① 第四是"好伪"。第五是"怯懦"。第六是"无动"。梁启超谈到国民性时,常常用语峻急,意在借以棒喝麻木之人。他认为"以上六者,仅举大端,自余恶风,更仆难尽。递相为因,递相为果,其深根固蒂也"②。不以棒喝,不足以促人醒悟。为根治这一恶疾,梁启超才力倡"新民"之说,发动启蒙运动的。即其所谓:"余为新民说,欲以探求我国民腐败堕落之根源,而以他国所以发达进步者比较之,使国民知受病所在,以自警厉自策进。"③他对国民性问题的重视及对其病状的归纳,对后世颇有影响,尤其是对人人皆以奴隶自居又视他人为奴隶的独到发现与概括,以及对无血性之"旁观者"的指斥,都给鲁迅以深刻启发。在梁启超头脑中,抓到了内部的症结和找到了疗治的药方,这是一个问题的两个方面。为了疗治积年痼疾,他对西方的"人权"、"民主"与"自由"极为崇尚,拼命加以鼓吹,这就必然同时鼓动起了民主与自由思想的潮涌。他宣传天赋人权观念,有所谓"天生人而赋之以权利,且赋之以扩充此权利之智识,保护此权力之能力"之说④;对于"自由",更是鼓吹到无以复加的地步,把自由视为"立国之本原","天下之公理,人生之要具,无往而不适用者也"⑤,认为"今日欲救精神界之中国,舍自由美德外,其道无由!"⑥他还特别强调人的自尊与独立,以为这是克服奴性的不二法门,甚至发出这样的慨叹:"今日欲言独立,当先言个人之独立,乃能言全体之独立;先言道德上之独立,乃能言形势上之独立。危哉微哉,独立之民我国乎!"⑦当然与五四时期相比,梁启超的倡导远没有达到那种"个性"解放的高度,所言未免尚嫌空泛,而且同时强调了对它们的对立性规约。但事实上五四时期尽管一时解构了对立范畴之间的约制,把一个方

---

①② 《中国积弱溯源论》,《饮冰室合集》第一册,文集卷五,中华书局1994年版。
③ 《新民议》,《饮冰室合集》第一册,文集卷七,第105-106页,中华书局1994年版。
④ 《新民说》,《饮冰室合集》第六册,专集卷四,中华书局1994年版。
⑤ 《中国积弱溯源论》,《饮冰室合集》第一册,文集卷五,中华书局1994年版。
⑥⑦ 《十种德性相反相成义》,《饮冰室合集》第一册文集卷五,中华书局1994年版。

面推向极端，可是在其思想深处，对立一方的要求也并未消失。譬如鲁迅，一方面强调"任个人而排数"①，一方面却又说："人各有已，而群之大觉近矣。"② 这就又露出了梁启超影响的迹像。

第四，与五四时期相比，梁启超采取的也是激进主义的历史态度。在梁氏的思想体系中，"破坏"是一个重要的范畴，也是接受日本影响的结果。他曾专门著文说："日本明治之初，政府新易，国论纷糅。伊藤博文、大隈垂信、井上馨等共主破坏主义，又名突飞主义，务推倒数千年之旧物，行急激之手段。……饮冰子曰：甚矣破坏主义之不可以已也！譬之筑室于瓦砾之地，将欲命匠，必先荷插；譬之进药于痞痤之夫，将欲施补，必先垂泻。非经大刀阔斧，则输偯无所效其能；非经大黄芒硝，则参苓适足速其死。历观近世各国之兴，未有不先以破坏时代者。此一定之阶级，无可逃避者也。有所顾恋，有所爱惜，终不能成。"③ 在他看来，这是一条历史的定律，也应该是采取历史行动者的必循的原则。因此在对待传统恶疾的问题上，他主张"苟欲救亡，非从此处拔其本、塞其源，变数千年之学说，改四百兆之脑质"④。倡言"盖当夫破坏之运之相迫也，破坏亦破坏，不破坏亦破坏，破坏既终不可免，早一日则受一日之福，迟一日则重一日之害。""夫孰与思片刻而保百年，舍一部而养全体也。"⑤ 因此，他在宣传对旧物的批判时取如此之态度，在倡导文学界的革命上也取如此态度。这就不难明白，他为什么把文学尤其是小说的作用捧得那么高了。对此种态度，很难以学理的科学性论之，因为他们为当时所需要的本来就不是学理上的分寸，而是破坏旧物的冲击力。

第五，与五四时期相同，其启蒙思潮必升浮起文学革命之舟。此项无须多言，因为这是最显见的事实。

以上诸项，论述的重点是两次启蒙思潮之间的内在一致性及其施之于文学革命影响的一致性。但有此尚不能完全说明问题，因为学界将梁

---

① 《文化偏至论》，《鲁迅全集》第一卷，人民文学出版社1981年版。
② 《破恶声论》，《鲁迅全集》第八卷，人民文学出版社1981年版。
③ 《破坏主义》，《清议报》第三十册，1899年10月15日出版。
④ 《中国积弱溯源论》，《饮冰室合集》第一册，文集卷五。中华书局1994年版。
⑤ 《新民说》，《饮冰室合集》第六册，专集卷四，中华书局1994年版。

启超拒之于"现代转型"门外的另一理由,是他对文学的主张缺乏现代性内涵。笔者以为这也是为成见所囿,并不符合事实。因为至少有三点可以引之为据。第一,梁启超对"三界"革命的提倡,是在开放性的世界视野中提出的,而且主张从根本性进上变革。无论是"诗界革命"、"文界革命",还是"小说界革命",其触媒无一不是来自域外的启发。比如在谈到诗歌时,梁启超即明确表示:"吾虽不能诗,惟将竭力输入欧洲之精神、思想,以供来者诗料可乎? 要之,支那非有诗界革命,则诗运殆将绝。"① 他所以认为黄公度等人尚"不具备诗家之资格",原因就是他"皆片鳞只甲。未能确然成一家之言,且其所谓欧洲意境语句,多物质上琐碎粗疏者,于精神上未有之也"②。"文界革命"也是如此。梁启超在为严复的《原富》所写的书评中说:"夫文界之宜革命久之矣,欧美、日本诸国文体之变化,常与其文明程度成比例"。而为其所倡之"文界革命",也同样强调了对"欧洲文思"的输入。"小说革命"倡导的缘起,同样是受了西方的启示,即所谓"政治小说之体,自泰西人始也"。③ 正是西方小说在其社会中所起的独特作用,开启了梁启超倡导"小说界革命"的思路。

第二,梁启超的文学观念,与传统文论已明显不同,现代性已成为其基本属性。在诸种文体中,梁启超最为推重的是小说。可以他对小说理论的建构与阐释为例加以说明。梁氏的小说理论,包含着两个既不同又相关的内容,一个属于本体论,一个属于功能论。因为梁启超是由对文学独特功能的感受和认识而走近文学并对其作对象选择的,所以他有可能对文学作本体论方面的关注与思考。当时人们大多只是注意到了小说具有非同寻常的魅力,为人们所乐于接受,因"凡人之性,莫不惮庄严而喜谐谑,……虽圣人无可如者也"④。梁启超在写《译印政治小说序》一文时,即持这样的观点。但待到撰写《论小说与群治之关系》时,其思考则有了明显的深化与发展。为什么小说会具有支配人道的不可思议之力,成了他首先思考的一个问题。在《译印政治小说序》中,

---

①② 《夏威夷游记》,《饮冰室合集》第七册,专集卷二十二,中华书局1994年版。
③④ 《译印政治小说序》,《饮冰室合集》第一册,文集卷三第34页,中华书局1994年版。

他还只是就小说对身处社会下层的人们的宣传作用，推重其作用；而到此时，却是着眼于"人类之普通性"，侧重于考察它的独特的审美艺术特征了。他认为，以"浅而易解"和"乐而多趣"来解释小说的魅力，固然有一定道理，但却没有说到根本之处。第一，浅而易解的文字很多，人们何以偏偏以小说为阅读选择？更何况对那些饱学之士来说，对文字的渊古与浅易应无所择，而何以"独嗜小说"？第二，小说之以赏心乐事为目的者固多，但多不为世所重。最受欢迎的倒是那些读来令人心情沉重的悲剧故事，人们何为偏取此反比例之物以自苦呢？因此上两种说法并未得其真谛。然后他从两个方面进行了全新的阐释，着实精采得很。他说："吾冥之，穷鞠之，殆有两因：凡人之性，常非能以现境界而自满足者也。而此愚愚躯壳，其所能触能受之境界，又顽狭短局而至有限也，故常欲于其直接以触以受之外，而间接有所触有所受，所谓身外之身、世界外之世界也。此等识想，不独利根众生有之，即钝根众生亦有焉。而导其根器使日趋于钝、日趋于利者，其力量无大于小说。小说者，常导人游于他境界，而变换其常触常受之空气者也。此其一。人之恒情，于其所怀抱之想象，所以经阅之境界，往往有行之不知、习矣不察者，无论为哀为乐为怨为怒为恋为骇为忧为惭，常若知其然而不知其所以然。欲摹写其情状，而心不能自喻，口不能自宣，笔不能自传。有人焉和盘托出，彻底而发露之，则拍案叫绝曰：善哉善哉！如是如是！所谓'夫之言之，于我心有戚戚焉'。感人至深，莫此为甚。此其二。"① 读此空前之论，确有叹服之感。如此深到而新警的剖析，岂可轻易将其完全排斥于现代心理学与美学之外！紧接着对小说所作的功能论方面的概括和分析，也是颇为独到而精采的。他把小说对人的支配作用，归结为"熏"、"浸"、"刺"、"提"四种力。看似很近乎古典的用词及命意，而实则是用现代的时空观、心理学及美学所作的辨析，深富智慧且颇有逻辑力量，自然也应归属于"现代"之列。还值得一提的是，梁启超在对小说作本体性观照时，对小说之创作范型也进行了归纳。结合他对小说两种不同的本体性特征的阐释，提出"由前之说，则理想派小说尚焉；由后之说，则写实派小说尚焉。小说种目虽多，未有

---

① 《论小说与群治之关系》，《饮冰室合集》第二册，文集卷十，中华书局1994年版。

能出此两派范围外者也"①。此即为后世将小说分为写实主义即现实主义与理想主义即浪漫主义两类的开端。此外，梁启超对文学语言俗化的提倡，主张口语甚至俚语，这也是其文学观念具有现代倾向的一个方面，与后世亦一脉相通。

第三，以小说为诸种文体中心的现代文体格局，是与梁启超的不无偏激的鼓吹密不可分的。就此而论，梁启超也是头功。

与上述评价的基本思路不同，如果我们逸出目前学界的"共识"性范围，作一些别样的甚至是逆向的思考，那么笔者认为，在研究和评估梁启超与中国文学现代转型的关系及作用时，有两个问题似乎不应被忽略：一个是所谓别样的思考，即，梁启超只是该时期的一个代表，而任何一个时期的历史都是一种结构，决不会只有一种力量在，譬如在梁启超时期还有个大名鼎鼎的王国维，那么，你承认不承认他也是那个阶段的一个代表？不承认没有理由，如果承认，那好，你承认不承认王国维文学观念的现代性？众所周知，恰恰是这个王国维，在那时已经做了大量引进西方现代主义哲学和美学的工作，而且进行创辟性的研究与建构，他连现代主义的内涵都有了，你凭什么连同他一起把梁启超与之共享的时期排除在文学的现代转型之外？另一个是所谓逆向的思考，即我们应不应换个角度想想，对被人们视为当时历史局限或者说负面存在的东西也给予重视，给予重新认识呢？比如，激进主义的态度表现在对旧秩序的颠覆解构，在历史价值范畴里无疑是应给以充分肯定，可是它在学理价值范畴中就未必是科学的了。再如，任何一种思想或事物，都一定会处在双重规约之中而与两端相系的，在某一历史关头会突出强调其某一方面，但对另一方面存在的冷静认识是否就永远不表现出价值呢？具体到梁启超，在对他进行评价时也会遇到这样的问题。他在当时，一方面以急激的态度对对立性观念范畴中的一极作极端强调，一方面又时常强调对另一极作相关思考的必要性。这固然表现了他的自缚手脚的局限性，但我们转回头去看这百年时，你又不能不承认他的无不道理的冷静。比方他对于借洋说以行恶的文化畸型物生成之可能的警示，证之于百年来的实际状况，竟被他不幸而言中矣。

---

① 《论小说与群治之关系》，《饮冰室合集》第二册，文集卷十，中华书局1994年版。

最后要说明的问题是，既然中国文学的现代转型从梁启超时就已起始，那么为什么陈独秀等人在此后还要发动新文化运动和文学革命。笔者以为这可从两方面得到解释：一为历史是一个过程，任何事物的生长都不可能毕其功于一役。相对而言，梁启超虽拥有中国文学现代转型的开创之功，但他的诸种主张毕竟远未达于成熟、圆满的状态。他本人对所处时代及所作努力的过程性性质就有着清醒的认识，认为船已离岸（故不能仍归之于此岸），但又未达于彼岸。二是历史又是回旋发展的。具体情况是，在梁启超鼓动启蒙、倡言文学三界"革命"不久，即被蓬勃而起的新的政治革命挤向了历史之河的边缘。新的政治革命以反清排满、保种保教为职志，在文化上势必就相应表现为向民族本位文化内收的趋势，构成了一次历史的回旋。正是在这种情势中，陈独秀等人凭借历史的蓄势，又掀动起了新一轮更为势大力猛的浪潮。如果据此判定某一历史行为的价值，那么仍然是由于历史回旋的原因，新时期的八十年代又有新的浪涌，该又如何评价陈独秀等人发动的新文化运动和文学革命呢？同时，今天我们来评价梁启超在中国文学转型中的作用，所需要的就是一种尽量超越各种成见的科学的历史主义的态度。有了它，就会发现一个真实的梁启超。是为幸矣！

（原载《第二届清代学术研讨会论文集》，台湾高雄中山大学中国文学系编印，1999年11月出版；后经删节，刊于《文史哲》2000年第2期）

# 治史者的角色定位

半个多世纪以来，在传统性的现代文学史编撰中，存在着严重的以"评"代"史"的倾向。这里所说的"评"与"史"，与通常治史模式中所谈论的"论"（主体性评说）与"史"（对象性材料）不同，指的是"批评"与"治史"两种具有不同责任承当的社会文化行为。

"批评"，比如文学批评，与"治史"，比如治文学史，自然应该是互有兼容，相得益彰的。没有史识的批评，难得有深刻的内蕴；而缺乏批评之敏感与新锐的治史，也不会有氤氲其间的生命活力。但是，二者毕竟又是不能混淆，更是不能互相取代的。文学批评，通常采取与批评对象近距离直接性对话的姿态，且常以当事者的角色设定介入与对象共时性担承的是非纠葛。特别是当这种文学批评被自觉地衍生为历史文化和思想现实的批评时，则更是如此。回想中国现代文学在历史艰难转型中的回环奔突，正是这种批评鼓涌起一次次与社会、文化思潮相表里的文学潮动，并成为一个世纪以来历史、文化与文学变革的前锋，其价值自然是不能低估。即使到了今天，由于历史的纠葛也会延续至当今，许多历史的旧物依然是今天活的现实，于是，批评者们也必然会以现实的立场选择，仍以当事者的身份处理历史的话题。恰恰是这种选择，表现为当今社会中一种对抗性的精神支撑，其意义亦自不待言。

但是，勿庸讳言，这种批评所选择的已经不是或者不尽是学术性立场。如果我们以这种立场或角色承当治史，则虽然名之曰"史"，但其实质却仍然是批评者的言说。治史自有其独特的要求，概而言之，即必须超越与所研究对象任何一方的共时性立场，走出"当事者"的角色选择，在新的历史高度上以超越性的智慧叙述和评说已发生过的一切。古人云"隔代写史"，所讲的就是这个意思。否则，就无法科学地解释中国文学在现代转型中所发生的一系列错位性冲突中的是是非非，也不能领略其互动互补的多维性独特结构效应。比如，鲁迅与梁实秋关于"人性与文学"的论争，二人分别从历史与学理的不同价值范畴立论，自然各有各的道理。对此，治史者需要在不同的价值层面上进行认真地辨析，不能只是满足于在二人之间搞什么立场选择，倘如此，那文学史的更新岂不就成了只是在是非上的颠颠倒倒？又如对现代市民通俗文学的评价，如果仍然坚持"文学革命"时期的立场，那么对它就仍会采取贬抑和排斥的态度；而如果虽然对它采取了宽容甚至欣赏的态度，但所持立场却仍为新文学即雅文学的，则照样不能从根本上解决科学评价的问题。因为通俗文学和雅文学在功能上本不属于一类，不能在也很难能在后者的价值立场上对其"收编"。事实上在20世纪中国文学中，工具的、审美的、娱乐的三类文学支撑着文学不同的功能空间，倘从这一功能性结构上研究它们的不同特征及其结构作用，其认识大约就可以接近史学建构的基本要求了。

其实，鲁迅、胡适等新文化、新文学的先驱者，倒是深知"批评者"与"治史者"两种角色之间的不同的。作为战士的鲁迅，对传统文化实施了最猛烈最彻底的批判，一再呼吁青年不要埋头于故纸堆，甚至说中国的书一本都不要看；但作为文学史家的鲁迅，却是披阅万卷、探幽勾沉，以极其严谨认真的态度，撰写出了《中国小说史略》和《汉文学史纲要》。胡适的情况也多有相似。前人给我们留下的多方面的丰富的精神财富和启示，看来迄今似未被我们全部领会。

当然，治文学史也应有"当代性"的内涵和特色，而同样作为介入当代话语的一种方式，文学史的当代性表现为当代的智慧、当代的精神高度和当代的学术水准。比如现在，新世纪的学者已经进入了能够对历史作整体综合性把握与反思的新进境，这应该是最富学术魅力的当代性体现。

（原载《文学评论》2000年第4期）

# 九十年代现实主义文学的两次冲刺

## 一

无论当前文坛如何地令人眼花缭乱，但有两个年代却会以极为醒目的字眼记载在 90 年代的文学大事记中，那就是 1996 年和 1999 年。因为在这两年里，现实主义又以异军突起之势，分别从不同的方向对文坛实施了力量相当密集的冲击。

80 年代中期以后，中国的历史变革围绕经济建设这一中心全面深化，各种矛盾也都越来越多地暴露和激化起来，其波及之广，是几乎没有人不被它搅动起来；而其波及之深，则是所有的人无一不被触动了对命运的思考，并激发出前所未有的复杂心理感受。但是，我们的文学离它太远了。可以这样说，在我们的文学里，并没有表现出甚至哪怕是复制出这一现实世界真实而完整的图象，作为一种对象化结果的文学，与这一段历史现实在深度与广度上都不能形成对应的关系。正是这一令人瞠乎其然的巨大逆差，在一些并未忘情于现实的作家那里成了一种警示，且由此而获得了自信。他们开始寻找和调整自己与现实对话的关系与姿态，于是就有了 1996 年现实主义潮涌的前奏。1995 年上半年，李肇正的中篇小说《女工》、何申的中篇小说《信访办主任》等已带有明显新现实主义特征的作品问世，使与现实主义久违了的读者耳目一新，并开始引起创作界与批评界的关注。凭着敏感，一些批评家迅即开始了对现实主义的基本精神及其当代性特征的探讨。这一年的下半年，《时代文学》发起了关于"现实主义重构"的讨论，连续数期刊发了多篇讨论文章，算是批评界对这一前奏最具规模的一次回应和对其发展的预期。

1996 年现实主义冲击波的出现，批评界在应对上显得有点措手不及。因为从整体上和发展的基本倾向上来看，从80年代中期起，理论界和批评界对现实主义采取了弃置不用的态度，大家都忙于以西方为借鉴的最具当代性特征的基本理论与批评理论的建构，关于现实主义的议论已于无形中中止或者说被搁置起来。如果说现实主义创作在没有真正走出传统现实主义理解更没有形成新的特征性生态时，便被挤出了文坛；那么，在对现实主义理论的研究方面，则也是在还没有对近一个世纪以来的现实主义历史作出科学而深透的研究和总结，便匆忙弃之而去，上路追赶新的浪头去了。所以，在对1996年的现实主义进行评估时，作为主导性的意见，就不能不是旧的现实主义观念与新的现实主义生态之间的错位性对话与批评了。批评家们纷纷指责这种新现实主义文学缺乏明晰的是非立场和尖锐的批判力度，其结果大概使那些作家们都会因此而动摇了坚持下去的信心。

当然主要还是缘自创作主体自身的局限性，这种"分享艰难"式的现实主义有如潮起潮落，随着1996年日历的翻过，也就明显地显得后劲不足，难以为继了。但此时，现实主义已成为人们翘首以望的文学期待，所以时隔两三年，即到了1999年，它终以对现实批判的强化奔突而出，又构成了一次新的潮涌或者说冲击波。这一次主要以长篇小说为主，以王跃文的《国画》、张平的《十面埋伏》、周梅森的《中国制造》、李佩甫的《羊的门》等作品为代表，也是相当密集地推向了社会。这些作品虽然程度不同、追求也同中有异，但无疑都有明晰的是非立场，和对现实弊端痛下针砭的批判强度，按传统现实主义的理解，似乎是无可指责的了。但人们却又觉得，它们在文学性上似乎有所欠缺，有的甚至走得更远。

96与99两次现实主义的潮动，实则是两种不同取向的现实主义生态类型的试验与冲刺，不管它们的成败得失如何，但它们在当代现实主义生成上的多样性努力和多元化发展上的昭示作用，都应该是被充分注意的。

## 二

从历史渊源和各自发展的历史线路的承接上来看，96年"分享艰难"式的现实主义,主要是承接了新写实主义的文学基础,并与俄国托尔斯泰式的现实主义无意中形成呼应;而99年的批判现实主义(有的论者为与历史上的批判现实主义区别开来,将它称之为"现实批判主义",其实两种称谓没有实质上的区别,所以作家王跃文仍径直称作"批判现实主义"),则是力图越过新写实主义,径与中外传统中的批判现实主义对接。

阅读96年新现实主义的作品,一个突出的感觉便是它们对在中国盛行了几十年的那种革命现实主义的超越欲望。为它们关注和表现的虽然无一不是中国当今改革的现实,但一般都没有把揭露、批判已成为人们话题中心的政治、经济腐败作为用笔的重点。在这些作品中,社会政治、经济的巨大变革特别是与之俱生的种种矛盾与问题,当然也是从根本上影响和掣动着小说中众多人物命运变化的主要原因,但为作品所侧重于表现的,却是生活在社会最基层的种种小人物在当今近乎凡庸而又无法回避的两难性的艰难生存处境和受抑而又无奈的人性生存状态。那些具有掣动作用的中上层社会的人物和事件,那些具有弥散性影响的中上层社会在政治、经济方面的腐败,统统被作了背景式处理或隐形处理。作品中所出现的被针砭的人物,都是一些同样具有基层性,即能与故事中人物处于直接矛盾关系中的角色。如《大厂》里那个市委秘书长外甥的哥们、"滚刀肉"赵明,《九月还乡》里那个曾做过县委书记秘书的贾乡长的宝贝舅爷冯经理,《分享艰难》里的那个乡镇企业家洪塔山,就都是些这样的人物。他们或倚权势或靠钱财,耍蛮使横,贪财好色,都是一些十足的流氓、恶棍。但作家们塑造这些人物时,所着力予以凸现的也不是他们在政治、经济上如何的严重腐败,而是聚焦于他们的人性之恶。说实话,这些小角色与那些现在已被发现和大量未被发现的中上层腐败分子们根本无法相比,但在人性之恶方面,却是一路的货色,只不过多些社会基层所特有流氓气和恶棍相而已。但是,作为当今社会实际存在的由上下交织而成的腐败网络的基层网脚而言,这些家伙却对众多生活于基层的人们直接构成了物质性生存和人性生存的严重威胁。所以,这些小说大多都把他们作为影响和干扰人们生存和心灵安宁的恶势力的具象化存在,叙述于故事之中的。值得指出的是,这些作品的主要命意还并不在于对此类人物的鞭挞和批判,他们也只是作为改革时期的恶性孳生物，作为可被作品中直接或间接受其损害的群众直接指认的对象，而被置于否定性位置上的。实际上让一些基层干部和广大群众经常处于生存艰难和心灵痛苦之中的更根本的原因，却是一些时时处处可以感受到但又无法作具体指认的一种社会状况和氛围。它不是哪几个人的事，也不是哪一个地域的事，而是私欲与妄为和道德与原则之间界限模糊、互相渗透甚至可以进行交换的看似无序实则又有序的一种历史状态。对此，作家们没有把精力用在对这一状况背后黑幕的揭示上，也没有像传统的批判现实主义特别是革命现实主义那样，一定要先找出一个明晰的"意义"和确立一个是非分明的立场，然后再据此在文学表现上强化对所否定一方的揭露与批判。他们是把笔墨放在了对社会基层人物命运的关注上，力图原汁原味地展现出他们在这一特定社会状态中所有的艰难与无奈，以期达到题旨的非单一性与生活之本真性真实的统一。

96年的新现实主义确有与前此的新写实主义的相近之处，但它们在实质意义上的区别也是显而易见的。第一，新写实主义固然写的也是社会底层人物的凡庸人生与烦恼，但它在对这一切进行描写时，先行消解了它们的意义性特征，使之成为人生均不可避免的普遍性存在。而96年新现实主义却是紧紧抓住了在当代改革现实中发生于社会基层人物身上的两难的生存困境和颇具悲剧意味的心理冲突，在看似原汁原味的写实中极为真实地凸现了为这一历史时期所独具的社会底层人们的生态特征。

这些作品主要描绘了两类人物的生存境遇，而其中普遍用墨最多的又是那些厂长、镇书记、村长一类的基层干部。他们虽然是干部，但却位卑言轻，根本无力改变其所面临的左右掣肘的艰难局面。然而职责所在，为了群众的公共利益，又不得不违心地做出一些连自己都为之汗颜的有损天良和人格的事。应该说吕建国（《大厂》）、兆田（《九月还乡》）、孔太平（《分享艰难》），这些人都还是一些有一定头脑，有一定胆识也有一定办法的人，而且也算勤政敬业，在基层干部中也可称得上出类拔萃，但就是无法堂堂正正地做人做事，他们自己非常清楚地知道这种人所不齿的行为有多么卑下，但身在局中，又别无选择。当然，从道德的自我完善上来讲，他们也不是不可以愤然而起，或坚决斗争，或挂冠而去，但若如此，结果又会如何呢？这些作品在这里共同揭示了一个时下颇有悲剧意味的现实问题和文学的新发现,即在改革的艰难时世中,一些两肩担着群众基本生存利益但又没有决定他们命运权利的基层干部,常常在以自渎人格的方式来维护或者说换取公众的利益。你说他是道德的堕落,还是精神的崇高?我看还是一种令人备感苦涩的悲剧人生和至少是一种利他的难以指责的选择。

另一类人物是生活于最底层的工人、农民,即普通的百姓。他们的命运无一不在改革的艰难现实中受到触动,改革的两难处境又常常使他们首当其冲地成为历史需要付出代价的承当者。生计的艰难,内心的困惑和痛苦,都一起落在他们头上,使之不得不经受着灵、肉双重的生存熬煎。商品大潮的鼓荡,自然也会刺激起一些人的发财欲望,试图让自己也成为这一历史时机的受惠者。但是,既无钱又无势的他们,大多又要为此付出惨痛的代价,甚至造成终生都难抚平的心灵创伤。孔太平的表妹田毛毛,一心想攀上洪塔山的关系圆了发财梦,为将自己家的土地并改为洪氏公司的渔塘而不惜与老父闹翻,结果却是被洪塔山奸污,白受了一场侮辱。九月和孙艳去城市里打工,也只能是靠卖淫得了一点积蓄回村。更足以表明这些作品特点的,也还不是上述情况的惨痛,而是这些无助的人们,在现实的两难选择中内心所受的伤害以及不得不主动去承受的痛苦。漂亮姑娘九月才从卖淫的苦海中被救拔而出,满以为靠这一点耻辱钱可以换回一个新的生活起点了,然而实际上等待她的,却是比在城市里卖淫更使她感觉委屈和耻辱的境遇。面对着兆田村长无奈的恳求和讷讷自责,为着顾全全村人的利益,九月不得不答应去和冯经理睡觉。李佩甫《学习微笑》里的那位命运多舛的女工,即便不是为着公众利益,但为着一家人的生计,在被厂里选定做三陪女后,也不得不强忍心中百般酸苦去学习微笑,读后真是令人为之心颤。

第二,这些作品所描述的不再是一些零散的、偶然的生活事件和庸常的细节堆积,而是已经被着意呈现为一种由复杂矛盾交织而成的结构性现实。上下左右互相关联、互相掣肘,但又不是平等制约的关系网络,而是每一个人在这一特定历史阶段都无法逃得掉的社会性或者毋宁说是生存性制约。在往昔的时候,除了主管局和上级党委、政府等领导部门的领导性干预之外,其他系统或地方的责任部门一般不会对吕建国、兆田村长和孔太平等人的工作有什么干扰和制约,但现在不同了,方方面面都可能成为让你寸步难行的阻碍。对私人或集团本位利益的不正当维护甚至攫取，在许多个人或部门那里已成为一种处理问题时心照不宣的原则，改变着过去在上下左右之间对责、权、利的认识内涵和行使方式。在这种情况下，许多原本不应该成为问题的问题都变得无比复杂，令人一筹莫展。因此，只得借用非正常的手段并通过非正常的渠道去解决问题。吕建国要取得主管局对工厂的支持，自己去找局长反而不行，没办法只得请与局长有私情传闻的党委书记贺玉梅出马；要请公安局放出嫖娼的客户（这要求本身也是不正当的），得要通过厂纪委书记齐志远与公安局陈局长的私人关系，请他到酒楼吃饭。类似的情况不光在基层干部们的身上有，普通百姓则更是求告无门，连与那些基层干部们对抗不正常制约的能力也没有。当然，与99年出现的批判现实主义相比，这类作品揭示这一切的重点尚不在揭露与批判方面，而是在于对这一不正常现实的客观性展示，为其所表现的人们在当今现实生存中的集体无奈提供一个合理的环境和氛围。而为其所实际达到的表现效果，也就不单单是一个"愤怒"所能包容得了的。

　　第三，这些作品在内蕴的情感与人生态度的倡导方面，与新写实主义有明显的不同。它们惯常在悖论性的关系中演绎人物的行为和心理，并且以平等对话的姿态作设身处地式的叙述和描绘，而不是把它一切当作人生的常态作无动于衷的表现。面对种种由悖论性现实而制造出的人们生存的畸变状态，作家们以人道主义的人生态度和对在历史特定阶段人们无法不对其付出代价的认识与无奈，作了给予理解和极富同情心的艺术处理。这些作品打破了传统批判现实主义尤其是革命现实主义文学在道德价值判断上的简单化倾向，大胆地将对这一特定现实中的道德评价问题设置于一个超越既成性规约的基础之上。单独地看，作品中所表现的许多人物的行为是不道德的，不论是吕建国的为嫖娼的客户说情，兆田村长的自责的"拉皮条"的行为，孔太平的以不正当手段为犯罪分子的开脱，还是九月同意去陪冯经理睡觉的举动，没有哪一个符合传统道德的律条。可是当这些行为一旦表现出无私的动机，即表现为一种利他的或至少并非完全为自己的不得已选择时，其中悲剧性意味的崇高也就油然而生了。对此，除了悲凉的感喟和给予深深的同情与理解之外，谁还又能说什么呢？体味这些作品的命意，它们并不想强化固有的社会紧张，也不想制造读者与现实的紧张对抗关系，相反，倒是认为生存于不幸中的人们，或者说挣扎于两难处境中的人们，彼此之间应有更多一些的同情和理解，应该多一些"分享艰难"的人生觉悟。既然大家客观上都在承担着历史变革转型期的艰难，特别是社会基层的小人物们，还不得不承担着作为历史负面效应的诸多痛苦，那为什么不变得更自觉一点，以"分享艰难"的态度来共渡生存难关呢！

不少人批评这种现实主义未能充分反映生活的本质性真实与对社会不良行为和风气的批判力度。应该承认，在现实生活中，许多工厂、乡镇一级的干部确实比小说中所写的那些人物要专横、腐败得多，他们鱼肉乡里，称霸一方，已经发生了严重的质变。但这只是社会现实的一个方面，谁也不好说所有的基层干部都这样，更不能说他们都已经丧失了人性，完全没有了在两难性现实中的生存痛苦。现实生活本身是丰富而复杂的，文学对现实的观察和反映也会有不同的视角和关注点。1996年的新现实主义呈现为明显的人文关怀与生存关怀的特征，实际上是一种人文性的现实主义或者也可以叫作生存现实主义，不能用对传统批判现实主义或革命现实主义的理解对其作比照式批评。当时出现的那些作品确有让人遗憾之处，但主要并不在此，而是在于它们对所反映内容的悲剧性内蕴开掘不够，而且彼此之间存在着大量互相重复的现象，创作的后劲也明显地不足。

## 三

1999年大量涌现的批判现实主义的小说，似乎是从另一个极端上对1996年现实主义的矫正。它们以对社会阴暗面的充分暴露为职责，故事的叙述也由社会底层转向了社会的中上层，重点揭示中上层（当然也涉及到了基层）不同方面的人物是如何上下联手、以权谋私、制造腐败的。而且作者既是一个故事的叙述者，同时又是一个代表正义与道德的居高临下、洞明一切的旁观者。他们以其对官场、商场和情场相关存在的触目惊心的腐败现实的揭露，和对正义与邪恶冲突的紧张演绎，为读者提供了一种认识现实和发泄愤懑的文本渠道，因而又可以转化为一种阅读快感。暴露的充分性和文学的通俗性倾向，使之固然可以上接巴尔扎克式的批判现实主义传统，但更为明显的却是与上世纪初的谴责小说甚至是某些鸳蝴派小说的相类之处。当然，这些作品之间也有极明显的差异，比如有的作品就与上述倾向表现出深在的不同，不当一概论之。

王跃文的《国画》是比较典型的揭露官场黑幕的作品。先此一年出版的小说集《官场春秋》，就已经充分显露了他的这种创作追求。他对批判现实主义是一种自觉的选择，他说："我原本是一个理想主义者，可现实逐渐逼我明白，理想主义是最容易滑向颓废主义的。理想似乎永远是在彼岸，而此岸充斥着虚伪、不公、欺骗、暴虐、痛苦等等。颓废自然不是好事，但颓废到底还是理想干瘪之后遗下的皮囊。可现在很多人虽不至于颓废，却选择了麻木，就只有批判。这些年中国文坛制造'主义'的成就似乎超过了文学本身的成就。林林总总的'主义'来也匆匆，去也匆匆，你还没有来得及弄清某某'主义'是怎么回事，它已是明日黄花了。风过双肩，了无痕迹。我倒觉得，目前我们最需要的是批判现实主义。"① 在创作的取材方向上，他虽然声言"不承认自己写的是什么官场题材小说"，但在主张"人"永远是创作的"惟一的题材"时，却又打了一个分明在指示其取材方向的比方："如果把小说比作化学试验，那么人就是试验品，把他们放进官场、商场、学界、战场或者情场等等不同的试剂里，就会有不同的反应。作家们将这种反应艺术地记录下来，就是小说。"② 在描写为作者所极为熟悉的官场人物及其生活时，《国画》以丰富而真实的细节描写赢得了人们对它的信任。不同等阶和从事不同工作的人物，各自都按照自己的角色认定行动和思考，作者的用笔从容不迫，徐徐入扣。如果不是一位在中上层机关从事过长期工作的人，那是很难能够写到如此真切的地步的。

《国画》重点揭露的是官场人物两面性及其以权谋私的黑暗内幕。以朱怀镜为结构主线，围绕他的遭遇与命运的变迁，小说写到了上至市长，下至副市长、秘书长、副秘书长、厅长、处长、秘书，乃至县委书记、派出所所长等纵横交错关系中的各种人物。皮市长等上层人物，看起来道貌岸然，附庸风雅，可实际上却凭借着手中的权利，操纵着官场

---

①② 《拒绝游戏（代后记）》，《国画》，人民文学出版社1999年版。

升迁、商场沉浮和情场中的悲欢,是一个个十足的贪官和流氓。而那些处于中下等等阶上的人们,也都是一群忙于攀附钻营,既互相排拒又互相利用的势利之徒。小说中几乎没有什么可作正面道德肯定的好人,就连世外之人圆真大师,也是一个心系利禄的市侩。酒店副总梅玉琴倒是一位尚未尽失纯真的不幸的女人,但她的悲剧又何尝不是来自她本人对世俗性荣耀的贪恋?小说也写到了几位为作者所肯定的人物,一个是隐居于闹市的高人卜未之老先生,一个是行为怪癖的画家李明溪,还有一个是敢于直言又屡屡不能得志的记者曾俚。这三位都不能见容于由权与利编织而成的生活圈子,自己也都以与这个圈子不相容而作为守护人格的必然选择。但他们最后还是命定地将这种艰难的守护演绎成了对于人生常态的异化。这自然是一种悲剧,但须知在读者的阅读中,又无疑增加了几分奇趣。另外,小说不断重复着的对性行为、性感觉的近乎直观的描写,显然也增强了阅读中的感管刺激,实际上也成了吸引和刺激大众阅读的佐料。

张平的《十面埋伏》,同样是一部具有明显大众文化特点的小说,但在创作方式和作品侧重表现的内容上,与《国画》又有较大不同。王跃文写的都是为自己熟悉的身边生活,而张平所写的,却是他并不熟悉的生活。而他又特别看重文学创作对生活真实的根本性依赖和作品的类似纪实性文学的特点,所以"每写一部作品,都必须进行大量的采访和调查"。在他看来,能否把作品写得像"大家正生活在其中的日子","这跟作家的想象力没有任何关系,再有想象力,也不可能把你没见过,没听过,一点儿不懂不知道不熟悉不了解的东西写得栩栩如生"[①]。从对文学观应作的全面而准确的表述来看,他的这种说明难免有片面性和绝对化之嫌,然而事实上这正是他的文学观,是他基于自己对作家责任与文学"直面现实,直面社会"的强调,对文学所作的一种诠释。他坦言"这除了跟自己的人生经历有关外,更多的大概是因为自己所写的其实是一种大众化的社会小说,政治小说"[②]。因此,他对表现带有政治内涵的腐败大案始终具有浓厚的兴趣。《十面埋伏》所讲述的就是一桩涉及狱内狱外社会各阶层的大案。权利与金钱的交易,黑白两道的内勾

---

①② 《遭遇十面埋伏(代后记)》,《十面埋伏》,作家出版社1999年版。

外联，如织就的一张黑网，使正义的力量反而如遇"十面埋伏"，身陷重重包围之中。这部小说对"大众化"品格的呈现，并没有借助穿插于故事内外的猎奇之笔和性描写的刺激，而是集中精力将头绪繁多的故事如何叙述得跌宕起伏，一波三折。作者将为人们所关注的社会腐败问题与文学大众化阅读中所期待的故事情节发展的传奇性结合起来，以此为创作大众化的社会小说、政治小说的基本方式，应该说还是颇具成效的。但平心而论，这部小说比起《国画》来，作者在文学修养及文字表达能力方面，似乎要稍逊一筹。

相对来说，《中国制造》的作者周梅森和《羊的门》的作者李佩甫，并不像前两位作者那样，具有那么自觉而明显的大众化追求。他们都是新时期文学中的名家，在经营现实主义创作方面也都有了一定的根基，而且也不想在大众文化浪潮中放弃精英性的内核和追求。从这两部小说中，我们分明可以感觉到他们据此以力避流行性故事内容与理解的努力。比如《中国制造》就没有把批判性揭露的重点放在对种种经济腐败的罗列与堆积上，而《羊的门》也没有仅仅停留在对社会现实问题的表面性阐释和单纯的现实责任的追究上。但两位作家比以往更为强烈的对文学表现与社会现实客观真实性的契合的追求，和对社会大众与其作品共鸣的期待，却也是显而易见的，而且都相应地增强了社会批判的力度。

《中国制造》对现实中严重的经济腐败问题也进行了揭露和批判，比如对烈山县以县委书记耿子敬为首的贪污集团的描写就颇具典型意义。然而在小说中这不是被主要表现的对象，因为在小说所提供的认知范围里，这还不是最难于解决的问题，像烈山县的那种问题，只要被揭发起来，总还可以解决。而被小说重点插述的一些问题却倒真的成了问题，人们往往比较关注干部的贪污受贿等腐败问题，并对此表示极大的义愤，而对另外一些也极其严重而且更难于解决的问题反而注意不够，所以小说企图从更深广处对读者进行警示。比方说平阳轧钢厂的问题，连续十二亿的投资几乎全部付诸东流，而厂长何卓孝和主管市长文春明却又都是相当敬业的干部，而且事实上也主要不是他们的责任。真正的原因是当初上级领导决策的失误，现在又投鼠忌器，无法从根上追究。再比方作为新任市委书记工作障碍的前任书记姜超林，不仅清廉，而且工作上也相当有作为，那么这又算作什么问题？这部小说的过人之处，是它超越了一般意义上对现实的批判，把改革中的现实置放于历史的动态发展之中，揭示由体制和观念滋生出来而又被改革现实激化了的种种既旧又新的矛盾，显现"中国制造"的基本矛盾和特征。所以这部作品好就好在不仅是批判的，而且是思考的。只是由于过于偏重于故事的曲折讲述，未能将人性生存的更丰富的内容，在历史内容的深刻处给予更多一些的融入，从而必然影响到对更丰厚文学性的创获。

《羊的门》比《中国制造》更多地触及到了经济和干部任用即吏治方面的腐败问题，以及徇私枉法的种种不正之风。但它的特点是在对地理人文的历史传统的开掘及对其当代生存方式的探索上对上述问题由因及果又由果及因地加以表现的，而且比较成功地解决了一个传统国民性与当代改革现实的复杂关系问题。被评论者称之为"东方教父"的呼天成，是小说中最有意味也最富创造性的一个形象。他既是一个中原传统文化和农业文明最自觉的承继者，即使在村子十分富足起来以后，也还是长期居住于桑园深处的平房里睡百草结成的草床，不愿切断生命与使之得以滋润存活的"母土"的血脉联系；同时，又是一个并不拘泥于传统，不搞神鬼迷信，而且又拒斥新观念、新事物的人。在他身上，新政治、新观念、新道德，与传统的观念、智慧和心理达到了水乳交融般的结合，使之成为一个永远随机变化而又永远不变的存在。他专横但又深通谋略，时常又颇重人情，重实际却又不急功近利，种下的"庄稼"未必当年就收。老省委副书记"文革"中遇难，是他冒着风险将他藏在果园里的房子里救了他一命，以致若干年后成了他最可靠也最有力的支持者。他善待每一个下放的知青，在他们最困难时他都一一给予了最具关键意义上的帮助，后来他们成了省里干部，金融、新闻等部门的头头，全都心甘情愿地听命于他的每一个吩咐。他说，别人经营的是商场，他经营的则是"人场"。经过多年的经营，他果然织就了一张大网，他就像一只沉雄的大蜘蛛，稳踞于中心，只要有必要，随时都可以发挥这张网的作用。因此，在或明或暗的官场角力中，他总能稳操胜券，甚至能于死局中反败为胜。这个人物塑造的成功，对于人们了解当前我国以民间性形态存在然而又严重影响着改革现实的某种力量，了解其政治、文化等的独特结构性内涵及其生存方式，应该是具有重要启发意义的。与此同时，小说在字里行间经常涉及到众多人物们的"国民性"问题。在这"绵羊地"生长着的人们，作为历史痼疾的"奴性"必然在骨子里成为他们在改革现实中的一种挥之不去的精神与心理的背负，影响着他们的直立与前行。呼伯几十年在人们心中成为一尊无可撼易的偶像，其实正是凭借着这一国民性土壤而成功的。当前，改革的刺激也会使一些人走向另一极端，那就是极为膨胀的权利欲望，而这，则又成了互相倾轧、腐败犯罪的直接祸因。将近一个世纪以来新文学所一向关注的问题引入极富当代现实意义的文学作品中来，使作品无疑具有了更为深刻的历史文化内涵和准确把握现实的重要意义。《羊的门》企图把这长期划定在雅文学圈子中的文学命意，与为大众阅读所需要的曲折而传奇的故事和摇人心旌的言情穿插结合起来，这也是一种有效的尝试。但作者在对作为故事背景的地理、人文的介绍，《易筋经》之文字与图画的嵌入，以及故事情节的某些处理等方面，在整体处理上还不够圆通与成熟，这自然也是无可讳言的。

## 四

我以为，在批评界作为必要的反应，对这两种现实主义的努力进行评论的时候，有一个问题已经十分突出地摆到他们面前了，那就是对所持理论的反思与研究。

不客气地说，迄今我们对于现实主义的理解，仍未脱出过去那种革命现实主义理论的基本规范。如前所言，当我们的批评界（自然也包括理论界）把现实主义当作政治与历史的附庸弃置而去时，对现实主义的研究也便基本上中止了。可是，事过十年之后，当批评界不得不面对新的现实主义文学实践的冲击，而不能不对它表示一个态度时，其所持理论的陈旧与偏误便不由自主地显露出来了。

比如一接触96年的新现实主义，头脑中立即就会冒出关于现实主义文学的种种戒律，什么"本质"与"深度"呀，什么特殊的界限与范围呀，什么批判的力度呀，等等，统统成了衡量这一新文学对象的价值尺度。殊不知，文学创作最首要的一条，那就是精神创造的自由与自然。而这种精神创造的自由与自然，又恰恰是文学突破成规、不断发展的必要前提。19世纪前期，维克多·雨果就很反感古典主义的种种规约，而且正是靠着对自由的强调，突破了它的教条式约束的。他说，"我们整天听到有人谈起各种文学作品时就说要有这种气派、那种程度，这个界线、那个范围"，但实际的情况却是，"在精神作品中，唯一真正的区别就是'好的'和'坏的'之间的区别。思想是一片肥沃的处女地，上面的庄稼可以自由地生长，几乎可以说是听其自然，用不着分门别类，排列整齐"，而且"不应该以为这种自由要导致混乱"①。当然，雨果是在为浪漫主义文学进行辩护，所要实现的是对古典主义的超越。可是道理是一样的，即使在现实主义文学自身的生存与发展里，也应该有选择和创造的充分自由。事实上在前苏联的"社会主义的现实主义"到中国的"革命现实主义"这一理论系统出现之前，被这一理论系统名之为"批判现实主义"的时期，这种批判现实主义就是多元存在的，既有巴尔扎克式的批判现实主义，也有托尔斯泰式的批判现实主义。甚至，还可以有上两个世纪之交出现的，已经动摇了以往现实主义"意义"信念的哈代式的现实主义，而它，则已经一脚在现实主义门里，一脚在现实主义门外了。

现在回过头去看看，像托尔斯泰式的现实主义是一直被摒弃在我们这一理论系统之外的。尽管谁也没有忽视托尔斯泰作为一个大作家的存在（在前苏联早期出现的"无产阶级文化派"和中国的"文化大革命"中是例外），但对他的接受是有条件的，就是对作为其现实主义根本特征的精神内核的剥离与扬弃。早在1911年，列宁就已明确指出："在25年以前，尽管托尔斯泰主义具有反动的和空想的特点，但是托尔斯泰学说的批判成分有时实际上还能给某些居民阶层带来好处。然而在最近10年中，就不可能有这种事情了，因为从上世纪80年代到世纪末，历史的发展已经前进了不少。……在我们今天这样的时候，任何想把托尔斯泰的学说理想化，想袒护或冲淡他的'不抵抗主义'，他的向'精神'的呼吁、他的向'道德的自我修养'的号召、他的关于'良心'和'博爱'的教义、他的禁欲主义和寂静主义的说教等等的企图，都会造成最

---

① 《〈短曲与民谣集〉序》，《古典文学理论译丛》1961年第2辑，人民文学出版社版。

直接和最严重的危害。"① 由此便不难理解托尔斯泰式的现实主义在社会主义现实主义和革命现实主义理论建构中的命运了。在我国近一个世纪的文学发展中，大概只有在两个时期它曾经被我们短暂地惠顾过。一个是在五四启蒙现实主义文学兴起时，鲁迅等人主动接受过它的影响，因为那时无产阶级革命尚处于初萌时期，革命的意识形态还没有形成；另一个是在80年代中前期，当时勃兴的以人道主义为主潮的文学在客观上消解了与它的距离，因为凭借着各种理论上的拨乱反正和对"人性"问题的解冻，这时的文学认识已逸出了政治化意识形态的规限。

如果我们不再单从政治历史层面上理解文学和托尔斯泰，而是从人类生存、人类精神与文学的关系上重新加以认识，你就会发现，托尔斯泰式的现实主义该是一笔多么宝贵的财富。与特别强调社会批判意义的作家不同，托尔斯泰是从人类情感传达这一基点来理解文学艺术的，他指出："艺术活动是以下面这一事实为基础的：一个用听觉或视觉接受别人所表达的感情的人，能够体验到那个表达自己感情的人所体验过的同样的感情。"② 在他看来，"艺术和理性活动——这种活动要求事先受过训练并且有一定的、系统性的知识（所以我们不可能教一个不懂几何的人学习三角）——之间的区别就在于：艺术能在任何人身上产生作用，不管他的文明的程度和受教育的程度如何，而且图画、声音和形象能感染每一个人，不管他处在某种进化的阶段上。"③ 所以他特别强调说："艺术的目的与社会的目的是不能以同一单位计量的（如数学家所说的那样）。艺术家的目的不在于无可争辩地解决问题，而在于通过无数的永不穷竭的一切生活现象使人热爱生活。如果有人告诉我，我可以写一部长篇小说，用它来毫无问题地断定一种我认为是正确的对一切社会问题的看法，那么，这样的小说我还用不了两小时的劳动。但如果告诉我，现在的孩子们二十年后还要读我所写的东西，他们还要为它哭，为它笑，而且热爱生活，那么，我就要为这样的小说献出我整个一生和全部力量。"④ 在托尔斯泰式的现实主义里，创作主体从来都不是一个

---

① 《列·尼·托尔斯泰和他的时代》，《列宁全集》第17卷，人民出版社版。
②③ 《艺术论》，人民文学出版社1958年版。
④ 《致彼·德·波波雷金》，《文艺理论译丛》1957年第1辑，人民文学出版社版。

"社会正义"和"历史原则"的代表者,也不是一个凌驾于故事人物之上的全知叙述者或裁判者。作家采取的是与那些幸与不幸的人们平等对话的姿态,是同样作为一个痛苦的承受者与思考者的介入,来感受、理解和表现他们的。所以在托尔斯泰的小说里,我们经常可以找到一个与作家对应的形象,如《战争与和平》中的彼尔、《安娜卡列尼娜》中的列文和《复活》中的聂赫留朵夫,实际上就构成了一个生活在作品世界中的不断思考与求索着的对应性形象系列,并由此可以感受到作家思考与自我完成的过程。如果说巴尔扎克重点表现的是人性的异化,那么托尔斯泰所侧重的则是异化的痛苦与救赎,是人类性的博爱和道德的自我完善。的确,在托尔斯泰式的现实主义里,人们很难感受到社会批判的力度,也很难找得到对政治历史意义的本质性深度,但是,它却同样赢得了文学巅峰的盛誉,甚至还更多地获得了人类性和文学性的丰厚内涵。假若我们今天能够重新找回并充分认识到这类现实主义文学的合理性与重要性,那对 96 年新现实主义的认识和评价,无论是说长还是道短,我想就可能是另外一种情况。

我们并没有看轻巴尔扎克式的现实主义的意思。恰恰相反,倒是认为正是这一种现实主义,把在资本主义前期阶段金钱异化为人间上帝后人性异化的情形揭露得淋漓尽致,从而把这一种现实主义文学推向了巅峰。我们在这里想要指出的只是,从社会主义的现实主义到革命现实主义,更多予以借鉴的无疑是这种现实主义,但在其借鉴与革命性发展中,却是出现了明显的误解与偏离。众所周知,巴尔扎克十分看重作家对于历史的责任和"对一些原则的绝对忠诚",而且强调"寻出隐藏在广大的人物、热情和故事里面的意义"的重要性[1],但就是在这里,社会主义的现实主义理论对它进行了"发展"。不妨引述两段其最为权威的表述,一段出自《苏联作家协会章程》:"社会主义的现实主义,作为苏联文学与苏联文学批评的基本方法,要求艺术家从现实的革命发展中真实地、历史具体地去描写现实。同时艺术描写的真实性和历史具体性必须用社会主义精神从思想上改造和教育劳动人民的任务结合起来。"[2]

---

[1] 《〈人间喜剧〉前言》,《文艺理论译丛》1957 年第 2 辑,人民文学出版社版。
[2] 见《苏联文学艺术问题》,人民文学出版社 1959 年版。

另一段出自苏联大百科全书对"现实主义"的社会基础所作的诠释:"现实主义的社会基础,从根本上说,是人民生活,是社会的革命力量争取新的、先进的事物获胜而进行的斗争。"① 很显然,如果拿这种解释与巴尔扎克的认识相比照,会发现在相关性的两个问题上进行了矫正或者在今天看来是发生了偏离。

一个是对历史的责任和文学与历史的关系问题。如果细审一下巴尔扎克自己的解释,可知二者的差异是如何之大。巴尔扎克说要当"历史的书记",原话是这样讲的:"法国社会将要作历史家,我只能当它的书记,编制恶习和德行的清单、搜集情欲的主要事实、刻画性格、选择社会上主要事件、结合几个性质相同的性格的特点揉成典型人物,这样我也许可以写出许多历史家忘记了写的那部历史,就是说风俗史。"同时他还指出:"作家的法则,作家所以成为作家,作家(我不怕这样说)能与政治家分庭抗礼,或者比政治家还要杰出的法则,就是由于他对人类事务的某种抉择,由于他对一些原则的绝对忠诚。"② 如果没有理解错的话,我以为他说要做的其实不仅是历史之主导行为和政治的书记,而且目的是从与历史相关的另外一个角度,力图写出的"许多历史家忘记了写的那部历史"。他甚至把能与政治家分庭抗礼、坚持对"人类事务"的"某种抉择"的原则的绝对忠诚,视为作家之所以为作家的基本条件。应该说这一些才是他的本意。另一个问题是对其所提倡的"意义"内涵的置换。巴尔扎克主张必须探寻所描写内容的"意义",指的是所写内容的动因和自然法则,"看看各个社会在什么地方离开了永恒的法则,离开了真,离开了美"③;而社会主义的现实主义则将它置换成了由与历史主导行为相一致的思想与精神。作为由"社会主义的现实主义"到"革命现实主义"这一理论系统的文学历史资源,当我们对它——巴尔扎克式的现实主义——作了一番正本清源的辨析后,至少不应再笼统地把现实主义作为政治历史的附庸或工具来理解和对待,既不要把它当作政治的工具来拒斥,也不要把它当作政治的工具来实施文学式的对抗,因为它毕竟是文学的,有着它独特的关注点和独特的"意义"

---

① 见《现实主义》,《文艺理论译丛》1957年第2辑,人民文学出版社。
②③ 《〈人间喜剧〉前言》,《文艺理论译丛》1957年第2辑,人民文学出版社版。

领域。99年的批判现实主义如果说有什么失误，其实就是不少作品在这方面没有认识得十分清楚。

不必讳言，不论是巴尔扎克式的现实主义还是托尔斯泰式的现实主义，都已经成了远去的历史。但现实主义没有过时，它们对于我们如何在开放、创新和多元的状态中促进中国当代现实主义的发展，还有着重要的启发意义。

时至今日，虽然时隔不久，但不仅96年的那种新现实主义的潮涌早已波平浪静，就是99年批判现实主义的新冲击，势头也已大大弱化。面对此情此景，文学创作和理论批评这两张皮应该努力贴在一起，以一种契合的共谋关系，来探求和实现现实主义的新发展了。我想，这样的提倡与努力，大约不会错。

（原载《时代文学》2000年第4期）

# 历史现代转型中的文学潮涌

## ——20世纪中国文学回望

站在20世纪的终点回望这一个世纪以来中国文学的发展，一种凛然的历史感和难抑的激动会不期然而生。不管人们对这一段文学历史的评价存有多少分歧，但有一点却毋庸置疑，那就是它与中国历史的巨变紧密纠结，为历史也为自身的现代转型所作出的艰难然而也卓有成效的努力。在这个世纪里，文学已不再仅仅是历史河床中的波澜，在一些特定的时期，它还直接成了历史中心行为制导者用来开凿历史河床的工具。前所未有的沉重与激情，前所未有的深度与张力，使文学之潮波涌浪迭，回环奔突，形成了一道道迥异于前的文学景观。它既留给了我们丰富的财富，也留给了我们许多的思考。

20世纪无疑是个"革命"的世纪，而20世纪中国文学也无疑是以其"革命性"为特色。纵览百年，从梁启超高倡"诗界革命"、"文界革命"、"小说界革命"，到陈独秀、胡适等人声势更为凌厉的"文学革命"鼓吹，到80年代中前期再次标举五四文学精神的人道主义文学潮涌，这三次文学界革命的大澜，既凸现了文学发展的基本动势，也提供了多元性文学时空拓展的基本动能。"革命性"显然包括着否定性和探索性两种内涵，即便是那些在文学革命退潮与分流发展时期出现的各种文学现象，相对于古典文学来说，在生存状态上也无一不是革故鼎新的结果。

文学观不同于文化观，但文学作为文化的一部分，二者在内在价值观念和心理结构取向上则是密不可分的。因此，作为历史转型重要构成因素的文化变革，势在必然地成了20世纪中国文学革命性变化的直接前提，而事实上三次"文学革命"主张的提出和大潮的酿成，也都正是在文化启蒙主义运动勃兴之时，这几乎成了百年来明显可见的一个规律。早在19世纪与20世纪之交，戊戌变法的失败为启蒙主义初潮和梁氏的三界"革命"提供了契机。梁启超在日本期间如饥似渴地读习西方文化，"脑质"为之变易，有幸走出了康有为式今文经学的笼罩，率先觉悟到苟欲救亡，必须拔本塞源，"变数千年之学说，改四百兆之脑质"，并据此发出了"新民为今日中国第一急务"的召唤。为通达"新民"的目的，他首选的方式和工具便是文学，尤其是小说。基于对小说魅力之所在即读者借此可以超越个体生命体验有限性的本体论阐释，及对小说功能的无限夸大，梁启超在把小说推向各种文体的中心位置的同时，也把文学的变革推进了历史变革的中心，从而启动了中国文学现代转型的艰难历程。加之现代造纸、印刷工业和传媒形式的初步形成，于20世纪初的十余年间出现了小说译作和创作的热潮。李宝嘉的《官场现形记》、吴沃尧的《二十年目睹之怪现状》、刘鹗的《老残游记》和曾朴的《孽海花》等一批"谴责小说"便于此时适时而出。

　　当然，最足以引为20世纪骄傲的还是发生于五四新文化运动中的"文学革命"运动。新文化运动以对中国文化元典精神的彻底否定强化了中西文化的价值对立，并以"重新估定一切"的决绝的批判精神向封建专制主义文化发起了猛烈攻击。"文学革命"是这场文化批判运动发展的必然结果，也是它的重要组成部分。与梁氏的三界"革命"相比，这次"文学革命"虽然没有直接把文学尤其是小说抬到那么高的位置，但从语言革命到思想革命却对文学进行了全面的颠覆与建构，其影响之深远自不待言。以"人的文学"为标志的一代五四新文学，不仅自觉遵循着启蒙主义改良社会人生的基本规约，以新的形与质显现了文学与历史要求的深度结合，而且以实践的方式矫正着文化批判中的认识偏执，在艺术的领域中努力实现着对中外艺术精神与艺术经验的综合性创造。其间，不但有鲁迅这一思想、文化和文学巨人的崛起，而且也有叶绍钧、冰心、朱自清和郭沫若、郁达夫等灿若星辰的一批文学大家脱颖而出。鲁迅的小说、杂文以其内容的深刻和艺术的精湛，堪称世纪的绝唱、不朽的经典；其他作家、诗人也无不以其创作的新异而引人瞩目，并由此而开始了光耀世纪文坛的文学生涯。就如周作人这样的人，在当时也尽显风采，只可惜后来走上了人格自毁的道路。而且也正是在这个时期，白话诗、白话"美文"和独创的话剧剧本开始出现，真正开启了所有文体的现代转型与创造。在 80 年代中前期以文化启蒙为内涵的文学潮涌中，并没有文学革命口号的提出，但其对五四文化价值观念的重新确认和赓读五四文学传统的渴望，又分明地表示着在历史新时期文学界所做的革命性努力，看作一次"文学革命"亦无不可，只是与五四时期相比，增加了更多一些的社会政治批判和历史反思的内容。如果说五四文学革命时期更多侧重于对国人悲剧性文化生存的关注，那么在新时期中前期，则主要表现为对造成政治性悲剧的文化原因的历史追寻了，政治力量与传统专制主义文化的深层结盟，在这里成了文学关注的焦点。王蒙、邓友梅、陆文夫等一大批在 50 年代崭露头角的作家此时又重现了青春，而张贤亮、张承志、刘心武、张洁等新作家也蓬勃而出，以浓墨重彩一起谱写了新时期文学历史的第一页。

然而，文化启蒙只是中国历史现代转型中的一个环节，它虽然重要，但不可能取代历史在政治、经济等方面所必须进行的变革。因此，当历史转换了它的基本选择时，就必然要导致文学主导话语的置换。其中最典型亦即在长时间内决定了 20 世纪文学史架构的，则莫过于由"文学革命"到"革命文学"的转变了。由于历史变革由文化启蒙到政治革命的转换，文学的历史功利追求也必然地由文化而转向政治，使文学的政治工具性得到了极大甚至是极端的强化。这固然不可避免地会对文学独立品格的实现带来影响，乃至严重影响到作家"个人性"主体因素的发挥，但它却也有效地规约或保证了文学对新生历史内容和历史主导精神的关注，且使文学在审美表现方面获得了颇富阳刚之气的新型创造。左翼文学巨匠茅盾以其对转型期基本历史结构的触摸而使其作品率先触及到现代史诗的创造问题，丁玲、萧红、吴组湘、艾芜等则又无不以其颇具个性化的风格为左翼文学的丰富性增添了色彩。延安时期，以赵树理为代表的作家、诗人，在将政治性历史内涵与民族和民间的艺术形式乃至艺术趣味的结合与创造上，可以说达到了很高的水平。

中华人民共和国的建立，将革命文学的发展推进到一个新阶段。建国前那种由政治区域隔离和文学价值观念的差异所造成的作家队伍与文学发展的分立状态，此时已归于一统；而国家意志、阶级政治和个人追求的统一，也成了文学艺术工作者新的精神综合和力求遵循的准则。作为革命事业的一个重要部分并倾力为其服务的文学，这时开始以历史主人公的叙事态度，由过去那种专注于现实性社会政治批判转向对革命历史传统的开掘与对新的中心性历史行为的跟踪了。在当代中国的十七年中，表现革命历史传统和工农业社会主义改造与建设，成了文学的两大母题。也正是在这种表现中，革命文学在延安文学的基础上，将革命现实主义这种前所未有的新型文学发展到一种完备的形态。现实与理想的结合，历史走势与精神制导的一致，都在阶级对抗、新旧对立的基本模式中得到了近乎得心应手的实现。作家们固然首先看重的是对在历史基本撞击中所闪耀出的精神光芒的颂扬，而同时又在许多"中间"状态的生活内容中尽可能地搜寻更富文学意味的表现，梁斌、柳青、欧阳山、杨沫等人都曾经创作了不止激动过一代人的长篇巨构，可以视之为这类创作的代表。当然，由于对"现实"与"理想"的认识受到政治走势的规约和影响，使这类创作难以避免地表现出共同的时代局限，而且愈来愈呈现为对生活和文学的双重背离。值得指出的是，还有另一种声音、另一种创作，它们在同一政治笼罩中但却更多地强调和突显了表现"人性"复杂性和针砭时弊之于文学的重要，它们对文学与生活的双重质疑，事实上是对文学与生活现状的双重规谏。虽然它们都遭受到了不公正的待遇，但却时隐时现，不绝如缕，客观上形成了十七年文学发展中的一种内在制约和张力。遗憾的是，这种制约并不能从根本上解决艺术创造与政治规约之间的矛盾，在那个时代，不仅以政治取代艺术的倾向经常出现，而且有时甚至发展到以政治运动和残酷斗争的形式解决艺术分歧问题，教训不可谓不深。

人们在谈论文学价值的置换时，多是叹惋于置换后的非文学性效应，殊不知每次置换的发生都是在作为被置换者的单向度追求因其极端而走入末途之时。比如"五四文学"即启蒙文学，人们通常是把它作为对从"文学革命"提出到"革命文学"出现这一时期文学的统一性称谓，但事实上进入20年代不久文化启蒙的空想性即悲剧性即已被先驱者们感受到，缘之于启蒙效果的质疑与困惑很快就成了对原初统一理解的解构力，表现在文学上的"统一性"亦不复存在。应该说，是文化启蒙把"文学革命"推进了历史的漩涡，使文学的现代转型获取了巨大推动力，而文化启蒙的落潮，则使文学向主体心灵的深化与多元发展获得了可能。比如鲁迅，如果仅有《呐喊》而无《彷徨》，那他的价值或许得另当别论，因为在《彷徨》中，他已从原先那种对被启蒙者文化生存悲剧单向性的写实性关注与警示，变为主客体之间的双向交流与对主体心灵世界矛盾和痛苦的正面开掘，使启蒙中的"个性主义"提倡，在创作中真正落实为作家"自我"的表现。更为重要的是，正是在文化启蒙价值观念被相对解构中，"问题"式的文学表现的统一状态才得以衍生为多元分流的渐趋繁盛的局面，不仅以"新月派"为代表的其他文学派别能够同时领骚于文坛，而且现代主义也才得以以"原型移植"的方式在文坛标新立异、独放一枝，虽然它们这种方式并不能长期为继。

假如说由"文学革命"到"革命文学"的转化是在多元中强化了政治的一元为文坛主导选择的话，那么，发生于80年代中期的启蒙性文学主潮的消解与转化，则是在历史由政治为中心向经济建设为中心转移的背景上所发生的不同于历史的文学转移的新形式了。文学价值观念和艺术追求的持续的相对自由的多元选择与变异，始终是自80年代中期以来迄未有改的文坛盛景。对文化与政治两种工具性规约的超越，文学真正实现了在相对独立意义上的自我审思与发展。崭新的开放性的文学视野与借鉴，痛定思痛后对人生与历史的重新理解与发现，使文学有效地解构了先前那些对各种创作姿态、创作方法的"意义"指涉和界限厘定，得以在更宽松、更自主但也更急迫的氛围中进行各种实验和探索。各种超越了既有阅读经验的崭新的文学生成状态，一方面在挑战中改变着受众对文学的理解，一方面也在既多元分生又融通发展中竞新求异。传统启蒙的或政治的现实主义，此时已为生存现实主义所取代，意义的模糊性或多元性，生命体验的个人性与日常性，成了区别于传统写实的"新写实主义"的基本特征。而文学对历史与人生的新理解，即在文学视野中对历史中人性与生命内容的新发现，和对传统"意义"之外偶然性因素的感性把握，则使所谓"新历史主义"的写作在超越"新写实主义"的基础上，向新的史诗的架构逼近。而同时令人欣慰的是，我们的文学在此时也并没有放弃关心民瘼和鞭挞丑恶的社会良知与责任，1996年以"三驾马车"为代表的新现实主义的冲击，和近两年批判性现实主义创作的崛起，就是很好的证明。当然，在文学走向自主和多元时，种种误解也必然发生，比如近几年间围绕"边缘化"、"个人化"所发的某些议论和据此所进行的一些创作，就很需要认真地进行一番辨析研究，而这，则是留给21世纪的话题了。但新时期的文学却无疑是幸运的。在这一历史的也是文学的新时期，王安忆、余华、苏童、陈忠实、张炜、史铁生、张平等众多作家的才华得以充分展现，他们在对文学之于历史、人生的理解上已多有突破，相信他们中的一些作品会长期流传。

其实，就是在历史制约着文学作出主导性选择并作一元化强调时，文学生存的本身也是一种复杂的结构状态。就如在左翼文学乃至到延安文学占主导地位时，其他的一些在倾向上相近或相异的作家也同时活跃于文坛。习惯上称之为民主主义作家的巴金、老舍、曹禺就均为在20世纪横跨新旧两个时代、屈指可数的文学大家，他们的一些作品以独到而深厚的历史文化内涵、人生况味和艺术造诣，实际上已成为世纪的丰碑。而作为自由主义诗人、作家的徐志摩、闻一多、沈从文、钱钟书等，实际上也都是文坛上的重镇。见之于历史的实际状况，远比我们的叙述还要复杂得多。历史突出的单向度努力与实际存在的结构性制约，二者之间的制动与调适，构成了文学运动发展的实际历史图式。而极端性强调与制衡力量之间所形成的张力，又无疑开拓了文学多元发展的空间。就以文学的雅、俗而论，尽管对抗了近一个世纪，但各自的强化性发展和互渗性影响，却不能不说是公认的事实。历史上诸多的事实已是存在，需要调整的是我们的认识。

现在，新世纪朝暾崭露，历史的新行程已经启步。有了20世纪长达百年的历史基础，我相信，只要我们对它进行认真的总结与反思，已到的21世纪也必将成为文学发展的新世纪。

（原载2000年12月31日《人民日报》，发表时略省删节）

# 对视，并不是取其反

价值重建之于 21 世纪中国文学的重要性自不待言，而价值重建则须对 90 年代文学乃至 20 世纪文学取反思的态度也是不言而喻的事。然而，为我们所期待的价值建构，应该是在对由相关知识参与并互相制约而成的既有知识系统进行全面拆解的基础上，所作的综合性思辨的结果，而不应是对 20 世纪那种两极反弹式价值建构模式的延续。

任何一种文学价值观念的形成和确立，都脱离不开与之相契合的历史观、哲学观、人生观等诸多观念的支持与制约。看似一种本体论的表述，实则均非所谓"纯文学"的自言自语。就以文学和历史的关系而论，就是文学在思考自己的价值时所无法回避的一种基本关系。回头看看 20 世纪中国文学，其主导性价值观的确立，就是既得之于此又失之于此。所谓得之于此，是指因对历史变革的责任承当而一改文学与历史中心性行为的张力关系，并在对历史性崇高的真切体验中改写了旧日的文学；而所谓失之于此，指的则是因与历史中心性行为的价值同构，而从或启蒙或救亡的不同方向上对文学自身特性的削弱或失落。相对于自上一世纪初以来主导性文学价值重建的基本方式而言，90 年代文学在价值重构上已不再是不同历史功能选择上的置换，而是表现为对启蒙与救亡的双重拒绝。这固然是文学企图自主的一种努力，但细审之则不难发现，为其所标榜的所谓"边缘化写作"与"私人化写作"，在对"历史"的基本理解上与前此的历史观念并无二致，依然是把它界定在历史中心性行为及其价值指向上，只不过采取了疏离的态度而已。在价值选择上，虽已有别于既往对不同历史行为的寻找，但在文学与历史的关系上也依然是没有走出两极反弹的模式。既如此，如果我们在今天的价值重构时再取其反，那就只有重又回到既有的"历史"之中了。

所以，关键的问题是在价值重建时对历史观作一体调整。在我看来，第一，"历史"应该是一个结构性而且更富包容性的概念，人类的一切生存活动都在其包容之中。文学作为生命存在和价值呈现的一种方式，自然也不可能立于历史之外，而其介入方式和责任承当也会因"历史"的包容性和结构性另有所属。第二，文学视野中的历史观应该有别于政治家乃至史学家的历史观。以往的失误，在于将二者混为一谈，使文学在追逐历史中心性行为的进步上失落了自己。殊不知文学在人的生命乃至历史的健全发展上实则另有担承，为其尤为关注的应是人性生存的现实状态，在历史中所起的也应是对那些哪怕是历史中心性进步行为的撑拒与张力作用。所以，优秀的文学常常与历史中心性行为事实上存在着对视乃至质疑的关系，比如巴尔扎克时代的资本主义显然还处在进步阶段，而为他所关注的却是由此而形成的人性的严重异化。20世纪中国文学的"现代性"呈现，也往往是表现在对"历史"之"现代性"的质疑上。明乎此，文学的独立性足以自保，又何须非要声言什么"边缘"，以至导致文学的另一种误解呢？

（原载《文学评论》2001年第4期）

# 绝对化思维无助于文学史的科学建构

吴炫《一个非文学性命题——"20世纪中国文学"观局限分析》（以下简称"吴文"）一文，对一个世纪以来文学及文学研究所存在问题的针砭，尤其是对那种忽略文学"个体化"生成特点，仅在政治或文化层面上作趋同式意义研究的习见模式所作的批评，都具有一定的启发意义。但就其立论的基本认识及由其所表现出来的思维方式而言，我却以为大有可商榷之处。

先是吴文对"20世纪中国文学"所作的判断，就已使我颇为不解。"20世纪中国文学"作为一种断代性专门史的概念，明明已标示出"文学"这一研究对象的类别特征，而且与某些以政治区划为文学断代的史著不同，是依据对象自身历史发展过程的相对完整性来进行时空界定的，怎么就成了"一个非文学性命题"呢？其实，就"20世纪中国文学"这一文学史概念来说，它只是对概念外延的一种限定，至于怎么理解，却是包容了见仁见智的诸多可能性。即使作为"观"来说，就我所知，在使用这一概念者中事实上也是虽不能说人言言殊但却也是理解不一，甚至是彼此牴牾的。从吴文用作批评对象的征引来看，主要是出自黄子平、陈平原、钱理群的《二十世纪中国文学三人谈》一书，究其实它只能算是一家之言，岂能以对其内涵的一种理解，用作对这一概念的否定呢？

不过相对而言，吴文的问题更为突出的还是表现在它对所提出问题的理论阐释之中。吴文认为，在"20世纪中国文学"观中隐含着一个"重大局限"，那就是"用'现代性、共同性和技术性'体现的对文学的把握、描述，主要是从文化角度、思潮角度、技术和材料等角度对文学的观照，而难以触及到文学'穿越'这些要求、建立独特的'个体化世界'所达到的程度"。而对这一"重大局限"的发现，则是得之于作者用一种"本体性否定"的理论进行检验的结果，因为其所谓难以触及到的东西，就正是"文学对文化"的被其称之为"本体性否定"的特性。据此，吴文断言："'20世纪中国文学'虽然突破了政治对文学的束缚，但并没有突破文化对文学的束缚"。细审全文，我们就会发现，吴文这种用以自证又用以证人的理论，是其在一系列问题上进行否定性判断的认识基础，但同时也不难发现，它在对文学与文化关系的理解上已明显地走入绝对化一途。

　　吴文认为，"文学在性质上与文化是一种'本体性否定'关系"，具体说来就是"文学在材料上源于文化，但在性质上与文化不同而分立"。众所周知，按照科学性思维的要求，当我们表述两个概念之间的关系时，首先必须在理解上明确界定两个概念在使用中各自的内涵及外延，并且应该明确对所论关系的角度设定。譬如在"文化"与"文学"之间，事实上就存在着整体与部分、一般与特殊等不同的关系角度，而且在不同的关系设定中，概念的指涉也有所不同。在其整体与部分的关系中，"文化"是一个包括"文学"在内的总体概念，没有任何理由将"文学"排除于"文化"的范围之外，即便把"文化"缩小在"精神文明"的范围内，"文学"也是其中极为重要和极为活跃的一部分。如果从这个角度说文学与文化在性质上不同而分立，显然是不妥当的。倘若是从一般与特殊的关系立论，那么"文化"就只是一个由许多特殊的具体中抽绎出的"共性"，是存在于诸种互不相同的"个体"中的"一般"；而每一个"个体"的生成与存在，也决不可能将这一"共性"的内容全部挤出。吴文笼统地将文学与文化在性质上判然两分先就不对，即使仅就后者而言其理解也是经不住推敲的。吴文说："文学的生存状态受文化的制约"，"但文学的存在状态（即文学实现文学性的程度），则体现为对文化制约的摆脱，以及对文化性生活材料的个体性穿越。"就是说，文化对于文学来说只是一种生存的制约和必须穿越的生活材料，文学要想获得文学性，就必须对其摆脱和实现穿越。这种表述显然与实不符。第一，历史积淀而成的文化传统、现实的文化环境，尤其是与作家产生亲和力或由其直接参与推波助澜的文化思潮，对作家固然是一种制约，但同时也是一种塑造。文化决不仅是外在于作家生命的东西，他们感受、认识世界的角度，特定敏感区域的形成，以及运思和酝酿的取向与方式，无不与其规定性有关。因此从另一角度说，文化对于作家不仅是一种"生活材料"，更是一种文化精神和生命内涵。第二，文学创作的"个体化"过程，所要求的只是对从内容到形式全面的个体悟解和创造，不能将它简单地理解为断裂式的摆脱或穿越。实际上文化的内涵不但表现在创作的"起点"上，而且也必然表现在它的过程和结果中。因为文化的发展也只能在个体性的理解与生成中才能实现，同时也因为文学无论怎样"个体化"、怎样"文学性"，但它毕竟既不能因"文学性"离文化而去，也不能因"个体化"而凭空产生。

与对文化与文学关系的否定性认识相关，对文学的文化研究在吴文中自然也在被否定之列。不可否认，以非文学性的目的对文学做文化研究的现象确实存在，而且直到今天也还是一种最具影响力的学术倾向，那就是由文化启蒙主义立场出发对文学进行观照的基本态度与方式。看起来它也在、甚至以更高扬的激情在维护着文学的独立性，但那是相对于政治干预而言的，为其实质性坚持的说到底还是启蒙主义与政治两种不同历史立场的对抗。对此，从文学性研究的要求进行批评，应该说是很有现实针对性和意义的。但是吴文在这里又出现了两个问题，第一，中国在20世纪如潮起潮落般出现的"文学革命"倡导和文学的实际转型、变革，事实上都与启蒙主义的历史运动密切相关，以鲁迅为代表的新文学即便在"文学性"的生成与内涵上也不能与它毫不相干。因此以"文学性"为由将其排除在本体性研究之外，那是于理于实都不相宜的。第二，对文学的文化研究实际上包括着功利主义和非功利主义的诸多差异，更不应笼统地进行否定。比如王国维，他就特别反对对待文学的功利主义态度，但他也以现代哲学、美学观念对《红楼梦》重新进行阐释，对他所做的努力，你能否定吗？可以这样说，同是以文学研究为目的，文化研究一方面可以成为文学研究的一种独特方式，一方面从普遍性的意义上说又为所有文学研究所必需。试想，若非如此，那文学研究还有什么可以说得清的东西吗？其实，即如吴文，它在用作例证时对鲁迅、钱钟书、孙犁、茹志鹃等人作品的分析，固然是"文学性"的，但又何尝不是"文化研究"呢？

吴文之所以对文学与文化的关系作如此论断，目的显然是为了保证其所提供的一种逻辑推论的合理性。这种推论则是：既然文学与文化在性质上不同而分立，而"'现代性'首先是对文化而言的"，那么"文学与文化的现代性也是两回事"，所谓"现代性"只是对文学的一种文化制约。再推下去，那就是它所认为的"以'现代性'为首要内涵的'20世纪中国文学'"的"非文学性"了。平心而论，吴文的愿望还是好的，因为现实中以对"现代性"的认识而束缚了文学研究的现象确实是比较严重的，在此问题上我与吴文作者亦有同感。但遗憾的是，吴文与现代流行的"现代性"理解实际上存在着"共识"认同的态度，因此认为要实现"文学性"研究的突围，就只有想办法将文学从与"现代性"的关联中摘离出来。殊不知，这并不是一条科学的通途，要解决问题最关键的首先还是从根本上解决对"现代性"的认识问题。在我看来，所谓"现代性"应该是一个包容更宽泛的概念，作为对历史转型的综合性要求，它在对象指涉上无疑包括着经济、政治、文化、艺术乃至心态与民俗等方方面面，单就文化而言，当然也包括着激进主义、新传统主义甚至是由"现代"确认的崇古倾向等不同的理解、态度和介入方式。不仅新文化运动先驱者们的文化观念属于"现代性"的归属对象，从"国粹派"到"学衡派"也当之无愧地应纳入它的范围之内。例如以章太炎为代表的"国粹派"，从20世纪初开始，就对传统文化进行了"国学"与"君学"的分解，并在文化开放的视野中提出了对中西方文化进行个性特征比较研究的思路，只是惜乎长期以来它一直为占主导地位的"中西/古今"的价值比较方式所排拒和遮蔽罢了。中国文化的"现代性"努力，实际上表现于一种多维度构成的动态的结构之中，正是不同力量之间既互相制约又互动互补的不断结构性调适，才有效地保证了"现代性"在其实现过程中的自我矫正与补偿，并保证了其多元性内容的共时生成和整体上的中国特色。

既然文化的"现代性"既非单一取的"整体"，又非仅功利主义的一脉，那也就没有必要在谈论文学的"文学性"时对它采取排拒的态度了。事实上20世纪中国文学中的"现代性"内涵是毋庸讳言的。文学创造的艺术魅力可以超越时空虽为不争之论，但文学创造的时代性特色也是不容否认的事实。吴文认为《红楼梦》中的贾宝玉既不是"传统"所能说明的，也不是当时的"现代"所能说明的，固然不错，可这只是问题的一个方面，完整起来还应有另一面的表述：他既是传统（明中期以来的个性解放思潮和世情小说的发展)的,又是"现代"(曹雪芹时代)的。曹雪芹所创造的"个体化世界"不论怎样与众不同,但总不能将它抛出于曹雪芹时代之外。再如钱钟书的《围城》,且不说它的艺术成就是否已达到如吴文所赞誉的高度(至少在我就觉得恰恰在其"个体化"创造里,创作主体对人物悲剧性生存所采取的超然物外的名士态度,就与小说所要表现的生存悖论的普遍性这一题旨不太和谐),仅就方鸿渐而论,谁又能怀疑他是一个现代人呢?其实说白了,所谓文学的"现代性"不过就是个包容更为宽泛的"时代性"问题,它与文学的"个体化世界"并不是一种矛盾关系的设置。因为在这种理解里,文学的"现代性"同时又是对文学个体化生成的无限多元性的指称与概括。比如鲁迅,缘于对传统文化症结所在的独到理解,他比任何人都更为清醒地认识到了被启蒙者身上"被食"与"食人"两种角色难以分解的严重现实,在小说中深刻表现了国人既是传统文化的承载者又是传统文化的生成者、既是悲剧命运的承当者又是悲剧命运的制造者这一主题性理解。但你只能说他是不同于或超越了同时代人的,而不能说是置身于"现代"之外的。另外,《百合花》一类的作品亦然,你可以说《百合花》超越了50年代"共同性"的政治观念的制约,但不能把它理解为普遍性人性观照的无根之花。

由于吴文对流行"现代性"认识取认同态度,所以对文学的"现代性"又因对"历史进步论"的否定而否定。诚如吴文所说,简单化的"历史进步论"确实不足为据,但是却不能因此而否定历史是一发展的过程这一事实,也不能因此而否定中国文化与文学现代转型的必要性与必然性。历史的发展也应该是一个多维性的动态结构,其中既有解构性、制导性的力量存在,又一定有对这一力量的质疑性因素发生。文化乃至文学的发生与发展,就一方面可以表现为前者的组成部分,一方面又可以表现为后者与其抗衡。就文学而言,它所担承的本来就不是对既成现实合理性进行形象阐释、或对某一主导观念进行形象演绎的任务,而是对"历史表述"之外的更为丰富的内容的发现,和由人性生存角度对历史所作的质疑性补偿。比如鲁迅在《在酒楼上》和《伤逝》等作品中对启蒙者悲剧的敏锐感受与深刻自省,对娜拉走后悲剧命运必然性的揭示;沈从文在其创造的"湘西世界"里对传统愚昧文化与现代文明的双重抗拒,就都属于此类。但这恰恰是文学"现代性"的独特内涵,不能因其独特而排除在"现代性"之外。当吴文排除了历史发展的内容之后,文学史势必就只剩下他所说的"以经典为笼头"的"不同的空间结构"了。我们不反对文学史建构的多样性,但如果像吴文所倡导的这样,它将会是什么状况?与通常人们所理解的对经典作品的鉴赏和比较研究又有何区别?

　　本来,吴文的初衷是要反对一种绝对化的思维,但当吴文作者自己又偏向了另一极端时,在思维方式上所走的仍然是过去的老路。其结果不仅是将文学与"现代性"强行分离,而且最后还违背常识地把文体变革与文学"本体"也强行撕裂,甚至推导出了20世纪并没有出现真正的文学革命的结论。我不认为这对文学史的科学建构会有什么真正的好处。

(原载《中国社会科学》2001年第4期)

# 跨越了一个世纪的启示

## ——重读石评梅

在上个世纪 20 年代中国文坛上，忠情才女石评梅如一颗璀灿的小星悄然而升，又倏然而逝。在这个世界上她只生活了二十六年，而在痛苦的人生求索和自我搏斗中迸闪出生命光华的时间，更是只有其最后短短的五、六年。在中国历史波涌浪迭的长河中，这不过是浪起浪落间短短的一瞬，然而，那却是一个非凡的年代，一个由不得你不对生命意义和历史命运重新进行审视和抉择的特殊时期。或许，对于一向具有孤僻的素志和特异的理想的石评梅来说，恰恰是遭逢到一个难得的历史机缘。就在这短短的几年间，她不仅以自己特立独行的方式演绎了与革命家高君宇之间令人闻之动容的爱情故事，创辟了一个具有浓重古典意味的现代爱情神话；而且，也在自己的生命之树上迅然绽放出簇簇特异的文学之花，在诗、文、小说等诸方面都给后人留下虽并不怎么显达于时但却与众不同的成果。

可是石评梅毕竟一不是革命家，二不是文学大家，随着星转斗移，人世沧桑的变化，她似乎在随着那段历史的流逝而远去，在人们心目中只剩下一个美丽的模糊的身影。

新时期以来，她的家乡人和学界的一部分有识之士开始多方收集其作品及相关资料，经过钩沉编校，其作品大多于 20 世纪 80 年代中前期又付梓面世。但令人遗憾的是，除了一般的社会阅读外，石评梅迄今没有真正进入文学及文学史研究者的价值视域，即使有人在类似著作中讲到她，也没有超脱出既有观念的制约。

随着文学与文学史研究领域发生的深刻变化，如果我们不再囿于既有传统认识的成见，在对文学史对象的重新审视和文学的价值重建中认真读一下石评梅，我相信，我们由此所获得的，必然是诸多发人深省的宝贵启示。

一

人类要想捕捉住并总结出过往的历史，总是充满了艰难而最终又不得不留下遗憾的。因为，一则是现实性历史对象的繁富、驳杂及其难以尽数的无限性，使后世的治史者不得不有所选择，只能是择其要而取之；一则是任何一种原生性的历史活体一旦逝去，都不可能作事实性的再生或重演，人们对所谓"历史"的记忆和总结，实际上不过是在主体认识范畴里所从事的一种精神活动而已，而这样做的结果，又必然是对历史对象自身血肉的不断销蚀与淘洗。当然，历史科学的发展也自有其补救之计，那就是一边对历史对象进行减裁和淘洗，一边又十分认真地着意于某些历史对象的去蔽和挖掘，哪怕是特别以历史研究的"当代性"和"主观性"相标榜的人，也不会忽略这后一方面的工作。富有成效的历史研究，离不开认识，也离不开感受，因此，当一种湮没已久但却具有独特标示意义的历史对象以其原生面貌被钩沉而出或重被发现时，它带给认识者的激动和喜悦将是不言而喻的。

对石评梅的重读，我所产生的首先便是这样一种激动和喜悦。我发现，今天来评价石评梅，对作为一个作家的她，如何评价其创作的意义固然是题中应有之义，但更为重要的，还是她以生命与文学互为表里的痛苦求索过程，为我们认识一个时代所提供的非凡的意义。在那个历史和文学都面临重新选择的特殊时代里，表现选择中的困惑乃至生命痛苦的人并不乏人在，但能够像石评梅这样既主动追寻历史发展的大势，又在文学中自触伤痛，将现实与理想、情与理之间近乎不可调和的冲突尽数表现于生命的自我搏斗之中的人却并不多见。或者可以说，就其生命"自剖"式表现的大胆、细密和诚实而言，她实属罕见的一例。从她所留给我们的一系列作品和相关文本中，我们能够真切感受到一种难见于史册的心灵的真实，一种在血肉丰盈中的生命律动。而这，对于丰润我们对历史的干枯的把握和矫正我们对历史的简单化理解，该是多么重要。

按照一般的认识，石评梅不过是在过去艰难岁月中创造了一个革命的浪漫传奇爱情故事的女主角，作为一个作家，也不过是在时代洪流中实现了向革命性文学的必然转变而已。这是在我们简单化的文学史认识中必然出现的结果。在数十年一贯制的文学史写作中，20年代中国文学的转型常常是比较粗疏的一笔，实际上十分复杂的内容和不乏逡巡彷徨的过程只剩下了文化启蒙与政治革命这两种历史行为在文学功利选择中的置换或纠葛而已。不错，就决定中国历史的命运而言，在那个年代所发生的历史选择的转换确然是该时期最深刻的历史内容，不可能不对文学的发展构成深巨的影响。然而，人们却常常忽略了，在启蒙运动落潮和历史的选择迅即转换为社会政治革命时，知识界尤其是以感性思维活动为特征的文学界，对"人生是什么"的人生观思考，也作为历史的一个构成环节而浮出地表。20年代初在文化、思想界所发生的"科玄论战"，应该就是一个佐证。在文学界，诚如茅盾的总结所言，自有其表现的普遍性与独特性："这一时期，两种不同的对于'人生'问题的态度，是颇显著的。这时期以前——'五四'初期的追求'人生观'的热烈的气氛，一方面从感性的到理智的，从抽象的到具体的，于是向一定的'药方'在潜行深入，另一方面则从感性的到感觉的，从抽象的到物质的，于是苦闷彷徨与要求刺激成了循环。然而前者在文学上并没有积极的表现，只成了冷观的虚弱的写实主义的倾向；后者却热狂而风靡了大多数的青年。到'五卅'的前后为止，苦闷彷徨的空气支配了整个文坛，即使外形上有冷观苦笑与要求享乐和麻醉的分别，但内心是同一的苦闷彷徨。走向十字街头的当时的文坛只在十字街头徘徊。"① 茅盾的意思自然是叹惋于文学对于表现社会性生活内容的滞后，而如果换个角度看，就像瞿秋白在《饿乡纪程》中所指出的，这时期"青年思想，渐渐的转移，趋重于哲学方面，人生观方面"，其实这种变化也未必是坏事，尤其是对于文学。在当时几乎是同时发生的历史转折、人生观转折和文学转折的关系中，人生观的转折，特别是由其导入的带有浓重哲学意蕴的人生意义乃至生命意义的思考和探讨，无疑为历史选择与文学

---

① 《〈中国新文学大系·小说一集〉导言》，见吴福辉编《二十世纪中国小说理论资料》（第三卷），北京大学出版社1997年2月版。

选择之间提供了一个最可靠的中介，否则，两者之间是无法进行贴合的，更不用说使两者的结合成为一种有机的文学生命体的创造与表现。虽然，思考的结果未必是历史行为在文学中的意义确立，正如20年代中前期"人生"派作家在文学价值确认上所必然发生的分化那样，但这都是正常的。

十分难得的是，石评梅始终抓住了"生命"这一人生与文学应共同关注的焦点。在其思想观念和文学创作的变化里，一直凸现着她对生命意义的求索与理解。石评梅原本就是一个多愁善感、易于忧郁的女孩，"五四"启蒙运动落潮期的困惑与迷茫，使她特别敏感地承受起了这份孤苦和悲哀。如其他同时代的许多青年知识者一样，她被这一空前的思想启蒙唤醒，但这一思想的启蒙却并不能为之安排下一个安放自由生命的理想环境，环顾四周，依然是无尽的黑暗。因此她伤感地写道："生命之花同时灿烂芬芳的时候，命运之神呵／在未来的光辉里，／闪烁着懊恼的残影，／笼罩着人间的悲哀！"（《别后》）可她毕竟是接受过新思潮孕育的青年，被纳入人生观的崇高的使命意识又使其不至于安居于"梅窠"里自苦，企图到社会人间去寻找生命的新意义，又是她精神世界的另一面："'使命'！／令我离了旧巢，／把人间的余痕都留在梦内。／将振荡着银铃，／曼声低歌，／走向人间！"（《迷茫的残梦——谢晶清》）在石评梅文学道路的前期即1925年前，她所发出的这种声音未免有着过多的虚幻；1925年后感受到的社会人生的内容更多也更实际了，而所给予她的更多的又是更为深在的幻灭之感。现实的种种残酷和每一次希望的破灭，都给她以巨大的震撼，逼迫她作出生命的坚韧的选择。她明白了，在其求索的历程中，"有惟一指导我，呼唤我的朋友，是谁呢？便是我认识了的生命"（《涛语·最后的一幕》）。她明确地一再表示："我已不是先前那样呜咽哀号，颓丧沉沦，我如今是沉默深刻，容忍含蓄人间一切的哀痛，努力去寻找真实生命的战士。"（《寄海滨故人》）"颠沛搏斗中我是生命的战士，是极勇敢，极郑重，极严肃的向未来的城垒进攻的战士。我是不断地有新境遇，不断地有新生命的；我是为了真实而斗争，不是追逐幻象而疲奔的"（《缄情寄向黄泉》）。在《给庐隐》这篇文章中，她还说出了以下一段就是现在读来也令人十分动情的话：

朋友！以后我不再因自己的失意而诅咒世界的得意，因为我自己未曾得到而怒恨人间未曾有了；如今漠漠干枯的寒林，安知不是将来如云如盖的绿阴呢！人生是时时在追求挣扎中，虽明知是幻象虚影，然终于不能不前去追求，明知是深涧悬崖，然终于不能不勉强扎挣；你我是这样，许多众生也是这样，然而谁也不能逃此网罗以自救拔。大概也是因此罢！才有许多伟大反抗的志士英雄，在辗转颠沛中，演出些惊人心魂的悲剧。在一套陈旧的历史上，滴着鲜明的血痕和泪迹。朋友！追求扎挣着向前去罢！我们生命之痕用我们的血泪画写在历史之一页上，我们弱小的灵魂，所滴沥下的血泪何尝不能惊人心魂，这惊人心魂的血泪之痕又何尝不能得到人类伟大的同情。

由此，我们就不难理解，为什么自 1925 年起她的创作会发生那么大的变化。正是生命与历史的崇高缔结，才使她的创作由浅吟低唱个人的感伤而转向了对社会斗争内容的惨烈与悲壮的表现。就诗歌而言，构成与前期最明显对比的就是那首撼人心魂的《断头台畔》。这首诗一改前期那种自由体的舒缓或一咏三叹，采用了顿挫的累积式的整齐长句排列的形式，表达了一种压抑的深蓄于心的生命的愤怒，和一种极富张力的情感状态。应该说，这是反动派血腥绞杀李大钊等人的罪恶发生后，在文学创作中较早作出的反映。

在表达这种强烈的情绪的同时，同胞们的国难家仇，使石评梅还时常表达出要做行动着的历史主体的愿望。她在日记中曾经这样写道："我还是希望比较的有作为一点，不仅是文艺家，并且是社会革命家呢？"① 事实上她也确实打算南下，并因未能成行而抱憾。她把这种愿望都表现在文学创作中，使之成为阳刚的主体性特征。1928 年济南"五三惨案"发生后，她在《我告诉你母亲》这首诗里写道："我告诉你母亲！/你那忍看中华凋零到如此模样，/这碧水青山呵任狂奴到处徜徉，/晨光熹微中强扶起颓败的病身；/母亲你让我去吧战鼓正在催

---

① 转引自袁君珊《我所认识的石评梅》，见《石评梅作品集（戏剧·游记·书信）》，书目文献出版社 1985 年 2 月版。

行。/你莫过分悲痛这晚景荒凉凄清,/我有四万万同胞他们都还年轻,/有一日国富兵强誓把敌人擒杀!/沸我热血燃我火把重兴我中华!"石评梅在其创作的后期,主要采用了散文与小说两种文体,以更适合于记叙、抒情的结合,并写出了散文《涛语》、《偶然草》和小说《白云庵》、《红鬃马》、《匹马嘶风录》等颇具特色的篇什,这与她对生命意义追求的变化有着至为密切的关系。

随着历史选择的转换,在石评梅人生观念和文学创作发生变化的过程中,她与高君宇堪称千古绝唱的革命爱情悲剧,对她产生了至关重要的影响。而当我们今天重新翻检一切与之相关的文本,并沉思默想它所形成的文学效应时,我则蓦然想到,由其所标示的这一特定人生内容,实际上既表征着一个特定时代的特征性人生内涵,同时也必然构成为对文学创造的人性魅力的导引。

在长期形成的文学史观念中,人们对新文学第一个十年中期文坛上大量出现的以恋爱为内容的创作,大都是采取了不以为然的态度。这缘之于茅盾当年对这种创作倾向所作的批评。批评的理由是"那时候最多的恋爱小说不是写婚姻不自由,便是写没有办法解决的多角恋爱。""大多数创作家对于农村和城市劳动者的生活很疏远,对于全般的社会现象不注意,他们最感兴味还是恋爱,而且个人主义的享乐的倾向也很显然。"① 批评的理由还有一条,就是艺术表现的"观念化"和缺少"水磨"的功夫,但因这一条与表现其他内容的作品所共有,在这里可置于不论。单说第一条,从茅盾的角度看自然有他的道理,试想,一个正着力于鼓动文学表现社会性人生的批评家,那些更多是属于青年知识者的情爱问题,怎么能入于他的法眼呢?可是,茅公的批评却未免有点脱离彼时时代生活的实际。在20年代初期,从封建网罗中奔突而出的青年知识者,首先希望实现的便是生命的自由和人性生存的理想形式,说白了也就是自主爱情的获得和事业上抱负的实现。"五四"启蒙运动所培养出来的一代新的历史主体,势在必然地会把事业与爱情视为生命的基本形式。至于新与旧、情与理、既成与追求等种种现实性纠葛,又会使之备尝失望与希望永远如影随形、分拆不开的痛苦。这些没有理由不成

---

① 《〈中国新文学大系·小说一集〉导言》。

为这一特定时期文学表现的内容和主题。其实，就是嗣后，即到了20年代的中后期，以工农为代表的新的历史力量已进入舞台中心，并演出着有声有色的历史壮剧时，知识者们也没有忘记对这种生命状态的渴望和努力。尽管现实斗争的残酷和其理想之间会发生冲突，由启蒙所得的生命觉悟和新的历史行为之间也并不协调，但是，知识者们仍然没有放弃对这一人生理想的执守，这应当就是在革命文学早期，以"革命+恋爱"为基本内容的革命浪漫蒂克风潮一度弥漫文坛的原因。有意味的是，就连茅公，在大革命失败后的苦闷中也写作了具有类似内容的小说《蚀》，只不过与那些风行文坛的公式化作品不同，它以对一群青年知识者在迷茫中生命状态的真实再现而赢得了文学上的成功。

石评梅与高君宇的爱情故事，并没有一般爱情故事中那种花前月下、私订终身的浪漫。高君宇是一位兼有新的生命觉悟和历史觉悟的知识者和革命家，就是对自己倾心已久的评梅，他也磊磊落落地作出这样的表述："我是有两个世界的：一个世界一切都是属于你的，我是连灵魂都永禁的俘虏；在另一个世界里，我不是属于你，更不属于我自己，我只是历史使命的走卒。"① 在爱情和革命上同时作出如此无私的选择，看似互相牴牾，实则使我们感到的却是一种属于那一代人的崇高境界的互印互证。面对评梅的疑虑，他深情地表示："你还有什么不放心，我是飞入你手心的雪花，在你面前我没有自己。你所愿，我愿赴汤蹈火以寻求，你所不愿，我愿赴汤蹈火以避免。"（《涛语·殉尸》）由此又足见这个铮铮硬汉的柔情万缕。石评梅虽然敬重也爱戴高君宇，但对其求爱的表示却一直是迟疑不决，充满矛盾和痛苦的。经历过情感伤害的她，自视为"情场逃囚"，经历多少痛苦才得以超拔，对情感的发展极为谨慎。她说："心上插着利剑，剑头一面是情，一面是理，一直任它深刺在心底鲜血流到身边时，我们辗转哀泣在血泊中而不能逃逸。"（《婧君》）直到高君宇抱病而死，石评梅于无限遗恨和哀痛中才锁定这份感情，并使之升华为至纯至真、超越生死的爱情的精灵。高、石之间刻骨铭心的生死恋，事实上是1925年后石评梅生命的最重要的精神情感支

---

① 转引自石评梅《梦回寂寂残灯后》，见《石评梅作品集（散文）》，书目文献出版社1983年版。

柱,是她"生命的盾牌",也是她"灵魂的主宰"(《缄情寄向黄泉》)。这当然要反映到她的创作当中,不仅使其创作出了一批时而昂扬激越时而哀婉悱恻的诗文,而且作为一种内在的生命力,改变了她此后的所有创作。

在石评梅的创作中,我们发现始终存在着一个由隐到显、由朦胧到具体的"英雄儿女"情结。在早期诗作中就有过这样的诗句:"在虚幻的生内,/原可留点余痕啊?/美人的艳迹,/英雄的伟业,/都在淡淡的湖色中映着!"(《烟水余影——西湖》)她还有《宝剑赠与英雄》一首,表达的更是作者对于英雄主义精神的向往。

在其后期的叙事性作品中,英雄儿女的侠骨柔情常常是其结撰故事的基本骨架。其中以小说《白云庵》和《红鬃马》最为典型。《白云庵》中的隐者"刘伯伯",当初曾是一个风流潇洒的美少年,西湖边留下他不少的马蹄芳踪,帽影鞭痕,后因与少女梅林的爱情悲剧而投身革命,十余年湖海飘零,最后仍萧然一身。是一位勇武柔美、霜雪凛然的女郎,激发他做出了许多轰轰烈烈的事业,而最终又以对这份情感的坚守而孤寂地退居山林。《红鬃马》的故事更曲折迭宕一些,基调更昂扬,而悲剧意味则更重。革命军将领郝梦雄英武潇洒,是一位为国为民辗转征战的英雄,后因不满于现代军阀的倒行逆施而遇害。英雄多情,他一生所钟爱的美丽妻子冯小珊和伴他征战的坐骑红鬃马,都是他生命和事业的一部分。在他牺牲后,妻子和红鬃马也移居山林,在那里伴着他静默的英魂。故事写得让人读来荡气回肠,唏嘘不已,具有很强的文学感染力。由它们,我们可以了解到在这新旧交替、弃旧图新的"过渡时代",中国审美文化传统中深在的"英雄儿女"的原型意识,如何地嬗变为一代新的青年知识者特别是新的知识女性的新英雄儿女情结,又如何地在现实人生和文学创造中演绎成故事的。其实,在那时,它们既是想象的,也是真实的。

在石评梅的变化过程中,还有一种现象颇令人回味和思索。就是她思想情绪的发展变化,并不是一条线索的单向拓进,而是经常有两种相反的观念和情绪交替出现或激烈冲突。由于其个人的性格、气质、人生遭际和时代现实交互作用的结果,石评梅始终并没有完全放弃属于她的"另一世界"。她说:"在这万象变幻的世界,在这表演一切的人间,我听见哭声笑声琴声，看着老的少的俊的丑的，都感到了疲倦。因之我在众人兴高采烈，沉迷醺醉，花香月圆的时候，常愿悄悄地退出这妃色幕帷的人间，回到我那凄枯冷寂的另一世界。""我自己常怨恨我愚傻——或是聪明，将世界的现在和未来都分析成只有秋风枯叶，只有荒冢白骨；虽然是花开红紫，叶浮翠绿，人当红颜，景当美丽时候。我是愈想超脱，愈自沉溺，愈要撒手，愈自系恋的人，我的烦恼便绞锁在这不能解脱的矛盾中。"(《涛语·最后的一幕》)对于从戊戌变法一直到辛亥革命、北伐战争等一幕幕历史壮剧，石评梅都是给予肯定的，而且愈来愈昂扬甚至热烈地予以鼓呼，乃至认为若解救生命只有"革命"一途。但她同时却又滋生着挥之不去的疑虑和恐怖："看起来中国目前似乎都是太积极了，'希望'故意把人都变成了猛兽，随时随地都可以使烈火燃烧起来！鲜血喷洒起来！尸体堆积起来！枪炮烟火中，一切幸福和安宁都被恶魔的旗帜卷去了，这几乎退化到原始的世界，我时时都在恐怖着！暴动残杀，疯狂般的领袖，都是令我们歌爱的英雄吧！只是他们的旗帜永远那么鲜明正大，而他们的功绩确永远是这样暗淡悲惨呢！不知为什么？"她想："假如后人的幸福欢乐真能建筑在现今牺牲者的枯骨血迹之上，那也是一件值得赞颂的事；不过恐怕这也终于是个幻影，只是在人们心中低低唤你前进的一个声音。"(《冰场上》)这是她所得出的一个虽使其痛苦但又终未致其于消极的基本认识。虽然，她由此已叩开了哲学的门扉，她明确地把自己的理解表述为"我愿建我的希望在灰烬之上，然而我的希望依然要变成灰烬。灰烬是时时刻刻的寓在建设里面，但建设也时时刻刻化作灰烬。"(《灰烬》)在这里，生命意识与哲学意识已浑然为一，在相当深刻的层面上获得了升华。石评梅的这种既肯定又质疑的精神求索状态，为我们了解那个时代提供了一份重要的思想资源，不仅有助于我们把握那个时代知识者的思想发展脉络，而且有助于感受其为我们所始料未及的复杂与深刻。

二

石评梅与庐隐、陆晶清志趣相投，交往较多；在文学理解和创作趋势上也比较接近，应该属于共同的一类，尽管她们之间实际的差异也很明显。庐隐和石评梅、陆晶清都是或应该算作是文学研究会系列的人，但她们在创作上所表现出来的极为鲜明的"个人性"倾向，却和文研会的主导性倾向不同，与之相比，她们，尤其是庐隐和石评梅，实际上是个"另类"。和庐隐相较，石评梅不如庐隐在文坛上的名气大，也不如她的文学成就高，可是在"个人性"表现这点上，她却是有过之而无不及的。可以这样说，石评梅为我们认识20年代的文坛状况，提供了另一类型的文本。

在20年代的中前期，文学团体和刊物大量涌现，大群的青年作家也纷纷登场，文坛上出现了极为热闹的景象。茅盾曾把这比作"尼罗河的大泛滥"，认为它"使得新文学史上第一个'十年'的后半期顿然有声有色"①。可是茅公并没有对与此俱来的文坛的分化作出分析，作为"人生"派主导倾向的代表人物，他也不可能在当时就对这种种相异的发展作出更客观、准确的评价。当时的实际情况是，启蒙运动的低潮，固然给人们造成了苦闷和困惑，但却给文学的相对独立的发展带来了可能。在此之前，即如茅公所说："民国六七年的时候，好像还没有纯然文艺性质的社团。那时的《新青年》杂志自然是鼓吹'新文学'的大本营，然而从全体上看来，《新青年》到底是一个文化批判的刊物，而《新青年》的主要人物也大多数是文化批判者，或以文化批判者的立场发表他们对于文学的议论。他们的文学理论的出发点是'新旧思想的冲突'，他们是站在反封建的自觉上去攻击封建制度的形象的作物——旧文艺。"②这种状况一直延续到20年代初文研会、创造社等大大小小的社团蜂涌出现时才告结束。启蒙思潮的低落和弱化，松解了笼罩在文学头上的非文学性的历史功利主义的禁锢，使文学在失去了一种坚定的历史信念时，却得到了一份自我想象发展的自由。而这时，文学取向的统一性已不再是文坛的整体性需求，各自循着自己对文学的理解而发展自己，倒是在崭露着文学发展的新希望。好在启蒙运动已经培养出一批具有强烈个性自觉的新青年，在他们作为一代新的文学主体出现时，适足适应了文学相对独立发展的要求。所以这几年的文坛上，先是文研会和创造社以"为人生"还是"为艺术"而构成壁垒，紧接着其他大小社团

---

①② 《〈中国新文学大系·小说一集〉导言》。

也各自忙活着自己的主张。而同一社团或类型中人也出现了彼此间的不同。比如，同样是写乡土文学，许杰、王鲁彦，蹇先艾等着力表现的是古老乡土中的落后与苦难，仍还能与先前的启蒙主旨相呼应，而废名就不同了，他此时已经在"桃园"的世界中与所谓历史的进步拉开了距离。

　　文学研究会这时的情况其实也很复杂，但由于其在主导性的倡导方面依然是"和那时候一般的文化批判的态度相应和"①，并且在以茅公为代表的一些人身上，已经表现出贴近并服从于新的历史选择的明显倾向，所以这一主导性的评价倾向事实上始终占据支配地位，并影响到嗣后长时间内的文学史评价。本来，就文学发展的多样性和表现人生的丰富性而言，无论是侧重于表现"社会性"内容还是"个人性"内容，也无论是侧重于表现历史进步及其对人生的意义，还是重在表现想象中的人文理想之境，都应该是被允许的，而且是不可或缺的。因为衡量某一种文学的价值，毕竟它们都不是最基本的尺度。可是由于长期以来流行的主导性认识，在"个人性"与"社会性"或曰"社会整体性"、客观性"再现"与主体性"表现"的关系问题上，以未免失之于简单化的思维作了对峙性的理解和阐释，以至于必然形成文学评价中的遮蔽和偏颇。废名因追求与历史进步保持距离的理想人文境界在评价上大打折扣，而庐隐尽管追趋历史的进步行为，但却又以其浓重的"个人性"也被有所保留。至于石评梅，在文学上的成就就更不予提及了。研究者们偶有涉及，也不过主要是《断头台畔》、《红鬃马》、《匹马嘶风录》之类。

　　庐隐、石评梅是从不讳言自己的文学见解的。在文学是"为人生"还是"为艺术"两种观念对抗中，作为文研会成员的庐隐公然表示了与文研会同人不同的态度。她说："我个人的意见对于两者亦正无偏向。创作者当时的感情的冲动，异常神秘，此时即就其本色描写出来，因感情的节调，而成一种和谐的美，这种作品，虽说是艺术的艺术，但其价值是万不容否认的了。"她认为创作中"惟一不可或缺的就是个性——

---

① 《〈中国新文学大系·小说一集〉导言》。

艺术的结晶,便是主观——个性的情感。"① 石评梅服膺于厨川白村的文学理论,她的表述则更为深切,她说:"艺术的天才,是将纯真无杂的生命之火红焰焰地燃烧着自己,就照本来面目投给世间。把横在生命的跃进的路上的魔障相冲突的火花,捉住它呈献于自己所爱的面前,将真的自己赤裸地、忠诚的、整个的表现出。"(《再读〈兰生弟的日记〉》) 在实际的创作中,她们大胆地践行了自己的观点,以勇敢地表现生命真实的"个人性"为其基本取向。苏雪林在《关于庐隐的回忆》一文中说:"在庐隐的作品中尤其是《象牙戒指》,我们可以看出她矛盾的性格……庐隐的苦闷,现代有几个人不曾感受到?经验过?但别人讳莫如深,唯恐人知,庐隐却很坦白地自如加暴露,又能从世俗非笑中毅然决然找寻她苦闷的出路。这是她的天真可爱和过人处。"殊不知石评梅在表现个性的生命经历,尤其其中几乎无处不在的现实与理想、希望与幻灭、情与智、生与死的痛彻心肺的冲突方面,却是又有过于庐隐的。庐隐除了自己的经验,还要借用所熟悉的人的生命经历结撰小说,例如《象牙戒指》,实际上就是采用了石评梅与高君宇的爱情故事,而石评梅则主要是个人的心灵和生命的自传。她们二人为达到亲历性、自传性的表现效果,都很看重日记和书信体的运用,但石评梅更重视非虚构性真实,在文体的采用上也与庐隐有别,庐隐以小说为主,石评梅虽也写小说,但更多地却是散文,而且她的小说也常因亲历与虚构之间界限的模糊,而与其散文并没有多么明显的区别。

　　值得注意的是,石评梅既很看重亲历性的生命真实,又很重视对回忆、梦想和幻觉的表现,因为在她看来,生命本来就是一半生活在现实里一半生活在幻想中,生命感受的真实性实则就来自于这两个世界的永不休止的冲撞和恼人的纠缠里。为了更有利于这种表现,石评梅的散文常常采用自语或对话的"私语式"的文体形式,将自己几乎所有的心理真实都极其直率大胆地和盘托出,凄婉幽微,却无遮无拦。不妨举两个例子。一个是在《给庐隐》中的一段:

　　　　廿余年来在人间受尽了畸零,忍痛含泪挣扎着,虽弄得遍体鳞

---

① 《创作的我见》,载《小说月报》12 卷 7 号,1921 年 7 月。

伤，鲜血淋淋，仍紧嚼着牙齿作勉强的微笑！我希望在颠沛流离中求一星星同情和安慰以鼓舞我在这人世界战斗的勇气；然而得到的只是些冷讽热笑，每次都跌落在人心的冷森阴险中而饮泣！此后我禁受不住这无情的箭镞，才想逃避远离冷酷的世界和人类，因之我脱离了学校生活，踏入了世界的黑洞后，我往昔天真烂漫的童心，都改换成冷枯孤傲的性情。一年一年送去可爱的青春，一步一步陷落在满是荆棘的深洞，嘲笑讪讽包围了我，同情安慰远离着我，我才诅咒世界，厌恶人类，怨我的希望欺骗了自己。

另一段是取之于《我只合独葬荒丘》：

> 雪下得更紧了，一片一片落到我的襟肩，一直融化到我心里，我愿雪把我深深地掩埋，深深地掩埋在这若干生命归宿的坟里。寒风吹着，雪花飞着，我像一座石膏人形一样矗立在荒郊孤冢之前，我昂首向苍白的天宇默祷；这时候我真觉空无所有，亦无所恋，生命的灵焰已渐渐地模糊，忘了母亲，忘了一切爱我怜我同情我的朋友们。
>
> 正是我心神宁静的如死去一样的时候，芦塘里忽然飞出一对白鸽，落到一棵松树上；我用哀怜的声音告诉它，告诉它不要轻易泄露了我这悲哀，给我的母亲，和一切爱我怜我同情我的朋友们。

尤其是题为《涛语》的一组文章，几乎尽数都是关乎与高君宇情感经历和生命经历的悼念文字，与其说是写给别人看，不如说是说给自己听，是沥血的生命诉说，也是锻造新的生命意义的心灵的淬火。她曾对朋友说："我一直写《涛语》的缘故，便是堑壁深垒的建造我们的坟，令一切的人们知道我已是这样一个活尸般毫无希望的人。"[①] 石评梅的散文，如果单理解为消极绝望，那是不准确的。李健吾读出了她作品中的真味："所有她的诗文几乎多半是她奋斗以后失了望底哀词，在那里她的始元的精神超过了我们今日所谓底颓废文学，无病而吟底作家与前代消

---

① 转引自袁君珊《我所认识的石评梅》。

极的愁吟底女子。她的情感几乎高尚到神圣的程度,即使她自己不吟不写,以她一生的无名的不幸而论,已经够我们的诗人兴感讽咏的了。"①

在石评梅这种鲜明"个人性"的表现里,实际上极真切地蕴含着当时的"时代女性"对那一特定时代的最直接的感受,这些作品应该是时代的生命投影。也很重视"个人性"的郁达夫,在总结新文学第一个十年的散文创作时,为这种写作方式作过辩护。他说:"现代的散文之最大特征,是每一个作家的每一篇散文里所表现的个性,比从前的任何散文都来得强。""在尤重个性的散文里,所写的文字更是与作者的个人经验不能离开;我们难道因为若写身边杂事,不免要受人骂,反而故意去写些完全为我们所不知道,不经验过的谎话倒算真实么?这我想无论是如何客观的写实论家,也不会如此立论的。"② 如果拿郁达夫的这番话来解释石评梅的散文创作,那也是一样的合适。郁达夫是个大家,我们不好拿石评梅与他比高下,事实上艺术成就的差距也是明显的,但有一点却可以一比,那就是在表现内容和表现方式上的区别。大致地说,郁达夫也常在文字里流露感伤和无所凭借的生命零余感,但他对行动的着墨还比较多,石评梅则更为内敛,文字中表现的大多都是心理情绪的内容。在"私语式"方式的采用上,也是石评梅有别于郁达夫的地方。所以,石评梅的散文将以其突出的个别性,在20年代文坛上永占一个位置。

石评梅创作的"个人性"特点,在她的小说里表现得也很突出。在她小说的故事和情绪结构里,叙述者常常带有明显的属于作者的"个人性",她既是他人故事的倾听者或见证者,又是这一故事的实际叙述者。她经常是一个有过痛苦生命经历的女性青年,与故事交相呼应的则是她的时而感奋时而忧伤的人生喟叹,和对她个人情绪的直接抒写。这种主客互映的处理方式,收到了很好的艺术效果。小说的故事一般虽有一定的传奇性,但讲述得都比较简单,可是由于主客互映所形成的情绪张力,却将它烘托为意蕴相对饱满的有感染力的娓娓叙说。比如《白云

---

① 《悼评梅先生》,见《石评梅作品集(戏剧·游记·书集)》,书目文献出版社1985年2月版。

② 《〈中国新文学大系·散文二集〉导言》。

庵》，本来主要讲的是"刘伯伯"的故事，可是叙述者告诉大家的却是其自抒伤情的一段文字：

> 有一天父亲去了村里看我的叔祖母，我独自到松林里的石桌上读书，那时我望着将要归去的夕阳，有意留恋；我觉一个人对于她的青春和愿望也是和残阳一样，她将悄悄地逝去了不再回来，而遗留在人们心头的创痕，只是这日暮时刹那间渺茫的微感，想到这里我用自来水笔写了两行字在书上：
> 黄昏带去了我的愿望走进坟茔，
> 只剩下萋萋茅草是我青春之魂。

叙事者的这种自诉，恰恰与下面刘伯伯讲的故事在情绪上交渗互映。《红鬃马》采取的也是这种方式，只不过更曲折迭宕的故事与叙事者自诉互映效果更佳而已。庐隐认为石评梅作品的"缺点是在字句方面，有时失之堆砌。长篇小说的布局，有时失于松懈"[①]。说字句有些堆砌，倒是有几分属实，至于小说的结构，那就似乎有不同理解之间的隔膜了。因为这种主客互映的叙事方式恰恰是石评梅的追求和特点，否则，受到损伤的将是它们中氤氲的氛围和生命的诗意。在石评梅的小说中，《匹马嘶风录》是个特例。它是创作主体在故事中作主角式虚构的一个尝试。凭借想像，她把自己塑造成一个对革命抱负的践行者，小说描写的就是"她"的几经辗转，终于到达前线进行战地救护的故事。然而就是这篇小说，我们也处处都能感受到只有石评梅才具有的那种心路历程和那份生命的真实。而且，即使在这样的作品里，也时时可感她与高君宇关系的内在铺陈，有些细节和人物语言甚至是对现实材料的直接运用。

石评梅和庐隐都有自己明确的文学主张，而且见解相近，都崇尚悲剧。可是在对悲剧的解释上，如果说庐隐和流行的观念还相差不多，那么石评梅就更多一些关于悲剧起因的哲理性认识了。也还是因为受了厨

---

① 《石评梅略传》，见《石评梅作品集〈戏剧·游记·书信〉》，书目文献出版社 1985 年 2 月版。

川白村的影响，她坚持人生与生存境遇的"缺陷"说。她说："我常想只有缺陷才能构成理想中圆满的希望，只有缺陷才能感到人生旅途中追求的兴味。"她称赞《兰生弟的日记》写得好，就是因为在这部作品中，"兰生弟或者正因为能爱琴子而不能去爱，不能爱薰南姊而必须去爱的缘故，才能有勇气表示这四五年浸在恋爱史中的一颗沉潜迂回的心，才能有这本燃烧着生命火焰的日记告白给我们……或许是因为罗兰生的缺陷成全了他。"所以，她毫不掩饰地主张："我愿大文学家大艺术家的成就，是源于他生命中有深的缺陷。惨痛苦恼中，描写着过去，又追求着未来的。"(《再读〈兰生弟的日记〉》)

石评梅躬行自己的这种主张，不仅如前所述，在她的所有创作中都表现着生命的深深的创痛，弥漫着一种源之于生命内部的浓浓的悲剧氛围，而且，她还创作出一些饶有意味的反思性作品，而反思的对象都直接指向为社会公认的历史进步行为。比如小说《弃妇》，写的就是一个弃妇被弃后无奈自杀的故事。走出了家门的表哥追求自由爱情另有所爱，异常坚决地与妻子离婚，而且目的同时也是为着"解放了她"。可是结果呢，客观上却将她推到了绝境，作品写道："表哥呢，他杀了一个人却鸿飞渺渺地不知哪里去了。""表哥去了，或者还有回来的一天，表嫂呢，她永远不能归来了"！还有石评梅生前写成的最后一篇小说《林楠的日记》，表现的是一个遭到另有所爱的丈夫冷遇的妻子所承受的生命的种种痛苦。两篇作品揭橥的都是婚姻解放亦即人的解放所必然带出的悖论性难题：一部分人解放了，而另一部分人呢？或者说既有婚姻中的男的一方自由了，而女的一方呢？另外，在《流浪的歌者》等作品中对革命事业中的腐败、丑恶也进行了大胆揭示，并深刻表现了这种"缺陷"给生命造成的悲剧。这种反诘历史的文学行为，无疑是一种更深在的历史自觉，也无疑是文学对于生命的一种更为自觉的责任担承。就是现在看，也是值得我们深长思之的。

(原载《文艺研究》2002年专刊"石评梅研究")

# 论中国文学的现代转型与文学史重构

一

所谓中国文学的"现代转型",这一概念在本文中提出和使用的基本命意,既是对与古代文学相区别的现代文学发生发展的最基本的整体性历史特征的概括和指称,同时也是将其作为一种新的研究视角和新的学术视域,或不妨说是作为文学史重构的一种核心概念即基本范畴来理解和使用的。

一如社会发展史和其他各类专门史的写作,文学史的写作也因治史者所处时空的差异及其各自观念的不同而互有不同。历史资料的局限及对新历史材料的发现,固然会极大地影响到史学文本的建构及更变,但相对而言,治史者的史学观念尤其是其价值预设,其影响则更为显著,因为它起着规约文本内在价值结构及其导向的决定性作用。这在中国新文学发展史的不断建构与重构中表现得尤为明显。

众所周知,将其视为一种相对独立的文学史观照对象,治史者对中国新文学发展史的内涵和外延作出明晰的确认,并做出较为完整的史学建构,始之于共和国建立之初。半个世纪以来,世事沧桑,治史的语境也几经转换,其间新文学即现、当代文学史的研究也随之发展,各种著本则越出越多,几不可胜数。如果对这五十余年的新文学史写作做个考察,人们会发现,作为主导性的观念,实际上存在着两种相异而又相近的认知系统。一种是表现为政治革命立场并以阶级斗争理论和阶级分析方法为特征的观念建构,其代表性文本当为王瑶的《中国新文学史稿》。这部上册出版于1951年9月,下册出版于1953年8月的皇皇巨编,对于中国新文学史这一学科的独立建制无疑具有筚路蓝缕的开创之功,其对后学的规约与影响已不下半个世纪。可也正是这部新文学史相对完整的开篇之作，由其开始，就把新文学的特性及历史发展纳入了新民主主义革命的历史与观念范畴之中，从而对非常复杂的对象构成作了简单化的处理。当然，早在40年代之初，毛泽东的《新民主主义论》甫一发表，周扬在为鲁迅艺术文学院讲授"中国文艺运动史"课编写的《新文学运动史讲义提纲》中，就对如何认识新文学作出了基本规范，指出"新文学运动正式形成，是在'五四'以后"，而且"是在意识形态上反映民族斗争、社会斗争的"。何况此后郭沫若在第一次文代会上的总结报告，尤其是教育部组织拟定的《〈中国新文学史〉教学大纲（初稿）》，都又对这一观念作了强调。所以，王瑶近乎机械地拿《新民主主义论》对新文学的性质阐释及历史分期做了对应式的处理，也是时势使然，既非个人之功，亦非个人之过。而且据实而论，这部《史稿》并未能在对作家作品的具体分析中将这一政治原则贯彻到底，比较而言，倒是稍后出版的丁易的《中国现代文学史略》和张毕来的《新文学史纲》等史著在向政治化倾向方面走得更远。这种新文学史观的局限性，质言之就是其立足于"政治标准第一"的泛政治化、泛意识形态化倾向。这种倾向对新文学研究所造成的误读误导，以及嗣后该倾向日渐严重的发展，已为学界所共知，无须具论。

另一种是文化启蒙主义的认知系统。它是作为政治性文学史观念的对立物也就是反拨性的价值重设，而于80年代中期倡兴于学坛，并成为新时期主导性文学史观。其基本特点是将新文学的发展史设定在启蒙（文化）与救亡（政治）之间不能回避却难以相能的对峙变奏的历史框架内，以启蒙文化价值观对文学史现象进行重评的。其代表性著本为1987年出版，由钱理群、吴福辉、温儒敏等四人合著的《中国现代文学三十年》。该书在《绪论》中明确宣示："作为'改造民族灵魂'的文学，其所具有的思想启蒙性质是现代文学的一个带有根本性的特征。"这与乃师当年的持论已大不相同，显然是在两个不同历史维度间进行了价值置换。应该说，相对于政治化的文学史观来说，文化启蒙主义的文学史观距对新文学及其历史发展的把握更接近了一步，因为中国新文学的发生发展，在历史运动的螺旋里毕竟与文化启蒙运动有着原生性的亲缘关系，历次"文学革命"旗帜的高张，无不与之密切相关；而且以人之尊严与个性主义倡导为文化内涵和价值指归的创作，也毕竟与文学之于人类生存的实质性关联更为贴近。但应指出的是，所谓"启蒙"，是具有特指性的历史对象，在 20 世纪的中国，主要是指梁启超时期的"新民"鼓吹和陈独秀在其后以更凌厉之势发动的新文化运动。80 年代中前期思想文化界所出现的人道主义潮涌，亦当属于这一历史范畴。这是一种将历史问题聚焦于思想文化的症结，通过对西方民主、科学和理性精神的借鉴，对封建性传统文化和民族文化心理习惯进行批判的价值重建运动，并不能等同于一般的思想文化教育和道德熏陶。而启蒙主义文学史观一方面以"启蒙"为视点论定是非，未免生出另一种偏颇；而另一方面，则是泛启蒙化倾向的发生，将凡是具有较明显之生命文化内涵及人性感召倾向的创作，统统纳入"启蒙"的范围。

也许人们很难相信，上述两种对立性的认知系统或曰两种文学史观，事实上却存在着深在的一致性，甚至是在从不同的方面，共同维护和强化着一种认知和评价的模式。在中国历史现代转型的过程中，文化启蒙和政治革命虽属两种不同的历史行为，解决历史问题的聚焦点、价值建构和行为方式也各不相同，但在民族自救、弃旧图新的深在历史性目的上却是一致的，只不过是历史转型变革之诸种诉求在悖论性结构里对不同行为方式和手段的选择变换而已。文化启蒙运动固然十分看重文学变革的意义，其实政治革命也是很重视文学的改造及其作用的。它们在对文学的内涵与形式上的要求尽管迥然有别，可都是把文学设定在服务其历史选择的工具层面上加以理解的，这一点当无异议。既如此，那就应该看到，无论是从政治革命还是文化启蒙的哪一个历史维度上建构起的文学史观，实质上都必然是历史变革价值范畴中的话语言说。而且，无论取的是哪一种立场，持论人又必定是以当事人的角色认定去主动选择并担承其历史责任。直到现在，还有人提倡新文学史研究对应于现实社会的直接真切的意义，实则就是这一思路的延续。其对社会历史变革的参与意识与舍我其谁的责任承当，固然可敬可佩，但作为一种文学史观，它却只能规限住治史者的对象视野并使其评价失当。更为令人忧虑不安的是，两种指向迥异的文学史观居然在思维认识模式和文学史建构模式上有着惊人的相似。长期以来由文学教育和文学研究的训练所形成的思维与心理倾向，已成为近乎超验性的习惯性模式。二元对立式的思维模式，从所选择的历史行为的向度上寻绎文学的同构性意义，对所崇敬人物的膜拜心态和对众多作家之序列整合的求同性倾向，以及历史叙述中重论轻史、重思想轻艺术的文本状态，即其基本特征。大约有近二十年的光景了，人们渴望重写文学史并付之于实践，在对许多文学史对象的重新评价和对对象世界的拓展上，确有令人耳目一新之感，但在文学史建构的基本模式和格局上却罕有更多的突破。本文所以提倡以文学的"现代转型"作为文学史考察的对象和文学史重构的新视点，其目的即在于超越上述两种认知系统，改变过去那种主要依据对某一单向度历史选择确立价值立场、核定文学意义的研究方式，并使文学史的价值建构从文学与历史进步行为意义同构的简单化倾向中解脱出来。

　　无疑，这是一种学理性的学术性立场。其实，所谓"学理"或"学术"的，无非言其走出了历史当事人的立场和与之同在的排异性的价值局限，并非是什么超历史的研究。倒是这种挣脱了或此或彼"在场"的偏狭认识羁绊的新观念，才有可能解蔽去障，在一个原本属于对象世界的阔大时空中，把握住对象之复杂构成及历史发展的完整性。同时，"现代转型"研究重视的是历史发展的过程和各种力量参与的方式及作用，不再特别偏重于对某一种文学范式的研究和价值偏护。因此，治史者不仅会对与对象对话的姿态进行调整，而且在对待古与今的关系上也会克服过去那种壁垒式、价值逆反式的考察方式，从而使文学史重构真正走出"古今/中外"的观念框架。很久以来，人们对各种学术性的治史方式已经不太在意甚至是否弃了，这其实是一件很值得反思的事。

　　在中国新文学史的重构中，任何有价值的个性化的努力都应给以应有的尊重。人们完全可以从不同的时空切割、不同的对象限定和不同的价值侧重上进行各不相同的文学史建构，这是不言而喻的。然而有一点也是大家都知晓的，那就是无论你如何与众不同，都面临着一个自我超越的问题。《中国现代文学三十年》于1998年重新出版的修订本，其最根本的变化就是在核心观念上将"启蒙性"置换为"现代性"，在文学史的基本格局和评价系统上都作了相应的调整，因此颇受好评。上一世纪80年代后期以来，新文学史的重构表现出多样发展的态势，这是十分可喜的现象。本文所论"现代转型"的研究，同理，第一不是排他的，第二它本身在重构性实践中也应是多种多样的。

## 二

在新的文学史视野里，新文学发展史的起点要比半个世纪以来的一贯说法大为提前，而中国文学实现现代转型的途径和方式也并非一种，起点自然亦有所不同。

中国文学现代转型创辟性的，也是最基本、最主导的形式，乃是由现代文化启蒙运动所引发的文学革命运动。中国现代文化启蒙运动的特征，是以文化激进主义的态度对本土传统价值观念和民族文化心理进行根本性的否定，并意欲以西方文化价值观念取而代之。现代文化启蒙运动一向是既把文学视为文化变革的一个重要方面，又把它看作实现其目的的重要的甚或是根本的手段。文学革命不仅由其推拥而出，而且由它而获得价值支持和观念内涵。如果这一共识性的立论没错，那么我则要指出，梁启超在戊戌变政失败后所发动的以"新民"为提倡的文化启蒙运动，即已具有这种"现代"特征。而与此前变革观念区别开来的标志，就是他已走出今文经学的笼罩，实现了对这一作为近代社会变革思潮基本价值观与方法规约的突围与超越。而这，也正是他有可能高张文学"三界革命"（"诗界革命"、"文界革命"、"小说界革命"）的旗帜并为其提供必要的观念支持的原因。

有清一代，学术形势几经变易。以今文治经学对抗并取代为乾隆以来主流治学方式的朴学，始盛于龚自珍和魏源，成大势于康有为时期。今文经学不像古文经学那样硁硁自守，为训诂名物所拘束，而是着重在"微言大义"的发现，而且思想相对解放，能够容纳异派，所以西方的民权主义，东方的佛学观念，均能为其吸纳。但即使在康有为时期，其今文经学的治学原则与方法也不过是以"六经注我"的方式，为其观念重构找到了一个合理的依据，且撑开一个富有弹性的自我发挥的空间，说到底也还不能从根本上走出经学阐释的范畴，也就是说基本性质也还是属于中国传统以经学为本的价值观念。

梁启超在戊戌变法时追随康有为，少有他独自的思想。但变法失败后，他的观念发生了根本变化，冲决了今文经学的樊篱。他开始反对拿近世新学新理而缘附孔子之教："今之言保教者，取近世新学新理而缘附之,曰:某某孔子所已知也,某某孔子所曾言也,……然则非以此新学新理厘然有当于吾心而从之也,不过以其暗合于我孔子,而从之耳。是所爱者仍在孔子,非在真理也;万一偏索诸四书六经而终无可比附者,则将明知为真理而亦不敢从矣;万一吾所比附者,有人剔之曰:孔子不如是,斯亦不敢不弃之矣。若是乎真理之终不能饷遗我国民也。故吾所恶乎舞文贱儒,动以西学缘附中学者,以其名为开新,实则保守,煽思想界之奴性而滋益之也。"① 嗣后他对今文经学的流弊又进行过不止一次的批判。梁启超所针砭的,就是变法时期及其后一些人所沿袭的今文经学的痼疾,他正是从对"好依傍"与"名实相混淆"的否弃中走上价值重构的新路的。

这一切都发生在亡命日本之后。他自陈:"既旅日数月,肆业日本之文,读日本之书,畴昔所未见之籍,纷触于目,畴昔所未穷之理,腾跃于脑,如幽室见日,枯腹得酒。"② 而且说自居东以来,"脑质为之改易,思想言论,与前者若出两人。"③ 这时的他,对"新法"以及此前种种变革努力进行了深刻的反思,并从两方面力陈其弊:第一,没有抓住根本。他认为文明有"形质"的,有"精神"的,"求形质之文明易,求精神文明难。精神既具,则形质自生;精神不存,则形质无附"④。不解决精神文明问题,"则虽今日变一法,明日易一人,东涂西抹,学步效颦,吾未见其能也"。梁启超在对历史的反思中,根本改变了"中学为体"的价值认知模式,且率先获得了现代文化启蒙的历史觉悟。他之"新民为今日中国第一急务"⑤的宣告,无疑是对中国现代文化启蒙的对象(国民)、基本任务("新"民,即解决"国民性"问题)及其在历史变革中根本性作用(第一急务)的最先昭示。第二,缺乏破坏力。他说:"吾故有知今日所谓新法者必无效也。何也?不破坏之建设,未有能建设者也。"⑥他著专文鼓吹"破坏主义",以为这是在特定历史阶

---

① 转引自杨东莼:《中国学术史讲话》,第326页,东方出版社1996年版。
② 梁启超:《论学日本文之益》,《饮冰室合集》第1卷,文集卷4,第80页,中华书局1994年版。
③ 梁启超:《夏威夷游记》,《饮冰室合集》第7卷,专集卷22,第186页。
④ 梁启超:《国民十大元气论》,《饮冰室合集》第1卷,文集卷3,第61页。
⑤⑥ 梁启超:《新民说》,《饮冰室合集》第6卷,专集卷4,第1、64页。

段无可逃避的选择,"历视近世各国之兴,未有不先以破坏时代者",若"有所顾恋,有所爱惜,终不能成"①。正是在这一前所未有的历史反思基础上,梁启超开启了一个影响了一个世纪的启蒙性文化价值模式,即"中西/古今"的价值确认和文化比较方式。他明确声称:"以今日论之,中国与欧洲之文明,相去不啻霄壤"②,他认为解决问题之途,就在于以西方的价值观念更新中国传统的价值观和精神状态,即其所谓:"苟欲救亡,非从此处拔其本,塞其源,变数千年之学说,改四百兆之脑质。"③由此不难看出,梁氏的启蒙与其后的新文化运动之间在诸多根本问题上的一致性和发展之中的承传关系。其实要讲创辟性,梁启超当为第一人。

梁启超之"三界革命",是在其启蒙的思想观念和价值范畴内被认识和提出的,它们是把文学作为实现其启蒙目的的最有效途径和最佳工具而被选择和备加推重的。但正因如此,其启蒙思想文化内涵的"现代性"(梁启超的思想观念并非全是"现代"的,但作为中国文化现代转型的实质性启动者,其价值支点和基本倾向的"现代性"则是勿庸置疑的)也就必然地决定了"三界革命"基本思想质素的"现代性"。应该看到,梁氏酿成"三界革命"之思,是发生于新的历史觉悟和价值观基础之上,他是在古今对立的架构内倡导"三界革命"并阐发其主张的。他对中国诗歌、散文、小说的传统恶习和现状均有颇为尖锐的批评,将"诗界革命"喻为哥伦布、玛赛郎的出世,而对文界、小说界革命的热情鼓吹,也无不是在新旧对立的意义上大行其道的。为突出其"新",梁启超将"三界革命"设置于开放性的世界视野之中,特别强调向西方与日本学习。照他的理解,中国传统文学即如诗歌,纵然历史上有过很见成效的变革,然时至今日,也"已成旧世界。今欲易之,不可不求之于欧洲"。④ 为强化其为启蒙服务的有效性,他一方面时时不忘强调文学作品的教化功能,一方面还特别关注文体的特性及其效用的差异。较之于五四文学革命,梁启超似乎有着更为自觉的文体意识,在其"三界

---

①③ 梁启超:《破坏主义》,《清议报》第30册,1899年10月15日出版。
② 《论中国与欧洲国体异同》,《饮冰室合集》第1卷,文集卷4,第61页。
④ 梁启超:《夏威夷游记》,《饮冰室合集》第7卷,专集卷22,第189页。

革命"初倡时，即同时对三种文体作了各自不同的阐发。他打破传统文体格局，将小说抬举到"文学之最上乘"，并纳入新文体格局的中心，这本身就是极富现代精神的叛逆之举。对于小说这种为其特别推重的文体，他从"体"（本体论）、"用"（功能论）两方面作了别开生面的阐释，依据的又是现代心理学的原理，深到而有说服力。① 正如他本人所言："小说之为体其易入人也概如彼，其为用也又如此，故人类之普通性，嗜他文终不如其嗜小说，此殆心理学自然之作用，非人力之所得而易也。"② 梁启超在"三界革命"上，最重视的是内容，同时也兼顾到形式，这与五四文学革命也稍见差异。如他在谈到"诗界革命"时就认为"然革命者，当革其精神，非革其形式。吾党近好言诗界革命，虽然，若以堆积满纸新名词为革命，是又满洲政府维新之类也。"③ 应该说这种以史为鉴，又有现实针对性的主张还是很有见地的，而且事实上，梁启超对作品语言和艺术形式的革新也是非常重视的。比如，他认为："文学之进化有一大关键，即由古语之文学为俗语之文学是也。各国文学史之开端，靡不循此轨道。"④ 这就足见其对文学语言向俗白化变革的高度重视了。在"新派诗"、"新文体"（报章体）和"新小说"的提倡与创作实践中，他始终重视语言的通俗畅达和表现形式上的创新探索。其影响之深巨，为后来新文化人和新文学家所屡屡首肯。

或有论者会发一问：无论是对西方观念的认同与引进，还是文学革新主张的提出，都有人早于梁启超，何以要将中国文学进入现代转型的起点，确定在梁启超之"三界革命"提出之时？其实个中缘由并不难索解。在戊戌变法失败之前，社会历史变革的主导形式由经济而政治，尚未转入思想文化变革的层面，因此在那时，先觉者也还没有将其所服膺的西方观念与文学革命联系起来，更未将二者的关联置入新历史变革的关键所在理解其意义，并进行必要的历史综合。譬如严复，谁人不知他是将"进化论"介绍给国人的第一人？可也正是他，却并不认为文学上

---

① 对梁启超小说理论的具论，可参见拙著《二十世纪中国文学史·导论》，山东文艺出版社1997年版。
② 梁启超：《论小说与群治之关系》，《新小说》第1号，1902年。
③ 梁启超：《饮冰室诗话·六三》，《饮冰室合集》第5卷，文集卷45（上），第41页。
④ 《小说丛话》，《新小说》第7号，1903年。

需要什么革命,在译作中则坚持用古文写作,信守桐城家法,被胡适喻为"前清官员戴着红顶子演说"①,且遭到了梁启超的批评。又如黄遵宪,他在思想观念上较早认同西方,在诗歌领域也曾率先提出过"我手写吾口"的主张,而且还对严复"文界无革命"说表示过不同意见,可是他毕竟没有达于梁氏启蒙的认识高度,文学观念也仍未超出传统文学的基本规约。就其与夏穗卿、谭复生对"新派诗"的先行尝试而言,从观念内涵到形式,虽令人耳目一新,但未达于可期待之境也是事实。所以在倡导"诗界革命"时的梁启超看来,有资格成为"诗界革命"的代表者,"今尚未有其人也"。②

更有论者会从另一角度提出问题:梁氏"三界革命"的观念固然如是,但当时实践其主张和因势而起的创作却要么直露无文,要么新旧参半,以它们来做"现代"文学的起点,这是否合适?笔者以为,以中国文学的"现代转型"为视点,关注的是历史过程的完整性,而非仅限于对成熟阶段中一或两三种文学范式的考察辨析。是否起点,应看其制导性的价值观念与审美趋向是否已基本具备"现代"的属性。不妨以梁启超的创作为例。其观念新异、雄辩惊人的"报章体"写作的"现代性"创辟,已为时人和今人高度评价,大约没有什么异议。为人们诟病较多的是他的诗歌与小说创作。其实这两类创作虽然表现出极为严重的概念化倾向,甚至没有多少文学性可言,但其强烈的对现代观念的阐释欲望和情感倾诉,以及在表现方式上弃旧图新的刻意所为,则不能不说是已立足于"现代"的表征,即使其为人所诟病者,也是新辟起点时必然会出现的特点,五四文学革命时胡适的《尝试集》又何尝不是如此。试读一下他的《二十世纪太平洋歌》、《志未酬》、《爱国歌四章》等诗作,那种在世界范围内以新世纪精神纵论古今的恢宏气象,和以现代价值观念激励同胞为民族振兴自立自强的爱国情怀,就是今天,也还为其所动,并无隔世之感。他的小说《新中国未来记》有更为凸显的现代说教倾向,以至难以卒篇,然而其政治、文化等一系列观念的现代性以及对倒叙等新表现方式的大胆尝试,却也是颇为显明的。至于其以观念斫伤艺

———————
① 《五十年来中国之文学》,《胡适文存二集》第2卷,第115页。
② 梁启超:《夏威夷游记》,《饮冰室合集》第7卷,专集卷22,第189页。

术的缺点，则属于启蒙运动文学革命初期的常见现象，即"问题小说"本身难于避免的历史局限①，只不过梁氏的小说比五四文学革命时表现得更为严重罢了。更为重要的是，正是在梁氏的倡导期，以文学事业为职志的新创作主体的群体性出现，而以小说翻译和创作热潮为两翼的文坛新格局也初步形成。成一时之盛的所谓"谴责小说"，尤其是其中几部传世名篇，不仅内容、观念以及举发社会现实问题的强烈批判精神已与传统小说有异，而且在艺术表现上也可见出其更新之处。夏志清在分析《老残游记》时曾指出："这游记对于布局或多或少是漫不经心的，又钟意貌属枝节或有始无终的事情，使它大类于现代的抒情小说，而不似任何型态的传统中国小说。"② 这当为确论。

在中国文学的现代转型中，还有一种情况我以为应该引起我们的注意了，那就是所谓"鸳鸯蝴蝶派"文学（主要是小说）的发生与发展。因为在我看来，它的出现与屡遭挞伐而不止的发展，恰恰反映了中国文学现代转型非只一种的历史需求和以不同方式实现的可能性。而新文学阵营与其长期难解的抵牾，又适足以说明新文学自身的所有努力，终不能洞彻与包容历史的现代转型在文学乃至文化上的所有需要。人们都知道，社会现代化的重要标志之一就是现代都市的形成与发展，可是人们也该知道，随着现代都市的形成发展，人们对消费型大众文化的需要必然是其题中应有之义。而这一点，我们所一向理解的"新文学"，是无论如何也做不到而且也取代不了的。鸳鸯蝴蝶派小说其实就正是这样一种性质和这样一种类型的文学，它紧贴在上海这一现代大都市的形成与发展上似乎是自然而生自然而长，表现的是上海广义市民社会的观念状况与新奇的生活内容，而其本身又是上海都市现代化内容的一个部分。就其创作主体率先成为现代职业写作者，及其与现代媒体更为亲和与互动互生的关系而言，它确实为无法讳言其"现代性"的一种饶有意味的存在。贾植芳尝言："他们笔下出现的生活场景和人物形象的多样性、丰富性和复杂性往往为新文学作家所望尘莫及。即便是他们的文学观

---

① 对于《新中国未来记》的"问题小说"性质，有学者已有明见。见王学钧《"问题小说"发端——论〈新中国未来记〉及其群类》，《明清小说研究》1989 年第 4 期。
② 《〈老残游记〉新论》，《刘鹗及老残游记资料》，第 480 页。

点，我认为也反映了某种文学价值观念：它看重文艺的欣赏价值和娱乐性质这种艺术功能，从市民文化的角度对传统文学中占统治地位的儒家'文以载道'、'诗以言志'的正统文艺观加以否定，这正是中国社会由长期的封闭状态走向开放这个历史特征的反映，也是商品经济社会开始出现后的一种标志。""这一文学流派的出现和流行本身也是中国社会……由传统走向现代的反映。"① 域外学者在研究为"上海小说"所专注的"妓女"题材时，也发现了其中非同寻常的意义："19世纪末在上海出现了一批小说，它们在文学手法上实际上是延续了传统文学的妓女在文学中的许多功能，但是在形象上，她们基本上颠覆了这个从唐代以来的奇女子的形象。""上海妓女小说的诞生，可以说是城市小说的开始，围绕着城市娱乐生活或经济人文生活，出现了一批专门与城市有关系的小说，这些小说中第一次出现了现代大都市的城市人物，即上海妓女形象，这是中国近代文学中的第一批现代都市的人物形象。"② 中外这两位学者的阐发，有着一个共同的指向：这类小说的"现代性"呈现及其独到的意义。

如果我们不再执守成见，承认以上海为中心出现的鸳鸯蝴蝶派小说即现代都市通俗小说也是文化、文学现代转型的一种独特需要和方式，那么，它的起点问题，也应为治新文学史者所关注。只是惜乎各种相关的文学史著述，无论对此类文学抱何种态度，但在其起点的界定上不是认识有误，以至以讹传讹，比如将吴沃尧的《恨悔》定为标志，就是模糊不清，在对"狭邪小说"之更久远的追溯中有意无意地掩过了这一问题，所以，这实际上仍然是个迄未解决的问题。而我认为，以19世纪90年代前期刊行的韩邦庆的《海上花列传》为其起点标志是比较符合实际的。首先，韩邦庆在上海现代都市化进程中率先实现了创作主体的"现代"转变，而且由其开启了文学传播的现代方式。据悉，他"常年旅居沪渎，与《申报》主笔钱忻伯、何桂笙诸人暨沪上诸名士互以诗唱酬，亦尝担任《申报》撰著；顾性格落拓不耐拘束，除倡作论说外，若

---

① 《〈中国近现代通俗文学史〉序》，《中国近现代通俗文学史》，江苏教育出版社1999年版。

② 叶凯蒂：《妓女与城市文学》，《中国现代文学研究丛刊》2001年第2期。

琐碎繁冗之编辑，掉头不屑也"。① 且兼有阿芙蓉癖，"所得笔墨之资悉挥霍于花丛"②。显然，他既先行实现了由传统知识分子向以现代型报刊编辑和文学写作为业的自由文化人的蜕变，同时又具备了鸳鸯蝴蝶派作家上海洋场诗酒名士的基本类型特征。而为其所创办、依附于《申报》代售的半月刊《海上奇书》，事实上也开了"现今各小说杂志之先河"。③ 其次，《海上花列传》最先开辟了为鸳鸯蝴蝶派早期作家所特别钟意的独特题材领域——上海妓女及其与社会各阶层人物的复杂纠葛。再次，在艺术表现上的重大突破和开拓。人物塑造上形神兼备的个性化表现，结构上对"穿插藏闪之法"的成功创辟，对人物对白使用吴语方言的大胆尝试，都是为现代学者和作家们颇为称赞甚至推崇的。比如对吴语的使用，胡适就认为："韩君认为《石头记》用京话是一大成功，故他也决计用苏州话作小说。这是有意的主张，是有计划的文学革命。""韩子云与他的《海上花列传》真可以说是给中国文学开一个新局面了。"④ 其实，早于胡适，鲁迅就已表述过类似的意思，认为这部作品"开宗明义，已异前人，而《红楼梦》在狭邪小说之泽，亦自此而斩也"。⑤ 鲁迅此语可谓言之凿凿，但是我们的诸多学者却仍将它归之为《青楼梦》、《品花宝鉴》、《花月痕》一类，至今不敢把它纳入新一类的范畴。因为那样一来，现代都市通俗小说的发生期将大大提前，这是叫人不敢贸然认定的事情。可殊不知中国社会现代转型的进程就是不平衡的，上海现代都市形成的先期性和特殊性，恰恰为《海上花列传》的出现提供了合理的依据，这是不足为怪的。事实上，被公认为鸳鸯蝴蝶派作家的孙玉声，据他的记忆，其被公认为鸳鸯蝴蝶派作品的《海上繁华梦》，就几乎是与《海上花列传》同时开笔写作的⑥，不然的话，这又当作何解释？

---

①③ 颠公：《〈海上花列传〉之著作者》，转引自胡适《〈海上花列传〉序》。
② 《谭瀛室笔记》，转引自蒋瑞藻《小说考证》，上海古籍出版社1984年版。
④ 《〈海上花列传〉序》，《胡适文存三集》卷5，第364页、第369页，黄山书社1996年版。
⑤ 《中国小说史略》，《鲁迅全集》第9卷，第263—264页，人民文学出版社1981年版。
⑥ 参孙玉声：《退醒庐笔记》，山西古籍出版社1995年版。

## 三

着眼于"现代转型"研究的文学史建构，会非常看重这一过程多维度因素介入的结构性意义，并无可规避地要对治史者主体自身的价值观进行必要的调整。

按照过去一贯的理解，中国新文学发生发展的基本价值支持，无疑来自于对西方文化的认同和对传统文化的反叛。这种被长期奉为不争之论的认识固然反映了历史生成发展的某种真实，但如果我们不再囿于以西方为中心的偏至态度，不再固守一元论线性历史观念，那么，就有可能发现，这原来只是历史事实的一个侧面，而不是全部。

为梁启超、陈独秀等历史先觉者在不同时期所发动的文化启蒙运动和文学革命，其历史的必然性、合理性以及实际的重大历史业绩，当然是毋庸置疑的。其激进主义的文化态度，在当时毋宁说是一种难得的历史觉悟。对于这种历史行为的作用，就连并非其同道者的梁漱溟在事后也作过肯定性的评价："胡先生的白话文运动是当时新文化运动的主干。然未若新人生思想之更属新文化运动的灵魂。此则唯借陈先生对于旧道德的勇猛进攻，乃得引发开展。自清末以来数十年中西文化的较量斗争，至此乃追究到最后，乃彻见根底。尽管现在人们看他两位已经过时，不复能领导后进。然而今日的局面、今日的风气（不问是好是坏）都是那时他们打出来的，虽甚不喜之者亦埋没不得。"[①] 直到 20 年后，梁启超进行反思时，依然认为："平心论之，以二十年前思想界之闭塞委靡，非用此种卤莽疏阔手段，不能烈山泽以辟新局；就此点论，梁启超可谓新思想界之陈涉。"[②] 这个比喻还是相当贴切的。

但问题在于，以满足于历史特定需要的某种真理性或曰片面的合理性，并不能改变其缘自民族文化虚无主义的新文化建构理想的虚妄性，以及由其坚持的统合主义、普遍主义的一元论史观和认识原则，与为其

---

① 《纪念蔡元培先生——为蔡先生逝世二周年作》，《梁漱溟全集》第 6 卷，第 330 页，山东人民出版社 1993 年版。

② 《清代学术概论》，《饮冰室合集》第 8 卷，专集卷 34，第 65 页。

所力倡的平等、自由、个性之间的深刻悖论。

历史的非线性发展，在今天应为不争之论。据此考察中外历史的发展，无论什么时候都无不表现为一种多维介入的复式结构，甚至是逆向式构成的结构状态，这在历史的剧变和转型期将表现得尤为突出。中国历史的现代转型，较之于西方的这一变化又有不同，它是将西方相对展开的数百年时间内发生的事紧缩在共时性场域内进行，这就使这一特点变得更为醒目且饶有意味。在这里我们发现，几乎与文化激进主义同时发生且相伴而行的反派角色——文化复古主义或曰文化保守主义，事实上，也是作为文化、文学现代转型的一种特殊责任的担荷者而登上历史舞台的。作为历史行为，文化启蒙和文学革命无疑是历史破障前行的制导性力量，而作为毕竟是中华民族文化的更新与建设，后者却是不可或缺的必要方面。这正如车之两轮，只有制动的一方而无另一方的支撑，那是不可能实现其前行的。日本学者本山英雄在论及"文学复古"问题时说："与排满种族革命运动相结合的晚清'文学复古'潮流，可以说是'文学革命'前史的一个侧面，然而其内容却不可能以'文学革命'的逻辑全部加以穷尽。特别是章炳麟的'反古复始'之'文学复古'论，凝聚了他全部心血，成为直面本世纪初世界史现实、致力于将中国文明从其自律性基础开始重建的不懈努力的重要部分。在其中，极端的反时代性与超越了同时代乃至其后的'文学革命'时代观念之局限的远见卓识不可分割地糅合在一起，难以用进步——反动的尺度来衡量。"①这种见解，应该说还是别具慧眼的。

当然，这需要做较具体的说明。首先应该厘清一个事实。活跃于上个世纪中国文坛上的文化复古主义人物，并不尽然是泥古不化的观念隔世之人，真正能与文化激进主义潮流对立申辩的，其实都是一些既通国学又懂西学甚至对西方自然科学也有一定了解的又一类"新人物"。就像梁漱溟所说，激进派中固数不到他，因他"不是属于这新派的一伙，同时旧派学者中亦数不到我。那是自有辜汤生（鸿铭）、刘申叔（师

---

① 《〈"文学复古"与"文学革命"〉内容提要》，《学人》第10辑，江苏文艺出版社1996年9月版。

培)、黄季刚(侃)、陈伯弢(汉章)、马夷初(叙伦)等等诸位先生的。"① 这些自认与"新派"不同而又自别于"旧派"的人物,与"旧派"的区别是变与不变,与"新派"的分歧则为如何去变,属于求变之中两种不同理解的抗衡。说是对抗,又实为历史文化转型两大需要之间的互相补充和在整体意义上的互动发展。最显见者,激进派将新文化建构设置在民族文化虚无的基础上,而复古派对"国粹"、"国魂"的标榜却正有效地在其缺失处作了强调:"国粹者,一国精神之所寄也。"② 倘要建构新文化"必洞察本族之特性,因其势而利导之,不然勿济也"。③与之同时,在一系列根本性问题上,复古派都另有思路开启,相对于激进派而言,也无不具有为其缺失的真理性价值。比如,当激进派奉为"公理"的由生物而社会的进化论大行天下时,章太炎就表述了其名为"俱分进化"的不同见解:"进化之所以为进化者,非由一方直进,而必由双方并进。专举一方,唯言智识进化可尔。若以道德者,则善亦进化,恶亦进化;若以生计者,则乐亦进化,苦亦进化。双方并进,如影之随形,如罔之逐景。……然则以善与乐为目的者,果以进化为最幸耶?其抑以进化为最不幸耶?进化之实不可非,而进化之用无所取。"④回看历史,环顾世界,这话今天读起来,未始没有醍醐灌顶之感。在对文化的价值认识和在对不同文化系统如何进行比较上,他们也发表了许多很可取的意见。王国维认为:"学无新旧,无中西,无有用无用。""中西二字,盛则俱盛,衰则俱衰,风气既开,互相推动。"⑤ 这实则是对功利主义文化观和守成与西化两种极端倾向的批评。他对于文化价值的超时空性、超功利性的大胆肯定,开启了嗣后包括新文化、新文学阵营中某些人在内的或一种观念之流。章太炎有一种弥足珍贵的思想,那就是在其《齐物论释》中所表现出来的为天下个体存在的差异之物争平

---

① 《纪念蔡元培先生——为蔡先生逝世二周年作》,《梁漱溟全集》第6卷,第330页,山东人民出版社1993年版。
② 许守微:《论国粹无阻于欧化》,《国粹学报》第1年第1期。
③ 飞生:《国魂篇》,《浙江潮》1903年第1期。
④ 《俱分进化论》,《民报》第7号,1906年9月5日。
⑤ 《国学丛刊序》,转引自王运熙、顾易生主编《中国文学批评通史》第7卷,第809页,上海古籍出版社1996年版。

等的见解:"体非用器,故自在而无对;理绝名言,故平等而咸适。"①与这一认识相一致,他与"国粹派"的人一般都认为中西文化是各具特性的文化传统,应做平等的个性研究,不能盲目地以西化为是。这对于抗衡以西方为中心的价值立场,自然是一种最具学理性的立场选择和认识依据。而其尊重个性价值的比较研究思路,也在"古今/中外"的认识模式之外,为其后另一研究方式的存在与发展奠定了基础。

较之于以"文化"为视点的文化而言,作为审美文化之重要构成部分的文学,其情形就更复杂了。当关涉历史变革场域中种种文化、政治方面的纠葛一旦演绎为文学场域中的分歧与冲突时,任何一种倡导和与之分立的追求之间有形无形的冲突,都是在更具有张力的理念对峙,和更具感性特征的触摸领悟中发生。其合理性价值的根据则尤应认真地分辨。在文学场域所发生的形形色色的冲突,始于上个世纪的 20 年代。到 20 年代初,启蒙阵营的分解和统合主义的弱化,不仅使同盟者向马克思主义政治和自由主义文化两个方向分化,而且也使文学因此得到了一个相对自主的发展空间。自此,各种有"宣言"的无"宣言"的社团、派别渐次登场,代表各自创作倾向和业绩的文学刊物也渐次面世。尤其是在历史变革的中心性行为由文化启蒙转换为政治革命后,由政治立场规约所必然形成的政治性文学主张及其新统合主义倾向,与启蒙主义和自由主义的不同文学诉求三线交织,相互抗衡,又互动互补,构成了文坛有声有色的热闹局面。自 20 年代中期以后,文学的对立与冲突已主要发生于新文学领域,至此时,文学的新旧与有用无用问题虽仍为人提及,但主要话题或分歧的焦点则已变为文学为何写、写什么和如何写的问题了。

这些对立与冲突通常是发生在不同的基本立场之间,因此通常又表现为各说各话、针锋不接的错位性对话。虽然各方在彼此不同的角度或层面上都讲了些不无道理的话,但出于强烈的"立场意识"则很难做到"兼听则明"。这在占据主导性位置的一方来说,表现得尤为突出。不妨以"左翼文学"时期为例。其间,除了与"民族主义文学运动"的斗争属于政治性对抗之外,其他一系列的"笔墨官司"都是在对文学的不同

---

① 《〈齐物论释〉序》,《章太炎全集》第 6 卷,第 3 页,上海人民出版社 1986 年版。

理解与要求中发生的。从文学是表现"阶级性"还是"普遍人性"的笔战，到在文学与政治关系问题上对"自由人"与"第三种人"的批判，无不是如此。对方讲的分明是政治化"文学观"所忽视和所缺失的东西，但被左翼文学方面一律视为政治立场问题而予以批驳，即使你以"自由人"、"第三种人"的身份一再申明，也全然无济于事。相对于左翼文学早期那些未免有些简单化的论辩而言，在30年代中期由沈从文批判文坛"差不多"现象引发的争论，倒是更为展开，也有更多的声音发出，可惜未为历来的文学史著给予应有的重视。1936年10月，沈从文著文指出，文坛上存在着一种"差不多"现象，"大多数青年作家的文章，都'差不多'。文章内容差不多，表现的观念也差不多，有时看完一册厚厚的刊物，好像毫无所得；有时看过五本书，竟似乎只看过一本书。凡事都缺少系统的中国，到这时非有独创性不能存在的作品上，恰恰见出个一元现象，实在不可理解。这个现象说得蕴藉一点，是作者都不大长进，因为缺少独立识见，只知追逐时髦，所以在作品上把自己完全失去了"①。因为沈从文牵扯到了时代、政治、商业、习惯心理等诸多方面与文学的关系问题，试图从其综合效应上实施针砭，且锋芒直指观念一元论及其统合主义倾向，故而引起文坛多方面在不同认识层面上的可谓强烈的反应，即如唐弢所说，自"差不多"的口号提出后，"文坛上又热闹起来了，北平和上海的有些报纸上，还曾经出过专页，'京'、'海'两派角色，一齐登了台，生丑互见，悲喜杂陈，一时也真看不出结论来"②。这本来是一个切中时弊，具有一定的认识深度的警示，但结果仍然遭到了来自"左联"中坚人物的反击。茅盾在文章中虽然承认"所谓'差不多'未尝不是文坛现象之一"，可是却依然在立场问题上上纲批判，指斥沈从文"只抓住了'差不多'来做敌意的挑战"③。因此，这场争论只在反"公式主义"的层面上产生了互动的效果，更深层的问题则难得解决。

面对中国文学现代转型中这类特殊但却常见的现象，我认为在文学

---

① 《作家间需要一种新运动》，《大公报·文艺》第237期，1936年10月25日。
② 《"提起时代"》，《中流》第2卷第1期，1937年3月。
③ 《新文学前途有危机么?》，《文学》第9卷第1期，1937年7月。

史重构中应对不同的价值范畴和文学主张进行审慎的辨析。在历史的转型期，历史之于文学的特定功利性要求与文学必然对应生成的自主性坚持，二者之间的紧张既保证了文学与历史的调适发展，又可使其自主性不至于随之丧失。认真考察这种特定历史规定性中文学与历史胶着与疏离的种种表现，会发现其间事实上存在着不同的价值范畴，不可一概而论。而且，由于中国文学现代转型中的种种对立与冲突，其具体的展开又常常是多方面的复杂交织，并非只是简单的两元构成，所谓价值范畴的辨析，其实也应该是一种对多方面价值合理性的尊重与细审的过程。反折衷主义即否定中间状态的存在，是服膺于历史功利要求的主流文化与文学的一贯传统，而事实上多维度的构成则始终是中国文化与文学现代转型的基本结构状态。比如众所周知的"京派"、"海派"冲突，看起来是京、海两方面的不能相能，但实际上却是主流文学、京派文学与海派文学三者的交相对峙，这只要看看沈从文与苏汶的对辩和鲁迅先生的另有说辞便知。被沈从文引为同道的朱光潜，在其理论建构中则把文艺分作三类，一类是"为艺术而艺术"，一类是"文以载道"，这两者均为他所反对，因为在他看来，"'为文艺而文艺'的倡导者把艺术和人生的关系斩断，专在形式上做功夫，结果总不免流于空虚纤巧"，而"文以载道"则"钳制想像，阻碍纯文学的尽量发展"①。他所标榜的则是一种"为我自己而艺术"的文艺观，因为这种"最上乘"的文艺类型，"永远是真诚朴素的"②。其实，仔细看看，在文学转型历史发展的细微纹路里，即使在同一价值范畴甚至同一思想、艺术思潮流脉中，不同流派和个体在文学主张和创作上的分歧与差异是在在都有的。比如同为自由主义作家的一脉，但朱光潜、沈从文与《论语》派在幽默小品上就见解抵牾。朱光潜公开指出那些"滥调的小品文和低级的幽默合在一起"，让人"实在看腻了"③。沈从文也认为"它目的在给人幽默，相去一间就是恶趣"④。若对两者的得失与价值作出合理的评价，仅凭单方面的

---

① 《文艺心理学》，《朱光潜全集》卷1，第306页，安徽教育出版社1987年版。
②③ 《论小品文（一封公开信）——给〈天地人〉编辑徐先生》，《天地人》创刊号，1936年3月出版。
④ 《谈上海的刊物》，《沈从文文集》卷12，第175页，花城出版社、生活·读书·新知三联书店香港分店1981年版。

价值认同那是不可能做到的。

说来有趣，文学界上百年的纷争可谓热热闹闹，可是往里一看，却无不与文学的基本问题有关。文学是什么，它能做什么，又该怎样做，这些属于元问题范畴的问题，就其基本的规定性而言，都是具有相当的包容性的，可以说每一个问题都是一个极富张力的约定。但如果把其合理约定中的内容拆解开甚至对立起来，那就要使你所选定的合理性不能不同时产生片面性了。当然，在文学历史的具体展开中，不同的派别对其不同的方面加以强调，以至在紧张的对峙中强化对某一方面的发展，这是正常的，属于历史合理性的范畴，也符合文学发展的正常规律。但是，假若文学史家也站在极具排他性的立场上来做价值评判，那就不是科学的态度了。比如在文学的功能问题上，长期以来对鸳鸯蝴蝶派的批判就很有代表性。但只要冷静地想一想，就不难发现，在中国文学现代转型中，难道不正是由于有了以"娱乐"、"消闲"为标榜的现代都市通俗文学，以及它与看重历史功利和崇尚艺术审美两种倾向的三边对峙，才相对完整地支撑起了这段文学历史的功能性空间吗？对不同功能的侧重，决定了彼此之间在文学的价值、追求、表现内容与角度和审美趣味等一系列问题上互不相同。这也就决定了，在对它们进行评价时不能使用依据于某一功能倾向的一元价值观论断其他，否则必定会导致错位性理解。近几年，在对金庸作品评价上发生的激烈争论，或褒或贬，其实都是在所谓"纯文学"的价值范畴进行的，所以说到底，都无非是与对象错位对话的结果。当然，这一切自有一个共同的底线，那就是它必须是有益于生命健康发展并依各自不同的规定性而有所创新的艺术品。

## 四

与上一节的问题相关，在中国文学现代转型的复杂结构中，还有一种更有意味和当下思考价值的结构内容与方式，需要提出来单独立论，那就是"京派"文学及与其有相类之处的文学与历史进步即历史"现代性"之间所呈现的疏离与质疑的关系。

从"文学革命"到"革命文学"，主流文学对自身"现代性"的实现，始终是与历史"现代性"的实现作一体化思考的，也就是说，文学与历史现代性的实现是在历史进化律的必然性中共谋达至的结果。正因如此,审美现代性与历史现代性内在价值同构的追求和发展趋势,也就成了主流文学的一个基本特征。文学这种与历史进步寻求意义同构的对话关系,必定在历史与文学的双重转型中遭遇到并非一般的磨砺和挑战;而担承着历史主体和创作主体双重职责的一代代作家,也必定在历史与文学看似契合而实为紧张的关系中经受着近乎严酷的考验。因此,其中所蕴涵的丰富历史内容将是文学史研究难得的矿藏,而为其所创造的新的审美范型和卓有成效的创作实践,也应该成为治史者认真揣摩和细加考辨的对象。然而审美现代性与历史现代性之间是一种极为复杂的关系,这段文学史所提供给我们的材料也并非主流文学一种。以沈从文为代表的京派作家,在二者关系的理解和处理上就表现出与之完全不同的立场和态度。而这,恰恰是我们在过去长时间内未加深思的问题。

"京派"与"海派"的对峙,从历史现代性与审美现代性的复杂关系上来看,是中国新文学史上另有深意的一种表征。沈从文对"海派"文学以及都市文明的厌恶与批判,是文学史界共知的本事,但过去也仅仅是在维护文学的"纯正性"和艺术理想的特殊表达上予以肯定,而对其与"历史"的疏离又一向都是表示遗憾的。对于沈从文作品内涵的独异性,夏志清有着敏锐的感受,他在其对中国大陆学界影响至巨的《中国现代小说史》专论沈从文的一章中,征引了人们所熟知的沈从文小说《凤子》中人物"城里客人"对总爷说的一段话。这段议论乡村、神性、牧歌与艺术关系的文字,直可视为沈从文的艺术宣言,夏志清很具眼光地把它摘出来,而且指出:"在这里,沈从文并没有提出任何超自然的新秩序;他只肯定了神话的想象力之重要性,认为这是使我们在现代的社会中,惟一能够保全生命完整的力量。在这方面,他创作的目标是与叶慈相仿的:他们都强调,在唯物主义文化的笼罩下,人类得跟神和自然,保持着一种协调和谐的关系。只有这样才可以使我们保全做人的原始血性和骄傲,不流于贪婪与奸诈。……他的作品显露着一种坚强的信念,那就是,除非我们保持着对人生的虔诚态度和信念,否则中国人——或推而广之,全人类——都会逐渐的变得野蛮起来。"[①] 在夏志清

---

① 《中国现代小说史》,第162页,刘绍明等译,香港中文大学出版社2001年版。

这里，沈从文作品意义的奥秘才露出端倪，可惜的是他并未在两种"现代性"的关系上展开论证。

沈从文借小说人物之口说的那段话，传达出来的信息，很明显是对历史"现代性"和现代都市文明的质疑。证之于他关于这一方面的其他言论，可以明断，使沈从文对历史的"现代性"最具切肤之感的，是其体现在文化上的变与异。在他看来，历史的"现代性"在文化上引进一个"'神'之解体的时代"，变得已远离了自然，也远离了生命。"在过去时代能激你发狂引你入梦的生物，都在时间漂流中消失了匀称与丰腴，典雅与清芬。能教育你的正是从过去时代培植成功的典型。时间在成毁一切，都行将消灭了。代替而来的将是无计划无选择随同海上时髦和政治需要繁殖的一种简单范本"。① 而且，这种"现代性"已成由城市向乡村的辐射、漫延之势，现代都市既已使人生厌，而向乡村的渗透则更令人无奈。他在《（长河）题记》里谈到辰河流域的变化时，是这样说的："表面上看来，事事物物自然都有了极大进步，试仔细注意注意，便见出在变化中那点堕落趋势。最明显的事，即农村社会所保有那点正直素朴人性美，几乎快要消失无余，代替而来的却是近二十年实际社会培养成功的一种唯实唯利庸俗人生观。敬鬼神畏天命的迷信固然已经被常识所摧毁，然而做人时的义利取舍是非辨别也随同泯灭了。'现代'二字已到了湘西，可是具体的东西，不过是点缀都市文明的奢侈品大量输入，上等纸烟和各样罐头，在各阶层间作广泛的消费。抽象的东西，竟只有流行政治中的公文八股和交际世故。"有鉴于此，沈从文痛心疾首，决心"用一支笔来好好地保留最后一个浪漫派在二十世纪生命予取的形式，也结束了这个时代这种情感发炎的症候"②。他所要做的，就是"还得在'神'之解体的时代，重新给神作一种赞颂。在充满古典庄严与雅致的诗歌失去光辉和意义时，来谨谨慎慎写最后一首抒情诗"③。他当然知道这会遭来误解、嘲笑甚至失败，但也深知："你只要想到你要处理的也是一种历史，属于受时代带走行将消灭的一种人我关

---

①②③ 《水云——我怎么创造故事，故事怎么创造我》，《沈从文文集》卷10，第295、294、294页。

系的历史，你就不至于迟疑了。"①

沈从文在这里无疑是触及或者说是揭示了历史、文化现代发展进程中的两个重要问题。第一，人文文化与科学文化、健康的人文文化与唯实唯利庸俗人生观的差异与对立。沈从文并不反对科学文化，但却坚持认为人文文化与科学文化是根本不同的东西，不能以"科学"的价值观和认识论否定体现为生命需要并作为艺术源泉的人文文化传统的不可或缺的价值。在人们梦寐以求实现文化、文学的"现代性"的历史潮流中，这似乎是一种逆向性的标榜，但却正是这种对抗性的强调，难能可贵地为人们揭示出了文化、文学现代发展的复杂性和独特性。在新文学发展过程中，对科学文化与精神的提倡和高扬，曾为文学注进了新的精神，为作家在把握与现实的关系上提供了新的认识依据，也为新文学主体增强了随历史潮流而更新变易的热情和信心。可是，就在强调文学与科学的亲和关系时，却在长时间内忽略了至少是轻视了二者之间深刻的区别。五四文学时期，傅斯年就曾断言："今后文学既非古典主义则不但不与科学作反比例，且可与科学作同一方向之消长焉。写实表象论者，每利用科学之理，以造其文学。"甚至认为，"方今科学输入中国，违反科学之文，势不相容，利用科学之文，理必孳育。此则天演公理，非人力所能逆从者类"。② 茅盾更是做了这样的结论："文学到现在也成了一种科学，有它的研究对象，便是人生——现代的人生；有它的研究的工具，便是诗（Poeny）、剧本（Diction）。"③ 这种观念在当时及其后影响很大，对文学理论建构和文学创作的发展都起了支配的作用。沈从文以其泛神倾向的生命悟解另张一帜，至少保证了另有一类虽在当时不合时宜但却又更贴近艺术之生命特质的文学的生成与发展，而且对于流行于世的科学主义、本质主义等倾向，也构成为一种虽然抵触无力但却与之相异的艺术想象的人生空间。这实在是难能可贵的。至于对唯实唯利庸俗人生观的批判与否定，则是护卫了生命的庄严和文学精神的纯正，对于他所坚守的这一类文学的立场来说，当然也是必要之举。第

---

① 《水云——我怎么创造故事，故事怎么创造我》，《沈从文文集》卷10，第294页。
② 《中国新文学大系·建设理论集》（影印本）第119页，上海文艺出版社1984年版。
③ 《文学和人的关系及中国古来对于文学者身份的误认》，《小说月报》1922年12卷第1号。

二，历史进步与人文文化关系的特异性。在通常理解中，人文文化与历史进步也必定是同步发展的。这如果是从人文文化通过与历史所进行的特定方式的对话及所做的特殊努力所达致的总体效应来看，应该说是不错的。但须指出的是，这种对话不是同一意义指向的相互阐释，而是更多地表现为质疑与被质疑的关系。历史不是一元的线性发展，历史进步行为与人文文化尤其是具有丰富生命内涵的人文精神传统常常表现为一种逆向的复调结构。历史的进步常以人文精神传统不同程度的沦落为代价，而要保持人们生存或曰历史行进的健全发展，就须找回失落的东西作当代的强调。而文学，就常常承担着这一特殊的使命。沈从文和"京派"作家常常说到"回忆"对其创作的关系，究其因盖缘于此。而为其所写的，也多是与现实不同的"梦想"，原因也在于文学的另有担承。沈从文说："有人用文字写人类行为的历史。我要写我自己的心和梦的历史。"① 他所表述的就是这个意思。

在这方面，沈从文是有强烈的自觉意识的。为了表示与现代都市文明的两极性差异，他总是强调自己是个"乡下人"，说："我是个乡下人，走到任何一处照例都带了一把尺，一把秤，和普遍社会总是不合。"②在其创作里，所着意表现的也是一种氤氲着生命之气与现代都市之风迥然有异的湘西乡野世界。美丽而忧伤的《边城》固然是其经典之作，就连小说的短制《三三》，也分明就是对两种文化作生命力比照的艺术象征。不只沈从文，"京派"作家中大多都有与他类似的倾向。比如废名，就是很特异的一个作家。他曾对初涉文坛时的自己作过反思："我曾经为了'呐喊'写了一篇小文，现在我几乎害怕想到这篇小文，因为他是那样的不确实。我曾经以为他是怎样的确实呵，以自己的梦去说人家的梦。"③ 他所写的自己的"梦"，在心境中是真正地与"历史"疏离了。废名创造的是一种静到几近于佛禅的境界，而沈从文终不能忘情于对"历史"的关注。如果说《边城》所写的还是一个与现代都市阻隔的湘西"传奇"，只是在客观上与现代都市形成对照，但面对"现代

---

①② 《水云——我怎么创造故事，故事怎么创造我》，《沈从文文集》卷10，第273、296页。

③ 《说梦》，《语丝》133期，1927年5月。

性"的漫延,沈从文就必然地有了变化:"我不再写什么传奇故事了,因为生活本身即为一种动人的传奇。"① 于是就有了《长河》。

其实不光是"京派",在现代都市文学中以此为思考和艺术表现基点的作家也有人在,只不过感受与追求有所不同而已。张爱玲是个悲观主义者,她对"历史"的感觉是:"时代是仓促的,已经在破坏中,还有更大的破坏要来。有一天我们的文明,不论是升华还是浮华,都要成为过去。如果我最常用的字是'荒凉',那是因为思想背景里有这惘惘的威胁。"② 她以对人性畸变近乎残酷的艺术表现,事实上构成了对历史进步及其乐观主义态度的逼视与拷问。徐訏、无名氏的创作,所表现的是在文化哲学层面上对人的生命意义的追问,这也有别于历史价值认识的对生命的关注。不仅如此,即使在主流文学中,作为构成其创作主体内在矛盾的诸多因素中,事实上也有这一维的存在。比如写作《彷徨》、《野草》时期的鲁迅,即是如此。而这一切,都应该是文学史重构中应给予关注和研究的问题。

(原载《文学评论》2003 年第 4 期)

---

① 《水云——我怎么创造故事,故事怎么创造我》,《沈从文文集》卷 10,第 295、294、294、294、273、296、284 页。

② 《〈传奇〉再版的话》,《中国现代文学序跋丛书 1919—1949》小说卷,柯灵主编,第 1316 页,海南人民出版社 1988 年版。

# 五四启蒙运动与文学变革关系新论

在通常理解中，中国现代新文学既由现代启蒙运动所力倡的"文学革命"开其端，而其发展又是紧随着现代启蒙历史命运的沉浮而变化的。应该说，这种看法在由启蒙立场所张开的特定视域中是揭示了历史的某种真相和发展规律的，有一定的合理性。但是，与某种历史对象作共时性理解的同一立场选择，在能带给你激情和敏锐观察力的同时，也必定会在你眼前构筑起一道难以洞穿的障蔽。以某种历史当事者的立场观察、认识和整合历史时，会夸大所认同历史行为的"普遍性"作用，也会简化、缩紧某些事物之间的历史关联。在这个问题上亦是如此。如果我们能够以超越的态度，走出长期相沿的认识规约，重新面对这一段历史，细究其复杂、独异之处，并将其被缩紧了的关系舒展开来重新审视，就会发现，原来问题并非是如此简单。而对这一问题的重新思考和更为准确的把握，所触及的，无疑是关系到更新、推进20世纪中国文学研究和新文学史建构的一个症结性问题。

有必要说明，中国现代启蒙运动既非自五四启蒙运动始，亦非至其而终，但鉴于其在中国现代启蒙运动史上无与伦比的地位和作用，本文仅是就这一特定对象与文学变革的关系重作考察与辨析，并以冀由此进而获得超越个案认识的意义。

一

包括"文学革命"在内并以之作为其重要内容的五四启蒙运动，对中国文学现代变革的开辟之功及其对嗣后整个发展过程的深在影响，是毋庸置疑的。但在其中，最主要的作用还是表现在对现代知识型"历史主体"的塑造，以及为其所提供的进行自我调适发展的内在可能性和极具张力的精神场域上。而这一切，又只能在对这一对象的独特性和复杂历史内涵的准确把握中才能得到接近于本真的理解。

在中国历史的现代转型中，五四启蒙运动是其十分重要的一个环节，而对于文学变革而言，它又是一个启动其发生的不可或缺的特定历史方式。关于它的基本历史属性即启蒙性，早已由该时期先驱者们对于科学理性的由衷服膺所表明，是不应该有什么怀疑的。但是，问题的复杂性在于，我们现在却很难拿它与欧洲的启蒙运动做对应的比照性阐释，因为它实际上又分明包蕴着欧洲启蒙运动之前和之后不同历史阶段的内容。五四"文学革命"作为一个历史性的事件过去以后，作为这一运动重要倡导者的胡适，曾在许多场合发表意见，把它称之为"中国的文艺复兴"①，并且将它作为对新文化运动、新思潮运动、文学革命运动的统称。胡适这一概括，自有其欠妥之处，但也未必就没有一点道理。布克哈特对意大利文艺复兴曾作过这样的精辟分析："在中世纪，人类意识的两方面——内心自省和外界观察都一样——一直是在一层共同的纱幕之下，处于睡眠或者半醒状态。这层纱幕是由信仰、幻想和幼稚的偏见织成的，透过它向外看，世界和历史都罩上了一层奇怪的色彩。人类只是作为一个种族、党派、家族或社团的一员——只是通过某些一般的范畴，而意识到自己。在意大利，这层纱幕最先烟消云散；对于国家和这个世界上的一切事物做客观的处理和考虑成为可能的了。同时，主观方面也相应地强调表现了它自己；人成了精神的个体，并且也这样来认识自己。"②（重点号为原文所有）同时他还指出，文艺复兴的一项"尤为伟大的成就"，就在于"它首先认识和揭示了丰满的完整的人性"③，即对于"人"的发现。在文艺复兴时期，对人实现为"精神的个体"的努力与自信，对人的感性生存大胆地予以肯定，使众多诗

---

① 比如，1935 年 1 月 4 日在香港大学的演讲，记录稿的题目就叫《中国文艺复兴》；1961 年 1 月 10 日在台北中山路美军军官眷属俱乐部的英文演讲，中文译题为《四十年来的文学革命》，内中云："这一运动——一般称为文学革命，但是我个人愿意将它叫做'中国的文艺复兴'"。

② 雅各布·布克哈特：《意大利文艺复兴时期的文化》，第 302 页，商务印书馆 1983 年版。

③ 同上第 268—269 页。

人、作家、艺术家蓬勃而生,使整个时代都氤氲着浓重的人文气氛。也就是罗素所说的:"文艺复兴通过复活希腊时代的知识,创造出一种精神气氛。在这种气氛里再度有可能媲美希腊人的成就,而且个人天才也能够在自从亚历山大时代以来就绝迹了的自由状况下蓬勃生长。"① 假若作些比较,会发现中国的五四启蒙运动与之颇多相似之处。五四启蒙运动的基本特征是"批判的态度"②,即对"固有之伦理,法律,学术,礼俗,"等"封建制度之遗"的彻底批判,实际上也是个"去蔽"的过程。而其目的则也是由此建立"以自身为本位"的"个人独立平等之人格"③。郁达夫说"五四运动的最大的成功,第一要算'个人'的发现"④,当为切中肯綮之论。蔡元培在《中国的新文学运动》一文中所说的"由神相而转为人相,弃鬼话而取人话",表达的也是同一个意思。比较而言,五四启蒙运动虽然是以欧洲启蒙运动的基本理念为标榜,但它又确实没有像法国乃至欧洲的启蒙运动那样实现对文艺复兴时期的超越,而是将二者混熔于一炉了。一个有意味的现象是,从梁启超到陈独秀乃至以后,中国现代启蒙运动的一大特点,就是每次都与文学革命相并发生,而每次文学革命都成为其极被看重且有声有色的方面。这确实是引人深思的。

问题的复杂性还不仅止于此。当中国现代启蒙运动尤其是五四启蒙运动发生之时,欧洲的历史早已超越了这一阶段且已又走过了一个十九世纪。在这一个多世纪中,欧洲又发生了巨大而深刻的变化:工业、技术的发展及实利主义倾向的发生;生物进化论等重大科学成果的出现,及其必然相随而至的科学精神的更大张扬以至于"科学主义"倾向的形成;空想社会主义思潮的勃发和马克思主义的诞生;哲学上的二水分流,一方面是向传统的理性主义公开挑战,形成了所谓"人本主义"或者说是"非理性主义"思潮,一方面则是着重批判传统形而上学的思辨性,向着实证主义发展;文学艺术方面则是浪漫主义、现实主义、自然

---

① 《西方哲学史》下卷,第17页,商务印书馆1982年版。
② 胡适:《新思潮的意义》,载《新青年》第7卷第1号。
③ 陈独秀:《敬告青年》,载《青年杂志》第1卷第1号。
④ 《良友版新文学大系散文选集导言》,《郁达夫全集》第6卷,第194页,浙江文艺出版社1992年版。

主义、新浪漫主义（现代主义）的浪涌与更迭。这一切，也都必然地影响到五四启蒙运动的价值取向和观念建构。这一运动一开始，陈独秀就有这样的表述："近代文明之特征，最足以变古之道而使人心社会划然一新者，厥有三事：一曰人权说，一曰生物进化论，一曰社会主义是也。"① 其中的后两事，即均出之于十九世纪。在《敬告青年》一文中，他在对中西文化观念所做的正反对应的评价里，所举欧洲先进之例，也大多取之于十九世纪。如说到欧洲文化是"实利的而非虚文的"一条时，所举之例就尽为十九世纪的内容，尽管里面夹杂着误解："自约翰弥尔（J. S. Mill）'实利主义'唱道于英，孔特（Comte）之'实验哲学'唱道于法，欧洲社会之制度，人心之思想为之一变。最近德意志科学大兴，物质文明，造乎其极，制度人心，为之再变，举凡政治之所营，教育之所期，文学技术之所风尚，万马奔驰，无不齐集于厚生利用之一途。一切虚文空想之无裨于现实生活者，吐弃殆尽。当代大哲，若德意志之倭根（R. Eucken），若法兰西之柏格林，虽不以现实物质文明为美备，咸揭橥生活（英文曰Life，德文曰Leben，法文曰La vie）问题，为立言之的。"在五四启蒙运动乃至沉浮于整个二十世纪的中国现代启蒙运动和启蒙观念中，被作为"公理"认定的历史进化论，历史功利主义的价值观和实利主义的文化态度，以及在倡导科学精神中所流露出来的科学主义倾向等，无不与十九世纪欧洲的新发展有关。这就使得五四启蒙运动明显有别于欧洲的启蒙运动，从而构成了中国现代启蒙的新内涵。

上述复杂状况的形成，其原因还应求索于中国这一段历史发展的独特性。在二十世纪之前，中国的历史发展都是在传统社会的稳态系统中通过自行调节的方式进行的。而作为这一整体性稳态系统价值支撑和心理依托的文化，自然也具有迥异于西方的诸多特点。数千年来，在天人合一和血缘宗亲关系基础上建构起来的文化观念，可以超验地成为整个中华民族的文化心理积淀，有知识者和无知识者、劳心者与劳力者、位尊者和位卑者无论社会性的差异多大，在传统文化的承传发展中却可达致默契的共谋状态。这也就是梁启超、鲁迅、陈独秀所说的"国民性"

---

① 《法兰西人与近世文明》，载《青年杂志》第1卷第1号。

改造的艰难所在。因此，当有识者将中国历史现代变革根本性的制胜的一役聚焦于文化问题时，他们也就无可规避地要面临价值观念的更易、发展模式的解构和民族心理的重塑等相互关联的多重性问题。不管我们今天对五四启蒙运动作何评价，也不论它的种种负面效应如何应该被人们冷静地反思，但在当时，对传统文化采取多重性否定的整体颠覆行为，却是历史自然选择的结果。而此时，所幸的是进入先觉者视野的西方世界不仅启迪了他们的历史灵感，而且也为之提供了美意迭出令其激动不已的参照对象。首先触动他们的，不是西方文化在不同时空中发展的差异，而是它们几乎能在同一时空中对中国历史累积物——传统文化构成多重性对应否定的效果。这就决定了，按这种独特历史方式行动的人们，势在必然地对西方自文艺复兴以来原本存在着超越性否定关系的各历史阶段的精神成果，采取了共时性迭合吸纳的态度。应该说这又是一个很有意味的现象。倡导启蒙的人们对本土文化采取了那么偏执的态度，但对异质的西方文化却什么都往筐里捡，究其因，除了上述道理和因价值崇拜而伴生的盲目性以外，我以为还有一个迄今为人们所忽略的道理，就是潜在心理中来自于传统的多相整合的思维模式和能力。正是这种种缘故，使其能够在启蒙目的的统合下，以"正解"和"误读"共存的方式，至少在思变的知识界制造了一种全新的综合性文化场域和氛围。

　　五四启蒙运动，实现了对现代文学主体作为现代型"历史主体"的塑造，这是不争的事实。正是通过它，构成现代启蒙核心观念的对"人"的发现和理解，诸如人性、个性、人权、自由、民主等一系列观念，都以无可争辩的正义性融入了现代文学主体的历史价值观和文化人格，并由此形成了他们作为新型历史主体的基本质素。不论他们在文学观上会发生多大的分歧，但在这一基本点上的共同性都是不会动摇的。而应予注意的是，由五四启蒙运动的复杂性所造成的这一历史主体的复杂性。本来，在欧洲是属于不同阶段而彼此间又有明显差异的观念，在五四启蒙的精神氛围里，它们却能够表现为一种共时性的彼此制衡互补的状态，这就必然地影响到新型历史主体们的观念建构和内在心态。比如，在实际上作为启蒙文学纲领的周作人关于"人的文学"的主张里，就对西方不同时期的标榜作了互补性的综合。对于"人"，他突出强调的是两点:"(一)'从动物'进化的,(二)从动物'进化'的"。他认为"人性有灵肉二元",但更为其强调的却是二者之间的有机关系,即所谓"兽性与神性,合起来便只是人性"。① 不仅如此,在对人生命欲望的阐释上,他还借鉴了出现于启蒙运动后的西方性心理学的内容,这都是人们所熟知的事实。当然,这种制衡性综合并不意味着内中不同观念因素之间差异的消失。鲁迅就对许广平说过:"其实,我的意见原也一时不容易了然,因为其中本含有许多矛盾,教我自己说,或者是人道主义与个人主义这两种思想的消长起伏罢。所以我忽而爱人,忽而憎人;做事的时候,有时候确为别人,有时却为自己玩玩,有时竟因为希望生命从速消磨,所以故意拼命的做。"② 这种主体的矛盾性在启蒙文学乃至嗣后新文学的发展中是一种很普遍的现象,但由这种内在矛盾所形成的认识和心理的张力,对于文学的发展来说却未必不是一件好事。应当看到,在五四启蒙运动和先驱者们义无返顾的激进态度里,实际上其本身又内蕴着制衡回转的因素。由此,我们就不难理解,为什么在原初的观念受阻的时候,他们均能作出必要的调适。

再者,这种对于西方照单全收的丰富性、复杂性,在其初起之时,其内部即已包孕着发生裂变的隐性现实。虽然在主观态度上,他们的文字时常流露出"真理唯在我手中"的霸气,然而仅就思想文化方面而言,他们就有两个问题无法解决:一是他们对本土传统文化的批判不可谓不全也不可谓不深,是从根底处作了否定,可在实际上,却是既不能在文化破坏上将它所有的价值全部轰毁,也不能在文化建设上实施有效的置换。在这些基本问题尤其是文化建设问题上,本来认识就未必一致,所以用不了多久,就会在新文化阵营内部有另类声音发出,这就是1919年初出现的"国故学"主张。二是对西方的各种思潮虽有粗略的时空性梳理,但毕竟缺乏冷静、系统的学理性研究,这就不能不在客观上表现为一种多少有点无序的散点并陈的状态。而在这种情况下,引进者们既杂取又有不完全相同的亲和倾向,在阐释引进对象和建构、表述主张上,自然也就有了差异。所以,后来陈独秀也承认:"本志具体的

---

① 《人的文学》,载《新青年》第5卷第6号。
② 《两地书·二四》,《鲁迅全集》第11卷,第79页,人民文学出版社1981年版。

主张，从来未曾完全发表。社员各人持论，也往往不能尽同。读者诸君或不免怀疑，社会上颇因此发生误会。"① 随着启蒙运动的高涨，文化批判的高蹈，使大家愈觉距离解决实际社会历史问题的茫远，而一战后列强"公理"假面的撕破和西方对于文化的反思，这内外的原因则更激化了内在的分歧，导致了1919年《新青年》同人在社会政治等基本观念上的严重分歧并终于分道扬镳。随之，在文化、艺术观念上的不同择取倾向也日渐显豁。成仿吾批评"国学运动"时说过这样一段话："我们的学术界自从所谓新文化运动以来，真不知道经过多少变迁了。变迁本是进步的一个条件，可惜我们所经过的变迁，不幸而是向退步一方向去的。"② 此话自然不能算作确论，我们是很难指责这些"变迁"的，但变个角度看，其所叹惋的这一历史"变迁"过程，难道不正是五四启蒙运动潮起潮落的必然走向吗？现在看来，也正是启蒙观念由聚合到裂变的发展，才使得一部中国现代史从政治到文化到文学多元性的发展成为可能，而同时也为其提供了可供多元性借鉴的思想文化资源。在其间，文学的变革自然是受益良多。从社会政治观念方面的民主主义、自由主义、无政府主义、社会主义、到文化哲学方面的人道主义、个性主义、生命哲学、实证哲学、心理学及性心理学再到文学艺术观方面的自然主义、写实主义、浪漫主义、唯美主义、现代主义，等等，在嗣后新文学的多元发展中，我们都可以找到受这些思想文化资源影响的印迹。

## 二

五四启蒙运动势在必然地推出了"文学革命"，换言之，没有五四启蒙运动也就不会有这场文学革命运动的发生；但是，文学相对独立意义上的"文学革命"或者说文学现代变革的实现，却只能是出现在这一启蒙运动落潮之后。

新文学史研究者一向把从一十年代末至二十年代后期的文学通称之为"启蒙文学"，以至于成了一种社会集体认同的观念。殊不知在这十

---

① 《本志宣言》，载《新青年》第7卷第1号。
② 《国学运动的我见》，载1923年11月18日《创造周报》第28号。

年左右的时间里，事实上含纳着历史内涵前后有别的两个阶段，而发生、发展于这两个不同时段中的新文学，因此也就有了诸多深刻的差异。

从"文学革命"口号的提出到二十年代初五四启蒙运动落潮时，为其前期。在这一阶段的前四、五年里，以思想文化批判为职志的五四启蒙运动正值高涨时期，由启蒙这一历史中心性行为所呈现的空前的历史觉悟和精神魅力，对急随历史主潮、意在文化价值重建的一切文化行为，也正表现出巨大而深在的统合力。在这种情况下，文学只是作为一种独特的精神呈现形式和文化性行为被人们认识，其作为启蒙工具和启蒙运动全面展开与深化表征的历史宿命便是无可回避的了。事隔十几年后，茅盾曾对五四文学运动初期的主要特性作过这样的阐释："那时的《新青年》杂志自然是鼓吹'新文学'的大本营，然而从全体上看来，《新青年》到底是一个文化批判的刊物，而新青年社的主要人物也大多数是文化批判者，或以文化批判者的立场发表他们对于文学的议论。他们的文学理论的出发点是'新旧思想的冲突'，他们是站在反封建的自觉上去攻击封建制度的形象的作物——旧文艺。"① 因此，在这个四、五年里，新文学创作寥若晨星，虽然"尝试者"也出了一些，但成功的作品极少。其实真正能够代表五四启蒙文学特征和实际成绩的，倒是一、二十年代之交那三、两年内的创作，比如，到现在还能为我们记住的一批"问题小说"。这时候，新文化阵营已出现分化，参与者们在社会政治观念和对知识者历史责任承当的理解上也滋生出诸多分歧，但恰恰是这种新的形势，反而有可能使学术文化、文学艺术等部门增强了对社会人生各有其不同职责的历史合理性的认识。1921 年年初第一个纯文艺社团——文学研究会堂而皇之地宣告成立，紧接着革新《小说月报》，又堂而皇之地推出新文学方面的第一份纯文学杂志，就是一个明证。但同时又应看到，新文化阵营虽然出现了分化，但主要是表现在对社会政治观念领域中各种"主义"的不同态度上，而对文化问题上的启蒙立场一时还不会那么快就出现大的改变。那些仍以文化重建为目标的

---

① 《〈中国新文学大系·小说一集〉导言》，《茅盾文艺杂论集》上集，第 520 页，上海文艺出版社 1981 年版。

人，依然坚持着启蒙的初衷，因此在这时的新文坛上，启蒙性文化批判的统合力仍然对文学发生着支配作用。这就不难理解，"问题小说"何以成了该时期文学生长的基本状态，就连清雅温婉的冰心、属感伤型气质的庐隐也都一无例外地以"问题小说"登上文坛。

在此期间，只有鲁迅是一个特例。在他 1918 年发表中国新文学史上的第一篇白话小说《狂人日记》时，就是一鸣惊人，起点很高。而随后创作于这一时期的小说作品（它们都收在《呐喊》集中）尽管在鲁迅而言水平未必尽同，但它们却高标一帜地彰显出其在文坛上的非同凡响。他的小说，不是像当时的"问题小说"那样，只是用文学提出社会人生的问题，而是用文学来表现有问题的社会人生。而且在对所谓"问题"的把握上，也具有为人所不及的深刻和体悟。鲁迅何以能够在当时同样的启蒙规约之中作出如此出众的创造？我认为个中原因主要是他的人生阅历和作为"过来人"的感喟和冷静。此时的鲁迅，已有了太多的经历，特别是在东京时启蒙梦想的破灭，使他先于五四就早已经历了启蒙失败的痛苦并感悟到它的悲哀所在了。在与《狂人日记》同年发表的杂文《我之节烈观》里，与人们只是对着纲常名教文化猛施炮火的做法不同，鲁迅则是发出了惊世骇俗的另一种议论："社会上多数古人模模糊糊传下来的道理，实在无理可讲；能用历史和数目的力量，挤死不合意的人。"他把这种势力称之为"无主名无意识的杀人团。"这正与《狂人日记》里人人都是食人者和被食者的艺术呈现一脉相通。在《呐喊》的大部分小说中，鲁迅都采取了一种极具创造力和思想、艺术张力的故事结构和精神观照的方式，即对在现实生存情景中作不同表演而命运也似乎有别的人们，作复线交映的同源性精神批判，比如《孔乙己》，一方面固然是表现一个饱受封建士大夫文化之害、已走进生活末路的不幸者，但同时甚至可以说主要"是在描写一般社会对于苦人的凉薄"[①]。这种结构方式和交映性复合批判指向，在《药》、《祝福》、《明天》、《阿Q正传》等作品中都能得到解释。应该说，在这个时期的作品中，鲁迅就已注入对历史变革和思想启蒙的质疑性因素。《明天》中单四嫂子的

---

[①] 孙伏园：《鲁迅先生二三事》，孙郁、黄乔生主编《鲁迅先生二三事——前期弟子忆鲁迅》，第 59 页，河北教育出版社 2000 年版。

希望在于儿子,儿子死了,"明天"在哪里?《药》中的革命者夏瑜和贫病愚昧的华小栓也既相干又不相干地都走向了同样的归宿——坟。当然,这时的鲁迅不仅认同启蒙而且是以"呐喊"的姿态积极参与的,所以作品所表现出来的还是明显的启蒙倾向。

1920年陈独秀对"新文化"的内容重作解释时,对知识和本能的重要性同时作了强调,认为人类行动对外界的刺激反应不反应,用什么方法反应,"知识固然可以居间指导,真正反应进行底司令,最大部分还是本能上的感情冲动。利导本能上的情感冲动,叫他浓厚、挚真、高尚,知识上的理性、德义都不及美术、音乐、宗教的力量大。知识本能倘不相并发达,不能算人间性完全发达。"他还因此做了自责:"现在主张新文化运动的人,既不注意美术、音乐、又要反对宗教,不知道要把人类生活弄成一种什么机械的状况,这是完全不曾了解我们生活活动的本源,这是一桩大错,我就是首先认错的一个人。"① 这种已经突破了原启蒙文化价值框架的新认识,只能出现在启蒙运动落潮之际。可是也正是这种更具包容性的多元性文化观,才给文学对自身相对独立的理解提供了契机。有意味的是,也就在这一年,新文学界对文学的解释出现了新的内容。周作人说,"人生派"这派的流弊,是容易讲到功利里边去,以文艺为伦理的工具,变成一种坛上的说教。正当的解说,是仍以文艺为究极的目的;但文艺应当通过了著者的情思,与人生的接触。"② 茅盾则说:"文学是思想一面的东西,这话是不错的。然而文学的构成,却全靠艺术。……由此可知欲创造新文学,思想固然要紧,艺术更不容忽视。思想能一日千里的猛进,艺术怕不是'探本穷源'便办不到。因为艺术都是根据旧张本而美化的。不探到了旧张本按次做去,冒冒失失'唯新是摹',是立不住脚的。"又说:"最新的不就是最美的最好的。凡是一个新,都是带着时代的色彩,适应于某时代的,在某时代便是新,唯独'美''好'不然。'美''好'是真实(Reality)。真实的价值不因时代而改变。"③ 这些论述透露出来的新信息,分明是对文学的功利与

---

① 《新文化运动是什么》,载《新青年》第7卷第5号。
② 《新文学的要求》,载北京《晨报》,1920年1月8日。
③ 《小说新潮栏宣言》,载《小说月报》,第11卷第1号。

非功利、思想与艺术的关系、文学的时代性与超时空性价值等问题的重新阐释，这无疑是对文学之相对独立性的强调，从中可以感受到对原来文学与启蒙捆绑关系的松解。还有一个令人不免感到惊异的现象，是一年后茅盾对文学"国民性"问题所作出的新解释："所谓国民性并非指一国的风土人情，乃是指这一国国民共有的美的特性。……我相信，一个民族既有了几千年的历史，他的民族性里一定藏着善美的特点；把他发扬光大起来，是该民族不容辞的神圣的职任。中华这么一个民族，其国民性岂遂无一些美点？从前的文学家因为把文学的目的弄错了，所以不曾发挥这些美点，反把劣点发挥了。"① "国民性"批判本为五四启蒙运动的一个基本关注点，也是启蒙文学的基本主题，其意义所指和批判的指向是众所周知的，茅盾能对这一核心性概念作出异向性的全新阐发，而且并非只他一人持有这种观点②，足见文学观念的变化之巨了。但须指出，一个文学相对独立发展局面的出现，和一个思想运动趋于成熟的标志是不同的，后者是价值指向相对集中的统合性，前者则是多元性发展格局的形成。由于"人生派"深在的启蒙情结，"文学研究会"作家虽然在观念上已有一系列的重要突破，各成员间的意见也并非一致，但为其所表现出的主导性倾向，则仍然是与启蒙观念血脉相连的，其统合主义倾向也仍然有迹可寻。直到"创造社"等各种文学社团和流派主张出现，"文学研究会"事实上也发生了分化时，中国新文学发展的相对独立性才算是在一个大的格局中实现了。综观这一段历史，我们会得到一个令人悲怆然而有益的启示：思想启蒙运动必然是在分化中落潮，而文学相对独立的发展则只能是在分化中实现。

文学相对独立性的实现，与"文学主体"的形成密不可分。五四启蒙运动着力塑造的是新的"历史主体"，但历史的自觉并不能等同于文学的自觉，它在为新文学主体提供出必要的历史质素时，同时也规限了这一独特角色主体的最终形成。所以，倒是在它的解构和落潮中，一代新的文学主体才真正得以形成。新文化阵营的分化和启蒙运动对于解决

---

① 《新文学研究者的责任与努力》，载《小说月报》第12卷第2号。
② 愈之在《新文学与创作》中也明确提出这一观点，该文载《小说月报》第12卷第2号，与茅盾的文章同期刊出。

中国现实问题的无能为力，使人们陷入苦闷和迷惘之中，对启蒙的痛苦反思与重新审视，和对于社会人生再行逼问的焦虑与无奈。这在文化哲学领域引发了人生观问题的讨论，而在文学界，则是导致了文学表现"向内转"的倾向。由对被启蒙者悲剧性文化生存的批判性揭示，到对启蒙者自身内心痛苦的剖露；由全知型的启蒙叙事转变为知识者对自身精神生存的悲剧性感受的自剖式言说，这就改变了原来那种社会人生批评者的观照姿态和作为"局外人"角色的叙事态度，而将对"人"的表现真正落实到了创作主体自己身上。

最具典范意义的还是鲁迅。他对新文化阵营的分化和启蒙运动的落潮，有极敏锐的感受，曾不只一次地谈起过由它们所带来的后果。新的现实，使他更加感受到中国问题尤其是国民性问题的难以解决，同时也看清了"一切理论家，不是怀念'过去'，就是希望'将来'，而对于'现在'这一题目，都缴了白卷"的现实状况，从而更深地陷入了"觉得惟'黑暗与虚无'乃是'实有'"，又"终于不能证实：惟黑暗与虚无乃是实有"的矛盾之中。① 而同时，他也更发现自己灵魂中深埋的一些东西的根深蒂固："我自己总觉得我的灵魂里有毒气和鬼气，我极端憎恶他，想除去他，而不能。"② 因此，"彷徨"期间的鲁迅将创作内容的重点，转向了对启蒙者精神变异的考索和自入精神炼狱，不啻于抉心自食的心灵剖露和升华。应该说，在"呐喊"期，他在《一件小事》、《端午节》等小说中，就没有"忘记自己也分有这本性上的脆弱和潜伏的矛盾"③，但在此时，他却是依据启蒙落潮后启蒙者们的历史宿命进行了重点表现。《在酒楼上》中的吕纬甫，一个早先敢于"到城隍庙里去拔掉神像的胡子"的角色，现在却变成了完全向命运屈服的"敷敷衍衍，模模糊糊"的人。他所取譬的蜂子或蝇子飞了一个小圈子又回来停在原地点，实际上就是众多吕纬甫式人物历史宿命的真实写照。《孤独者》中的魏连殳有所不同。从"自以为是失败者"到知道"现在才真是失败

---

① 《两地书·四》，《鲁迅全集》第 11 卷，第 20—21 页。
② 《致李秉中》，《鲁迅全集》第 11 卷，第 431 页。
③ 茅盾：《鲁迅论》，查国华、杨美兰编《茅盾论鲁迅》第 12 页，山东人民出版社 1982 年版。

者了",他没有走入吕纬甫式的一途,而是躬行"先前所憎恶,所反对的一切",拒斥"先前所崇仰,所主张的一切"了。他以精神自戕的方式既报复这个无望的现实,又惩罚自己重创的心灵。"像一匹受伤的狼,当深夜在旷野中嗥叫,惨伤里夹杂着愤怒和悲哀"。在这些小说中,鲁迅采用了审他与自审互动的创作手法,一方面将自己的深在感受对象化在所描写的人物身上,使之既能在"他者"的形式中展现出此类状态的普遍性,又能达到借以自剖的目的;一方面则又作有距离的谛视,于深重的忧愤与感慨中保持了一种冷静的否定性态度,因为终不愿也不信被历史点燃的精神之火会就此一下子被黑暗吞没。与《彷徨》写作于同一时期的散文诗集《野草》,是作者主体性发挥和艺术创造几臻于极致的作品,它是作者在精神炼狱中淬出的诗与思的结晶,也是在中国新文学中不可多得的瑰宝。

  在那个时期,作家们向生命感受的深处开发,并照着自己理解的方向进行创作,实际上是一个较为普遍的现象。文学研究会中的冰心、庐隐,此时也告别了先前那种故事简单、观念显露的"问题小说"的写作,冰心开始了宁馨清雅的小诗与美文的创作,而庐隐也自《或人的悲哀》、《海滨故人》,转向了对置身于理想与现实悖反状态中的青年知识者,尤其是女性的苦恼与无奈。郁达夫不属于"人生派"作家,而且他所归属的创造社正以新的文化建设者自命,但他在自《沉沦》起的一系列小说中所创造的"零余者"形象,所描写和抒发的却是青年知识者在人生中既找不到价值凭借,又找不到自我价值归宿的"多余的人"的境遇和迷茫,同时也是他个人的生存自况。在那时,"个人化"写作成了多数作家的呼吁和自觉追求。冰心说:"能表现自己的文学,是创造的,个性的,自然的,是未经人道的,是充满了特别的感情和趣味的,是心灵里的笑语和泪珠"。"这样的作品,才可以称为文学,这样的作者,才可以称为文学家。"[1] 庐隐也说:"足称创作的作品,惟一不可缺的就是个性,——艺术的结晶,便是主观——个性的情感。"[2] 不用说,郁达夫自然是更为标榜"个人性"了,直到后来为《中国新文学大系·散文

---

[1] 《文艺丛谈(二)》,载《小说月报》第12卷第4号。
[2] 《创作的我见》,载《小说月报》第12卷第7号。

集》写导言时，还特别要为这个问题辩白。现在道理已经明白，其实这种"个人化"写作意识的自觉和创作实践，正是新文学开始走上成熟之路的一个重要标志。

五四启蒙运动落潮后，新文学表现的主题也在发生着明显的变化。最足以说明这一变化的，还是启蒙情结最重的"人生派"文学。自20年代初以后，"人生派"文学的重镇即转向了乡土文学方面，在其初起之时，基本的主题意向显然还是在于对五四文化批判和国民性剖示传统的自觉承续。农村中诸如野蛮、愚昧的陈规陋习，如械斗、沉河、典妻、冥婚等一时间成了乡土作家们竞相表现的内容。但是，一方面是因为贴近现实人生后所得的感受日渐丰富，这与他们这些离乡者的怀乡情绪一拍即合；一方面是对文学民族性问题的思考已提上新文学发展的议程，这对自己所承袭的传统本身就构成了一种否定性的叩问，所以，到20年代中期，乡土文学的主题便发生了背反性的变易和分化。譬如台静农的《新坟》，写一个因女儿、儿子被大兵残害致疯的四太太，其令人心颤的疯状和周遭人们的反应，这本是一个可以充分发挥国民性批判力量的题材，然而作者却只是把它描写成了一出原汁原味的人间悲剧。而黎锦明的《出阁》写一个农村姑娘的出嫁，则不仅见不着批判的笔墨，也见不着一点生活的沉重，所展示给读者的只是一种饱涨着青春活力、欢快而富有机趣的生命的舞蹈。写过《水葬》的蹇先艾，写成于20年代末的《在贵州道上》，也一改前者那种侧重文化批判的追求，不惜重墨挥洒，淋淋漓漓地描制了一幅充满"奇"与"趣"的人生苦乐图。这些作品，偏重于对人生原生态的撷取和表现，主题也成为一种多义性的蕴含，很难用某一单一的意义指向来概括了。深受周作人影响的废名，此时也很快就确定了自己艺术追求的方位，以充满佛禅意味的安静的人性生存境界的营造，来区别于历史现代化所带来的人性生存之扰。他这种与历史现代性构成对峙效果的审美追求，与新月派中的一些作家一起，很快就成了崛起于文坛的所谓"京派"的一脉。

三

五四启蒙运动张扬科学理性的目的在于"祛魅"，而一味祛魅的结果却不能不伤害到文学的感性特征和作为审美文化生成的特质性；相反地，倒是在其落潮时必然出现的"返魅"过程中，文学才又找回到了这一切原本属于它的东西。

在五四启蒙运动一开始，陈独秀即将"想象"设置于"科学"的对立面，明确宣告："科学者何？吾人对于事物之概念，综合客观之现象，诉之主观之理性而不矛盾之谓也。想象者何？既超脱客观之现象，复抛弃主观之理性，凭空构造，有假定而无实证，不可以人间已有之智灵，明其理由，道其法则者也。在昔蒙昧之世，当今浅化之民，有想象而无科学。……今且日新月异，举凡一事之兴，一物之细，罔不诉之科学法则，以定其得失从违；其效将使人间之思想云为，一遵理性，而迷信斩焉，而无知妄作之风息焉。"[1] 经由19世纪后期即开始宣传后又经五四启蒙运动的大力鼓吹，"科学"一词已成为社会最为崇尚的一个概念。1923年胡适为《科学与人生观》作序时，就充分肯定了这一社会效果："这三十年来，有一个名词在国内几乎做到了无上尊严的地位；无论懂与不懂的人，无论守旧和维新的人，都不敢公然对他表示轻视或戏侮的态度。那名词就是科学"。[2] 在此种情况下，用科学来统驭文学，换言之，文学也必然服从科学的原则，也势在必然地成了新文学界不少人的共识，只不过有人表述得更为尖锐些罢了。如，茅盾说："文学到现在也成了一种科学，有它的研究对象，便是人生——现代的人生；有它研究的工具，便起诗（Poetry）、剧本（Diction）。"[3] 而傅斯年说得更见极端："方今科学输入中国，违反科学之文，势不相容，利用科学之文，理必孳育。此则天演公理，非人力所能逆从者矣。"[4] 因此，周作人在对"人的文学"进行阐释时，把所谓的"迷信的鬼神书类（《封神传》《西游记》等)"、"神仙书类（《绿野仙踪》等)"、"妖怪书类《聊斋志异》《子不语》等"、"强盗书类《水浒》、《七侠五义》、《施公案》等)"，

---

[1] 《敬告青年》，载《青年杂志》第1卷第1号。
[2] 《〈科学与人生观〉序》，《中国新文学大系·史料索引》（影印本），第241页，上海文艺出版社1981年版。
[3] 《文学和人的关系及中国古来对于文学者身分的误认》，载《小说月报》第12卷第1号。
[4] 《文学革新申议》，载《新年青》第4卷第1号。

统统归入"非人的文学"而予以否定。理由是"这几类全是妨碍人性的生长,破坏人类的平和的东西,统应该排斥"。他大约也觉得这话说得未免有些绝对,所以紧接着又作了一个释疑性的解释:"这宗著作,在民族心理研究上,原都极有价值。在文艺批评上,也有几种可以容许。但在主义上,一切都该排斥。"① 启蒙主义在文学观上求真求实,必然强调写实主义,因为写实主义作为一种创作原则,更容易与科学和经验哲学达成一致。"人生派"文学一度特别鼓吹左拉的自然主义就是因为他的"自然主义是经过近代科学洗礼的;他的描写法,题材,以及思想,都和近代科学有关系"。所以号召"我们应该学自然派作家,把科学上发现的原理应用到小说里,并该研究社会问题,男女问题,进化论种种学说"。②

　　这种启蒙文学观的偏颇是显而易见的。它以对科学和理性的普遍主义态度和一元性价值论定,严重忽略了人类文化在基本属性和意义指向上的深刻差异,忽略了与科学文化既相关又相左的人文文化不可被取代的价值。"启蒙运动认为,把科学的方法从大自然的领域扩大到人的领域,可以把男男女女都解放出来。"③ 但是却没有看到,"科学的了不起的成功所依靠的方法,只能应用于那种可以毫不含糊地观察和精确地测量的现象。而艺术和人文学的传统对象——信仰、价值观、感情对艺术的各种反应、人类经验的暧昧模糊性以及社会相互作用的复杂性——却不是容易地可以用这种方法来研究的"。④ 人作为一种高级的禀有异常灵性的生命存在,具有把握世界的几种不同的能力和方式,除了被启蒙运动所极力推崇的科学——理性的方式之外,还有宗教的、艺术的即想象的方式。这种方式,是生命与自然、社会、生命之间的一种非理性即非分析与非逻辑的独特对话方式,它以超现实的想象和对想象中的关系与功能的形象模拟,来达致表述欲望、补偿缺憾即生命抚慰的目的,同时也表示出面对超越自我之力必须自我约制的敬畏之心。不同的文化系

---

① 《人的文学》,载《新青年》第5卷第6号。
② 茅盾:《自然主义与中国现代小说》,载《小说月报》第13卷第7期。
③ 阿伦·布洛克:《西方人文主义传统》,董乐山译,第249页,生活·读书·新知三联书店1998年版。
④ 同上,第250页。

统都有自己的神话、传说、巫术和民间礼俗,而这些东西都又一无例外地对形成本民族的原型文化意识和各具异彩的审美文化特征起着决定性的作用。早在1912年,周作人曾提出一个"种业"的概念,并对其形成及作用作过这样的表述:"盖闻之,一国文明之消长,以种业的因依,其由来者远。欲探厥极,当上涉于幽冥之界。种业者,本于国人彝德,附以习惯所安,宗信所仰,重之以岁月,积渐乃成。其期常以千年,近者亦数百岁。逮其宁一,则思感咸通,之为公意,虽有圣者,莫赞一辞。故造成种业,不在上智,而在中人;不在生人,而在死者。二者以其为数之多,与为时之永,立其权威;后世子孙,承其血胤者,亦并袭其感情,发念致能,莫克自外。……遗传之可畏,有如此也。"① 当然他在此处的倾向还是说"种性"即"国民性"的形成和可畏,但却也道出了原型文化意识和民族心理积淀形成的规律和文化"因依"在文化发展中的作用。五四启蒙运动崛起后,随着"祛魅"过程的偏至性展开,就连周作人,对类似问题的论说也就绝对的偏于负性的一面,其对新文学的影响也就可想而知了。夏志清认为:"现代中国人'摒弃了传统的宗教信仰',推崇理性,所以写出来的小说也显得浅显而不能抓住人类道德问题的微妙之处了。"② 这一看法还是不无道理的。

在启蒙运动落潮时,人们相对冷静下来,开始意识到科学对于文学的不可替代性。瞿世英就指出:"科学顾得到知识却顾不到感情,顾到物质却顾不到精神,对于人生的一面固然很清楚,但对于人生的全部却遗漏了不少,便是人的心理活动,也用机械的心理学去看他,这是很容易减少人的同情的。这也是文学吃了科学的亏。"③ 周作人也一改原来的看法,认为:"古今的传奇文学里,多有异物——怪异精灵出现,在唯物的人们看来,都是些荒唐无稽的话,即使不必立刻排除,也总是了无价值的东西了。但是唯物的论断不能为文艺批评的标准,而且赏识文艺不用心神体会,却'胶柱鼓瑟'的把一切叙说的都认作真理与事实,当作历史与科学去研究他,原是自己走错了路,无怪不能得到正当的理

---

① 《望越篇》,载《越铎日报》1912年1月18日,署名为"独立"。一说作者为鲁迅;一说为周作人,他自云手稿尚保存在手中。此处从后一说。
② 《中国现代小说史》,第12页,台北:传记文学出版社1979年版。
③ 《小说的研究》,载《小说月报》第13卷第7号。

解。"① 他指出："拿了科学常识来反驳文艺上的鬼神等字样，或者用数学方程来表示文章的结构；这些办法或者都是不错的，但用在文艺批评上总是太科学的了。"② 因为，"文艺不是历史或科学的记载，……如见了化石的故事，便相信人真能变石头，固然是个愚人，或者又背着科学来破除迷信，断断地争论化石故事之不合物理，也未免成为笨伯了"。③ 在那时，一方面是启蒙运动落潮所与之俱来的反思，一方面则是西方的人类学观念和其他一些人文文化见解的引入，也无形中成了帮助他们矫正思维的依据。周作人就不无兴奋地大谈西方人类学的价值，而且由此以后写了大量关于神话、鬼故事和民间礼俗方面的介绍和研究心得方面的文字。而且还应指出，这时人们已开始注意中国审美文化的特点，茅盾就曾指出："大凡一个人种，总有他的特质，东方民族多含神秘性，因此，他们的文学也是超现实的。民族的性质，和文学也有关系。"④ 这些与前有别的认识，无疑代表着文学思潮的新质，并会对文学创作实践发生影响。

在创作实践方面，自然也有与之相副的倾向发生。最具特征性的，仍然得属鲁迅的作品，即回忆性散文——《朝花夕拾》。在这部散文集里，虽然也时时可见对残害人性的愚妄文化观念的批判，和在议论里对现实中"正人君子"之徒针砭的机趣，然而更让我们受到感染的，却是化得如水的乡情、遥远而永难忘怀的童趣，和生命得以活跃的质朴而怪异的民间想象和礼俗，——让我们感受到了鲁迅难得的"轻松"。长妈妈与《山海经》诱人的图画和神怪故事，百草园中的种种乐趣和美丽而可怖的传说，和迎神赛会打破所谓"阴阳界"的可参与性表演的独特魅力，读后都令我们如置身其中，余味无穷。在《无常》一文中，鲁迅说："我至今还确凿记得，在故乡时候，和'下等人'一同，常常这样高兴地正视过这鬼而人，理而情，可怖而可爱的无常；而且欣赏脸上的哭或笑，口头的硬语与谐谈……"。一句"鬼而人，理而情"，正是对民间鬼文化精髓和特征的准确把握，所以无怪乎迎神赛会中"无常"表演

---

① 《文艺上的异物》，《周作人文类编》第 6 卷，第 351 页，湖南文艺出版社 1998 年版。
② 《文艺批评杂话》，《周作人文类编》第 3 卷，第 576 页。
③ 《神话的辩护》，《周作人文类编》第 5 卷，第 716 页。
④ 《文学与人生》，《文学研究会资料》上册，第 89 页，河南人民出版社 1985 年版。

得有趣，也无怪乎鲁迅何以会写得如此出神入化。在《朝花夕拾》集外，鲁迅在1936年写的《女吊》中，也仍然有对类似表演的记述。其中的一段描写，着实叫人神往："在薄暮中，十几匹马，站在台下了；戏子扮好一个鬼王，蓝面鳞纹，手执钢叉，还得有十几名鬼卒，则普通的孩子都可以应募。我在十余岁的时候，就曾经充过这样的义勇鬼，爬上台去，说明志愿，他们就给在脸上涂上几笔彩色，交付一柄钢叉。待到有十多人了，即一拥上马，疾驰到野外的许多无主孤坟之处，环绕三匝，下马大叫，将钢叉用力的连连刺在坟墓上，然后拔叉驰回，上了前台，一同大叫一声，将钢叉一掷，钉在台板上。"这哪里是什么封建迷信，其实就是一种淋漓尽致的令人悚然而又快活的生命表演！这种倾向在乡土文学中多有呈现。比如台静农的小说《拜堂》，写贫穷而娶不起妻的汪二，同守寡了一年而又和他有了身孕的嫂子成亲，将当掉蓝布小袄所得的四百大钱统统买了香烛，在邻居田大娘和赵二嫂的热心参与中认真行了拜堂之礼。所表现的就未必是什么愚昧，更多地倒是民间草民对仪式的敬畏之心和对生命的认真态度。

闻一多曾经指出："理性铸成的成见是艺术的致命伤；诗人应该能超脱这一点"。[①] 经过新文化观念洗礼后的"返魅"，最根本和普遍的意义，就是文学在其现代变革中对想象、情感和魅力等审美文化特质的关注与创造，从而既保证了以与历史现代性意义同构为追求的主流性文学的审美创造力，同时也为与历史现代性保持疏离甚至对峙态度的其他多元生成的各派文学的生成发展，提供了可以堂皇言之的合理依据，所以所谓"返魅"的意义自然也就不可小视。

（原载《中国社会科学》2004年第3期）

---

[①]《文艺与爱国——纪念三月十八》，《闻一多全集》第2卷，第134页，湖北人民出版社1993年版。

# 后　记

　　编选完这部书稿，坐望窗外山坡上还算葱郁的松柏树林，心里忽有所动。我现在住的这个小区位于济南著名景点千佛山的南面，四面环山，据传是当年大舜进行农耕的地方。我所想到的就是，从大舜到现在在这个小区里进进出出的各色人等，悠悠数千年，人们保障生存的最主要方式就是劳动。恰恰现在又是"五一"节刚过，对劳动，凛凛然不禁又生出新的敬畏之心。

　　劳动是什么？农耕工商是劳动，艺术创作是劳动，学术研究也是劳动。劳动创造世界，劳动也创造自身。劳动应该是人类最不惜气力的创造活动，对劳动的态度也最能见出人的心性与品位。如果要我说现在最想说的话是什么，我想，要说的话只能是：以对劳动的敬畏之心，继续认真地去做我所选定的不断给我带来苦恼也带来快乐的人生志业！

　　日内就要将书稿送交出版社了。由衷地感谢山东文艺出版社的朋友们，感谢他们以他们辛勤的劳动对我热诚的支持！也借此感谢多年来支持过我的所有朋友们！

2004 年 5 月 6 日